रवीन्द्रनाथ त्यागी रचनावली

खण्ड : आठ

खण्ड : एक

व्यंग्य-संसार : खण्ड एक से छह

•खुली धूप में नाव पर (1963) •भित्ति-चित्र (1966) •मल्लीनाथ की परम्परा (1968) •कृष्णवाहन की कथा (1971) •देवदार के पेड़ (1973) •शोक-सभा (1974)

खण्ड : दो

•अतिथि-कक्ष (1977) •फूलों वाला कैक्टस (1978) •सुन्दरकली (1978) •ऋतु-वर्णन (1979) •भद्र पुरुष (1980) •इस देश के लोग (1982) •पद-यात्रा (1985)

खण्ड : तीन

•आत्मलेख (1988) •पराजित पीढ़ी के नाम (1988) •प्रसंगवश (1988)

खण्ड : चार

•विषकन्या (1990) •गणतन्त्र दिवस की शोभायात्रा (1991) •चम्पाकली (1992)

खण्ड : पाँच

•इतिहास का शव (1993) •देश-विदेश की कथा (1994) •भाद्रपद की साँझ (1996) •लाल-पीले फूल (1997)

खण्ड : छह

•बादलों का गाँव (1999) •शेष-अवशेष (2011)

खण्ड : सात

काव्य-संसार

•सूखे और हरे पत्ते (1962) •कल्पवृक्ष (1965) •आदिम राग(1967) •आखिरकार (1978) •सलीब से नाव तक (1983) •अन्तिम बसन्त (1988) •कृष्णपक्ष की पूर्णिमा (1996)

खण्ड : आठ

विविध

•उपन्यास : अपूर्ण कथा (1980) •कहानी (1980) •पत्र (2008) •बाल-साहित्य

रवीन्द्रनाथ त्यागी रचनावली

खण्ड : आठ

सम्पादक

कमल किशोर गोयनका

वाणी प्रकाशन

वाणी प्रकाशन
4695, 21-ए, दरियागंज, नयी दिल्ली 110 002
शाखा
अशोक राजपथ, पटना 800 004
फ़ोन : +91 11 23273167 फ़ैक्स : +91 11 23275710
www.vaniprakashan.in
vaniprakashan@gmail.com
sales@vaniprakashan.in

RAVINDRANATH TYAGI RACHNAWALI-8
Edited by Kamal Kishore Goyanka

ISBN : 978-93-5229-521-0
Rachnawali

प्रथम संस्करण 2016

प्रत्येक खण्ड का मूल्य : ₹ 1000
(आठ खण्ड सेट) सेट मूल्य : ₹ 8000

हर्ष प्रिंटर्स, दिल्ली-110 093 में मुद्रित

वाणी प्रकाशन का लोगो मक़बूल फ़िदा हुसेन की कूची से

अनुक्रम

विविध
उपन्यास : अपूर्ण कथा (1980)

कहानी (1980)
हास्य-व्यंग्य कहानियाँ

पत्र (2008)
रवीन्द्रनाथ त्यागी के लिखे पत्र

बाल-साहित्य
मास्टर भोलाराम (1979)

हमारे माटर साहब (1987)

खेल गाँव (1995)

सुन्दरवन (1995)

कविताएँ

परिशिष्ट

उपन्यास

अपूर्ण कथा

(1980)

घर

यतीन एक बहुत बड़ा सरकारी अफ़सर है। उसके नीचे विभिन्न श्रेणियों के हज़ारों कर्मचारी व सैकड़ों अफ़सर काम करते हैं। उनकी कोठी भी शानदार है और दफ़्तर भी। कोठी के भीतर बहुत धरती पड़ी है, जिस पर शीशम, गूलर, सेमल और आम के पेड़ हैं।

वसन्त के आने पर सारी कोठी महकने लगती है। गेट से घुसकर भीतर तक पहुँचने में काफ़ी वक़्त लगता है। लॉन के बीचो-बीच एक पक्की सड़क है, जिसके ख़त्म होने पर गैराज में खड़ी यतीन की शानदार मोटर दिखाई पड़ती है। कोठी का बरामदा बहुत सुन्दर है। मालती की लताओं ने उसे पूरी तरह ढक रखा है। चाँदनी रात में या वर्षा में यहाँ बैठना बड़ा अच्छा लगता है।

यतीन प्रायः शाम के धुँधलके को केनचेयर पर बैठकर यहीं से देखा करता है। पेड़ों पर न जाने कितनी तरह की चिड़िया रहती हैं, जो अपने कोलाहल से बैठने वालों का मन आह्लादित करती हैं।

यतीन का जो दफ़्तर है, वह कोठी से कुछ दूरी पर है। दफ़्तर शानदार है। बाहर हैट-स्टैण्ड रखा है, जिस पर आने वाले अपना छाता या टोप वग़ैरह टाँगते हैं। इसके बाद उसके बाबू से आज्ञा प्राप्त करके ही भीतर घुसा जा सकता है। बाबू जी हैं, तो स्टोनोग्राफर पर रौबदाब यतीन से ज़्यादा ही रखता है।

दफ़्तर के भीतर यतीन की शानदार मेज़ है, जो शीशे की भाँति चमकती है।

टेबल पर लैम्प, कलम और डायरी वग़ैरह चीज़ें बड़ी एहतियात के साथ रखी जाती हैं क्योंकि यतीन के गुस्से से दोनों चपरासी काफ़ी घबराते हैं। सामने की दीवार पर एक बड़ी घड़ी लगी है और ठीक उसके नीचे एक सोफ़ासेट सजा हुआ है।

कमरे में फूल रखने का बाक़ायदा इन्तज़ाम है और आधा कमरा एक ऐसी मेज़ से घिरा है, जिसके चारों ओर कुर्सियाँ पड़ी हैं, ताकि अगर कोई मीटिंग करनी हो, तो बाहर न जाना पड़े। यतीन दस बजे दफ़्तर पहुँच जाता है और एक सिगरेट सुलगाकर दिन का काम शुरू करता है।

दोपहर का खाना वह दफ़्तर में ही मँगा लेता है? मगर अगर किसी दिन कोई ख़ास बात हो तो लंच में वह घर भी चला जाता है। पाँच बजे के लगभग उसे

छुट्टी मिलती है। पाँच बजने के बाद वह अपने तीनों टेलीफ़ोनों को आख़िरी बार देखता है, अगले दिन की डायरी चेक करता है, अलमारी के ताले को खींचकर यह सन्शय दूर करता है कि वह कहीं खुला तो नहीं रह गया और फिर अपनी मोटर के भीतर दाखिल होता है। दफ़्तर में कभी-कभी देर भी हो जाती है पर ऐसे अवसर ज़्यादा नहीं होते।

जो लोग यतीन को मेरी तरह पास से नहीं जानते, उन्हें यह कभी पता ही नहीं लगेगा कि यतीन ने अपना जीवन कितने कष्टों में गुज़ारा है। अब तो यतीन के पास दर्जनों सूट हैं, बढ़िया जूते हैं, दो बड़े शहरों में मकान बनाने के लिए प्लाट हैं, पर एक दिन ऐसा भी था जब उसके पास कुछ भी नहीं था। वह एकदम निरीह और ग़रीब था और घर की हालत ऐसी थी कि दो जून खाना मिलना भी मुश्किल था।

अब तो यतीन अफ़सर होने के साथ-साथ लेखक भी है और साहित्यिक जगत् में उसे प्रतिष्ठा भी प्राप्त हुई है; पर एक दिन ऐसा भी था जब उसके पास स्कूल की फीस देने के लिए एक कौड़ी भी न थी। मगर इन बातों को जानने के लिए हमें लगभग पचास वर्ष पीछे लौटना पड़ेगा। इसके अलावा यतीन को जानने का और कोई चारा नहीं।

दो

यतीन का जन्म कोई अड़तालीस वर्ष पहले पश्चिमी उत्तर प्रदेश के एक छोटे से क़स्बे में हुआ था। उसके पिता एक मामूली से डॉक्टर थे, जो अपने गुस्से, बेईमानी और आलस्य के कारण काफ़ी प्रसिद्ध थे। रोगी उनके पास जाने से घबराता था, क्योंकि उसे डाँट खानी पड़ती थी। इस सबका परिणाम यह हुआ कि एक दिन काफ़ी दयनीय अवस्था में उन्हें अपनी प्रैक्टिस बन्द करनी पड़ी, लोगों के कर्ज़े चुकाने पड़े और देहात के लिए रवाना होना पड़ा।

यतीन उन दिनों कोई पाँच वर्ष का बालक था। गाँव में जाकर उसके पिताजी बीमार रहने लगे और परिवार के लोगों ने उनका भार उठाने से इनकार कर दिया। थोड़ी-बहुत ज़मीन में जो हिस्सा उनका निकलता था, वह भी देने से मना कर दिया। और तो और, यतीन और उसके परिवार के लोगों को रहने का आश्रय भी नहीं मिला और विवश होकर वे पैतृक बैठक के एक कच्चे हिस्से में रहने लगे।

यतीन को ठीक याद है कि बैठक का जो पक्का वाला हिस्सा था, उस पर दो बड़े-बड़े मोर अंकित थे जो लगभग पचास या पचहत्तर वर्ष बीतने के बाद भी मिटे नहीं थे। थोड़े दिनों बाद जब वह निश्चय हो गया कि गाँव में उनके भाई-भतीजे उन्हें नहीं रहने देंगे तो वे अपने परिवार के साथ अपनी पत्नी के घर चले गये।

उनकी पत्नी यानी की यतीन की माँ-बाप की इकलौती सन्तान थीं और उनका

घर पास ही के एक दूसरे क़स्बे में था। एक दिन एक बैलगाड़ी में सारा सामान डालकर यतीन, उसकी बड़ी बहिन प्रेम, छोटी बहिन शारदा और माता-पिता गाँव छोड़कर उस क़स्बे को चले गये।

रास्ता बहुत ख़राब था, रास्ते में ढाक का वन पड़ता था, एक नदी पड़ती थी और भेड़ियों का भी भय था। दोपहर ढलने तक वे अपने नये घर पहुँच गये पर वहाँ जो किराएदार रहता था, उसने मकान तुरन्त खाली करने से मना कर दिया। बड़ी विपत्ति में जान फँसी।

यतीन को याद है कि मोहल्ले की एक ब्राह्मणी ने बड़े स्नेह के साथ उसे मेथी की भुजिया और पराँठे खाने को दिये थे और मोहल्ले के ही एक और ग़रीब आदमी ने उन्हें आश्रय दिया था। काफ़ी झगड़े टण्टे के बाद किरायेदार ने मकान खाली किया और वे अपने नये घर में आये।

नया घर काफ़ी खस्ता हालत में था। कच्चा मकान जिसकी दीवारों पर वर्षा ऋतु में फूस की टट्टियाँ रखनी पड़ती थीं। रहने के लिए एक दालान था उसके सामने बरामदा था और बग़ल में एक बहुत पुराना कमरा था, जिसमें कभी यतीन की अम्मा की असहाय बुआ रहती थीं। घर के बीचोबीच एक टूटी हुई पर्दे की जालीदार दीवार थी और घर के बाहरी हिस्से में बैठक थी, जिसके बाहर टीन पड़ा था।

यतीन के माता-पिता और बड़ी बहिन ने पुराने मिट्टी के बर्तन साफ़ किये और उन्हें तरतीब से लगाया। उसके पिता के डॉक्टरी काल का जो फर्नीचर था, वह बाहर के कमरे में लगा दिया गया। आँगन में केले के वृक्ष थे, एक पेड़ पपीते का था और बाहर मालती की झाड़ियाँ थीं। टीन के नीचे बैठकर उनके रंग-बिरंगे फूलों के गुच्छे बड़े सुन्दर दिखाई पड़ते थे। टीन के आगे आम रास्ता था जिसकी ईंटें उखड़ी हुई थीं और नालियाँ गन्दी थीं। हफ़्ते में एक बार जमादार आता था जो नालियों का कूड़ा साफ करता था। फिर चुंगी की गाड़ी आती थी जो उस कूड़े को कभी-कभार उठा ले जाती थी।

तीन

जिस क़स्बे में यतीन आकर अब रहने लगा वह और क़स्बों की तरह काफ़ी गन्दा था। सड़कें तंग थीं और नालियाँ गन्दी। क़स्बे में मुसलमान ज़्यादा थे और हिन्दू कम, मगर दोनों लोग काफ़ी मेलजोल से रहते थे। क़स्बे में कुछ लोग जागीरदार थे, कुछ दुकानदार और बाक़ी मज़दूर या नौकर।

मरने से पहले यतीन के नाना भी एक जागीरदार के कारिन्दे थे मगर ईमानदार होने के कारण वे ग़रीब ही मरे। सारे घर में उनकी एक तस्वीर अच्छी थी जो तब ली गयी थी, जब वे अपने मालिक के साथ दिल्ली दरबार देखने गये थे। तस्वीर से

पता लगता था कि वह दाढ़ी रखते थे, अलीगढ़ी पायजामा और बन्द गले का लम्बा कोट पहनते थे, जेबी घड़ी रखते थे और पगड़ी बाँधते थे।

जागीरदारों की हवेलियाँ काफ़ी शानदार थीं और उनके भीतर बहुत बड़ा अहाता होता था। वे लोग सवारी के लिए टमटम या बग्घी रखते थे, बाक़ी लोग पैदल चलते थे। साइकिल का रिवाज़ उन दिनों नहीं था। जो लोग रेल पकड़ना चाहते थे वे पाँच मील दूर एक दूसरे क़स्बे में जाते थे और उसके लिए घोड़ा-ताँगा हमेशा तैयार मिलता था। भाड़ा भी कम ही लगता था। आमतौर से लोग सुबह की डाकगाड़ी पकड़ना चाहते थे, वे ताँगे वाले से रात को ही कह दिया करते थे। इसके बाद घोड़ा-ताँगा सुबह चार बजे अपने-आप घर पर पहुँच जाता था।

क़स्बे के बाहर निकलने पर एक नदी पड़ती थी जिस पर पुल बनाकर नहर निकाली गयी थी। वहीं एक सरकारी डाकबँगला भी था। पहाड़ वहाँ से कोई बीस मील की दूरी पर होंगे। वर्षा ऋतु के बाद नदी पर से खड़े होकर हिमालय की निचली श्रेणियाँ आसानी से देखी जा सकती थीं।

क़स्बे के चारों ओर जागीरदारों के बागान थे। कुछ झीलें थीं और कच्ची सड़कें थीं। वर्षा ऋतु में झीलें बुरी तरह पानी से भर जाती थीं और बड़ा सुन्दर लगता था। उनमें नीचे कमल भी होते थे और सिंघाड़े भी। वसन्त के जाने पर इन बागों की शीशमें अपने झुमकों से लद जाती थीं और कचनार तथा हरसिंगार सारे के सारे माहौल को ही बदल डालते थे।

दूसरे शब्दों में यह क़स्बा भीतर से जितना गन्दा था, उसके बाहर का वातावरण उतना ही सुन्दर था। यतीन अपने पिताजी के साथ प्रायः क़स्बे के बाहर घूमने जाया करता था। क़स्बे के भीतर सब्ज़ी मण्डी के पास जामा-मजिस्द थी जो कला का बढ़िया नमूना थी।

क़स्बे का वर्णन करने के बाद कुछ चर्चा उस मोहल्ले की भी करनी उचित होगी, जिसमें यतीन का टूटा-फूटा मकान था। उसके मकान के पीछे जो पटवारी जी का मकान था। उसमें एक प्राइमरी स्कूल चलता था। दक्षिण में उसी ब्राह्मणी का मकान था, जिसने यतीन को पराँठे खिलाये थे। उनके पति एक ज़ागीरदार के गुमाश्ते थे और अच्छी तरह रहते थे। उनके घर में एक जामुन का पेड़ था, जिसका आधा हिस्सा यतीन के घर के भीतर झुका हुआ था। यतीन, उसकी बहिनें व बाक़ी संगी-साथी भी ख़ूब जामुनें खाते थे। जामुन के साथ-साथ कभी उस ब्राह्मणी की गालियाँ भी खाने को मिलती थीं।

उत्तर की दिशा में बहुत सारी ज़मीन खाली पड़ी थी, जिसके मालिक कहीं पुलिस में नौकरी करते थे। यह जब कभी भी छुट्टी पर आते थे, तो अपनी बन्दूक साथ लाना नहीं भूलते थे।

सामने की दिशा में पूरब पड़ता था और निकलता सूरज यतीन के आँगन

में आता था। इस दिशा में सड़क के पार एक तो एक लाला का मकान था, जो आढ़त करते थे और जो भी खाते-पीते थे। खाने की चीज़ों के दाम बढ़ने से, जहाँ यतीन की माँ की छाती दहलती थी, वहाँ लालाजी के घर में दाम बढ़ने पर खुशियाँ मनायी जातीं।

उनके पक्के मकान के साथ लल्लू महाराज की कच्ची झोंपड़ी थी, जो कर्ज़े में कहीं गिरवी रखी हुई थी। लल्लू महाराज बैलगाड़ी रखते थे और उसे भाड़े पर चलाते थे। उनको क़िस्सा सुनाने की कला आती थी। उनको याद न जाने कितने क़िस्से थे, जिसमें राक्षस और परियाँ राजकुमारों को तंग करती थीं।

उनके मकान के बाद एक पीपल का पेड़ था और उसके बाद मन्दिर के पास वाला मोहल्ला महलवाला कहलाता था। सुना जाता था कि पुराने ज़माने में कोई राजा मंगलसेन थे। यह मन्दिर और उसके सामने का कुआँ उन्हीं ने बनवाया था। उनके परिवार की जो स्त्रियाँ सती हो गयी थीं, उनकी समाधि जंगल में थी। पुत्रजन्म या शादी-विवाह इत्यादि के अवसर पर सब लोग वहाँ जाते थे और पूजा करते थे।

मोहल्ले में बड़े आदमी तीन थे। एक थे राय बहादुर डॉक्टर साहब, जिन्होंने सारी उम्र बर्मा में नौकरी की थी और जो जेल सुपरिण्टेण्डेण्ट के पद से रिटायर हुए थे। वह अब भी शान से रहते थे, सूट पहनते थे, सिगार पीते थे और छड़ी के सहारे अपने एक पुराने दोस्त, जो कि एक रिटायर्ड डिपुटी कलेक्टर थे, से मिलने जाया करते थे। उनमें रौबदाब जो था वह तो था ही; पर साथ ही साथ सार्वजनिक हित की भावना बहुत थी। उन्होंने अपने आने के कुछ वर्ष बाद ही क़स्बे के बाहर एक हाईस्कूल की स्थापना की और बाद में चलकर एक स्कूल लड़कियों के लिए भी खोला।

दूसरे थे दो चौधरी लोग, जो आपस में सगे भाई थे, मगर जिनमें आपस में कोई बोलचाल नहीं थी।

इनमें से एक भाई बड़े कट्टर आर्यसमाजी थे और उन्होंने कोई तीन या चार विधवाओं के साथ तो ख़ुद ही शादी की थी। उनकी बीवियाँ थीं कि मरती जाती थीं और वे थे कि शादी के बाद शादी करते जाते थे।

दूसरे भाई बड़े मोटे थे। बड़ी गन्दी गालियाँ देते थे और काफ़ी रौब के साथ खेती करवाते थे। वह उन लोगों में थे जिन्हें आजकल दादा कहकर पुकारा जाता है। क़स्बे के बाक़ी जागीरदार कुछ दूरी पर रहते थे। इन लोगों में एक जागीरदार बड़े दिलचस्प थे। वह इतनी मीठी और प्यार भरी वाणी बोलते थे कि पत्थर भी पिघल जाए। हालाँकि सब जानते थे कि जो कोई भी उनके चंगुल में एक बार फँस गया, वह फिर कभी वहाँ से निकल नहीं सकता था। उन्होंने मरते वक़्त कोई एक करोड़ रुपया छोड़ा।

चार

यतीन की माँ और बहिनों ने घर को काफ़ी साफ़ कर दिया था। मिट्टी को पानी में घोलकर दीवारें पोत दी थीं और फर्श पर गोबर पोता जाता था। आँगन में अनार और अमरूद लगा दिये थे, जिनसे घर में कुछ ताज़गी आ गयी।

यतीन की उम्र उस वक़्त कोई आठ साल की होगी, जब उसे मदरसे में भर्ती किया। फीस भी दो पैसा या एक आना माहवार, पर वह भी जुटनी मुश्किल ही रहती थी।

बड़ी बहिन प्रेम कोई चौदह वर्ष की होगी और वह वाक़ई बड़ी सुन्दर लड़की थी। छोटी बहिन और बड़ी बहिन दोनों घर पर ख़ुद ही पढ़ती थीं। इनके अलावा यतीन की एक और बड़ी बहिन भी थी, जिसकी शादी हो चुकी थी और जो अपनी ससुराल में रहती थी। उनके पति पहले तो ग्राम सुधार विभाग में थे और बाद में एक प्राइमरी स्कूल में अध्यापक हो गये थे। कुछ ज़मीन थी, जिसमें खेती-बाड़ी होती थी।

यतीन की माता बड़ी आस्तिक थीं और भगवान में बड़ा विश्वास रखती थीं, कभी सम्भव होता, तो घर पर सत्यनारायण की कथा भी करायी जाती थी और व्रत उपवास भी रखे जाते थे।

यतीन के पिता मध्यम क़द के व्यक्ति थे, जिनकी आयु उस समय कोई पैंतालीस वर्ष रही होगी। वह आलस्य और अकर्मण्यता के साक्षात् अवतार थे और घर की सारी विपत्ति उन्हीं के कारण थी। आसपास के देहाती क्षेत्र में उनके काफ़ी मित्र थे और वे चाहते, तो वहाँ प्रैक्टिस खोलकर हज़ारों रुपया कमा सकते थे; पर ऐसी ग़लती उन्होंने कभी नहीं की।

वह सुबह उठते थे, घूमने जाते थे, इसके बाद खुरपे से फूलों की क्यारियाँ ठीक करते थे और दोपहर का खाना खाने के बाद सो जाते थे। तीसरे पहर उठते, हुक़्क़ा पीते और यारबाज़ी को निकल जाते। शाम को आते, अम्मा को गालियाँ देते खाना खाते और फिर सो जाते। घर में कुछ हो या न हो, पर उनके इस क्रिया-कलाप पर कोई प्रभाव नहीं पड़ता था। वह उधार लेने में उस्ताद थे और ज़्यादा याद दिलाने पर कहा करते थे कि घर के लोग प्याला हाथों में ले लें और भीख माँगने निकल जाएँ। तारीफ़ की बात यह थी कि एक तरफ़ माँ के ज़ेवर, घर बर्तन और सामान हम लोगों के पालन-पोषण में बिकता जा रहा था और दूसरी तरफ़ घर में हर दूसरे या तीसरे वर्ष बच्चा पैदा होता रहता था।

यतीन के ये छोटे भाई बहिन उचित भोजन और दवाई वग़ैरह की व्यवस्था न होने के कारण मर जाते थे। बच्चे के मरने पर यतीन की माँ बहुत रोती थी, कोई फटा पुराना कपड़ा बतौर कफ़न के उसके ऊपर डाल देती थी और फिर पिताजी की गालियाँ खाने लगती थीं।

घर का गुज़ारा चलना धीरे-धीरे कठिन होता जा रहा था। यतीन को मदरसे से

हटा लिया गया। मोहल्ले की एक बनैनी ने सारे ज़ेवर रख लिये, जो फिर कभी नहीं लौटे। जो थोड़ा-बहुत रुपया अम्मा के पास था, वह भी ख़र्च हो गया।

अक्सर ऐसे दिन आने लगे कि खाना एक ही वक़्त पकता या बच्चों को खाना देने के बाद अम्मा कह देती कि आज उनका व्रत है। मगर तीज-त्योहारों के दिन स्थिति बड़ी दुखदायक हो जाती थी। यतीन को याद है कि एक दीवाली को उनके यहाँ एक दीया भी नहीं जला था। और लोगों के यहाँ मिठाई और पकवान बने थे पर उनके यहाँ उस दिन चूल्हा भी नहीं जला।

यतीन ने जब बार-बार भूख की शिकायत की तो बड़ी बहिन प्रेम गुड़ की एक डली और एक लोटा पानी ले आयी। बोली कि इसे खाकर पानी पी लो क्योंकि घर में और कुछ आज नहीं है। इतना कहने के बाद उसने गर्दन मोड़ी और वह रोने लगी।

पाँच

यतीन के पिता वास्तव में विचित्र व्यक्ति थे। अकर्मण्यता और ग़ैर-ज़िम्मेदारी की भी एक हद होती है, पर उनको देखकर लगता था कि उन्होंने वह भी तोड़ दी थी।

अपने बचपन में वह गाँव से भागकर लाहौर गये थे और वहाँ शिक्षा प्राप्त की थी। उन्होंने लाला लाजपतराय, लाला हरदयाल, मास्टर राजपाल और उस पीढ़ी के अन्य महान् व्यक्तियों को लाहौर में पास से देखा था।

मैथिलीशरण गुप्त की भारत-भारती उन दिनों सरस्वती में धारावाहिक रूप से छपा करती थी और उसकी नक़ल वह अपनी एक कॉपी में किया करते थे। उनका हस्तलेख बहुत सुन्दर थां। एकदम मोती जैसा।

शिक्षा प्राप्ति के बाद उन्होंने विवाह किया और काम भी करने लगे। मगर इस बीच उनकी दोस्ती कुछ ऐसे लोगों से हो गयी जो अमीर होने के साथ-साथ निकम्मे और दुराचारी भी थे। उनकी संगति ने ही शायद उन्हें बदल दिया।

थोड़े वर्षों बाद सफ़ाई पसन्द होने के अलावा उनमें कोई भी पुराना गुण नहीं रहा। उनके अनैतिक आचरण भी लोगों को मालूम होने लगे। उनके पास किताबों का अभी भी काफ़ी बड़ा स्टॉक था, जिसमें ज़्यादातर पुस्तकें संस्कृत की थीं।

उनके सारे अवगुण निभ सकते थे, बशर्ते कि वे अकर्मण्य न हुए होते। थोड़ा-बहुत बीमार भी वे रहते थे; पर वह कोई ख़ास बाधा नहीं थी। वे अकर्मण्य हुए, फिर स्वार्थी और बेईमान हुए और इसके बाद क्रूर और निर्दयी हो गये। अगर उन्हें खाना मिल जाता, तो उन्हें कभी भी यह चिन्ता न होती कि घर में किसी और ने खाना खाया है या नहीं।

बीवी को गन्दी-गन्दी गालियाँ देना और बच्चों को बुरी तरह बिना बात पीटना उनकी आदत हो गयी थी और स्थिति यह होती थी कि वे जब ऊँचा बोल कर कोई

सीन शुरू करते थे तो सामने वाले मकान के लोग अपनी छत पर खड़े होकर सब कुछ देखा करते थे।

इस दोहरे अपमान से यतीन शर्म के मारे धरती से गड़ जाता था। उधार माँगने के मामले में वे काफ़ी बेशर्म थे और वक़्त बेवक़्त क़र्ज़दारों द्वारा अपमानित भी किये जाते थे। उनकी मनोवृत्ति कुछ ऐसी हो गयी थी कि कुछ कहा नहीं जा सकता।

एक बार की बात है कि यतीन के एक छोटे भाई को चेचक निकल आयी। उसकी मृत्यु निकट आ गयी। उस छोटे से बच्चे ने अपने जीवन में कभी नयी कमीज़ नहीं पहनी थी और चेचक के तेज़ बुख़ार में भी वह उसके लिए रोता रहता था।

यतीन की माँ ने पड़ोस से एक रुपया उधार लिया, कपड़ा ख़रीदा और जल्दी-जल्दी कमीज़ सिली। कमीज़ बच्चे को पहना दी गयी। थोड़ी देर बाद वह मर गया। यतीन के पिता ने कहा कि मुर्दे के ज़िस्म से नयी कमीज़ उतार लो, ताकि उसे कोई और बच्चा पहन सके।

यतीन की अम्मा ने उस दिन बहुत झगड़ा किया।

शायद यतीन के छोटे भाई बहिनों में वही एक ऐसा बच्चा था, जो नये कपड़ों में दफनाया गया।

यतीन हमेशा यह सोचा करता था कि और लोगों की भाँति उसके पिताजी काम क्यों नहीं करते?

उन्हीं के घर में ग़रीबी क्यों है?

वे ही इतने असहाय और अपमानित क्यों हैं?

ईश्वर ने उन्हें ही ऐसा क्यों बनाया?

मगर सारी कमियों के बावजूद सब बच्चे अपने पिता से प्यार करते थे। जब पिता घर छोड़कर परदेस भाग जाने की धमकी दिया करते थे या जब वे एक क़र्ज़ के चक्कर में गिरफ़्तार होकर चले गये थे, तो ऐसे निर्दयी बाप के लिए भी सारे बच्चे बुरी तरह रोये थे।

छः

दिन बीतते रहे। किसी-न-किसी तरह गुज़ारा होता रहा। सस्ते ज़माने थे और लोगों में दया धर्म अब से ज़्यादा था। कभी फ़सल का कुछ हिस्सा गाँव से आ जाता, तो कभी पास के गाँव के पुराने मरीज़ कुछ अनाज वग़ैरह दे जाते। तीज-त्योहारों पर मोहल्ले वाले मदद कर देते और बीमारी वग़ैरह में डॉक्टर बिना पैसे के इलाज कर देता।

मगर इल्लत यह थी कि यतीन की बड़ी बहिन प्रेम जवान होती जा रही थी। यौवन आने के साथ-साथ उसका रूप भी निखरता जा रहा था और इसी कारण उसकी माता ने उसका बाहर आना-जाना लगभग बन्द-सा कर दिया था। अम्मा

को उसकी शादी की इतनी चिन्ता रहती थी कि उसे देखकर प्रेम कभी-कभी सोचा करती थी कि वह ज़हर खा ले, ताकि सबकी चिन्ता समाप्त हो जाए।

कभी-कभी यतीन भी सोचा करता था कि घर के सारे पीतल के बर्तन बेचकर ज़हर ख़रीद लिया जाए, ताकि सारे परिवार की इस दुःख से मुक्ति हो सके।

प्रेम वाक़ई जवान हो गयी थी, पर ऐसी हालत में उसकी शादी होना असम्भव था। गाँव वाले जो परिवार के लोग थे वे तो इतने दयालु नहीं थे मगर मोहल्ले में जो दयावान लोग थे, वे भी इतने बड़े काम के लिए क्या मदद कर सकते थे?

यतीन की माँ एक दिन उस जागीरदार के पास गयी, जिसके पिता के नीचे यतीन के नाना कारिन्दे थे और लाखों का हिसाब ईमानदारी से देखते थे।

जागीरदार साहब ने उन्हें बहिन कहकर पुकारा। पूरी बात सुनी और मदद करने का वादा भी किया। मगर शर्त यह रखी कि मकान गिरवी रख दिया जाए।

अम्मा जानती थी कि एक बार गिरवी रखने के बाद मकान हाथ से निकल जाएगा, पर फिर भी वह तैयार हो गयी।

वह तो प्रेम थी, जो बीच में टाँग अड़ा बैठी और बोली कि यदि मेरी शादी के लिए घर गिरवी रखा गया, तो मैं कुएँ में कूद जाऊँगी।

यतीन की बड़ी बहिन के पति सज्जन प्रकृत्ति के व्यक्ति थे। उन्हें प्रेम की शादी की वाक़ई चिन्ता थी। उनके पास के गाँव में एक रईस रहते थे, जिनकी आयु कोई पैंतीस वर्ष थी और जिनकी दो पत्नियाँ शादी के बाद मर चुकी थीं। वह प्रेम के साथ शादी करने को तैयार हो गये। दहेज वग़ैरह की कोई शर्त नहीं रखी गयी। देखने भालने में वे काफ़ी चुस्त और सुन्दर थे। हाँ अलबत्ता अपनी ऊँची पोज़ीशन का अभिमान उनमें ज़रूरत से ज़्यादा था।

अन्त में और कोई चारा न देखकर प्रेम की शादी वहीं तय कर दी गयी।

बड़ी दर्दनाक शादी थी। दहेज के नाम पर शायद पाँच इस्तेमाल किये बर्तन, कुछ नयी पुरानी धोतियाँ और बाक़ी सामान। यह सब कुछ भी यतीन की बड़ी बहिन ने ही जुटाया था। नगद ख़र्चा जो था वह भी उन्होंने ही किया।

किसी तरह प्रेम के हाथ पीले हो गये।

शादी के पहले तक प्रेम फटी धोतियों में गाँठ लगा-लगा कर उन्हें पहना करती थी और अब उसे ससुराल से आयी बनारसी साड़ी पहनने को मिली।

बारात सिर्फ़ एक दिन रुकी। वर के स्वागत के समय मंगल कलश पीतल का न होकर मिट्टी का एक घड़ा था, जिसे देखते ही दामाद साहिब की भँवें तन गयीं।

अगले दिन अपने गरीब परिवार को छोड़कर प्रेम अपनी अमीर ससुराल चली गयी। जाते वक़्त वह इतना रोयी, इतना रोयी कि कुछ कहा नहीं जा सकता। यतीन को तो ऐसा लगा कि बहिन की पालकी नहीं, बल्कि उसकी अर्थी ही बाहर जा रही है। ग़रीबी में शादी ब्याह और कैसा लगता?

कुछ महीने बाद प्रेम ससुराल से वापस आयी, तो एकदम बदली हुई थी। अब उसने अमीर औरतों की भाँति ज़ेवर पहन रखे थे। साड़ी भी क़ीमती थी। चप्पल भी नये थे। उसका चेहरा भी खिला हुआ था।

यतीन और शारदा को अब वह परायी सी लगी। यतीन अपनी फटी कमीज़ पहने उससे बचता-बचता फिरता रहा।

सबसे पहले प्रेम ने बाज़ार से मिठाई मँगवायी और यतीन को कुछ रुपये देकर खाने-पीने का सामान मँगवाया।

उस दिन घर में अर्से बाद भात और पूरियाँ बनीं। सबने भरपेट खाना खाया।

प्रेम ने बताया कि उसकी ग़रीबी के कारण उसे ससुराल में काफ़ी अपमानित होना पड़ा, पर पति दिल के अच्छे थे। उन्होंने तो यहाँ तक भी कहा था कि यदि तुम चाहो तो अपनी माता वग़ैरह के लिए नियमित रूप से कुछ धन भेज सकती हो, पर इस भिक्षा को प्रेम ने स्वीकार नहीं किया।

उसने यतीन को बहुत प्यार किया, उसे नये कपड़े दिये, उसके लिए पतंग और डोर मँगवायी और उसे नये जूते भी दिये।

यतीन अपनी बहिन से फिर भी बचता रहा, क्योंकि वह तो अब अमीर हो गयी थी। प्रेम ने उसे साथ ले जाने का प्रस्ताव किया, तो उसे भी यतीन ने मना कर दिया।

इसके बाद वह चाँदनी रात में घर से निकला और मन्दिर की दीवार पर जाकर बैठ गया।

अगले दिन मोहल्ले की स्त्रियाँ प्रेम से मिलने आयीं।

यतीन छत पर बैसाख की पीली धूप में पतंग लूटता रहा या फिर अपने साथी बल्लू भगत के साथ लूटी हुई पतंगे गिनता रहा। लूटी हुई पतंगों और माँझे का उसके पास काफ़ी बड़ा स्टॉक था। पतंगों के पेंच देखने में उसे बड़ा मज़ा आता था। स्कूल वग़ैरह तो कुछ जाना नहीं था। करता भी तो क्या करता?

कुछ दिन रहने के बाद प्रेम अपने घर वापिस चली गयी।

सात

यतीन के पढ़ने का कोई ठिकाना नहीं था। पहले उसे प्रेम थोड़ा-बहुत पढ़ा दिया करती थी, पर अब तो वह भी नहीं थी।

यतीन को स्कूल की सुविधा नहीं थी, उसे शिक्षा प्राप्त करने की उत्कृष्ट इच्छा थी और वह उन सब बच्चों से ईर्ष्या करता था, जो कि स्कूल जाते थे।

इत्तिफाक की बात कि कुछ दिनों बाद मोहल्ले में लाला मेहरचन्द की जो विशाल कोठी थी, उसमें मिडिल तक का एक अँग्रेज़ी स्कूल खुल गया।

यतीन को किसी तरह उसी में भर्ती कर दिया गया। मगर यह बात ज़्यादा देर

नहीं चली। किसी लड़के के जूतों की चोरी का इलज़ाम उस पर लगाया गया और उसे पाँचवीं कक्षा से स्कूल छोड़ना पड़ा। चोरी लगाने का आधार यह था कि सारे स्कूल में केवल यतीन ही एक ऐसा लड़का था जिसके पास जूते नहीं थे और जो नंगे पैर स्कूल आता था।

स्कूल से छुट्टी पाने के बाद यतीन के पिता ने उसे एक वैद्यजी के पास छोड़ दिया, ताकि वह मुफ़्त में संस्कृत पढ़ सके।

वैद्यजी भी एक ही उत्साही व्यक्ति थे। सारा दिन प्रैक्टिस करने के बाद भी उन्हें लड़कों को कुछ पढ़ाने तथा कुछ स्त्रियों से अनैतिक सम्बन्ध रखने का समय मिल ही जाता था।

उनके पास बहुत सारी पत्रिकाएँ आती थीं, जिनकी वे जिल्दें बँधवा कर शीशे की अलमारी में रख देते थे।

यतीन की उनके यहाँ तबीयत नहीं लगी। एक तो सारा दिन खरल घोटना पड़ता था और दूसरे उस समृद्ध और अमीर वातावरण में उसे बड़ी हीनता की भावना होती थी।

वैद्यजी की पत्नी बड़ी उदारमना थी। कभी-कभी यतीन को चोरी से खाना भी खिला दिया करती थी। यतीन उस दिन खाता तो भरपेट था; पर बाद में उसे अपने ऊपर बड़ा तरस आता था और एकान्त पाकर वह कभी-कभी रो पड़ता था।

इसी बीच क़स्बे के एक पुराने मन्दिर में एक संस्कृत पाठशाला खुल गयी। यतीन वहीं जाने लगा। फीस कुछ थी नहीं और पुस्तकें पाठशाला से ही मिल जाती थीं।

यतीन वहाँ कोई दो वर्ष पढ़ा। इस अवधि में उसने लघु चन्द्रिका, अमरकोष, चन्द्रालोक, विदुरनीति और कालिदास का रघुवंश पढ़ा।

उसकी उम्र उस समय कोई चौदह वर्ष की रही होगी, जबकि कालिदास की कविता के सौन्दर्य ने उसे पहली बार अभिभूत किया।

वसन्त शरद, वर्षा, सुख इन सब चीज़ों में उसे एक नयी नवीनता का आभास होने लगा। बादलों से भरा आकाश, चैत्र की धूप और शिशिर के चन्द्रमा ने उसके लिए एक नया रूप धारण कर लिया।

इत्तिफाक की बात, वह पाठशाला अचानक टूट गयी, ग़रीब शास्त्री जी वेतन न मिल पाने के कारण कहीं अन्यत्र चले गये

इसी बीच यतीन की बड़ी बहिन अपनी माँ और भाई बहिनों से मिलने अपने गाँव से आयी।

घर की हालत को ध्यान में रखते हुए वह अपने खाने के लिए आटा-दाल वग़ैरह भी साथ ही लाती थी।

उसने यतीन से कहा कि वह हिम्मत करे, तो पाँच मील दूर एक क़स्बे में जो पाठशाला है, उसमें दाखिला ले ले।

शिक्षा की बात सुनकर यतीन की आँखों में ख़ुशी के आँसू आ गये। एक दिन

अपना फटा पुराना बिस्तर और कुछ और चीज़ें लेकर वह पास के क़स्बे में चला गया।

पाठशाला में स्थान तो मिल गया, मगर खान-पान और रहने के स्थान को लेकर उसे काफ़ी परेशानी पड़ी।

दिन भर तो वह पढ़ता था, शाम को चन्द और लड़कों के साथ कुछ समृद्ध घरानों से दान या भिक्षा माँगने जाता था और फिर सब लड़के मिलकर खाना पकाते थे। जाड़ों के दिनों में वह स्थिति काफ़ी कष्टप्रद थी।

रात को वह एक बड़ी धर्मशाला के फाटक में सोता था, जहाँ पश्चिम की ठण्डी हवा सीधी आती थी।

छुट्टी के दिन यतीन अपने एक मित्र किशोरीलाल के साथ रेलवे लाइन के पास घूमने जाया करता था। रेल से उसे बड़ा लगाव था। सिगनल गिरना, गार्ड साहब का बत्ती दिखाना, गाड़ी का सीटी देना और उसके बाद कोयले के इंजन की आवाज़ के साथ गाड़ी का चल पड़ना उसे बड़ा विस्मयपूर्ण लगता था। गाड़ी को पटरी बदलते देखने के सिलसिले में उसने न जाने कितना समय खोया था।

बाकी दिनों वही तर्क संग्रह, चन्द्रालोक व अमरकोष को रटना और भिखारी जैसी स्थिति में रहना।

एक वर्ष के बाद उसने पाठशाला छोड़ दी। हालाँकि नागानन्द नाटक और कुमार सम्भव काव्य ने उसे संस्कृत के प्रति जो अटूट प्रेम दे दिया था, वह फिर कभी ख़त्म नहीं हुआ।

आठ

यतीन की रिश्ते की एक मौसी थी, जो उनसे भी ज़्यादा ग़रीब थी। वह एक टूटे-फूटे मकान या झोंपड़ी में रहती थी। देखने में चन्द्रमा के समान गोरी और वसन्त-सी सुन्दर। फटी धोती और गन्दी चादर से भी कुलीन प्रतीत होती थी।

बच्चों को देखकर इतना ख़ुश होती थी कि कुछ कहा नहीं जा सकता। वह उन्हें चूमती, कहानियाँ सुनाती और पहेलियाँ बुझाती।

वह प्रायः यतीन के यहाँ आया करती थीं और चक्की पीसने और चावल वग़ैरह कूटने में मदद किया करती थीं।

जब वह जातीं तो यतीन की अम्मा उन्हें कुछ चावल और आटा वग़ैरह ज़रूर देतीं। मगर वह सारा पुण्य कार्य यतीन के पिताजी की चोरी से होता था।

दुर्भाग्य की बात कुछ ऐसी रही कि मौसी जी बीमार पड़ गयीं और भूख व दवाई न मिलने के कारण मृत्यु के पाश में फँस गयीं। उनकी मृत्यु के समय यतीन मौजूद था। ज़िन्दगी में उसने पहली बार देखा था कि लोग कैसे मरते हैं और जीवन जो है वह कितना निरर्थक है।

वह देखता रहा कि मुर्दे को कैसे नहलाते हैं, कैसे अन्तिम बार कपड़े पहनाते हैं और कैसे चिता में जलाते हैं। चिता में आग लगाते समय तो यतीन को ऐसा लगा कि जैसे उसी की देह में दियासलाई खींची जा रही हो। थोड़ी देर चिता जली और एक आदमी जो अभी-अभी कुछ घण्टों पहले तक हमसे बोल रहा था, मज़ाक़ कर रहा था, हमेशा के लिए ख़त्म हो गया।

मौसी के अन्तिम संस्कार का प्रबन्ध मोहल्ले वालों ने ही किया था।

यतीन को यह सोचकर बड़ा सन्तोष हुआ कि ये जो अमीर लोग हैं, वे भी एक न एक दिन इसी तरह मरेंगे। जैसा कि यतीन की माँ कहती थी– मर जागा लाख करोड़ी, मर जागा लुटिया डोरी।

मौसी की मृत्यु पर यतीन बहुत फूट-फूटकर रोया। उसे प्यार करने वालों में उसकी माँ को छोड़कर यह मौसी ही थी, जो इतना प्यार करती थीं।

कई दिन बाद उसका रोना-धोना कुछ कम हुआ और तब उसे अपनी किताबों की याद आयी। पता नहीं क्यों इस बार उसका मन किताबों में नहीं लगा। वह सोचने लगा कि मोहल्ले के बाक़ी सारे लड़के स्कूल जाते हैं और वह पाठशला जाता है। वे लोग निकर, शर्ट और पैण्ट पहनते हैं, जबकि उसका पहनावा वही रहता है, एक फटा सा गन्दा पायजामा और एक वैसा ही कुर्ता। जूते भी उसके पास नहीं थे।

हीनभावना ने उसे बुरी तरह ग्रस्त कर लिया। इसके बाद पाठशाला में पढ़कर होगा क्या? बाक़ी लड़के तो डॉक्टर, इंजीनियर, बाबू या अफ़सर बनेंगे और वह बहुत से बहुत अपने शास्त्री जी जैसा हो जाएगा, जो उसे पढ़ाया करते थे।

संस्कृत पढ़ने से उसका मन उचट गया था, क्योंकि वह मोहल्ले के बाक़ी लड़कों की भाँति अँग्रेज़ी स्कूल में पढ़ना चाहता था। मगर प्रश्न यह उठता था कि यह सब हो तो कैसे हो? यतीन के पिता को तो कोई दिलचस्पी थी नहीं और माँ बेचारी कर ही क्या सकती थी?

यतीन घर में घुसा रहा और रोता रहा।

मोहल्ले के एक पण्डित जी थे, जो अँग्रेज़ी स्कूल में अध्यापक थे और हिन्दी तथा संस्कृत पढ़ाते थे। बड़े सज्जन और दयालु प्रकृति के पुरुष थे। उन्होंने पूर्ण बात सुनी और स्कूल के हेडमास्टर से बात की। एक दिन वे यतीन के घर आये और उसकी माँ से उसके दाखिले के बारे में बातें करने लगे।

यतीन के नानाजी की जेबी घड़ी और एक कलईदार हुक़्क़ा बेचा गया और यतीन ने स्कूल में दाखिला ले लिया। हेडमास्टर ने उससे बातचीत की, सारी स्थिति पर दया प्रकट की और उसे सीधे आठवीं कक्षा में भर्ती कर लिया गया। उसकी फीस भी माफ़ कर दी गयी।

यतीन की बड़ी बहिन को जब पता लगा, तो उन्होंने पाँच रुपये कपड़े के लिए भेजे। एक नया पायजामा और गबरून की कमीज़ बनवायी गयी।

सारा हफ़्ता वह उन्हीं कपड़ों को पहनता था और इतवार को घर के बने साबुन से धोता था। जितनी देर कपड़े सूखते थे, उतनी देर वह अंगोछा लपेटे नंगा घूमता रहता। भयंकर सर्दी के दिनों में भी ऐसा ही करना पड़ता था। उसके पास किसी तरह के कोई गर्म कपड़े नहीं थे।

मगर यतीन अब बेहद ख़ुश था। उसने टूटकर परिश्रम किया और कक्षा में प्रथम स्थान पाया। अब आगामी दो वर्षों के लिए उसे दस रुपये प्रति माह वजीफा सरकार से मिलना था। हेडमास्टर साहब ने उससे हाथ मिलाया और बधाई दी।

इस समय यतीन की आयु सोलह वर्ष की थी और वह जवान होना शुरू हो चुका था।

गर्मी की छुट्टियों में वह बड़ी बहिन के यहाँ चला गया।

बहिन का गाँव कोई तीस मील दूर था। पाँच मील चलने पर रेल मिलती थी, जो बहिन के गाँव से दो मील पर छोड़ती थी। बहिन के बच्चे काफ़ी थे और वे यतीन को ख़ूब प्यार करते थे।

उसकी ग़ैरहाज़िरी में उसकी बस्ती में एक हादसा हो गया। मन्दिर के पास जो एक बूढ़ी ब्राह्मणी रहती थी और जिसे सब लाली की माँ कहकर पुकारा करते थे, उसके लड़के के नाम चिट्ठी लेकर ज़मींदार के गुमाश्ते आ गये। लाली की अम्मा ने अपना घर गिरवी रखकर कभी पन्द्रह रुपये लिये थे, मगर सूद दर सूद के कारण रक़म इतनी बड़ी हो गयी थी कि उसकी अदायगी उस बूढ़ी के लिए मुश्किल थी।

उसका जवान लड़का जब रोटी खाने बैठा तभी ज़मींदार के गुमाश्ते आ गये। वे लोग घर पर क़ब्ज़ा करने आये थे। लड़के ने पहले तो मिन्नतें की, पर जब देखा कि उनका एक मात्र आश्रय उनसे छीना जा रहा है, तो दुःख के मारे वह कुएँ में कूद गया।

पुलिस आ गयी। जब उसकी लाश बाहर निकाली गयी, तो देखा गया कि उसके मुँह में रोटी का अधचबा टुकड़ा था।

लड़के के मरने से कोई दस दिन बाद उसकी माँ भी शोक में मर गयी।

मकान ज़मींदार का हो गया।

नौ

क़स्बे में और उसके आसपास मेले-ठेले काफ़ी लगते थे।

मुसलमानों के मोहल्ले में नेजे लगते थे। नेजों में से बच्चे गुब्बारे ख़रीदते थे, औरतें चूड़ियाँ पहनती थीं और बाक़ी लोग मेले की सैर करते थे, सलाई पर सिंका कबाब खाते थे और बाक़ी सामान ख़रीदते थे।

क़स्बे से कोई पाँच मील दोयज का मेला लगता था जो वर्षा की ऋतु में जुड़ता था।

एक बार यतीन भी अम्मा से आठ आने पैसे लेकर इस मेले को देखने गया था।

क़स्बे में एक राजा का पुराना महल था, जिसके बाहर काफ़ी ज़मीन और एक पोखर थी। इसी पोखर के चारों ओर मेला जुड़ता था। दूर-दूर से देहाती लोग यहाँ आते थे और चाट खाते थे, गुड़ की जलेबियाँ लेते थे और सिले-सिलाये कपड़े ख़रीदते थे।

रंग-बिरंगे कपड़ों में सजे सभी लोग वातावरण में एक नयी ताज़गी भी देते थे।

रात को नौटंकी या सिनेमा का शो देखते थे और फिर वहीं कहीं सो जाते थे।

यतीन मेले में जाकर अपने सारे दुःख भूल गया और इतना ख़ुश हुआ कि दस कोस का रास्ता भी पैदल चलना उसे भारी नहीं लगा।

आठ आने में से उसने दो आने का एक मिट्टी का खिलौना अपनी छोटी बहिन शारदा के लिए भी ख़रीदा।

उन दिनों नौटंकियों का बड़ा रिवाज़ था।

यूँ तो न जाने कितनी थियेटर कम्पनियाँ थीं पर मास्टर मुंशीराम की नौटंकी सर्वश्रेष्ठ थी। 'गुलबदन उर्फ मुहब्बत का फूल', 'सुलताना डाकू उर्फ शेरे बिजनौर' वग़ैरह न जाने कितने खेल चौधरी न्यादर सिंह के घर में दिखाये जाते थे। दस-बीस कुर्सियों को छोड़कर बाक़ी सब लोग ज़मीन पर बिछी दरी पर ही बैठते थे। खेल कोई नौ बजे शुरू होता था और रात को बारह बजे के क़रीब ख़त्म होता था।

मास्टर मुंशीराम वाकई एक उम्दा और मँजे हुए कलाकार थे।

कम्पनी में एक बाई ज़रूर रहती थी, जो जनाना पार्ट करती थी। रात को गैस की रोशनी में वह वाक़ई परी जैसी लगती थी।

कम्पनी में एक जोकर ज़रूर होता था जो बीच-बीच में आकर लोगों को हँसाता रहता था।

ड्रामे या तो राधेश्याम कथावाचक के होते थे या फिर किशनचन्दर पहिलवान की बहरे तबील चलती थी।

सारे-का-सारा अहाता दर्शकों से पूरी तरह भर जाता था। ज़मींदारों से लेकर मामूली लोगबाग तक नौटंकी देखने आते थे।

यतीन को इन नौटंकियों का बहुत शौक़ था और किसी-न-किसी तरह वह खेल देख ही लिया करता था।

एक दिन देखे हुए ड्रामे का सरूर कई दिन बाद आँखों से उतरता था। नौटंकियों के पास कई तरह के पर्दे होते थे, जिनमें से किसी में वन का दृश्य होता था तो किसी में बाज़ार का। स्थिति के अनुसार पर्दे बदले जाते थे।

सीता वनवास के खेल में स्त्रियाँ ही क्या, पुरुषों की आँखों में भी आँसू आ गये थे।

वसन्त के अवसर पर सारा जंगल फूलों से दहक उठता था। लगता था, जैसे किसी ने वनों में सहसा आग लगा दी हो।

होली के मौके पर चौपियाँ निकला करती थीं। चौपियाँ उन टोलियों को कहते

थे, जो गाँव के लोगों की होती थीं और जो अपने-अपने ज़मींदार के घरों पर आकर अपना नाच दिखाया करती थीं।

आम तौर से लोगों के कपड़े साफ़ और पगड़ियाँ पीली होती थीं। वे लोग एक गोल चक्कर बनाकर नाचते थे और उनके बीच में ढोल बजाने वाला ढोल बजाता रहता था।

राजा कारक की होली, कंवर निहालदे की होली और सती सुलोचना की होली बहुत लोकप्रिय होती थीं।

इन होलियों को लिखने वाले कवि ग्रामीण ही होते थे, जिनमें भटीपुर में घासीराम और दबथुआ के कालीचरन बड़े मशहूर थे।

नाच के बाद इन लोगों को एक गुड़ की भेली तथा बाक़ी इनाम वग़ैरह दिया जाता था।

यतीन रात-भर चाँदनी में खड़ा हुआ इन लोक गीतों को सुनता रहता था। ग्राम गीतों का प्रेम उसे तभी से पड़ा।

क़स्बे से कोई एक मील दूर झारखण्डी का मेला लगता था। वह भी एक देहाती मेला था, जो बाक़ी मेलों की भाँति ख़ुशनुमा और भीड़भाड़ से भरा हुआ रहता था।

इसी मेले में यतीन ने चौधरी न्यादरसिंह की नयी युवा पत्नी को पहली बार देखा था और उसी दिन पता लगा था कि स्त्री और पुरुष में अन्तर होता है।

एकदम तराशे गये नाक-नख़्श, हल्का साँवला रंग, औसत कद, औसत शरीर और बड़ी-बड़ी आँखें।

वे आँखें जब यतीन पर पड़ीं तो उसे लगा, जैसे कि वे उसके ज़िस्म से चिपक गयीं।

पहली बार उसे पता लगा कि वह अब बच्चा नहीं रहा, बल्कि धीरे-धीरे यौवन को प्राप्त हो रहा है। यौवन या संसार के किसी भी आनन्द का प्रथम अनुभव अमर होता है।

यतीन की आँखों से भी उस युवती की वह छवि कभी नहीं उतरी। इतनी अल्हड़ और शोख़ युवती उसे वास्तविक जीवन में फिर कभी देखने को नहीं मिली।

दस

ससुराल से प्रेम अपने पति के साथ लाहौर चली गयी।

उसके पति का किसी मोटर की फर्म में कुछ हिस्सा था और वे प्रायः लाहौर जाते रहते थे। लाहौर में जाकर प्रेम को टायफाइड हो गया। मगर पति की सेवा और उचित इलाज होने से उसकी जान बच गयी।

यतीन को जब पहला वजीफा मिला, तो उसने पहली बार प्रेम को पत्र लिखा। वजीफे के दस रुपये के नोट को वह इस तरह देखता रहा, जैसे कि वह कोहनूर

हीरा हो। उस नोट को उसने अपनी अम्मा तक को नहीं दिया। छोटी बहिन के लिए जलेबियाँ लाया और बाक़ी पैसे एक सन्दूकची में ताला लगाकर बन्द कर दिये। कुंजी अपने ही पास रखी।

हाईस्कूल में केवल दस रुपया प्रति माह से काम चलना कुछ कठिन था और घर की हालत भी खस्ता ही चल रही थी। नतीजा यह रहा कि उसने कुछ ट्यूशन पकड़ लिये। कोई ट्यूशन चार आने प्रति माह था, तो कोई एक रुपया प्रति माह पर। एक जागीरदार का लड़का था जो दस रुपये प्रति माह देता था।

अब यतीन ने अपनी अम्मा को भी रुपये देने शुरू कर दिये। उसकी अम्मा ने कुछ छात्र भी मकान में किराये पर रख लिये, जिनका खाना बनाना व बर्तन माँजना भी वह या यतीन की छोटी बहिन करती थी।

कपड़ों की यतीन के पास बेहद कमी थी। जाड़ों के लिए कोट या स्वेटर नहीं था। उसकी माँ मोटे खद्दर की कमीज़ सिलकर उसे खाकी रंग में रंग दिया करती थी। खाकी कमीज़ और सफ़ेद पायजामा, बस यही उसकी पोशाक थी। कड़ाके की सर्दी में भी वह इन्हीं कपड़ों में रहता था।

रात को बिस्तर की जगह नीचे घास या धान की पुआल होती थी और ऊपर से फटी-पुरानी रज़ाई। रज़ाई भी घर में कम थी और इसी कारण उसकी माँ और छोटी बहन साथ-साथ सोया करती थीं।

उन दिनों स्कूल में एक अमीर व्यक्ति बिना वेतन लिये पढ़ाने आया करते थे। उन्हें साहित्य में गति थी और उन्होंने कुछ एकांकी नाटक भी लिखे थे। नाम था चन्द्रकिशोर जैन।

यतीन के साथ वे प्रायः संस्कृत साहित्य के बारे में चर्चा किया करते थे। बदले में वह यतीन को उर्दू की ग़ज़लें और नज़्मे सुनाते थे। धीरे-धीरे दोनों में दोस्ती हो गयी। इसी दयावान सज्जन ने बड़ी ज़िद करके यतीन के लिए एक सस्ता-सा गर्म कोट सिलवाया।

यतीन के घर के सामने जो लल्लू महाराज का मकान था वह क़र्ज़ के चक्कर में बे-दखल हो गया था।

एक दिन सुबह ही महाजन के लाठीदार आये और उनके सामान को बाहर रखने लगे। इसके बाद उन्होंने उस कच्चे मकान को ढहाना शुरू किया। लल्लू पण्डित, उनका लड़का, उनकी पुत्रवधू और उनके पोते-पोती कड़ाके की सर्दी में बे-घर-बार कर दिये गये। यतीन यह सब कुछ देखता व सोचता रहा कि जो लोग मकान ढहा रहे हैं, वे भी लल्लू महाराज की तरह ही ग़रीब हैं। महाजन है कि ग़रीबों के हाथ दूसरे ग़रीब को उजड़वाता है और खुद आराम से अपनी हवेली में बैठा रहता है और ताश खेलता रहता है। ये ग़रीब नौकर ही हैं जो उसकी तरफ़ से फौजदारी करते हैं, मकान गिराते हैं और लड़कियाँ भगाते हैं।

यतीन सोचने लगा कि ईश्वर है या नहीं?

अगर है तो फिर ऐसे अत्याचार क्यों होने देता है?

क्या ईश्वर वाक़ई नहीं हैं और है, तो वाक़ई वह इतना अन्धा और निर्दयी है?

वह अम्मा के पूजाघर में गया और मिट्टी की बनी सस्ती मूर्तियों को देखने लगा।

टायफाइड से स्त्री के ठीक होते ही उसके पति लाहौर से घर लौट आये। घर लौटने पर प्रेम ने अपने परिवार से मिलने की इच्छा प्रकट की और वह अपने मैके चली आयी। बीमारी तो जाती रही थी; पर कमज़ोरी बहुत बाक़ी थी। उसके पति प्रति माह उसके नाम रुपया भेजते थे, ताकि वह फल खा सके और टानिक पी सके।

यतीन के घर की हालत ऐसी थी कि वहाँ रहकर प्रेम फल तो क्या पूरा खाना भी नहीं खा सकती थी। वह अपने सारे रुपये घर पर ही ख़र्च कर देती और कामकाज में पूरा हाथ बँटाती। डाकिये से मनीऑर्डर लेते समय उसके पिताजी थोड़े-बहुत रुपये शुरू ही में अपने पान-तम्बाकू के लिए रख लिया करते थे।

इस सबका परिणाम यह हुआ कि प्रेम फिर बीमार पड़ गयी। हालत बिगड़ते देख डॉक्टर रशीद अहमद को बुलाया गया। वह क़स्बे का सबसे बड़ा डॉक्टर था और उसकी प्रैक्टिस बे-तहाशा चलती थी। वह अपनी टमटम पर चढ़कर आया और प्रेम को तुरन्त किसी पहाड़ पर जाने की सलाह दी गयी। प्रेम के पति को सूचना दी गयी और वह आकर प्रेम को ले गये। तब तक हालत काफ़ी बिगड़ चुकी थी।

जिस दिन यतीन के हाईस्कूल की परीक्ष का गणित का पर्चा था, उस दिन तार आया कि प्रेम संसार में नहीं रही।

यह पहला दिन था जबकि यतीन ने अपने पिता को भी शेष परिवार के साथ रोता देखा।

ग्यारह

हाईस्कूल में यतीन प्रथम श्रेणी में उत्तीर्ण हुआ। चार विषयों में उसके नम्बर पचहत्तर प्रतिशत से ज़्यादा थे। सारे सूबे में उसका इक्कीसवाँ नम्बर था।

ऐसी स्थिति में ज़ाहिर था कि यतीन आगे पढ़ने की सोचता, मगर कॉलेज में प्रवेश पाने की और वहाँ रहकर पढ़ने की उसकी स्थिति नहीं थी। यतीन पहले तो चुप रहा, पर बाद में जब उसने देखा कि मोहल्ले के बाक़ी सब लड़के, वे भी जो तृतीय श्रेणी में पास हुए थे, कॉलेज जाने की तैयारी में जुटे हैं, तो वह फूट-फूटकर रोने लगा। कभी-कभी तो वह सारी रात रोता ही रहता।

यतीन की आस्तिक अम्मा ने साहस बँधाया और जहाँ तक पिताजी का प्रश्न था, वह उसी तरह लापरवाही और बेफिक्र रहे।

यतीन ने निश्चय कर लिया कि इण्टरमीडिएट करना है और ज़रूरी करना है।

सैमुएल स्माइल्स की 'सेल्फ हैल्प' पुस्तक उसने पढ़ी थी और जानता था कि यदि परिश्रम किया जाए, तो कुछ-न-कुछ ज़रूर हो सकता है।

उसने दिन-रात ट्यूशन करने शुरू कर दिये। वह हर क्लास के बच्चे को हर विषय पढ़ाने को तैयार था। इसके अतिरिक्त एक क़दम और उठाया गया। यतीन की अम्मा और उसकी बहिन शारदा ने सूत कातना शुरू किया।

यतीन के घर में दो चर्खे थे। एक चर्खा तो इतना पुराना था कि वह अम्मा की दादी का था। एक चर्खे पर अम्मा सूत कातती थीं और एक पर यतीन की बहिन शारदा।

हफ़्ते-भर में जितना सूत कत जाता था, उसे यतीन पोखर के किनारे लगने वाली पैठ में बेच जाता था। पैठ में बैठने के लिए वह कोई पुरानी बोरी या दरी का फटा टुकड़ा अपने साथ ले जाता था। पैठ में आसपास के जुलाहे आते थे और सूत ख़रीदते थे। मोल-भाव भी करना पड़ता था। एक रुपये की रुई का सूत डेढ़ रुपये में बिक जाता था। सूत बेचने के बाद यतीन एक रुपये की रुई ख़रीदता था और आठ आने अपनी अम्मा को दे देता था।

कॉलेज खुलने के दिन जितने पास आते गये, सूत की कताई उतना ही ज़ोर पकड़ती गयी। कभी-कभी तो शारदा रात-रात भर सूत कातती रहती। चाँदनी रात में यतीन आँगन में उसके पास बैठा रहता और गप मारता रहता।

धीरे-धीरे गर्मी की छुट्टियाँ ख़त्म हो गयी और यतीन ने कॉलेज में दाखिले लायक़ पैसे जोड़ लिये। जुलाई के प्रथम सप्ताह में वह अपने पिता के साथ देहरादून गया, क्योंकि वहाँ उनके एक मित्र रहते थे। मित्र ने बातें तो बड़ी शालीनता के साथ कीं, मगर यतीन की मदद करने में अपनी असमर्थता प्रकट की।

अगले दिन की गाड़ी से यतीन घर लौट आया और एक और क़स्बे की ओर भागा, जहाँ एक इण्टर कालिज था। यह क़स्बा यतीन की बड़ी बहिन के घर के पास पड़ता था। उस कॉलेज के प्रिंसिपल काफ़ी शराब पीते थे और वैसे भी काफ़ी दुराचारी थे। मगर जब उन्होंने यतीन के नम्बर और उसकी असहाय अवस्था देखी, तो द्रवीभूत हो गये। यतीन का दाखिला हो गया, फीस माफ़ हो गयी और वजीफा भी हो गया।

बड़ी बहिन के पति की कृपा से एक सजातीय सज्जन के घर पर ठहरने का प्रबन्ध भी हो गया। यतीन की पढ़ाई शुरू हो गयी।

यतीन कभी-कभी अपनी बहिन के यहाँ भी जाता रहता, जो उसे कभी दाल, कभी आटा और कभी गुड़ दे दिया करती।

बहिन के घर जाने के लिए रेल की पटरी के साथ-साथ पगडण्डी जाती थी। यतीन के चप्पल पुराने थे और इसी कारण वह अपनी जेब में कुछ छोटी-छोटी कीलें हमेशा रखता था, जहाँ कहीं चप्पल ने जवाब दिया, वहीं उसे रेल की पटरी पर रखा

और पटरी के पास बिछे पत्थर के टुकड़ों से एक कील ठोंक दी।

बहिन के घर और लोग तो थे ही; पर दो व्यक्ति यतीन को विशेष रूप से प्रभावित करते थे। एक थे भगत जी और दूसरे थे एक कविजी। भगत जी अपना ज़्यादा समय पूजा-पाठ और धर्मचर्चा में लगाते थे और कविजी जो थे, उन्हें लाला मटरूमल अत्तार की लिखी आल्हे की बावन लड़ाइयाँ ज़ुबानी याद थीं। स्वर उनका मधुर था और आल्हा पढ़ते-पढ़ते वह जोश में आ जाते थे। थोड़ी देर के बाद लोग अपनी चिन्ताएँ भूल जाते थे और राय पिथौरा की चढ़ाई, माहिल की मक्कारी और मलखान की बहादुरी में खो जाते थे।

वर्षा की ऋतु में लोग चौपाल में घुस जाते- हुक़्क़ा पीते रहते और कविजी का आल्हा सुनते रहते।

उनका आल्हा सुनन के लिए यतीन कभी--कभी तो वर्षा के दिनों में भी बहिन के गाँव चला जाता। रास्ते भर आकाश में घटाएँ उमड़ती रहतीं और बिजली के साथ-साथ बादल गड़गड़ाते रहते। चारों ओर धान के हरे-हरे खेत झूमते रहते।

बारह

जिन सज्जन के यहाँ यतीन रहता था, मिडिल स्कूल के अवकाश प्राप्त हैडमास्टर था। लोग उन्हें 'गर्म' साहब कहकर पुकारा करते थे, क्योंकि उन्हें गुस्सा बहुत आता था। चूँकि उन्हें घूमने-फिरने का बहुत शौक़ था, लोग उन्हें 'टूरी साहब' भी कहा करते थे। उनके पाँच पुत्र थे।

बड़ा लड़का, जो लगभग पचास वर्ष की आयु का था, नौकरी छोड़कर घर आ गया था और रोज़ नयी-नयी योजनाएँ बनाने के अतिरिक्त कुछ नहीं करता था। योजनाएँ वह ऐसी बनाता था कि उन्हें सुनकर हँसी आती थी। एक बार उन्होंने खेतों में लौकी की बेल रोपी, तो सोचने लगे कि लौकियों को लन्दन के बाज़ार तक कैसे पहुँचाया जाए।

उनकी पत्नी बड़ी चतुर और तेज़ थी, मगर यतीन के प्रति बड़ा दयापूर्ण व्यवहार करती थी।

दूसरा लड़का एकदम बनिया था। सूद पर पैसा देता था, ज़मीनें ख़रीदता था और एक-एक पैसे का हिसाब रखता था।

तीसरा पुत्र कहीं संस्कृत का अध्यापक था और काफ़ी सज्जन था।

चौथा पुत्र नायब तहसीलदार था और रौब में रहता था।

पाँचवाँ पुत्र पढ़ता था।

मास्टर साहब बहुत मज़ाक़िया क़िस्म के आदमी थे और यतीन को बात-बात पर हँसाते रहते थे। उनकी आयु कोई पचहत्तर वर्ष की थी, मगर फिर भी वे रोज़

पाँच बजे ठण्डे पानी से स्नान करते थे। उन्हें यतीन से बड़ा स्नेह था; पर चूँकि वह ख़ुद अपने लड़कों के सहारे जीते थे। वह उसकी और कोई मदद कर नहीं सकते थे। उनकी बैठक में यतीन रहता था और मेहमानों के आने-जाने से पढ़ने में काफ़ी दख़ल होता था।

मास्टर साहब के एक रिश्तेदार थे– हरकिशन बाबू, जो बहुत ही शालीन सज्जन और पढ़े-लिखे व्यक्ति थे। यतीन को उन्होंने बर्नाड शॉ की किताबें पढ़ने को दीं और साहित्य के बारे में न जाने कितना बतलाया।

हरकिशन बहुत अमीर बाप के बेटे थे और उनकी मुक़दमेबाज़ी उस समय इंग्लैण्ड की प्रिवी कौंसिल में चल रही थी। उन्होंने यतीन के सामने शालीनता, सौजन्य, उदारता और सभ्य होने का जो नमूना रखा, उसे यतीन कभी नहीं भूल सका। यतीन उन्हें हृदय से प्रेम करता था, जो बाद में चलकर आजन्म मैत्री में बदल गया।

यतीन मास्टर साहब के साथ ईश्वर और भाग्य के बारे में बातें किया करता था। यतीन नास्तिक-सा था और मास्टर साहब आस्तिक थे। उन्होंने विभिन्न धर्मों और दर्शनों का काफ़ी अध्ययन किया था।

वह कहा करते थे कि जितने भी धर्म या दर्शन हैं उनका कारण यह है कि सृष्टि के रहस्य को कोई नहीं जानता। कल का किसी को पता नहीं और इसी बात के आधार पर ज्योतिष व हस्तरेखा विज्ञान टिका है। जितने भी दर्शन हैं, उनमें गीता का दर्शन सर्वश्रेष्ठ है। काम करो और फल की चिन्ता छोड़ दो, क्योंकि वह वैसे भी तुम्हारे हाथ में नहीं है। लोग जो अमीर हैं वे उनके पूर्वजन्मों के कर्मों का फल है।

अगर यतीन कहता कि यदि कोई रेल उलटती है या किसी क्षेत्र में विशेष महामारी फैलती है, तो क्या वहाँ रहने वाले सभी पूर्वजन्म के पापी हैं?

इस तर्क पर मास्टर साहब चुप हो जाते और कहते कि गीता में भी संशय है; पर फिर भी यह बाक़ी दर्शनों से ज़्यादा तार्किक व विश्वसनीय है।

इसके अलावा यह भी कहते कि तर्क से सारा काम नहीं चलता। तर्क के ऊपर श्रद्धा है, जिसके बिना जीवन काटना दूभर हो जाए। आख़िर जब सृष्टि है, तो इसका संचालक भी कोई-न-कोई ज़रूर होगा। बस वही ईश्वर है। उसकी इच्छा के बिना पत्ता भी नहीं हिलता।

तेरह

यतीन अपना खाना एक ब्राह्मणी के यहाँ खाता था। वह विधवा थी। दो लड़के थे। एक का नाम था ज्योति और दूसरे का नाम था बारू। बारू बड़ा था और जुआ खेलता था। ज्योति छोटा था और कहीं छोटा-मोटा काम करता था और बाक़ी वक़्त में ख़ुद भी पढ़ता था।

घर की हालत बहुत ख़राब थी। कई-कई दिन के फाके चलते थे।

यतीन अपना आटा और दाल लाकर ब्राह्मणी को दे देता था और पाँच रुपया प्रति माह ऊपर से देता था। ब्राह्मणी बेचारी उसी आटे दाल में से अपना पेट भी पालती थी।

कई बार तो यतीन जानबूझकर कम खाकर उठ जाता था, ताकि वह बूढ़ी विधवा ब्राह्मणी भरपेट भोजन कर सके।

जिन दिनों दाल नहीं होती थी, उन दिनों यतीन को नमक से रोटी खानी पड़ती थी। जब आटा भी ख़त्म हो जाता था, तब कभी-कभी भूखा भी रहना पड़ता था।

वह निरीह ब्राह्मणी उससे बड़ा प्यार करती थी। उसके दोनों लड़के किसी दूसरे क़स्बे में रहते थे और माँ की मदद के लिए कभी-कभी कुछ भेज देते थे।

नालायक़ बच्चों के होते हुए भी वह बेचारी उनसे बेहद प्रेम करती थी और कहा करती थी कि मेरी तो सारी दुनिया वही दो लड़के हैं। ये न हों तो दुनिया से मेरा क्या वास्ता?

उसकी स्थिति को देखकर यतीन को अपनी माँ की याद आने लगती और उसकी आँखें भर आतीं।

कॉलेज में पढ़ने के बाद जो वक़्त बचता था उसमें यतीन या तो मास्टर साहब से उर्दू की शेरो शायरी सुनता था या फिर हरकिशन बाबू से अँग्रेज़ी साहित्य की जानकारी प्राप्त करता था।

धीरे-धीरे उसकी इच्छा हुई कि बड़ा होकर वह भी कुछ लिखे। कॉलेज की लाइब्रेरी काफ़ी अमीर थी और यतीन ने धीरे-धीरे उसके सारे उपन्यास और काव्यग्रन्थ पढ़ लिये। पन्त और निराला की कविताएँ उसे अभिभूत कर देती थीं।

विदेशी लेखकों में उसे तुर्गनेव, चेखव, दोस्तोएवस्की, मोपासाँ, ड्यूमा वग़ैरह सभी बड़े कलाकार प्रभावित करते थे; पर सबसे ज़्यादा असर जिन्होंने डाला, वे पुस्तकें थीं, वाल्तेयर की कैण्डिडा और तालस्ताय की कहानियाँ। बर्नाड शा का व्यंग्य, वुडहाउस का हास्य और भवभूति की करुणा उसे बेकाबू कर देती थी।

दुखान्त पुस्तकें पढ़कर वह प्रायः रो पड़ता था। शेक्सपियर के दुखान्त नाटक उसे बहुत प्यारे लगते थे। यतीन का विचार था कि जैसे कवियों में कालिदास सर्वश्रेष्ठ हैं, वैसे ही नाटक लिखने के क्षेत्र में शेक्सपियर से कोई टक्कर नहीं ले सकता।

दो वर्ष बीतते कितने दिन लगते हैं। यतीन इण्टरमीडिएट की परीक्षा में बैठा और प्रथम श्रेणी में पास हुआ। सारे संयुक्त प्रान्त में उसका सातवाँ स्थान था और इस कारण आगे वजीफा मिलने की पूरी आशा थी।

हरकिशन जी ने सलाह दी कि प्रयाग विश्वविद्यालय चले जाओ। सारा भविष्य सुरक्षित हो जाएगा।

यही बात कॉलेज के प्रिंसिपल ने भी कही। उन्होंने दो पत्र अपने मित्रों के नाम

भी लिखकर दे दिये, जिनमें से एक लन्दन में उनके सहपाठी थे।

हेडमास्टर साहब ने भी अपने ज़िले के एक ऐसे बैरिस्टर के नाम चिट्ठी लिखी, जो प्रयाग में प्रैक्टिस करते थे।

छुट्टियों में सूत कातने और ट्यूशन करने से लगभग एक सौ पचास रुपये इकट्ठे हो पाये। ये रुपये, एक जोड़ी कपड़े, एक लुंगी और एक थैला, बस इतनी पूँजी के बल पर यतीन प्रयाग जाने को तैयार हो गया।

जिस दिन वह स्टेशन गया, मास्टर साहब भी उसे छोड़ने गये। हरकिशन जी ने एक टिकट ख़रीदवाया और भविष्य में भी जब ज़रूरत हो, तब पत्र लिखने को कहा।

यतीन को विश्वास ही नहीं हो पा रहा था कि संसार में अच्छे लोगों की संख्या बुरे लोगों से कहीं ज़्यादा है। धर्म के खम्भे न होते, तो यह आकाश कभी का गिर पड़ता।

यतीन ने मास्टर साहब के चरण छुए, उनके दिये पराँठे थैले में रखे और डिब्बे में बैठ गया। थोड़ी देर के बाद गार्ड साहब ने हरी बत्ती दिखायी और दो सीटियाँ देने के बाद रेलगाड़ी जो थी वह चल पड़ी।

यतीन का सारा पुराना जीवन, बचपन, सुख-दुःख, संगी-साथी, माँ-बहिन पीछे छूट गये। अब उसके सामने केवल भविष्य था जिसका उसे निर्माण करना था।

गाड़ी धीरे-धीरे तेज़ हो गयी और वनों के बीच से होती हुई नदी-नाले पार करती आगे बढ़ती गयी।

बाहर

जिस गाड़ी से यतीन प्रयाग गया, वह एक पैसेंजर गाड़ी थी। हर छोटे-बड़े स्टेशन पर रुकती थी। यतीन ने इतनी लम्बी यात्रा कभी नहीं की थी। वह खिड़की के पास बैठा रहा और बड़े अनमने भाव से बाहर बिखरी चाँदनी को देखता रहा। रास्ते में जहाँ कहीं भूख लगी, उसने अपनी गठरी में से पराँठे निकाले, अचार के साथ खाये और प्लेटफार्म पर पानी पी लिया।

लखनऊ गुज़र जाने के बाद तो लोग अवधी और भोजपुरी में बातें करने लगे, जो उसे बड़ी मधुर लगी। कुछ लोग रात-भर तुलसीदास की रामायण गाते रहे और कोई-कोई देहाती अपने अंचल का ग्रामगीत गाने लगा। यतीन इस कार्यक्रम में इतना डूबा कि रात-भर नहीं सोया।

चौबीस घण्टे का सफर तय करके गाड़ी फाफामऊ पहुँची, जहाँ गंगाजी का पुल है। प्रयाग में गंगा काफ़ी चौड़ी हो जाती है। गंगा पार करने के बाद गाड़ी प्रयाग स्टेशन पर रुकी। यतीन वहीं उतर गया। गाड़ी इलाहाबाद स्टेशन जाने के लिए आगे चल पड़ी।

प्रयाग का स्टेशन काफ़ी छोटा था। स्टेशन से बाहर निकलने पर यतीन ने लोगों से युनिवर्सिटी का मार्ग पूछा और फिर उसी दिशा में चल दिया।

युनिवर्सिटी की इमारत बड़ी शानदार थी और दूर से देखने पर एकदम किसी क़िले या महल जैसी लगती थी। सीनेट हाउस के ऊपर लगी विशाल घड़ी ट्रिंग-ट्रिंग की ध्वनि करती थी, जो दूर तक सुनाई पड़ती थी। होस्टल भी काफ़ी बड़े-बड़े थे और उनमें प्रवेश पाना तो और भी कठिन काम था।

म्योर सेण्ट्रल कॉलेज का टावर बहुत ऊँचा और सुन्दर था और उसके ठीक सामने कम्पनी बाग़ था जहाँ चन्द्रशेखर आज़ाद शहीद हुए थे। यतीन ने पहले तो युनिवर्सिटी में दाखला लेने का फार्म भरा और इसके बाद वह उन लोगों से मिलने चला जिनके लिए वह ख़त लाया था। पैसा बचाने की वजह से वह हर जगह पैदल ही गया।

सबसे पहले वह उन बैरिस्टर के पास गया जिनके लिए हेडमास्टर साहब ने ख़त दिया था। वह सिविल लाइंस में एलगिन रोड पर रहते थे। वहाँ तक पहुँचते-पहुँचते यतीन के पाँव दर्द करने लगे।

ख़ैर, किसी तरह बैरिस्टर साहब से मुलाक़ात हो गयी। चिट्ठी पढ़कर उनके चेहरे पर किसी प्रकार की कोई प्रतिक्रिया नहीं हुई। उन्होंने एक लोटा पानी उसे ज़रूर लाकर दिया और उससे गैराज के बाहर पड़ी खाट पर विश्राम करने को कहा।

पता नहीं क्यों, उस विशाल कोठी में यतीन का मन नहीं लगा। वहाँ उसे कुछ भय-सा लगा। थोड़ी देर विश्राम करने के बाद वह चुपचाप कोठी से बाहर निकल आया और रात गुज़ारने की समस्या पर विचार करने लगा।

इतने बड़े शहर में उसका अपना कोई नहीं था। जेब में सिर्फ़ डेढ़ सौ रुपये थे, जिनमें दाखिला भी होना था और जब तक कुछ कामकाज मिले, तब तक ख़र्चा भी चलाना था।

वह रात को फिर प्रयाग स्टेशन गया और वहीं पराँठे खाकर एक खाली बेंच पर लेट गया और अपने घर की दिशा में देखने लगा। सैकड़ों मील दूर बैठी, सूत कातती बहिन और माँ, खूँखार बाप, टूटा हुआ कच्चा मकान और ग़रीबी उसकी आँखों के सामने घूमने लगी।

अगले दिन सुबह जो गाड़ी सहारनपुर से प्रयाग आयी उसमें दो लड़के ऐसे थे जो यतीन के साथ पढ़े थे और उसी के क़स्बे के निवासी थे। उन्हें देखकर यतीन की हिम्मत बढ़ गयी और वे दोनों भी एक तीसरा साथी पाकर बेहद खुश हुए। यतीन की चिन्ता दूर हुई। जब तक और कोई बन्दोबस्त हो, तब तक वह उन्हीं दोनों के पास रहेगा।

वे तीनों पहले रजिस्ट्रार के दफ़्तर गये और फिर एक ऐसे छोटे से छात्रावास में गये, जो एक धर्म विशेष के लड़कों के ही लिए बना था। यतीन यद्यपि इस धर्म का नहीं था; पर फिर भी उसके नम्बर वग़ैरह देखकर उसे दाखिला मिलने में कोई विशेष परेशानी नहीं हुई। युनिवर्सिटी और छात्रावास में दाखिला लेने के बाद यतीन ने डाकघर से एक पोस्टकार्ड ख़रीदा और उसे अपनी बहिन के नाम लिखकर इण्डियन प्रेस के पास लगे लैटर बक्स में डाल दिया।

युनिवर्सिटी खुलने में देर थी और इस कारण यतीन को काम-धन्धा ढूँढ़ने को काफ़ी समय मिल गया।

दो

दो दिन बाद छात्रावास के वार्डन से मिलने गया, जो एक बंगाली सज्जन थे और जिन्हें सब लोग मिट्ठू बाबू के नाम से पुकारते थे। वह निहायत शरारती और मज़ाक़ पसन्द क़िस्म के इंसान थे, जो अपने शिक्षाकाल में युनिवर्सिटी से सात बार निकाले गये थे। एक बार तो वह गवर्नर और उसकी मेम के सामने नंगे ही हाज़िर हो गये थे, क्योंकि उनकी अपने साथियों से यह शर्त लग गयी थी कि वैसा करने पर सारे साथी उन्हें पाँच-पाँच रुपया देंगे।

पैंतीस वर्ष की आयु में उन्होंने बी.ए. की परीक्षा पास की और फिर क़ानून की डिग्री ली। बड़े आदमी के लड़के थे और इस कारण गवर्नर ने उन्हें मनोनीत करके मैजिस्ट्रेट बना दिया। वहाँ भी इनसे न रहा गया। एक बार चलती ट्रेन में किसी सम्भ्रान्त अँग्रेज़ महिला से छेड़खानी कर बैठे और नौकरी छोड़नी पड़ी। इसके बाद वे फौजदारी के वकील हो गये।

मिट्ठू बाबू की कोठी के भीतर प्रवेश पाकर यतीन ने महसूस किया कि वह किसी निहायत अजीब क़िस्म के आदमी से मुलाक़ात करने जा रहा है। कोई कमरा था, जिसमें सैकड़ों क़िस्म के हुक्के-ही-हुक्के रखे हुए थे और कोई कमरा था, जिसमें हज़ारों किताबें छत तक अलमारियों में सजी हुई थीं।

मिट्ठू बाबू अकेले ही रहते थे और खाना वग़ैरह बनाने के लिए नौकर-चाकर थे। वह विधुर थे और परिवार के नाम पर उनका एक पुत्र था, जिससे उनकी बोलचाल तक नहीं थी। मिट्ठू बाबू की कर्नलगंज में काफ़ी जायदाद थी और पैसे की उन्हें कोई कमी नहीं थी।

कुछ देर के बाद यतीन की बाबूजी से भेंट हुई। यतीन ने देखा कि मिट्ठू बाबू का सारा चेहरा शराब, व्यभिचार और न जाने किस-किस पाप के कारण बड़ा भयावना और खुरदरा हो गया। उनकी आँखें लाल थीं और उनके नीचे मोटी-मोटी काली लकीरें थीं। वह मध्यम क़द के पुरुष थे और इस वक़्त सिर्फ़ एक लुंगी और मिर्जई पहने हुए थे। आवाज़ उनकी काफ़ी सख़्त थी। उन्होंने यतीन को नीचे से ऊपर तक देखा और पूछा, 'क्या है? क्यों आये हो? क्या चाहते हो?'

'बाबूजी! मैं एक असहाय विद्यार्थी हूँ और किसी तरह मेहनत-मज़दूरी करके पढ़ना चाहता हूँ।' यतीन ने किसी तरह कहा।

'ग़रीब हो तो पढ़ने क्यों आये हो?'

'मैं एक प्रतिभावान छात्र हूँ और हमेशा प्रथम श्रेणी में पास हुआ हूँ। इस बार मेरा सारे प्रदेश में सातवाँ स्थान है।'

'हूँ, सो तो देखता हूँ। मगर मुझसे क्या चाहते हो?'

'बाबूजी! छात्रावास की फीस माफ़ कर दें, तो आपकी बड़ी कृपा होगी' इतना कहते-कहते यतीन का गला भर आया।

'फीस पूरी माफ़। बिजली माफ़। पानी माफ़। जाओ और पढ़ो। सब कुछ माफ़ कर दूँगा, मगर रोना माफ़ नहीं करूँगा।'

तीन

पैर जम जाने के बाद यतीन और उनके साथियों ने प्रयाग की सैर करनी शुरू की। इलाहाबाद वाक़ई एक अद्‌भुत नगर था।

पहली बात तो यह थी कि संगम होने के कारण यह एक बड़ा धार्मिक स्थान था। माघ के मेले में दूर-दूर से यात्री आते थे और झोंपड़ियों में गंगा जी के तट पर ही रहते थे। मुनि भारद्वाज का आश्रम भी यहीं था, जिनसे मिलने कभी राम और लक्ष्मण स्वयं आये थे।

दूसरी बात यह थी कि नगर शिक्षा का केन्द्र था। यहाँ की युनिवर्सिटी सारे उत्तरी भारत में अपना स्थान रखती थी। हर विषय के प्रकाण्ड पण्डित यहाँ मौजूद थे।

तीसरी बात यह थी कि यहाँ हाईकोर्ट था, जिसके कारण न जाने कितने जज, वकील और बैरिस्टर जार्ज टाउन और सिविल लाइंस में निवास करते थे।

और चौथी बात यह कि प्रयाग हिन्दी साहित्य का गढ़ था। पन्त और निराला दोनों यहीं रहते थे। फ़िराक़ गोरखपुरी और बच्चन तो युनिवर्सिटी में ही पढ़ाते थे।

प्रत्येक दृष्टि से प्रयाग एक ऐसा नगर था जहाँ रहकर व्यक्ति अपने-आप ही सभ्य और सुसंस्कृत हो सकता था।

सारे साथी एक-एक करके सारे दर्शनीय स्थान देखने गये। भरद्वाज आश्रम, आनन्द भवन, हिन्दी साहित्य सम्मेलन, पुराने गिर्जाघर, कम्पनी बाग़ की पत्थरों से बनी रंगीन शीशों वाली पुरानी लाइब्रेरी, हाईकोर्ट, खुसरो बाग़ और संगम, उन्होंने कुछ भी नहीं छोड़ा। इन स्थानों पर वे या तो पैदल गये या रिक्शे या टाँगे पर।

फाफामऊ के पुल से बाढ़ में डूबती-उतराती गंगा को देखना अपने-आप में एक विचित्र अनुभव था। न जाने कितने बैल, गाय, भैंस और घोड़े पानी में डूबे हुए चले जा रहे थे। कहीं-कहीं किसी आदमी की लाश भी नज़र आ जाती थी।

संगम का दृश्य तो वास्तव में ऐसा था, जिसे शब्दों में नहीं बाँधा जा सकता। नीली यमुना और सफ़ेद गंगा जहाँ मिलती थीं, उस स्थान पर नाव की सहायता से जाया जाता था।

गंगाजी के किनारे न जाने कितने पण्डे और माथे पर चन्दन लगाते भक्त और हनुमान मन्दिर व अक्षयवट के दर्शन करते जाते लोग एक विचित्र रंगीन दृश्य उपस्थित करते थे।

गंगाजी के उस पार जो प्रदेश था, उसी पर कभी उर्वशी और पुरुरवा रहते थे।

नैनी में सेण्ट्रल जेल थी, जो बड़ी भयानक थी। देश को आज़ाद कराने के आन्दोलन में न जाने कितने नेताओं ने वहाँ जेल काटी थी।

प्रयाग यतीन को वैसे भी बड़ा पसन्द आया। पश्चिमी उत्तर प्रदेश की तुलना में यहाँ के लोगों में ज़्यादा स्नेह और समता थी। उनकी बोली भी खड़ी बोली की अपेक्षा कहीं ज़्यादा मधुर थी।

महानगर होते हुए भी प्रयाग काफ़ी सस्ता था।

प्रयाग की चौड़ी सड़कें बहुत प्यारी लगती थीं। बिना विशेष कारण, के ये सड़कें साफ़ भी बहुत रहती थीं। सड़कों के दोनों ओर छायादार घने वृक्ष थे और गुलमुहर

तो इतने थे कि वसन्त के दिनों में ऐसा लगता था कि सड़क के दोनों ओर किसी ने मशाल जला दी हो। रिक्शे वाले खैनी खाते थे और गप मारते हुए, बतियाते हुए रिक्शा हाँकते थे।

सिविल लाइंस के सिनेमाघरों में रविवार के दिन कोई बढ़िया तस्वीर घटे दामों पर अवश्य आती थी।

कम्पनीबाग़ में रविवार के दिन पानी छिड़का जाता था और बैण्ड बजता था। यह कार्यक्रम उस केन्द्रीय स्थल पर किया जाता था, जो महारानी विक्टोरिया की मूर्ति के सामने था।

कुल मिलाकर प्रयाग में कुछ ऐसा अपनापन, कुछ ऐसा सौन्दर्य और कुछ ऐसी उदासी थी, जो कवि हृदय यतीन को बेहद अच्छी लगती थी।

वह प्रायः या तो कर्नलगंज की ओर निकल जाता, जिधर खपरैलों की छतों के मकान थे और जिन पर लौकी वग़ैरह की बेल फैली रहती थी या फिर कम्पनीबाग़ के उस हिस्से में घूमने चला जाता, जो बड़े लम्बे और पुराने वृक्षों से घिरा था और एकदम सुनसान था। इतने बड़े नगर के बीचोबीच ऐसा जंगल होना बहुत ही बड़ी चीज़ थी।

कम्पनीबाग़ की पत्थरों की बनी लाइब्रेरी भी एक अद्‌भुत स्थान थी। वहाँ उन्नीसवीं शताब्दी की पुस्तकें भरी पड़ी थीं। काफ़ी रिटायर हुए लोग वहाँ आते और अख़बार पढ़ते। कुछ शोध करने वाले नवयुवक भी कभी-कभी दिखाई पड़ जाते थे। वहीं पर यतीन ने उन्नीस सौ दस का छपा 'इण्डियन गजेटियर' देखा और उसमें अपने ज़िले ही नहीं वरन अपने क़स्बे तक का विवरण भी पढ़ा।

चाँदनी रातों में यतीन कम्पनी बाग़ से पार्क रोड होता हुआ काफ़ी देर से लौटता। ख़ासतौर से उस दिन जिस दिन वह जान-बूझकर शाम का खाना नहीं खाता था, ताकि मेस का बिल काबू के बाहर न चला जाए।

प्रायः शनिवार की शाम को वह भुने हुए चने खा लेता और पानी पी लेता। सत्तू खाने का अवसर भी उसे पहले पहल प्रयाग ही में प्राप्त हुआ।

चार

यतीन को सरकार की ओर से बीस रुपया वजीफा मिला और युनिवर्सिटी की फीस भी माफ़ हो गयी। मिट्ठू बाबू ने हर काम में बेहद मदद की। वह वैसे भी उन दिनों सीनेट के मेम्बर थे और वाइस चांसलर तक पर उनका असर था; पर इतना सब कुछ हो जाने पर भी यतीन को ख़र्चे की कमी थी। मेस का बिल, किताबें और कपड़े वग़ैरह का ख़र्चा, जूतों की मरम्मत, वर्षा की ऋतु में छाते का अभाव, इन चीज़ों को लेकर वह कभी-कभी काफ़ी उदास हो जाता था।

अभी तक उसके पास सिर्फ़ एक कमीज़ और एक पतलून थी। रात को वह लुंगी और बनियान पहनता था। वर्षा में वह कपड़े भींग जाते थे, तो बदलने के लिए सूखे कपड़े नहीं थे।

वह जितने लोगों के नाम भी पत्र लाया था, उनमें से किसी ने उसकी कोई ठोस सहायता नहीं की। एक ख़त अभी बाक़ी था, जो एक साधारण से व्यक्ति के नाम था। एक छुट्टी के दिन यतीन ने वह ख़त लिया और प्रयाग स्ट्रीट की दिशा में क़दम बढ़ाये।

यह ख़त माथुर साहब के नाम था, जो शिक्षा विभाग के डायरेक्टर के स्टेनोग्राफर थे। खपरैल का टूटा-फूटा मकान, बाहर काफ़ी आँगन और आँगन में खेलते बच्चे।

जिस वक़्त यतीन पहुँचा, उस समय माथुर साहब, जो कट्टर वैष्णव थे, पूजा कर रहे थे। पूजा समाप्त होने के बाद उन्होंने एक टूटा-सा मूढ़ा यतीन को बैठने को दिया और खुद चिट्ठी पढ़ी।

उन्होंने दिलाशा दी और कहा कि काम ज़रूर मिल जाएगा मगर आप एक हफ़्ता मुझे दीजिए।

यतीन राज़ी हो गया। हफ़्ता भर बाद यतीन को एक ट्यूशन मिल गया। प्रयाग स्टेशन के उस पार एक लड़की को पढ़ाना था। हालाँकि वह स्थान यतीन के छात्रावास से काफ़ी दूर था पर फिर भी तीस रुपया प्रति माह का काम वह ठुकरा नहीं सकता था। उसने वह ट्यूशन पकड़ ली।

लड़की का नाम था वन्दना। वह हाईस्कूल की छात्रा थी और स्वभाव से काफ़ी चंचल थी। उसकी चंचलता से उसका सौन्दर्य और भी ज़्यादा निखर जाता था। वह छोटे बच्चों की भाँति रूठती, ज़िद करती, बहाने बनाती और पढ़ने से बचना चाहती थी।

कुछ ही दिनों में यतीन और वन्दना भाई-बहिन की भाँति एक-दूसरे से घुल-मिल गये। यतीन उसे काफ़ी डाँटता था। पर वह कभी भी बुरा नहीं मानती थी। धीरे-धीरे वह ध्यान लगाकर पढ़ने लगी।

वन्दना हृदय की बड़ी कोमल थी। उसे यतीन की निरीहता पर बड़ी दया आती थी। जितना उससे बन पड़ता, वह उसकी मदद करती।

एक बार यतीन लगभग दस दिन के लिए बीमार पड़ गया, पर उन लोगों ने उसे पूरा वेतन ही दिया।

इसी प्रकार जाड़ों की ऋतु में जब यतीन ठण्ड से सिकुड़ता उसे पढ़ाने पहुँचता, तो वह उसे ओढ़ने को शाल देती और चाय पिलाती।

जिस दिन ट्यूशन समाप्त हुआ, उसने यतीन की, जिसे वह मास्टर साहब कहती थी, कसकर दावत की। पूड़ियाँ बनीं, कई सब्ज़ियाँ बनीं और बाद में खीर का प्रबन्ध भी किया गया।

उस दिन विदा लेते समय दोनों की आँखों में आँसू भर आये। इसके बाद वह

लड़की यतीन को कभी नहीं मिली।

इस ट्यूशन के समाप्त होने पर एक प्रोफ़ेसर की मदद से यतीन को एक बैरिस्टर के बच्चों को पढ़ाने का काम मिल गया। बच्चे क्या थे, तूफ़ान थे। एक आठ बरस की लड़की और एक छह बरस का शरारती लड़का।

वह यतीन को देखते ही कहता, 'लो वह साला मास्टरवा फिर आ गया।'

वह प्रायः यतीन से पूछता, 'तुम्हें बिना स्वेटर और कोट के ठण्ड क्यों नहीं लगती? तुम मास्टर नहीं, नौकर हो, ग़रीब हो।'

यतीन सब कुछ सुनता और चुप रहता। कुछ दिनों बाद उसने ट्यूशन छोड़ दिया और एक प्रेस में प्रूफ पढ़ने शुरू कर दिये।

पाँच

धीरे-धीरे यतीन प्रयाग की साहित्यिक गोष्ठियों में जाने लगा। कुछ साहित्यकार एकदम फक्कड़, खुले दिल और उदार थे, तो कुछ ऐसे भी थे, जो स्नाबरी से भरपूर थे। यदि कुछ साहित्यकार नये साहित्यकारों को आगे बढ़ने देना चाहते थे, तो कुछ ऐसे भी सज्जन थे जो नयी प्रतिभाओं को वहीं कुचल देना चाहते थे।

यतीन इन गोष्ठियों में जाता और तटस्थ भाव से सब कुछ देखा करता। उसे इस बात पर विश्वास ही नहीं होता था कि जिन लोगों की रचनाएँ वह अब तक पढ़ता आ रहा था, वे ये ही थे। कभी-कभी यतीन को भी अपनी रचना पढ़ने का या अपने विचार प्रकट करने का अवसर प्राप्त हुआ।

जिन दिनों की बात की जा रही है, ये वे दिन थे, जिनमें हिन्दी साहित्य एक संक्रमण काल से गुज़र रहा था। काव्य के क्षेत्र में छायावाद समाप्त हो चुका था और प्रयोगवाद व नयी कविता ने जड़ पकड़नी प्रारम्भ कर दी थी। कहानी के क्षेत्र में भी नयी कहानी का युग प्रारम्भ हो रहा था और एक पूरी की पूरी पीढ़ी नयी ताज़गी के साथ साहित्य की सभी विधाओं को कुछ नया देने के लिए संघर्ष में जुटी थी।

नये साहित्यकारों की अपनी मान्यताएँ और कमियाँ कुछ भी रही हों, पर इस बात में कोई संशय नहीं था कि सब-के-सब पुरानी पीढ़ी का आदर करते थे।

प्रयाग में पुरानी पीढ़ी के दो स्तम्भ थे– पन्त और निराला। यतीन ने इन दोनों से भेंट करने का निश्चय किया।

सबसे पहले वह एक कवि मित्र के साथ शाम को पण्डित सुमित्रानन्दन पन्त से मिलने गया। पन्तजी हैमिल्टन रोड के एक बँगले में रहते थे। यतीन ने पन्तजी के चित्र देखे थे और गुंजन, ग्राम्या व युगान्त की कुछ कविताओं से वह इतना अभिभूत था कि जब तक पन्तजी ने दरवाज़ा खोला, वह बरामदे में खड़ा एक विचित्र प्रकार की कँपकँपी से काँपता रहा।

पन्तजी ने दरवाज़ा खोला, यतीन व उसके मित्र को भीतर बुलाया और सोफ़े पर बैठ जाने को कहा। सामने के सोफ़े पर वह खुद बैठ गये। यतीन ने देखा कि पन्तजी ठीक उतने ही सुन्दर हैं, जितने कि वे चित्रों में दिखाये जाते थे। एकदम तराशे गये नाक-नक्श, रेशम जैसे लम्बे केश, मध्यम क़द और दुबली देह। रात के प्रकाश में वे कभी-कभी एक एंग्लो-इण्डियन युवती होने का भ्रम पैदा करते थे। पन्तजी का व्यवहार विनय, स्नेह और शिष्टाचार से भरा था।

यतीन उन्हें देखता रहा, देखता रहा। उसे पता भी नहीं लगा कि कब भेंट समाप्त हुई और कब वह हॉस्टल लौटा। स्वर्ण कवि से मिलने के बाद उसे लगा, जैसे कि जीवन सफल हो गया। इसके बाद तो पन्तजी से वह कई बार मिला। उनकी कविता भी सुनी और उनसे बातें भी की। मगर प्रत्येक बार उसे वही रोमांच होता रहा, जो कि पहले दिन हुआ था।

कुछ दिनों बाद वह निरालाजी के दर्शनों के लिए दारागंज की बस्ती में गया। निरालाजी अपने एक चित्रकार-मित्र की बैठक में अकेले रहते थे। यतीन निराला को उनके काव्य के माध्यम से पूरी तरह जानता था। उसे पता था कि विशुद्ध कवि की हैसियत से निराला जो हैं वे पन्त से भारी पड़ते हैं।

उनकी ऊबड़-खाबड़ पंक्ति योजना, ढेर सारे देशज शब्दों का प्रयोग और उनकी अतुकान्तता, एक ऐसा संगीत पैदा करती थी, जो सारी काटछाँट के बाद भी पन्तजी में नहीं मिलता था।

वैसे दोनों अपने विभिन्न क्षेत्रों में अमर थे, महान् थे। यतीन का यह सौभाग्य था कि वह इन दोनों रससिद्ध कालजयी महाकवियों से मिल सका। सैकड़ों वर्ष बाद ये लोग उसी आनन्द और तन्मयता के साथ पढ़े जाएँगे, मगर उन्हें जीवित देखने का सौभाग्य तो कुछ ही को मिलेगा।

यतीन सोचने लगा कि क्या भवभूति, जयदेव, कालिदास, विद्यापति, सूरदास और तुलसीदास भी उसी ही की तरह हाड़मांस के बने काम, क्रोध, मोह और लोभ में फँसे इंसान थे? क्या उन्हें भी सर्दी और गर्मी लगती थी और क्या वे भी उस ही की भाँति खाना खाते थे और कपड़े पहनते थे? क्या इतने महान् कलाकार भी व्यक्तिगत जीवन में अन्त में चलकर मात्र एक आदमी ही थे?

इन्हीं प्रश्नों को सोचता-विचारता वह निरालाजी के द्वार तक पहुँच गया।

यतीन ने दखा कि एक बैठक है, जिसके दरवाज़े खुले हैं। बैठक भी कोई ज़्यादा बड़ी नहीं है। एक तरफ़ दीवार में निकली अलमारी के नीचे एक नंगा तख़्त पड़ा है जिस पर एक फटा पुराना लिहाफ है और 'कम्प्लीट वर्क्स ऑफ शेक्सपियर' की जिल्द रखी है। तख़्त के नीचे एक बोरिया बिछा है और अलमारी में दवाइयों की शीशी वग़ैरह रखी हैं।

एक विशालकाय दाढ़ीवाला आदमी है, जो इस बैठक में इस तरह घूम रहा है,

जैसे कि पिंजरे में शेर घूमता है। वह घूमता जाता है और बड़बड़ाता जाता है। कभी अँग्रेज़ी में बड़बड़ाता है, तो कभी हिन्दी में। उस शेर जैसे घूमते इंसान ने यतीन को कतई नहीं देखा, मगर यतीन पहचान गया कि यही पण्डित सूर्यकान्त त्रिपाठी निराला हैं। यह ही हैं वह कालजयी महाप्राण कवि, जिन्हें जब तक संसार में हिन्दी बोली जाती है, तब तक बराबर याद किया जाएगा। यही हैं वह कवि जिन्होंने 'स्वर्ण शस्य अंचल धरती का लहराया, सखि वसन्त आया' जैसी कविताएँ लिखी हैं।

इतना सौन्दर्य प्रेमी कलाकार और इस देश में? ज़िस्म पर एक मैली फटी लुंगी और बस। यतीन देखता रहा और कवि की एक-एक पंक्ति उसकी स्मृति पर हथौड़े की चोट करती रही। 'मरा हूँ हज़ार मरण, पायी तब शरण' शरण या 'ठाठ का जीवन का वही जो ढह गया है, मैं अलक्षित हूँ यही कवि गया है।'

यतीन ने प्रणाम किया और चला आया। प्रणाम का भी कोई उत्तर उसे नहीं मिला।

निरालाजी को देखकर यतीन को तुष्टि नहीं हुई। वह ग़रीब व्यक्ति उसे अपने अभावपूर्ण और दुःखी जीवन से एकदम जुड़ा हुआ लगा। उसे इच्छा हुई कि वह उनसे मिले और लगातार मिले। जहाँ पन्तजी का विनयपूर्ण सुसंस्कृत व्यवहार एक ऐसी अदृश्य दीवार का काम करता था कि कोई भी उनके भीतर तक न झाँक सके, वहीं निराला जी का अहंकार एक ऐसा खुला द्वार था, जिसमें से होकर कोई भी उनकी आत्मा को छू सकता था।

यतीन ने हिम्मत की और प्रायः दारागंज जाता रहा। जब भी जाता, तो वह महाकवि के चरण छूता और उनके कहने पर बोरिये पर बैठ जाता। निराला जी प्रायः बड़बड़ाते रहते। मगर यदि कभी मूड हुआ, तो उससे भी बातचीत कर लेते हैं।

अचानक एक दिन जब उन्हें पता चला कि यतीन संस्कृत जानता है और वह भी उन्हीं की तरह 'रघुवंश' को कालिदास की सर्वश्रेष्ठ कृति मानता है, तब वह बड़े प्रसन्न हुए। उन्होंने यतीन से रघुवंश के कुछ अंश सुनाने को भी कहा। यतीन ने 'अजविलाप' से 'गृहिणी सचिवः सखा मिथः' और उसके अगले सर्ग से 'त्यजेत् मानमलम् बत विग्रहै :' वाले श्लोक सुनाये, तो निराला जी एकदम मूड में आ गये और 'ऋतु संहार' के पद के बाद पद सुनाने लगे।

उस दिन उन्होंने यतीन को शर्बत पिलाया और आशीर्वाद दिया।

जब तक यतीन प्रयाग में रहा, उनके दर्शनों को जाता रहा। निराला जी कभी पहचानते और कभी नहीं पहचानते। वह अँग्रेज़ी बोलते जाते और कमरे में चक्कर लगाते रहते। देखने में वह एक फ़क़ीर या ऋषि लगते थे। चक्कर लगाते-लगाते जब थक जाते, तो शेक्सपियर के नाटक पढ़ना शुरू कर देते। बाद में चलकर वह उसी पोथी का तकिया बनाकर तख़्त पर लेट जाते।

उर्दू के प्रख्यात कवि फ़िराक़ गोरखपुरी से मुलाक़ात करने में कोई कठिनाई नहीं हुई। इत्तिफाक की बात कि यतीन का अँग्रेज़ी का पीरियड वही लेते थे। काफ़ी

दिलचस्प इंसान थे। क्लास में पहले ही दिन बता दिया कि मेरी क्लास में लड़कियाँ नहीं होंगी, मेरी क्लास में हाज़िरी नहीं ली जाएगी और तीसरी बात यह कि मेरी क्लास में पाठ्यक्रम का कोई ज़िक्र नहीं किया जाएगा।

क्लास क्या होती थी, एक महफिल होती थी, जिसमें फ़िराक़ साहब कभी चासर को डिस्कस करते थे, तो कभी बायरन को। अंग्रेजी साहित्य का उनक़ो काफ़ी परिचय था, हालाँकि वह ख़ुद उर्दू में लिखते थे।

फ़िराक़ साहब का असली हुलिया शाम को उनके बँगले पर खुलता था। वह कसकर मदिरापान करते थे, तख़्त पर गाव तकिया लगाकर बैठते थे और दुनिया के सारे विषयों पर बातें करते थे। हिन्दी और हिन्दी के लेखकों की बुराई करना उन्हें विशेष पसन्द था। हालाँकि कभी-कभी जो तर्क वे देते थे, वे काफ़ी सही मालूम पड़ते थे। पन्त और निराला को वे सच्चा कवि मानते थे, पर प्रसाद को केवल पद्यकार ही कहते थे, कवि नहीं। हिन्दी का विरोध करने के अतिरिक्त जिस दूसरे काम में उनकी विशेष रुचि होती थी वह था आत्म-प्रचार व आत्म-प्रशंसा।

बहरहाल शाम की बैठक काफ़ी रंगीन और पुरलुत्फ रहती थी। न जाने किस-किस शायर का कलाम सुनने को मिलता था और न जाने कितनी गन्दी गालियों में किसे-किसे पुकारा जाता था। पायजामा उनका प्रायः बग़ैर नाड़े के ही रहता था और कभी-कभी नशे में वह बाथरूम न जाकर बाहर बरामदे के नीचे ही लघुशंका कर लिया करते थे। हाज़िर जवाबी और मज़ाक़ करने में उनसे शायद ही कोई जीत सकता था। पान खाते थे और सिगरेट बराबर पीते रहते थे।

उनकी बैठक में एक ख़ास तौर का माहौल रहता था जो और जगह मिलना मुश्किल था। यतीन प्रायः फ़िराक़ साहब के यहाँ जाता और उस दुनिया को देखता। उर्दू काव्य के प्रति यतीन के हृदय में जो सम्मान था वह वहाँ जाकर धीरे-धीरे पक्का हो गया।

छः

बी.ए. प्रीवियस की परीक्षा के उपरान्त यतीन ने अपनी कुछ किताबें बेच दीं और घर का टिकट लिया।

चौबीस घण्टे के अन्तराल के बाद गाड़ी घर के पास वाले स्टेशन पर पहुँची।

साल भर के अर्से के बाद घर आकर यतीन को बड़ा अच्छा लगा। शारदा अब बड़ी हो रही थी और यतीन सोचता था कि उसकी शादी वह धूमधाम से करेगा।

छुट्टी भर उसने फिर ट्यूशन किये और जुलाई में वह फिर प्रयाग आ गया।

जिस दिन वह प्रयाग आया उसके अगले ही दिन पुलिस का एक आदमी उसकी खोज करता-करता छात्रावास पहुँचा और इत्तला दी कि नगर के सीनियर

सुपरिण्डेण्टेण्ड पुलिस ने उन्हें घर पर बुलवाया है।

यतीन घबरा गया। वह कभी-कभी प्रोग्रेसिव क़िस्म के लोगों के पास बैठता था और समाजवाद के बारे में किताबें पढ़ता था, मगर उसे यह याद नहीं पड़ता था कि उसने ऐसा क्या काम कर डाला कि पुलिस का बड़ा कप्तान उसे घर पर बुलवाए।

ख़ैर, उसने अपने कपड़ों पर इस्त्री की, जूता पालिस किया और निश्चित समय से आधा घण्टा पहले ही कप्तान साहब की कोठी की दिशा में चल पड़ा। कप्तान साहब मिशन रोड पर रहते थे जैसा कि उसे वहाँ पहुँचकर पता लगा, वह उसी की जाति के भी थे।

कप्तान साहब का बँगला वाक़ई बहुत बड़ा था। आधा रास्ता अन्दर पहुँचने के बाद एक सिपाही 'हाल्ट' कहकर चिल्लाता था और परिचय देने के बाद ही भीतर जाने देता था।

कोठी काफ़ी बड़ी थी। चारों तरफ़ फूलों के और हरी घास के लॉन थे। बरामदे में कप्तान साहब के हैट और पुलिस की टोपियाँ टँगी हुई थीं।

वह खुद बाहर निकलकर आये और उसे बड़े स्नेह के साथ भीतर ड्राइंगरूम में ले गये। यतीन की बड़ी खातिर की गयी। पहले चाय पिलायी गयी और फिर रात के खाने के लिए रोका गया।

कप्तान साहब चालीस वर्ष के मोटे-ताजे सुन्दर और निहायत खुशमिज़ाज व्यक्ति थे जो सिगरेट बे-तहाशा पीते थे। यतीन को पहली ही भेंट में उन्होंने दोस्त बना लिया।

कप्तान साहब की पत्नी कुछ स्नाबरी रखती थीं और वे यतीन के साथ बेरुखी से पेश आयीं। मगर कप्तान साहब के ठहाकों के सामने तो भूत भी नहीं ठहर सकता था। सारी शाम बेहद खुशी में बीती।

डिनर के बाद कप्तान साहब ने खुद मोटर ड्राइव की और यतीन को उसके होस्टल तक छोड़कर आये।

इसके बाद यतीन कप्तान साहब के यहाँ प्रायः जाने लगा। अगर किसी कारण वह न जाता, तो कप्तान साहब का बुलावा आ जाता। कप्तान साहब वास्तव में बेहद स्नेही, निश्छल और दिलचस्प आदमी थे। उनके कर्मचारी उनसे बहुत प्यार करते थे।

एक दिन कप्तान ने बातों-बातों में बताया कि वह अपनी बहिन की लड़की का रिश्ता यतीन से करना चाहते हैं। लड़की के पिता एक बड़े ज़मींदार के लड़के थे। खुद भी केन्द्रीय सचिवालय में अफ़सर थे, पर वह किसी होनहार ग़रीब लड़के की तलाश में थे, जो ज़िन्दगी में आगे बढ़ सके। वह उस लड़के की यथाशक्ति मदद करना चाहते थे।

यतीन ने यह प्रस्ताव सुना तो बड़ी खुशी हुई। सबसे ज़्यादा खुशी तो यह हुई कि कप्तान साहब जैसे खुशदिल इंसान से रिश्तेदारी हो गयी।

लड़की के दो या तीन फोटो भी यतीन को दिये गये, जिनमें एक चित्र में वह

काफ़ी सरल और सुन्दर दिखाई पड़ती थी।

बात पक्की हो गयी और उसी वर्ष जाड़ों में उसकी सगाई हो गयी। उसकी भावी सास उससे मिलने प्रयाग आयी और उसके लिए गर्म कोट और पतलून का कपड़ा लायी, स्वेटर लायी और जूते लायी।

यतीन की शकल बदल गयी। उसके भावी ससुर ने उसकी आर्थिक सहायता का बोझ भी हाथ में ले लिया। उसके बाद यतीन को सिवा वजीफा लेने के और कोई काम नहीं करना पड़ा।

ज़िन्दगी में पहली बार गर्म स्वेटर और सूट पहनने पर यतीन को अजीब सा लगा। उसकी सास काफ़ी चंचल, सुन्दर और हँसमुख थीं। उन लोगों ने यह महसूस ही नहीं होने दिया कि यतीन ग़रीब है या वह उसकी कोई सहायता कर रहे हैं। सारा काम इतनी आत्मीयता के साथ हुआ कि यतीन परिवार का एक सदस्य बन गया।

बी.ए. फाइनल में उसकी प्रथम श्रेणी और चौथी पोज़ीशन आयी। इसके बाद उसने पुराना होस्टल छोड़ दिया और वह एक बढ़िया होस्टल में चला गया।

सात

जुलाई फिर आ गयी। युनिवर्सिटी में नये छात्रों की भीड़ दिखाई पड़ने लगी। यतीन तो अब सीनियर छात्र हो चुका था। वह गाँव से आये अपने जैसे फटेहाल छात्रों को देखता था और उस दिन को याद करता, जब दो वर्ष पहले वह भी इसी तरह शानदार स्थान पर आया था।

जिस विषय में यतीन ने एम.ए. के लिए दाखिला लिया, उसके विभागाध्यक्ष एक पारसी सज्जन थे। काफ़ी सुन्दर, शालीन, मधुरभाषी और ज़रूरत से ज़्यादा चालाक। उनकी धूर्त्तता का पता यतीन को काफ़ी दिनों बाद लगा। जो रीडर थे, वह प्रोफ़ेसर की खुलेआम ख़ुशामद करते थे, क्योंकि प्रोफ़ेसर के रिटायर होने के बाद उन्हें ही प्रोफ़ेसर होना था।

बाकी अध्यापकों में कुछ काफ़ी परिश्रमी थे और अपने विषय पर अधिकार रखते थे। मगर कुछ ऐसे भी थे जिन्हें कुछ ज़्यादा आता-जाता नहीं था। उसमें से कुछ तो डाँट-फटकार से काम लेते थे और कुछ इतने सज्जन और स्नेही थे कि विद्यार्थी लोग उनकी वैसे ही इज़्ज़त करते थे।

क्लास में लड़कियों की संख्या काफ़ी थी।

एक लड़की थी जो बंगाली थी और काफ़ी मोटी थी। वह काफ़ी ग़रीब थी और पता नहीं कैसे पढ़ाई की गाड़ी खींच रही थी, ताकि वह कुछ बन सके और परिवार की मदद कर सके।

एक गोरी लड़की थी जो अपनी लम्बी गर्दन को झुकाकर चलती थी। वह

कभी-कभी मोटर से आती थी।

लड़कियों के इस झुण्ड में एक लड़की ऐसी थी, जिसने यतीन को अनायास ही आकृष्ट किया। उसका नाम था विनीता। विनीता हल्के साँवले रंग की थी, क़द उसका छोटा था और देह पतली थी। वह इतनी भोली, अल्हड़ और सुन्दर थी कि यतीन ने जैसे ही उसे देखा, वैसे ही उसे लगा गोया कि वह इसी की तलाश में अब तक भटक रहा था। वह बहुत धीमे से मुस्कुराती थी और ज़्यादातर बातचीत अपनी आँखों के माध्यम से ही करती थी और उसकी मासूमियत से भरी बड़ी-बड़ी आँखें ऐसा प्रभाव छोड़ती थीं कि यतीन उसे कभी भूल नहीं सकता था। कुछ महीने बीतते यतीन और विनीता की मैत्री हो गयी।

यतीन की सगाई हो चुकी थी और वह भली-भाँति जानता था कि एक चौदह या पन्द्रह वर्ष की बालिका कहीं उसकी प्रतीक्षा में बैठी है। इस बीच वह एक बार अपनी भावी पत्नी को देख भी आया था। वह काफ़ी सन्तुलित, सुन्दर, गोरी व समझदार प्रतीत होती थी।

आगे चलकर कोई ग़लतफहमी न हो, इस बात को ध्यान में रखते हुए यतीन ने सारी बातें विनीता को खुलासा बतला दी थीं। मगर विनीता थी कि उसे कुछ परवाह ही नहीं थी। वह यतीन से मिलती, कक्षा की परेशानियाँ हल करती, कभी-कभी उसे घर बुलाती और चाय पिलाती या खाना खिलाती।

कुछ ही दिनों में वह इस तरह व्यवहार करने लगी, जैसे कि वह यतीन को वर्षों से जानती हो और उस पर उसका पूरा अधिकार हो। यतीन की स्थिति भी धीरे-धीरे काफ़ी नाज़ुक होती जा रही थी और उसे लगता था कि बग़ैर विनीता के वह रह नहीं सकता।

एम.ए. के दो वर्ष इसी प्रकार बीत गये। परीक्षा के दिनों में विनीता यतीन को हिम्मत बँधाती, उसके साथ हँसती रहती या बतियाती रहती। ऐसा लगता था कि जाने कितने वर्षों का परिचय है, जिसने धीमे-धीमे मैत्री का रूप धारण किया है। यतीन जानता था कि इस मैत्री का अन्त सुखदायक नहीं होगा; पर फिर भी वह उसे छोड़ नहीं सकता था। इतनी शक्ति उसमें नहीं थी।

कभी-कभी वह सोचता था कि सगाई तोड़ ले और विनीता से शादी कर ले। मगर इस बात का सोचना जिनता सरल था, उसका करना उतना ही कठिन था। तीन वर्ष की सगाई तोड़ने का अर्थ होता कि एक अच्छे-भले कुल की अबोध कन्या बिना बात अपमानित हो। इसके अतिरिक्त उन लोगों ने क्या इसी सबके लिए ग़रीबी के नरक से उसे निकाला था?

यतीन की छोटी बहिन की शादी होनी थी और उसकी सगाई तोड़ने का उसकी शादी पर बुरा असर पड़ सकता था, जो वह किसी भी स्थिति में बर्दाश्त नहीं कर सकता था। जिस तरह रात-भर सूत कातकर उस बेचारी लड़की ने उसकी फीस के

पैसे जुटाये थे, उसे क्या कोई भी संवेदनशील भाई कभी भूल सकता था?

और फिर भी विनीता थी एक समृद्ध परिवार की, कोठी, बँगले में रहने वाली लड़की। वह क्या उनके टूटे-फूटे जर्जर मकान, दुर्दान्त बाप और निरीह माता के साथ रह सकती थी?

और जिस लड़की से यतीन की सगाई हुई थी, उससे क्या वह कतई कोई प्रेम नहीं करता था।

यतीन इन्हीं सब बातों में खोया रहता, उलझा रहता। उसने विनीता से सिर्फ़ दोस्ती की थी और यह साफ़ बता दिया था कि शादी वह वहाँ करेगा, जहाँ उसकी सगाई हो चुकी थी। उसने कोई भी बात छिपाकर नहीं रखी थी। छल या कपट उसके स्वभाव में ही नहीं था।

वह अकसर इस मुद्दे पर विचार किया करता कि स्त्री और पुरुष के बीच क्या पवित्र प्रेम नहीं हो सकता?

क्या यह ज़रूरी है कि वे शादी ही करें?

वह जितना सोचता जाता, इस बारे में जितना पढ़ता, उतना ही वह और फँसता जाता था।

उसने महसूस किया विदेशों की बात अलग है, जहाँ तक अपने देश और समाज का प्रश्न है, वहाँ बिना शादी के किसी परायी लड़की से दोस्ती रखना एक पाप है। एक ऐसा पाप, जिससे पुरुष को शायद मुक्ति मिल जाए, पर स्त्री को कभी नहीं मिलेगी।

वह तय करता था कि जब शादी ही नहीं करनी, तो विनीता से दोस्ती रखने से ही क्या लाभ?

एक ऐसा स्वेटर क्यों बुना जाए जिसे पहनने की कोई सम्भावना ही नहीं?

वह निश्चय करता कि अब वह विनीता की ओर मुँह उठाकर देखेगा भी नहीं; पर अगले दिन जब हँसती, खिलखिलाती विनीता दिखाई पड़ती, तो वह सब कुछ भूल जाता और उसी में खो जाता।

आठ

विनीता के पिता रेलवे विभाग में अधिकारी थे। घर में एक छोटी बहिन थी और माता-पिता थे। भाई कोई नहीं था। उसकी बहिन बहुत चंचल थी। उसकी माता बेहद सीधी, निश्छल और स्नेही थी और यतीन से बड़ा प्रेम करती थी।

उसके पिता आम अफ़सरों की तरह कुछ दबंग से व्यक्ति थे, जिन्हें खेल-कूद में काफ़ी दिलचस्पी थी। यतीन जब कभी भी जाता, वह उससे फुटबाल ही की बात करते थे। कुल मिलाकर वह ज़्यादा शालीन नहीं लगते थे और बौद्धिकता नाम की

चीज़ तो उनके पास थी ही नहीं।

विनीता का बँगला सिविल लाइंस में था। ईंटों का बना पुराने ज़माने का बँगला और लम्बा-चौड़ा लान। लॉन में एक ओर फूलों के पेड़ भी थे और फूल भी काफ़ी थे।

विनीता की एक मित्र थी, जो यतीन के साथ ही पढ़ती थी। वह यतीन और विनीता की मैत्री पर कभी-कभी व्यंग्यपूर्ण कटाक्ष किया करती थी।

कुछ नौजवान प्रोफ़ेसर भी थे, जो यतीन के साथ इसी बात को लेकर हास-उपहास किया करते थे। सीनियर प्रोफ़ेसरों को सिवा पढ़ाने के और किसी चीज़ से मतलब नहीं था।

फाइनल परीक्षा दिन-प्रतिदिन पास आ रही थी। यतीन की हार्दिक इच्छा थी कि क्लास में सर्वप्रथम आए, क्योंकि वैसा होने पर कम-से-कम कहीं अध्यापक की नौकरी तो मिल ही सकती थी।

वह बहुत परिश्रम करता था। दिन और रात पढ़ना और पढ़ना। कभी बहुत थक गया, तो किसी साथी के पास बैठ आया या कटरे में किसी हलवाई की दुकान पर कचौड़ियाँ खा ली।

होस्टल का वातावरण कुल मिलाकर बहुत शान्त था। वाइसचांसलर स्वयं इस होस्टल के वार्डन थे। रोज़-ब-रोज़ का इन्तज़ाम देखने के लिए एक और प्रोफ़ेसर थे, जो पास ही बँगले में रहते थे और सुपरिण्टेण्डेण्ट कहलाता थे। बेहद मृदुभाषी और सहायता करने वाले सज्जन।

होस्टल में लगभग दो-ढाई-सौ छात्र रहते थे, जिनमें से ज़्यादातर पढ़ने वाले थे। वैसे कुछ ऐसे भी थे, जो न जाने कितने वर्षों से यूँ ही रहते आ रहे थे। कोई कानून के कॉलेज में पढ़ता था, तो कोई किसी विषय पर शोध कर रहा था।

एक सज्जन थे जो गणित में रिसर्च कर रहे थे और उनका विश्वास था कि अपने को जीनियस कहलाने के लिए किसी हद तक बेढंगा रहना ज़रूरी था। वह जान-बूझकर अपने जूतों पर दाल गिरा लेते या ऊलजलूल पोशाक पहन लेते। यतीन उनसे दोस्ती रखता था और उनकी इज़्ज़त करता था। इस सबका कारण यह था कि उन सज्जन का साहित्य प्रेम बड़ा गहरा था।

एक और छात्र थे, जो सबुह को गुलाब का फूल हाथ में लेकर बाथरूम जाते थे।

एक और सज्जन थे, जो अपने पास कुछ नहीं रखते थे, मगर रहते ठाठ से थे। पायजामा किसी का होता था, कुर्ता किसी का। चाय बराबर पीते थे, मगर वहाँ भी स्थिति वही रहती थी कि चीनी किसी की होती थी और दूध किसी का। फर्स्ट इयर के लड़कों को जो बेवकूफ बनाया जाता था या तंग किया जाता था, उससे वह ही सज्जन उनकी रक्षा करते थे। इस रक्षा के बदले अगर वे उन्हीं लड़कों से स्टोव या क्राकरी माँगते थे, तो किसी को क्या ऐतराज हो सकता था?

पढ़ाई से जब छुट्टी मिलती, तो यतीन कप्तान साहब के यहाँ या माथुर साहब

के यहाँ हो आता था, माथुर साहब ही तो वह व्यक्ति थे, जिन्होंने उसे पहला ट्यूशन दिलवाया था। न वह ट्यूशन मिलता, न यतीन प्रयाग में रह पाता।

माथुर साहब इन दिनों बड़े दुःखी रहते थे। किसी तरह उन्होंने अपनी इकलौती बेटी की शादी की थी और ससुराल वाले थे कि उसे स्वीकार करने में ही अड़ंगा लगा रहे थे। लड़की घर पर ही रहती थी। उनका दुःख, उदासी देखी नहीं जाती थी। एक ग़रीब परिवार की अच्छी-ख़ासी लड़की जो ससुराल वालों को पसन्द नहीं आयी। दहेज वग़ैरह को लेकर कुछ चक्कर था।

माथुर साहब जैसे पूजा-पाठ वाले वैष्णव व्यक्ति को इतनी बड़ी सजा!

भगवान है या नहीं?

और है तो इतना निर्दयी क्यों है?

मगर माथुर साहब भगवान के प्रति कतई कुछ नहीं बोलते थे। भगवान जो करता है, वह ठीक ही करता है। यदि हमें दुःख मिलता है, तो वह हमारे कर्मों का फल है।

माथुर साहब का कहना था कि तर्क के द्वारा भगवान का एहसास कभी नहीं हो सकता, क्योंकि वह बुद्धि की पहुँच के बाहर है। वह तो एक सत्य है, जिसके अनुभव करने के लिए श्रद्धा और विश्वास की ज़रूरत है, ज्ञान और बुद्धि ही नहीं।

यतीन की जान-पहचान एक ऐसे व्यक्ति से भी हो गयी थी, जिनकी स्त्री चरित्रहीनता के कारण काफ़ी बदनाम थी। उसके न जाने कितने प्रेमी बताये जाते थे। उनकी आयु पैंतीस चालीस वर्ष रही होगी; पर थी वह आकर्षक और मज़ाक़ पसन्द। उनके बैठते ही उदासी ग़ायब हो जाती थी। यतीन देखता था कि वह पूजा-पाठ में काफ़ी तत्परता से काम लेती थीं और दुःख में पड़े व्यक्तियों की बड़ी सहायता करती थीं। उनके द्वार से कोई भिखारी खाली हाथ नहीं लौटता था। समाज के सुधार में और स्त्रियों का शोषण रोकने में वह काफ़ी योगदान देती थीं। बाढ़ के दिनों में वे चन्दा समिति बनातीं, अनाथ लड़कियों को मशीन चलाना सिखातीं और बीमार लोगों की होम्योपैथिक चिकित्सा करतीं। यतीन को कभी पता नहीं लगा कि वह किधर से चरित्रहीन थीं।

हमारा समाज भी क्या समाज है, जहाँ किसी भी हिम्मत वाली स्त्री को आसानी से दुश्चरित्र बताया जा सकता है। उन्होंने यतीन को बराबर बड़ी बहिन का प्यार दिया।

फाइनल परीक्षा हो गयी और यतीन क्लास में सर्वप्रथम आया।

विनीता ने उसे दिल खोलकर बधाई दी और इस ख़ुशी में एक दावत भी दी।

कप्तान साहब ने उसे गले लगाया और सिनेमा दिखाया।

इसके बाद यतीन ने सिविल सर्विस की प्रतियोगिता के लिए तैयारी करनी शुरू की।

नौ

यतीन ने होस्टल छोड़ दिया। कप्तान साहब तबादले पर आगरा चले गये।

यतीन बेली रोड के एक बँगले में रहने लगा, जिसमें उसकी भावी पत्नी के मौसा रहते थे। बड़ा विचित्र वातावरण था। मौसा जी जो थे, वह लखपति थे। राजस्थान में उनके कत्थे के बागान थे, पर वह थे कि तबीयत बहलाने के लिए एकाउण्टेण्ट जनरल के दफ़्तर में बाबूगिरी करते थे। उनके कोई सन्तान नहीं थी। जैसा कि बाद में यतीन को पता चला, वह शारीरिक रूप से विवाह के योग्य नहीं थे। वह ज़्यादातर समय गपशप या पूजापाठ में गुज़ारते थे और मस्त रहते थे। गंगा के उस पार कोई महात्मा रहते थे, जिनका प्रवचन सुनने वे हर शनिवार को जाते थे और फिर सोमवार को ही लौटते थे।

मौसी थी रानियों की भाँति सुन्दर सन्तुष्ट और उदार। वह अपने पति से बड़ा प्रेम करती थी और आसपास के बच्चों से इतना स्नेह रखती थीं, गोया कि वे उनके ही बच्चे हों। निःसन्तान होने के कारण उनमें एक ऐसा मातृत्व का सागर उमड़ता रहता था कि वह किसी भी बच्चे को अपना बना लेती थीं। उनके पास बहुत गहने थे और उनका जो वक़्त था, वह या तो चाय पीने में कटता था या फिर पान खाने में।

एक नौकर था, दुक्खी। खाली वक़्त में मौसी जी और दुक्खी ख़ूब लड़ते थे, मगर यह एक ऐसी स्थिति थी, जिससे दोनों पार्टियाँ समझौता कर चुकी थीं।

बँगले में एक कमरा यतीन को दिया गया, मगर पढ़ने के लिए जो एकान्त अपेक्षित है, वह वहाँ नहीं था। मौसा जी के यहाँ मेहमान ख़ूब आते थे और आने के बाद कई-कई दिन ठहरते थे। हुक़्क़ा ख़ूब चलता था।

मगर यतीन था कि खिड़कियाँ बन्द करके उसी वातावरण में पढ़ता था और ख़ूब पढ़ता था। इंग्लैण्ड का इतिहास और अन्तरराष्ट्रीय कानून ये दो विषय थे, जिनमें उसकी स्वाभाविक रुचि थी। आई.ए.एस. तथा बाक़ी सिविल सर्विसों की जो संयुक्त परीक्षा होती थी, उसमें पन्द्रह से बीस हज़ार तक लड़के बैठते थे। चुने जाने वालों की संख्या क़रीब डेढ़ सौ होती थी। यतीन को इतना विश्वास नहीं था कि वह प्रतियोगिता में सफल हो जाएगा।

वैसे भी वह युनिवर्सिटी में लेक्चरर बनना चाहता था पर विभागाध्यक्ष के पक्षपात के कारण उसे वह अवसर कभी नहीं मिला। कुछ और शानदार कॉलेजों ने उसे लेना चाहा, मगर तब तक वह सिविल सर्विस की लिखित परीक्षा में बैठ चुका था और पर्चे जो थे वे ठीक गये थे। उसने परिणाम की प्रतीक्षा करना ही उचित समझा। लिखित परीक्षा के बाद इण्टरव्यू होता था, जिसमें पास होना अनिवार्य था। उन दिनों इण्टरव्यू को बहुत बड़ा हव्वा समझा जाता था और बड़े-बड़े धुरन्धर वहाँ जाकर मैदान हार जाते थे।

लिखित परीक्षा की समाप्ति पर यतीन कुछ दिनों के लिए प्रयाग रुक गया। छुट्टियों के दिनों में युनिवर्सिटी का एरिया इतना उजड़ जाता था कि इधर-उधर जाकर तबीयत उदास होती थी।

यतीन या तो कम्पनी बाग़ में चला जाता था या फिर सिविल लाइंस के चक्कर लगाता। सिविल लाइंस में काफ़ी हाउस एक ऐसा स्थान था जहाँ लेखक लोग ख़ूब इकट्ठे होते थे। ख़ूब गरमा-गरम बहस होती थी। एक काफ़ी के प्याले के सहारे आप वहाँ सारी शाम गुज़ार सकते थे। कवि, कहानीकार, आलोचक और चित्रकार यानी कि सभी क़िस्म के कलाकार वहाँ इकट्ठे होते थे। कुछ लोगों का तो आने का समय और बैठने की जगह तक निश्चित होती थी। फ़िराक़ साहब दोपहर के बाद ही काफ़ी हाउस आ जाते थे और शाम की भीड़ के आने के पहले ही वापस हो जाते थे।

एक दिन काफ़ी हाउस से वापस होते हुए यतीन को विनीता मिल गयी। हमेशा की तरह ख़ुश और मुसकराती हुई।

यतीन ने बताया कि पर्चे अच्छे गये हैं और सम्भव है कि वह शायद ले लिया जाए।

'नौकरी के बाद क्या करोगे?' विनीता ने पूछा।

'नौकरी मिलने के बाद नौकरी करूँगा। फिर शादी होगी और फिर बच्चे होंगे।' यतीन ने उत्तर दिया और हँसने लगा। हँसते-हँसते उसने पूछा, 'तुम कब शादी करोगी?'

'मेरी शादी हो चुकी।' जीवन में एक को पति स्वीकार कर लिया और बस।' विनीता ने कहा और वह सहसा गम्भीर हो गयी।

उसकी गम्भीरता देखकर यतीन सहम गया। गला साफ़ करते हुए बोला, 'यह क्या पागलपन की बात करती हो, मैं तो शुरू से ही कहता आया हूँ कि मेरी जहाँ सगाई हुई, वहीं शादी भी होगी। मेरे पीछे तो ज़िन्दगी नहीं ख़राब कर रही तुम?'

विनीता ने कोई उत्तर नहीं दिया। उसने आँखें उठायीं। उनमें आँसू थे। उसने यतीन को प्रणाम किया और चली गयी।

यतीन वहीं गुलमुहर के नीचे खड़ा रहा और पता नहीं क्या-क्या सोचता रहा।

अगले दिन यतीन अपने घर वापस चला गया। वहाँ से उसे इण्टरव्यू की ट्रेनिंग लेने दिल्ली जाना था। गाड़ी से जब युनिवर्सिटी की इमारतें चमकीं, तो उसने उन्हें मन-ही-मन प्रणाम किया।

विवाह

कुछ दिनों घर रहने के बाद यतीन दिल्ली चला गया और वहाँ कोई और मित्र वग़ैरह न होने के कारण अपनी भावी ससुराल में ही ठहरा। छोटी साली और छोटे साले साहब उससे एकदम घुलमिल गये और यतीन का मन वहाँ ख़ूब रम गया।

आगे खपरैल के बरामदों वाली लम्बी-लम्बी बैरकें थीं, जिनमें अनेक क्वार्टर थे। सामने लॉन था, जिस पर बच्चे क्रिकेट खेलते, लड़ते-झगड़ते या पतंगबाज़ी करते थे।

इसी तरह के एक क्वार्टर में यतीन के भावी श्वसुर अपने परिवार के साथ रहते थे। रहन-सहन मध्यम वर्ग का था। पर्दे का पूरा इन्तज़ाम था और यतीन अपनी होने वाली पत्नी से खुलेआम नहीं मिल सकता था।

उसके श्वसुर एक किफायती, ईमानदार दुनियादार और दयालु प्रकृति के पुरुष थे और उनकी दयालुता के कारण ही उनके दूर के तीन सम्बन्धी खपरैल में रहते थे, जिसके आगे जाफरी लगाकर एक कमरे का रूप दे दिया गया था।

इन तीन प्राणियों में से एक साहब कवि थे और 'हैरत' उपनाम से उर्दू में शायरी लिखते थे। स्वभाव से एकदम सन्त, फक्कड़ और मज़ाक़ पसन्द। उनकी और यतीन की ख़ूब गाढ़ी छनी।

यतीन के श्वसुर के एक छोटे भाई थे, जो कहीं क्लर्क थे और पुरानी दिल्ली में कहीं रहते थे। एकदम छह फीट लम्बे और शरारती। वह कभी नार्मल नहीं रहते थे। या तो ज्वालामुखी की भाँति सब पर बिखरते, सबसे झगड़ा करते और यतीन की सास के ऊपर आग बरसाते या फिर इतना हँसते हुए आते कि सारे घर का माहौल ही बदल जाता। यतीन ने महसूस किया कि जो व्यक्ति दुखी होने की सामर्थ्य नहीं रखता, वह शायद सच्चे सुख का एहसास भी कभी नहीं कर सकता।

चारों तरफ़ फैली हुई बैरकें किसी मोहल्ले का वातावरण बनाती थीं। हर घर को दूसरे घरों का हाल मालूम रहता था।

पास के एक क्वार्टर का सोलह साल का एक लड़का बराबर में रहने वाली एक पैंतीस वर्ष की महिला को प्रेम-पत्र लिखता रहता था, जिसका पता सबको अच्छी तरह था।

इसी तरह पास के एक क्वार्टर में एक लड़की रहती थी, जिसकी शादी की

चिन्ता से उसके माँ-बाप काफ़ी चिन्तित रहते थे। उसके बहुत भाई-बहिन थे और वह उनमें सबसे बड़ी थी। उसकी माँ उसकी शादी न कर सकने की निराशा में उस लड़की पर गुस्सा करती और गालियाँ देती, जबकि लड़की का कसूर सिर्फ़ इतना भर था कि वह बिना किसी कोशिश के जवान होती जा रही थी। जैसे कि यतीन को पता लगा, उस लड़की ने कुछ वर्ष बाद आत्महत्या कर ली। ख़बर सुनकर यतीन को अपने क़स्बे की याद आ गयी, जहाँ दहेज कम लाने के अपराध पर ससुराल वालों ने अपनी पुत्रवधू को मिट्टी का तेल छिड़ककर जला दिया था और बाद में उसे आत्महत्या का दोषी ठहराया था।

यतीन को हमेशा से विश्वास था कि मध्यमवर्गीय समाज से ज़्यादा घिनौनी चीज़ दुनिया में कोई नहीं है और मध्यमवर्गीय परिवार की कन्या के युवा होने के बराबर और कोई पाप नहीं है। समाज सब कुछ बर्दाश्त कर सकता, पर एक निरीह लड़की के यौवन को वह नहीं सह सकता।

यतीन की भावी पत्नी के दादा गाँव में रहते थे और खेती सँभालते थे। कभी उनके पास सात गाँव थे और उनके कुछ भाइयों के यहाँ अभी तक सवारी के लिए हाथी रखा जाता था। ज़मींदारी निकल जाने के बाद कुछ खेती की धरती बची और कुछ बागान बचे। यह बुज़ुर्गवार जब कभी गाँव से दिल्ली आ जाते थे, तभी घर में सबकी बोलती बन्द हो जाती थी। बड़ा लम्बा और स्वस्थ शरीर, काली अचकन और सफ़ेद अलीगढ़ी कट का पायजामा और सफ़ेद गाँधी टोपी। शतरंज, हुक़्क़ा, डिस्ट्रिक बोर्ड के इलेक्शन और मुक़दमेबाज़ी के शौक़ीन। बोलचाल में फारसी के शब्दों का प्रयोग काफ़ी करते थे।

यतीन के रहने के दौरान एक बार दिल्ली आये और यतीन को काफ़ी हिक़ारत की निगाहों से देखा। कोई ख़ास बोलचाल नहीं हुई। पैदल चलने के बेहद शौक़ीन थे और दिल्ली में अगर किसी मिनिस्टर वग़ैरह से मिलना होता था, तो बराबर पैदल ही चलते थे।

आदमी सिद्धान्तवादी थे। एक बार एक ग़रीब आदमी से मुक़दमा छिड़ गया और बात हाईकोर्ट तक पहुँची। उसके इलाहाबाद जाने का पूरा ख़र्चा उन्होंने ख़ुद ही उठाया। दोनों लोग अपने-अपने काग़ज़ात निकाले एक ही डिब्बे से इलाहाबाद गये। गाड़ी में यदि भीड़ कम हो गयी, तो बीड़ी निकाल ली और शतरंज जमा ली। दादाजी की चार शादियाँ हुई थीं और चालीस वर्ष की आयु में वह अन्तिम बार विधुर हुए थे। उसके बाद उन्होंने शादी नहीं की।

यतीन की होने वाली पत्नी का नाम शोभा था, पर प्यार में सब लोग उसे शुभा कहते थे। गौरवर्ण, लम्बाकद, गोल चेहरा और घने केश। वह पर्दे में रहती थी और यतीन के सामने नहीं आती थी। उसके शरीर का कोई अंग अगर दीख जाता था, तो यतीन को विनीता की याद आने लगती थी। शादी के वक़्त उसकी आयु सोलह-सत्तरह वर्ष की थी और यतीन चौबीस-पच्चीस वर्ष का था।

दो

यतीन की शादी उसी प्रकार हुई जैसे की मध्यमवर्ग के हिन्दू परिवारों में होती है। बारात में गाँव के परिवार के लोग, बड़ी बहिन के पति और यतीन व उसके पिता के मित्र थे। बारातियों की संख्या कोई पच्चीस-तीस रही होगी। बारात को मिण्टो क्लब में ठहराया गया और काफ़ी खातिर की गयी। दहेज इत्यादि भी काफ़ी दिया गया था।

विदा के समय शोभा की अम्मा व चाची वग़ैरह बहुत रोयीं। तीसरे दिन बारात बहू को लेकर लौट आयी। वापसी के वक़्त यतीन-शोभा फर्स्ट क्लास के एक कूपे में बैठे, जिसका प्रबन्ध शोभा के घर वालों ने पहले से ही कर दिया था, गाड़ी चलने के कुछ देर के बाद यतीन को महसूस हुआ कि डिब्बे में वह अपनी पत्नी के साथ अकेला है। उसने उसका घूँघट उठाया और उसके मुख को अपने हाथों में ले लिया। उसने महसूस किया कि शोभा काफ़ी भोली और सुन्दर है। बी.ए. तक शिक्षा प्राप्त करने पर भी वह कॉलेज की लड़की जैसी नहीं लगती।

इसके बाद दोनों ने बातचीत करनी शुरू कर दी। वक़्त कैसे कट गया, इसका पता ही नहीं लगा। रात के लगभग ग्यारह बजे वह पैसेंजर गाड़ी एक मिनट के लिए उस गँवई स्टेशन पर रुकी, जहाँ सबको जल्दी-जल्दी उतरना था। घूँघट के कारण बहू को बिना प्लेटफार्म के स्टेशन पर उतरने में काफ़ी देर लगी। उसके बाद जैसे ही यतीन उतरा, वैसे ही गाड़ी जो थी वह गतिशील हो गयी।

यतीन का क़स्बा स्टेशन से कोई पाँच मील दूर था। रात के समय में वहाँ जाने के लिए कोई सवारी नहीं मिलती थी। इलाका डाकुओं के लिए काफ़ी मशहूर था। रामनाम लेकर सब लोग स्टेशन के पास बनी विशाल धर्मशालाओं में ठहर गये।

खाना साथ था। खाना खाने के बाद यतीन और शोभा एक कोठरी में चले गये, जहाँ कुल मिलाकर एक चारपाई पड़ी थी। उसे देखकर दोनों को हँसी आ गयी। दरवाज़े की कुण्डी लगाकर दोनों बैठ गये। यतीन खाट पर किसी तरह बैठा और उसकी वधू नीचे फर्श पर कुछ बिछा कर लेट गयी।

बातचीत का दौर फिर शुरू हो गया। वधू काफ़ी चतुर, हँसमुख और उदार चित्त थी। कमरे में मच्छर काफ़ी थे। रातभर वे लोग बातचीत ही करते रहे और डाकुओं की प्रतीक्षा करते रहे। यतीन शोभा को डाकू लोगों के क़िस्से सुनाता रहा और जब वह डर जाती, तो उसे हिम्मत बँधाता रहा।

यतीन को डाकुओं के बारे में थोड़ा-बहुत ज्ञान था। उसका ज़िला तराई में था। एक ओर हिमालय पर्वत और दूसरी ओर सीमा पर बहती गंगा नदी। सारा ज़िला लगभग साठ मील लम्बा और चौवन मील चौड़ा था और उसमें कुल मिलाकर कोई तीस नदियाँ बहती थीं। ये सारी नदियाँ साल भर सूखी रहती थीं। और वर्षा की ऋतु आते ही भरने और उतराने लगती थीं। वहीं गोस्वामी तुलसीदास की 'क्षुद्र

नदी भरि चलि उतराई' वाली बात।

इस क्षेत्र में डाकू हमेशा से होते आये थे। गढ़वाल की सीमा वाला इलाका तो सुलताना डाकू के लिए हमेशा के लिए अमर हो गया था। यतीन की सास उसी गाँव की रहने वाली थी, जहाँ कि सुलताना डाकू आये दिन डाका डालता रहता था।

वहीं एक मालिनी नदी भी थी, जिसके किनारे शकुन्तला पली थी। कण्व ऋषि का आश्रम उसी गाँव के पास था।

यतीन ने शोभा को बताया कि उसके गाँव और उसी के अपने परिवार में भी एक डाकू था, जो हमेशा वनों में रहता था और इंसान को कीड़ा या मकोड़ा समझता था। जब तबीयत हुई, तभी रायफल उठायी और गोली दाग़ दी। न जाने कितने व्यक्तियों की जान ली थी। कई बार गिरफ़्तार हुआ, मगर हर बार अदालत से छूट गया, क्योंकि कोई भी उसकी शिनाख़्त करने या उसके ख़िलाफ़ गवाही देने का ख़तरा पूरा-पूरा समझता था। धीरे-धीरे उसके कारनामे बढ़ते गये और इस बार पुलिस ने उसके गाँव में ही थाना खोल दिया। आख़िरकार एक दिन ऐसा भी आया कि वह पकड़ा गया, अदालत में ज़ुर्म साबित हो गया और उसको फाँसी की सज़ा हो गयी। अपील वग़ैरह की गयी मगर सब बेकार। एक दिन उसे बरेली की सेण्ट्रल जेल में फाँसी दे दी गयी।

मज़ेदार बात तो यह है कि वह इंसान जो दूसरों के प्राण लेने में इतना निर्दयी और निडर था, वही आदमी अपनी फाँसी के समय बच्चों की तरह डर के मारे रोने लगा। जेल के अफ़सरों ने यह बातें उन लोगों को बतायी थीं, जो लाश लेने जेल गये थे।

सारी रात बात करते-करते कट गयी। यतीन को अपनी पत्नी पसन्द आयी। सुबह किवाड़ खोलने से पहले उसने उसका मुख चूमा। बस यही उनकी सुहागरात रही।

तीन

यतीन के घर पहुँचकर वधू का बहुत स्वागत हुआ। शारदा ने धोबी के यहाँ की धुली हुई धोती पहनी और माँ ने अपनी पुरानी साड़ी धारण की। अम्मा के पास बस एक वही साड़ी थी, जो रेशमी थी, और जिसे उन्होंने अपने विवाह के अवसर पर कभी पहना था।

शोभा ने घर की स्थिति भाँप ली। उसने अम्मा और शारदा को ढेर सारे कपड़े दिये, यतीन के लिए सूट बना और पिता के लिए बढ़िया मलमल का कुर्ता और लट्ठे का पायजामा।

शोभा ने यह महसूस ही नहीं होने दिया कि वह बड़े घर की बेटी है। यूँ तो सभी स्त्रियों में परिस्थितियों से समझौता करने की ताक़त होती है; पर शोभा में यह शक्ति कुछ ज़्यादा ही थी।

शारदा से उसकी दोस्ती हो गयी। घर में बड़ा नाच गाना हुआ। अपना हक माँगने निचले तबके के लोग और हिजड़े वग़ैरह आये। शादी के सन्दर्भ में यतीन के ऊपर जो क़र्ज़ हो गया था, वह भी शोभा ही ने अदा किया। यह सब कुछ करने के बाद वह और यतीन कोई एक हफ़्ते बाद दिल्ली वापस चले आये।

जिस वक़्त वे घर में घुसे, उस समय वहाँ कुछ झगड़ा हो रहा था। बात यह थी, चाचा जी ने "हैरत" साहब को "ग़ैरत" कहकर पुकार दिया था, जिससे कवि की आत्मा को चोट पहुँची थी। थोड़ी देर के बाद झगड़ा समाप्त हो गया और यतीन ने सिगरेट सुलगाकर चाचा जी से गप्प मारनी प्रारम्भ की।

अन्दर शोभा अपनी माता व बहिनों को ससुराल के अनुभव सुनाती रही।

अब यतीन के सामने तीन समस्याएँ थीं। एक तो उसे सिविल सर्विस के इण्टरव्यू के लिए तैयारियाँ करनी थीं। दूसरे प्रतियोगिता के परिणाम आने तक कोई नौकरी ढूँढ़नी थी और तीसरे कहीं कोई कमरा ढूँढ़ना था, जहाँ वह शोभा को ले जा सके और उसके साथ रह सके। कभी-कभी वह मन में बड़ा घबराता था कि अगर नौकरी नहीं मिली तो कैसे काम चलेगा?

शोभा के चाचा ने मकान के लिए दौड़-धूप शुरू की। उनके विभाग के कई लोग थे, जो एक कमरा किराये पर उठाते थे, पर चाचा जी की प्रायः सभी से हाथापाई सम्पन्न हो चुकी थी और इसी कारण यतीन को किसी ने जगह नहीं दी।

यतीन ने सोचा कि चाचा वाक़ई कितने भोले हैं! जिन लोगों से कसकर झगड़ा हो चुका है, उनसे सहायता की अपेक्षा रखते हैं। चाचाजी निर्लिप्त थे, सिवा शोभा के पिताजी यानी कि अपने बड़े भाई को छोड़कर बाक़ी सबसे उनकी चलती थी। उनकी पत्नी कुटिल थी और इस कारण चाचा जी कभी-कभी बिना किसी बुनियाद के भी शोभा की माँ यानी कि अपनी भाभी से बहुत बुरी तरह झगड़ा किया करते थे। देवर-भाभी का यह झगड़ा कभी-कभी काफ़ी विकराल रूप धारण कर लिया करता था।

यतीन को इस सबसे कुछ लेना-देना नहीं था। चाचा जी जैसा विचित्र व्यक्ति उसने पहले कभी नहीं देखा था। झगड़ालू, क्रोधी, निश्छल और शरारत व मज़ाक़ पसन्द। सारी चीज़ें एक साथ।

यतीन को जो भी वक़्त मिलता था, उसमें वह अपनी साली और साले के साथ फिरोजशाह कोटला चला जाता, जो पास ही में था। ये दोनों बच्चे भी आपस में घोर शत्रुता रखते थे और सारे समय उन्हें मारपीट से अलग रखना एक मुश्किल काम था।

अन्त में चलकर यतीन को विनय नगर में एक कमरा मिल गया। किराया था पच्चीस रुपया। बिजली-पानी अलग। मालिक मकान सज्जन थे और यतीन से स्नेह करते थे। यतीन ने कमरे में ताला डाल दिया, क्योंकि शोभा के जाने की जो तिथि थी वह पंचांग के अनुसार कुछ दिनों बाद बैठती थी।

शोभा के बड़े मामा (कप्तान साहब के बड़े भाई) के कहने पर यतीन की

योजना कमीशन में ढाई सौ रुपये की नौकरी मिल गयी। इतना सब कुछ होने के बाद यह निश्चित किया गया कि यतीन कुछ दिनों बड़े मामा जी के यहाँ रहे और इण्टरव्यू की ट्रेनिंग ले।

इधर यतीन के श्वसुर का प्रमोशन हो गया था और वे अण्डर-सेक्रेटरी हो गये थे। उन्होंने अपना पुराना क्वार्टर छोड़ दिया और सचिवालय के पास बनी एक बस्ती में एक फ़्लैट एलाट करा लिया।

चार

शोभा के बड़े मामा भारत सरकार के संयुक्त सचिव थे। उन दिनों सचिव व संयुक्त सचिव संख्या में बहुत कम होते थे और इसी कारण वे लोग उन दिनों बड़े आदमी समझे जाते थे। शोभा के इन मामा जी को तीन या साढ़े चार हज़ार रुपये वेतन मिलता था और वह नयी दिल्ली की अशोक रोड पर एक बहुत बड़ी कोठी में रहते थे। वह शरीर से बेहद स्वस्थ और नियमित आदतों के व्यक्ति थे और उनका रौब-दाब भी काफ़ी था। कई आई.सी.एस. अफ़सर उनके नीचे काम करते थे।

उनका अपने एक मित्र की पत्नी से अनैतिक सम्बन्ध था, जिसका पता सबको था। अगर इस सबके बावजूद उस स्त्री के पति और वह एक दूसरे से बेहद स्नेह रखते थे। स्त्री की साझेदारी ने उन्हें एक-दूसरे के ज़्यादा क़रीब ला दिया था।

इस अनैतिक सम्बन्ध के दो कारण थे। पहला कारण तो यह था कि मामाजी की पत्नी यक्ष्मा की पुरानी रोगी थी और दूसरा कारण यह था कि मित्र की पत्नी वाक़ई बहुत सुन्दर थी।

मामाजी के कोई सन्तान नहीं थी। अपनी पत्नी के देहावसान के बाद उन्होंने सन्तान की इच्छा से पचास वर्ष की अवस्था में एक विधवा से शादी की; पर सन्तान का सुख उन्हें फिर भी नहीं मिला।

काला सूट पहनते थे, जो उनके सफ़ेद शरीर पर बहुत सुन्दर लगता था। वह काफ़ी लम्बे थे और एक दम गंजे थे। जब हँसते थे आवाज़ काफ़ी दूर तक जाती थी। वह वाक़ई उन लोगों में से थे, जो अँग्रेज़ी हुकूमत में 'बड़ा साहब' कहकर पुकारे जाते थे।

इण्टरव्यू की ट्रेनिंग लेने यतीन उन्हीं के घर पर रहा। बीवी बच्चे न होने के कारण सारा मकान काफ़ी सुनसान-सा रहता था। वह सुबह-शाम उसे इण्टरव्यू की ट्रेनिंग देते और बाक़ी वक़्त यतीन उनके शैल्फ में से किताबें निकाल कर पढ़ता रहता।

शाम के समय कोई न कोई बड़ा आदमी चाय या डिनर पर आता रहता। उनके सम्पर्क में आकर यतीन का हौसला काफ़ी बुलन्द हो गया। इण्टरव्यू के लिए जो दो मन्त्र उसे बताये गये थे, उनमें से एक था निडर रहना और अपना सन्तुलन न खोना

और दूसरा था, सच बोलना। यतीन ने दोनों मन्त्र गाँठ में बाँध लिये।

इण्टरव्यू की ट्रेनिंग लेने के बाद यतीन अपनी पत्नी को विनय नगर के एक कमरे वाले डेरे पर लिवा ले गया।

हालाँकि शादी को तीन महीने हो चुके थे; पर वास्तविक अर्थों में उसका गृहस्थ जीवन अब शुरू हुआ। रोज़ शोभा तड़के उठती। अपने और यतीन के लिए चाय बनाती और फिर स्टोव पर ही नाश्ता तैयार करती। इसके बाद लंच का डिब्बा लेकर यतीन साइकिल पर सवार होकर अकबर रोड की दिशा में दौड़ता, जहाँ कि उन दिनों योजना कमीशन का दफ़्तर था।

उन दिनों योजना कमीशन काफ़ी छोटा था। जिस विभाग में यतीन काम करता था, उसके सर्वोच्च अफ़सर थे ई.पी. मून। मून साहब अँग्रेज़ थे और आई.सी.एस. से इस्तीफा दे चुके थे, क्योंकि उन्होंने एक बार राष्ट्र के नेताओं पर लाठीचार्ज करने का हुक्म देने से इनकार कर दिया था। आज़ादी के बाद सरदार पटेल ने उन्हें इंग्लैण्ड से बुलवाया, ताकि नये भारत के निर्माण में हमारी सरकार को सहयोग दे सकें।

वह अविवाहित थे, बीयर और वुड हाउस के शौक़ीन थे, और जिमखाना में रहते थे। यतीन के जो और साथी थे, उनमें से एक वाक़ई बहुत सीधा था। उसकी सगाई तय हो गयी थी और वह अपनी मंगेतर को जो प्रेम-पत्र लिखा करता था, उनका मसौदा यतीन तैयार करता था। काफ़ी दिलचस्प मामला था।

जब उसकी शादी हो गयी, तो उसने यतीन को अपने घर चाय पर बुलाया। अपनी पत्नी से मिलवाया और यह भी बता दिया कि यतीन ही वह व्यक्ति था जो उसके प्रेम पत्र ड्राफ़्ट किया करता था। उसकी मासूमियत पर सबको हँसी आ गयी। उसकी पत्नी व यतीन शर्म के मारे धरती में गड़ गये। दफ़्तर से लौटने के बाद यतीन व उसकी पत्नी चाय पीते और फिर शाम को घूमने निकल जाते। फिर खाना खाते, प्यार करते और सो जाते।

पाँच

यतीन को इण्टरव्यू देने प्रयाग जाना था। गाड़ी हालाँकि शाम को जाती थी, यतीन ने अपनी अटैची और बिस्तर सुबह ही से ठीक करना शुरू कर दिया। उसकी आदत ही ऐसी थी कि गाड़ी छूटने से एक घण्टा पहले स्टेशन पहुँचा जाए। रास्ते के लिए पानी की एक सुराही और पूरियों से भरा एक कटोरदान भी लिया गया। सारा काम ख़त्म होने के बाद शोभा ने यतीन से पूछा कि एक बात जानना चाहती हूँ। क्या सच-सच बतलाओगे?

यतीन ने देखा कि शोभा एकदम गम्भीर हो गयी है। उसने उसे घूरकर देखा और कहा कि बताओ क्या जानना चाहती हो?

“सच ही बोलोगे न?” शोभा ने कहा।

“एकदम सच। तुमसे झूठ बोलकर सारी ज़िन्दगी पाप का भार कैसे ढो सकूँगा।” यतीन ने उत्तर दिया।

“यह विनीता कौन है?”

“विनीता एक लड़की है, जो मेरे साथ पढ़ती थी।”

“तुम्हारी दोस्ती बहुत गहरी थी न?”

“हाँ, यह भी कहा जा सकता है; पर तुम्हें यह ख़बर किस जासूस ने दी?” यतीन हँसता हुआ बोला।

“छोटी मामी कहती थीं। आख़िर पुलिस अफ़सर की पत्नी ठहरीं। ख़ैर तुम यह बताओ कि तुम्हारी उसके साथ दोस्ती ही थी या और भी कुछ?” शोभा ने बड़ी शान्ति के साथ कहा।

“और क्या? आख़िर तुम कहना क्या चाहती हो?”

“क्या तुम उससे प्रेम करते थे?”

“किसी हद तक तुम्हारी सूचना ठीक है।”

“तो फिर उससे शादी क्यों नहीं की? तुमने उसे भी धोखे में रखा और मुझे भी।” शोभा बड़े संयत रूप से बोली।

“यह सरासर ग़लत है। मैंने उसकी देह का स्पर्श तक नहीं किया और हमेशा यह बताया कि मेरी शादी पहले से ही कहीं पक्की हो चुकी है। उसको धोखा देने का प्रश्न ही नहीं उठता। धोखा देना मेरे स्वभाव में ही नहीं है।” यतीन ने दृढ़तापूर्वक कहा।

“तो क्या तुम विनीता से और मुझसे, दोनों से प्रेम करते हो?”

“ऐसा होना असम्भव तो नहीं है। तुमसे मैं कितना प्रेम करता हूँ, यह तुम भली-भाँति जानती हो। तुम्हारे बिना मैं एक दिन भी नहीं रह सकता।”

“अगर ऐसा है, तो तुम विनीता को भूलते क्यों नहीं?”

“कोशिश करूँगा। मगर उसको एकदम भूलना कठिन ही लगता है।”

“मुझे खुशी है कि तुम सच बोले, आज से तुम्हारी इज़्ज़त मेरी निगाह में ज़्यादा हो गयी। मगर जहाँ मुझे यह खुशी है कि तुमने मुझसे इतना प्रेम किया, वहाँ यह दुःख भी है कि यह तुम्हारा प्रथम प्रेम नहीं है। भोजन स्वादिष्ट है, मगर जूठा है। ठीक कहती हूँ न?” शोभा ने मुसकराते हुए कहा।

“मैं यह सारी बातें नहीं जानता। मुझे तो सिर्फ़ इतना पता है कि मैंने किसी से भी कुछ नहीं छिपाया। मैं तुमसे अनन्त प्रेम करता हूँ, पर मैं विनीता को इस जीवन में कभी नहीं भूल सकता।” यतीन ने गम्भीरता के साथ उत्तर दिया।

“अच्छा, यह सब छोड़ो। यह बताओ कि अब प्रयाग जा रहे हो, तो उससे मिलकर आओगे? क्या वह बहुत सुन्दर है?”

"कह नहीं सकता। उसके घर तो मैं जाऊँगा नहीं। मगर यदि कहीं सड़क पर भेंट हो गयी, तो बिना बातें किये तो लौटूँगा नहीं।" यतीन ने हँसते हुए उत्तर दिया।

"तुम वकील क्यों नहीं बने? तुम्हारे जैसा तार्किक व्यक्ति तो उस पेशे में ज़्यादा सफल होता।"

"देखो, बनना मैं वकील ही चाहता था पर ग़रीबी के कारण वे स्वप्न छोड़ने पड़े। मैं चाहता था कि वकील बनूँ और राजनीति में हिस्सा लूँ, मगर घर की जो स्थिति है, वह तुमसे छुपी नहीं है। रहने को घर कहलाने लायक़ मकान तक नहीं है और ऊपर से जवान बहिन शादी के लिए तैयार बैठी है। अब तो नौकरी ही करूँगा और हो सका तो साथ-साथ साहित्य की साधना भी करूँगा। साथ दोगी न मेरा?"

"मैं तो सिर्फ़ तुम्हारी ही हूँ। अलबत्ता तुम मुझ अकेली के नहीं हो।" बात को बन्द करती शोभा बोली।

यतीन गम्भीर हो गया और कुर्सी पर बैठ गया। शोभा के चरित्र में उनकी उदारता ही एक ऐसी चीज़ थी जिसने उसे सबसे ज़्यादा आकृष्ट किया था। वह किसी को ग़रीब और दुखी नहीं देखना चाहती थी। मगर यतीन को लगा कि स्त्री सब कुछ बाँट सकती है पर पति नहीं।

यतीन पता नहीं कब तक ऐसे ही बैठा रहा। शोभा के याद दिलाने पर बाहर निकला, स्कूटर लाया और सामान लेकर स्टेशन की दिशा में चला। स्टेशन तक छोड़ने शोभा गयी। यतीन ने देखा कि गाड़ी चलने पर जब उसने प्रणाम किया तो उसकी आँखों में आँसू थे। उस रात यतीन बिल्कुल नहीं सोया। वह जागता रहा और रेल की खिड़की से बाहर के वन, खेत और चन्द्रमा को देखता रहा। वह शायद पूर्णिमा की रात्रि थी।

छः

कम्पनी बाग़ के ठीक सामने पार्क रोड पर गवर्नर की विशाल कोठी थी। इलाहाबाद एक प्रकार से संयुक्त प्रदेश की दूसरी राजधानी थी और गवर्नर जब यहाँ आते थे, तो इसी गवर्नमेण्ट हाउस में ठहरते थे।

जिस दिन यतीन प्रयाग पहुँचा, उसके दो दिन बाद ही इण्टरव्यू था। यतीन ने अपना सूट प्रेस करवाया। एक मित्र की टाई उधार ली और जूतों पर पालिश करवायी। सारी तैयारियों के बावजूद अपने मन में वह डर ही रहा था, क्योंकि इण्टरव्यू में पास होना अनिवार्य था और इण्टरव्यू एक ऐसी चीज़ थी, जिसके बारे में दावे के साथ कोई भी सफलता की आशा नहीं कर सकता था।

बहरहाल, यतीन को इण्टरव्यू बोर्ड के सामने जाने से पहले जितना डर था, अन्दर जाकर वह डर उतना नहीं रहा। एक गोल मेज़ थी, जिनके चारों ओर सात

या आठ सीनियर और अधेड़ अफ़सर बैठे थे और एक कुर्सी खाली थी, जिस पर यतीन को बैठने की आज्ञा मिली।

उन लोगों ने काफ़ी आत्मीयता के साथ बातचीत शुरू की। विभिन्न मामलों को लेकर यतीन की सलाह पूछी गयी और कुल मिलाकर यतीन ने उनके प्रश्नों के ठीक ही उत्तर दिये।

शाम को इण्टरव्यू का दूसरा अध्याय पूरा होना था, जिसमें उस दिन इण्टरव्यू के लिए आये हुए सारे प्रत्याशी एक सामूहिक परिचर्चा में भाग लेने वाले थे। कमीशन के सदस्य हाल में एक तरफ़ बैठे रहते और प्रत्याशियों के कार्य-कलाप देखते रहते। यह चर्चा कोई एक घण्टा चली।

इसके बाद यतीन को छूट्टी मिली। गवर्नमेण्ट हाउस के बाहर निकलते ही यतीन ने टाई खोलकर जेब में रखी और मिट्ठू बाबू से मिलने कर्नलगंज की ओर क़दम बढ़ाये।

पार्क रोड पर चलते-चलते यतीन सोचता रहा कि कितना अच्छा हो यदि कहीं विनीता मिल जाए। एक ओर तो वह उसके घर हर्गिज़ नहीं जाना चाहता था और असलियत तो यह है कि वह उससे मिलना भी नहीं चाहता था, वहीं दूसरी ओर यह आशा भी मन-ही-मन कर रहा था कि विनीता से भेंट ज़रूर हो।

संयोग की बात कुछ ऐसी हुई कि एक दिन विनीता उसे सड़क पर मिल ही गयी। हिन्दू होस्टल के सामने वह रिक्शे की प्रतीक्षा में खड़ी थी और यतीन जो था वह म्योर सेण्ट्रल कॉलेज के कम्पाउण्ड में से होकर युनिवर्सिटी की दिशा में जा रहा था। दोनों एक-दूसरे से मिलकर बेहद ख़ुश हुए और रिक्शे में बैठकर थार्नहिल रोड पर चलने लगे।

विनीता ने इण्टरव्यू के बारे में पूछा, पत्नी के बारे में जाँच-पड़ताल की और फिर इधर-उधर की बातें करने लगी। अपने बारे में उसने बताया कि वह किसी और विषय में भी एम.ए. करेगी, ताकि वक़्त ठीक तरह कट सके।

वर्षा की ऋतु थी। आकाश बादलों से घिरा था। धीरे-धीरे बूँदें पड़ने लगीं और थोड़ी देर बाद वर्षा ने विकराल रूप धारण कर लिया।

रिक्शे वाले ने रिक्शा रोका, चारों ओर बरसाती डाली और फिर आगे बढ़ा। यतीन और विनीता एक बन्द कमरे में बैठने जैसा महसूस करने लगे।

विनीता को यह जानकर ख़ुशी हुई कि यतीन को अपनी पत्नी पसन्द आयी। उसने यतीन को सलाह दी कि अब वह एक शादीशुदा आदमी है और उसका फ़र्ज़ है कि वह मात्र अपनी पत्नी को ही प्यार करे।

रिक्शा चलता रहा और यतीन उसका प्रवचन सुनता रहा। बातों-बातों में उसने विनीता का हाथ अपने हाथ में लिया और उसे इतनी ज़ोर से दबाया कि वह चीख़ पड़ी। इसके बाद दोनों हँसने लगे।

रेडियो स्टेशन के पास पहुँचकर यतीन ने रिक्शा छोड़ दिया। उसे रेडियो के दफ़्तर में किसी दोस्त से मिलना था।

उतरते हुए उसने विनीता को प्रणाम किया और कहा कि पता नहीं अब कब भेंट हो। भेंट होगी भी या नहीं, यह भी निश्चित रूप से कहना कठिन था।

उसकी किसी बात का विनीता पर कोई प्रभाव नहीं पड़ा। वह उसी निश्चल और उदासी भरी मुसकान से उसे देखती रही, देखती रही।

सात

प्रयाग में कोई एक सप्ताह व्यतीत करने के बाद यतीन दिल्ली लौट आया।

उसकी ससुराल एकदम भयंकर विपत्ति में पड़ गयी थी। बड़े मामा जी अपने अन्तिम प्रोमोशन की वर्षों से प्रतीक्षा कर रहे थे, मगर दुर्भाग्यवश वह प्रोमोशन उनके एक जूनियर को दे दिया गया। इस आघात को वे ही लोग समझ सकते हैं, जो कि नौकरी करते हैं।

उन्हें दिल का दौरा पड़ा और वे अचानक ही स्वर्गवासी हो गये। मगर विपत्तियों का अन्त यहीं नहीं हुआ। उनकी मृत्यु के बाद उनकी सम्पत्ति को लेकर उनकी विधवा व उनके छोटे भाई, जो कि पुलिस में कप्तान थे, दोनों मुक़दमेबाज़ी में उलझ गये।

तनाव बढ़ता गया और बढ़ता गया। अन्त में चलकर स्थिति यह हुई कि छोटे भाई को भी दिल का दौरा पड़ा और उनकी भी मृत्यु हो गयी। यह मृत्यु एकदम अकाल मृत्यु थी। दोनों भाइयों को इस तरह खोने के बाद यतीन की सास एकदम वृद्धा जैसी लगने लगीं। दोनों भाई वट के वृक्षों के समान थे। उनके हटते ही चारों ओर सुनसान-ही-सुनसान नज़र आने लगा।

नौकरी

भारतीय प्रशासन सेवा व उससे सम्बन्धित अन्य सेवाओं की प्रतियोगिता का परिणाम आ गया और यतीन केन्द्रीय सरकार की एक प्रथम श्रेणी की सेवा के लिए चुन लिया गया।

यतीन बहुत ख़ुश हुआ। ग़रीबी का युग बीत गया। अब उसके सामने एक ऐश्वर्य व समृद्धि से परिपूर्ण जीवन की छवि आकर आँखों में ठहर गयी। अमीरी का मूल्य वही इंसान जान सकता है, जो कभी ग़रीब रहा हो।

नियुक्ति पत्र मिलने के बाद यतीन ने अपनी पत्नी से विदा ली, क्योंकि उसे ट्रेनिंग पर जाना था, जिसमें सारे देश की यात्रा शामिल थी।

शोभा को उसने उसके पिता के यहाँ छोड़ दिया। विनय नगर में उसके क्वार्टर के पास रहने वाले बाबू लोगों ने उसकी सफलता पर उसे एक चाय पार्टी दी। उन्हें इस बात की ख़ुशी थी कि उनमें से एक आदमी ज़िन्दगी में आगे बढ़ा। ईर्ष्या जो होती है, वह अपेक्षाकृत छोटे लोगों में कम होती है।

यतीन के जो अमीर दोस्त थे, वे अब उससे बचने लगे, क्योंकि उनमें और यतीन में अब कोई फर्क नहीं रह गया था। अपने से निचले लोगों को जो स्नेह दिखाया जाता है, वह प्रायः अपनी आत्मतुष्टि व गरिमा के एहसास के लिए ही दिखाया जाता है। वैसे ऐसे भी अमीर लोग हैं, जो बिना किसी और भावना के ग़रीबों की सहायता करते रहते हैं; पर ऐसे लोगों की संख्या कभी ज़्यादा नहीं होती।

यतीन को लगभग एक वर्ष बड़ा अनियमित जीवन बिताना पड़ा। इस दौरान उसे बम्बई, कलकत्ता, हैदराबाद, प्रयाग, देहरादून, पूना और न जाने कितने छोटे-बड़े नगरों की सैर करनी पड़ी।

बम्बई का ऐश्वर्य, वहाँ की इमारतों की भव्यता और उन्हीं के नीचे फुटपाथ पर आँधी-पानी में रहते लाखों लोग उसे निहायत अजीब लगे। अमीरी और ग़रीबी इतनी शान्ति से साथ-साथ रहती उसने पहले कभी नहीं देखी थी। बम्बई से पूना तक की रेल यात्रा वास्तव में बहुत सुन्दर थी।

प्रयाग में जाकर तो वह जैसे अपने पुराने घर ही में पहुँच गया, हालाँकि अपना कार्यक्रम बेहद व्यस्त होने के कारण वह विनीता से नहीं मिल पाया, जिसका उसे हार्दिक अफसोस रहा।

सबसे ज़्यादा ख़ुशी उसे कलकत्ता देखकर हुई। कलकत्ता महानगर होते हुए भी एक क़स्बे वाली आत्मीयता रखता था, जो उसे और स्थानों पर नहीं दिखाई पड़ी।

कलकत्ता में वह लगभग एक महीने तक भवानीपुर में रहा, जो काफ़ी हद तक एक विशाल क़स्बे का ही वातावरण पैदा करता था। बंगाली लोग जितनी जल्दी गुस्सा करते थे, उससे भी ज़्यादा जल्दी दोस्ती पर उतर आते थे। कलकत्ता में वह बैरकपुर गया, जहाँ से कि ग़दर की शुरुआत हुई थी।

बम्बई में उसने एलीफेण्टा की गुफाएँ देखीं, तो पूना में पेशवाओं के महल।

देहरादून से मसूरी जाकर हिमालय की श्रेणियों के दर्शन करना तो ज़रूरी ही ठहरा।

कलकत्ता के विक्टोरिया मेमोरियल में उसने क्लाइव के हाथ की लिखी चिट्ठियाँ देखीं और वह मेज भी देखी, जिस पर लार्ड क्लाइव ने मीर कासिम के साथ खाना खाया था। शरत बाबू, सुभाष चन्द्र बोस व रवीन्द्रनाथ ठाकुर के मकानों के भी दर्शन किये।

पूना में समर्थ गुरु रामदास की समाधि को प्रणाम किया।

मगर स्थानों के देखने से कहीं ज़्यादा दिलचस्प था रेल के प्रथम श्रेणी के डिब्बे में यात्रा करना। इस महान् देश की संस्कृति के सच्चे दर्शन तो तीसरे दर्जे के डिब्बे में ही होते हैं; पर फिर भी यात्रा का जो अपना आनन्द है, वह प्रथम श्रेणी में बैठने के कारण भी कम नहीं होता। खिड़की से चमकती बस्तियाँ, छोटे-छोटे स्टेशन, हरे-हरे खेत और पर्वतों की श्रेणियाँ या घास के मैदान। गाड़ी को देखकर भागते हुए गाँव के बच्चे और छोटे-मोटे स्टेशनों को उपेक्षा से पार करती और पटरी बदलती डाकगाड़ी। धीरे-धीरे वनों में घिरती साँझ और उसकी छाती पर गड़बड़ाती रेल। नदियों को पार करते समय तो यतीन को इतना आनन्द आता कि उसे रोमांच हो उठता।

कलकत्ता को छोड़कर प्रायः हर नगर में यतीन और उसके साथी अफ़सर डाकबँगले, सर्किट हाउस या आफिसर्स मेस में ही ठहरते, जिनमें न जाने कितने बावर्ची, मशालची और बैरे व खानसामा काम करते थे।

यतीन ने पहली बार अफ़सर होना महसूस किया। आदमी और आदमी में इतना फर्क हो जाना और वह भी इतनी जल्दी। सही बात, तो यह है कि यतीन सारी उम्र पक्का अफ़सर तो बन ही नहीं पाया। उसकी दोस्ती हमेशा बाबू लोग और चपरासियों से ही ज़्यादा रही। कुल मिलाकर ये ग़रीब लोग बड़े अफ़सरों की अपेक्षा कहीं ज़्यादा सच्चे और वफादार साबित हुए।

इस समय के दौरान उसे काश्मीर जाने का अवसर भी प्राप्त हुआ। श्रीनगर में वे डल झील पर एक हाउस वोट में ठहरे। गुलमर्ग व खिलनमर्ग भी देखा। मुग़लों के लगाये बागों की सैर भी की और काश्मीर के सदरे रियासत के साथ जलपान भी किया।

सारी यात्रा करने के बाद यतीन ने महसूस किया कि अपना देश इतना सुन्दर, विविधता से परिपूर्ण और विशाल है कि उसके समुद्रतट और पर्वत, क़िले और

महल तथा मन्दिर और मस्जिद देखने के लिए, उसके ग्रामगीत और लोककथाओं को सुनने के लिए, उसके पर्व व त्योहार तथा मेलों का आनन्द लेने के लिए, एक जन्म जो है वह एकदम नाकाफ़ी है।

वहाँ का सौन्दर्य पूरी तरह तभी देखा जा सकता है, जबकि व्यक्ति इस पवित्र धरती पर बार-बार जन्म ले। तभी वह इस देश के वनों, ऋतुओं और नदियों का सौन्दर्य देख सकेगा, वैसे नहीं।

दो

यतीन की पहली नियुक्ति मेरठ हुई।

उसने अस्सी रुपये प्रति माह पर छावनी में एक कोठी किराये पर ले ली, जिसकी छत फूस की थी। फर्नीचर किराये पर लिया गया। ड्राइंगरूप सजा। सोने के कमरे में ड्रेसिंग टेबल व पलँग बिछे। दीवारों पर तस्वीरें या और किस्म की कलापूर्ण चीज़ें टँगीं और बाहर आँगन में फूलों की क्यारियाँ लगीं।

यतीन अपनी पत्नी को भी ले आया और अपनी अम्मा व बहिन को भी। पिताजी घर पर अकेले रहे और उनका खाना एक ब्राह्मणी बनाती रही।

कोठी की मालिकन एक लम्बी-चौड़ी एंग्लोइण्डियन लेडी थी, जो बहुत शान के साथ रहती थी। उसके शान्त स्वभाव पति एक जर्मन थे, जो अपनी पत्नी की छाती तक मुश्किल से आते होंगे। इतनी लम्बी-चौड़ी पत्नी और इतना दुबला व नाटा पति, दोनों बड़े प्यार से रहते थे। परिवार में बच्चा कोई नहीं था। कुत्ते अलबत्ता अनेक थे। लेडी जो थी वह पति से ज़्यादा सिगरेट पीती थी और वैसे भी काफ़ी दबँग थी।

मेरठ की छावनी काफ़ी बड़ी थी। अठारह सौ सत्तावन का ग़दर यहीं से शुरू हुआ था। ग़दर के काल की अनेक इमारतें अभी भी मौजूद थीं। वह मन्दिर था, जहाँ की बाग़ी लोग बैठकें किया करते थे। वह कोठी थी, जहाँ उस वक़्त का जनरल रहता था और वह बँगला भी था, जहाँ ग़दर के दौरान न जाने कितनी विदेशी महिलाओं की हत्या की गयी थी। ख़ूनी पुल था, जहाँ निर्दोष भारतीयों को फाँसियाँ दी गयी थीं और वह क्लब भी था, जहाँ क़भी चर्चिल रहता था। यह बात उन दिनों की है, जब चर्चिल सेना में अधिकारी था।

मेरठ के आसपास देखने योग्य स्थान कम ही थे। कोई बीस मील की दूरी पर एक विशाल गिरजाघर था, जिसे शाह आलम के ज़माने में बेग़म समरू ने बनवाया था। गिरजे के अन्दर जो मूर्तियाँ थीं, वे इटली में बनी थीं।

दूसरी दिशा में लगभग उतनी ही दूर हस्तिनापुर क़स्बा था, जो महाभारत काल का होने के कारण काफ़ी प्रसिद्ध था। जैन धर्म के दो तीर्थांकर यही पैदा हुए थे और यहाँ दो जैन मन्दिर भी थे, जो निहायत ख़ूबसूरत थे।

परीक्षित गढ़ नाम का स्थान भी पास ही था, जहाँ की कँवर निहालदे नाम की रानी को लोकगीतों में काफ़ी याद किया जाता था।

मेरठ से कोई दस मील दूर गंगा की नहर थी, जहाँ बाँध बनाकर एक विशाल बिजलीघर का निर्माण किया गया था। यहाँ पर काफ़ी लॉन थे, यूकेलिप्टस के पेड़ थे और एक डाक बँगला भी था, जिसके कारण काफ़ी लोग पिकनिक मनाने आते थे।

यतीन ने ये सारे स्थान अपने परिवार को दिखाये। शारदा अपने भाई को अमीर देखकर सारे पुराने कष्ट एकदम भूल गयी।

यतीन का दफ़्तर बहुत बड़ा था। हज़ारों लोग उसमें काम करते थे। दफ़्तर के जो बड़े साहब थे, वह पंजाबी थे, मगर रंग-रूप में एकमद अँग्रेज़ लगते थे। उसके पिता किसी देशी रियासत के दीवान थे और वह ख़ुद जो थे, आक्सफोर्ड से शिक्षा प्राप्त करके आये थे। उनका उठना-बैठना, हँसना और गुस्सा करना, कपड़े पहनना और बातें करना, सभी कुछ ऐसा था कि उससे उनका बड़प्पन, शालीनता और सामन्तवादी रहन-सहन साफ़-साफ़ टपकता था।

तीन साल की नौकरी के दौरान यतीन से उन्होंने कोई छह बार बात की होगी और बस। उनके रौब से पूरा दफ़्तर काँपता था। हालाँकि हृदय से वह उदार थे। अँग्रेज़ों की तरह वह शासक और शासित में साफ़ अन्तर रखते थे और उनकी यह दूरी दफ़्तर के अनुशासन को काफ़ी बल देती थी। वह उन देशी अँग्रेज़ों में थे, जो कि आज़ादी के बाद भी अपने को बदल नहीं सके थे।

यतीन जिस कमरे में बैठता था, वह एक काफ़ी आलीशान इमारत में था। कमरे में उसके साथ एक और अफ़सर बैठता था; जो पागल था। उसकी माँ मर चुकी थी और उसके पिता ने दूसरी शादी कर ली थी। पारिवारिक परिस्थितियों के कारण इस अधिकारी का मानसिक सन्तुलन ख़राब हो चुका था और वह कोई काम नहीं कर सकता था।

थोड़े दिनों के बाद उसे नौकरी से निकाल दिया गया। विभाग ने दया करके उसे अपने एक दफ़्तर में क्लर्क की हैसियत से रख लिया, ताकि वह भूखा न मरे। तक़दीर की बात है कि एक इतने बड़े अफ़सर को अपने ही विभाग में बाबू बनना पड़ा। वैसे वह बड़ा प्रतिभावान व्यक्ति था और कभी-कभी बड़ी समझ की बातचीत किया करता था। उसने ही यतीन को बताया था कि मेरठ एक बहुत प्राचीन नगर था और अशोक के समय में इसका नाम महीरथ था।

तीन

अब यतीन को एक ही चिन्ता थी और वह थी छोटी बहिन शारदा की शादी करने की।

काफ़ी भाग-दौड़ के बाद एक सम्पन्न और भले कुल का एक लड़का मिला,

जो वैज्ञानिक था। शादी यतीन ने अपने क़स्बे से ही की और काफ़ी धूमधाम से की। शोभा ने दिल खोलकर ख़र्च किया और अपनी साड़ियाँ और ज़ेवरों में से ही उसे काफ़ी कुछ दे दिया। शोभा दिल की इतनी उदार थी कि उसके सामने यतीन छोटा पड़ता था।

पुरानी ग़रीबी के कारण यतीन हमेशा पैसे को दाँत से पकड़ता रहा। पर शोभा थी कि ग़रीबों को, नौकर-चाकरों को और भिखारियों को खुले हाथ देती रहती। उसका कहना था कि देने से कभी कोई ग़रीब नहीं होता।

जैसा कि ऊपर बताया गया है कि शादी ख़ूब धूमधाम से की गयी। यतीन अपनी पुरानी हीन भावना को निकालने के उत्साह में ज़रूरत से ज़्यादा ही ख़र्च करता रहा।

बारात तीन दिन जैन धर्मशाला में रुकी। हरकिशन जी भी शादी में आये। तीसरे दिन यतीन ने अपनी उस बहिन को विदा किया, जिसने उसके साथ भयंकर ग़रीबी के दिन काटे थे और जिसने उसकी फीस जुटाने के लिए रात-रात भर सूत काता था।

उस विदा के बाद यतीन अपनी उस बहिन से कभी नहीं मिल सका, क्योंकि ससुराल जाकर वह लू लग जाने से मर गयी। उसके मरने के साथ ही साथ यतीन का भी कुछ हिस्सा हमेशा-हमेशा के लिए मर गया। उसे बस यही सन्तोष रहा कि वह उसके बदले हुए दिन देखकर मरी, उसके पहले नहीं।

चार

कोई तीन या चार वर्ष मेरठ रहने के बाद यतीन का तबादला पटना हो गया। बिहार के लोग यतीन को बहुत पसन्द आये। वे काम तो कम करते थे; पर उनका स्नेह और उनकी आत्मीयता उस सारी कमी को पूरा कर देती थी।

पटना में वारेन हेस्टिंग्ज का बनवाया हुआ गोल घर व गाँधी मैदान काफ़ी सुन्दर स्थान थे; पर वहाँ का सबसे बड़ा आकर्षण था, गंगा का फैला हुआ विशाल पाट। यतीन प्रायः नाव लेता और गंगा जी के उस पार जाकर स्नान करता। महेन्द्रू घाट से स्टीमर चलता था, जो पहलेजा घाट पर छोड़ता था। यतीन प्रायः अपने परिवार को स्टीमर से यात्रा कराता।

पटना से उसे शिलाँग व दार्जिलिंग दौरे पर जाने का अवसर मिला, तो वह अपनी पत्नी को भी साथ लेता गया। अजीब यात्रा थी, जिनके लिए रेलवे विभाग रेल-कम-स्टीमर-कम-रोड टिकट ईशू करता था। पहले पटना से स्टीमर लेना पड़ता था, जो गंगा जी के उस पार छोड़ता था। वहाँ से सोनपुर तक रेल जाती थी। सोनपुर का प्लेटफार्म दुनिया में सबसे ज़्यादा बड़ा समझा जाता था, क्योंकि उसके पास हरिहरनाथ क्षेत्र में ऐसा विशाल मेला लगता था कि उसमें हाथी तक बिकते थे। सोनपुर से आसाम जाने के लिए अवध-तिरहुत मेल मिलती थी, जो रात-दिन

चलकर भयानक और सुनसान वनों में से गुज़रती हुई आमिन गाँव पहुँचती थी। आमिन गाँव में फिर स्टीमर मिलता था, जो यात्रियों को ब्रह्मपुत्र के उस पार छोड़ता था। उस पार से शिलाँग तक की यात्रा कार से करनी पड़ती थी, जिसका प्रबन्ध रेलवे करती थी।

यूँ तो बिहार भी बहुत हरा-भरा है, पर आसाम तो ऐसा लगता है कि जैसे पृथ्वी का पूरा खण्ड गहरे हरे रंग में डुबोकर रँग दिया गया हो। केले के अनन्त गाछ-, खपरैल और टीन की छतें और हरियाली से भरे अनन्त क्षितिज। यतीन को तो ऐसा लगा, जैसे चारों दिशाओं में पन्त और निराला की कविता बिछी हो।

शिलाँग में स्त्रियाँ भी काफ़ी रूपवती थीं। यतीन अपर वैली तक गया, जहाँ से ख़ासी व जयन्ती पहाड़ियाँ चमकती हैं, जिनमें चेरापूँजी नाम का क़स्बा स्थित है, जहाँ संसार में सबसे ज़्यादा वर्षा होती है।

शोभा के साथ यतीन इतना प्रसन्न रहा कि विनीता को एकदम भूल गया।

शिलाँग से लौटते हुए उसने सिलीगुड़ी में गाड़ी बदली और दार्जिलिंग की राह पकड़ी। दार्जिलिंग के लिए जो रेल चलती थी वह दो हिस्सों में बँटकर अलग-अलग चलती थी। रास्ते में तिनघारिया और कोर्स्याँग नामक स्टेशन तो ऐसे थे कि वहाँ की सुषमा और सुन्दरता शब्दों में वर्णित ही नहीं की जा सकती। चक्कर खाती रेल और एक के बाद एक खुलती हुई पर्वत मालाएँ।

दार्जिलिंग में यतीन जलपहाड़ नामक स्थान पर स्थित डाक बँगले में ठहरा, जहाँ से कंचनजँघा की बर्फ़ीली चोटियाँ ठीक सामने दिखाई पड़ती थीं।

एक दिन रात को जीप लेकर वे टाइगर हिल पर गये, जहाँ से उगते हुए सूरज की किरणों में चमकता हुआ माउन्ट एवरेस्ट साफ़ दिखाई पड़ता था।

पटना में दफ़्तर के जो बड़े अफ़सर थे, वे भ्रष्ट थे। रिश्वत लेते थे और सरकार के पैसे का वैसे भी दुरुपयोग करते थे। यतीन को यह तो पता था कि उसके विभाग के कुछ अंश ऐसे हैं कि जहाँ बराबर घूस चलती है; पर प्रथम श्रेणी के अधिकारी भी भ्रष्ट होते हैं, यह उसने कभी नहीं सोचा था। उसका दिल उखड़ गया और एक वर्ष के बाद वह फिर प्रयाग चला आया।

प्रयाग में पहुँचकर सबसे विनीता के बारे में पता लगाया। उसे ज्ञात हुआ कि विनीता ने एक एम.ए. और किया, डॉक्टरेट ली और फिर युनिवर्सिटी में ही लेक्चरर हो गयी। शादी उसने नहीं की थी। ये सारी बातें जानकर यतीन को बड़ा दुःख हुआ। वह हमेशा यही चाहता था कि विनीता शादी करे और गृहस्थ जीवन यापन करे। यदि मात्र उसी की वजह से वह अविवाहिता थी, तो निश्चय ही यह एक बड़े दुःख की बात थी।

उसकी विनीता से भेंट करने की उत्कट इच्छा थी मगर लज्जा और संकोच के मारे वह उससे मिलने कभी नहीं गया। वैसे कभी-कभी उसे यह महसूस करके बड़ा

गर्व भी होता था कि उसके प्रेम के कारण एक लड़की ने शादी नहीं की।

प्रयाग में यतीन के जो बड़े साहब थे वे बहुत शाइस्ता, शालीन और शेर-ओ-शायरी के शौक़ीन थे। आत्मीयता भी ख़ूब रखते थे और ईमानदार बेहद थे।

उनमें बस एक ही इल्लत थी और वह यह कि किसी भी फाइल पर निर्णय नहीं देते थे। जब कभी कोई शंका होती थी, तो वह सरकार को ही रेफर की जाती थी। हज़ारों रुपये वेतन पाने वाला आदमी और ऐसा कायरपन! उनके स्नेही आचरण से उनकी यह कमी किसी हद तक सब लोग बर्दाश्त करते थे। अपने इन्हीं गुणों और खुशामदी होने के कारण वह अफ़सर अन्त में चलकर भारत सरकार के संयुक्त सचिव बने और काम फिर नहीं किया।

यतीन ने देखा कि सरकार में घुसना कठिन है। एक बार घुस जाने के बाद आदमी बिना काम किये भी आगे बढ़ता जाता है। दोस्ती, प्रान्तीयता, राजनीतिज्ञों से जान-पहचान, वे चीज़ें थीं, जो काम या ईमानदारी से कहीं ज़्यादा क़ीमत रखती थी।

उस दिन यतीन को अचानक पता चला कि महाप्राण निराला की मृत्यु हो गयी। वह सन्न रह गया। दफ़्तर छोड़ा और दारागंज की राह पकड़ी। नगर के काफ़ी साहित्यकार पहले ही पहुँच चुके थे। उनकी आँखों के सामने कालजयी कहाकवि की देह अग्नि को सौंप दी गयी।

न जाने कितने मज़दूर, माँझी और मछली पकड़ने वाले चिता को देखते रहे। ये वे लोग थे, जिनका महाकवि से वर्षों का रिश्ता था, सौन्दर्य और कला का इतना महान् शिल्पी अन्ततोगत्वा एक ग़रीब और आम आदमी ही तो था। ग़रीबों और दलितों से तो उसका जन्मजात लगाव था।

निराला की मृत्यु से हिन्दी के काव्य का एक अध्याय बन्द हो गया। सौन्दर्य की इतनी तीव्र अनुभूति और उसका इतना स्वाभाविक चित्रण और कोई कवि शायद ही कभी कर सके।

प्रयाग में यतीन का प्रथम काव्य-संग्रह प्रकाशित हुआ। उसके कुछ दिनों बाद उसका तबादला दिल्ली को हो गया। पुत्र की प्रप्ति उसे प्रयाग में ही हुई।

पाँच

यतीन केन्द्रीय सचिवालय में अवर सचिव के पद पर नियुक्त होकर गया और लगभग तीन वर्ष वहाँ रहा।

सचिवालय में काम करना एक विशिष्ट प्रकार का अनुभव होता है। सचिवालय के बाहर आप सरकार के नौकर होते हैं, पर सचिवालय में जाकर आप खुद सरकार बन जाते हैं। सारी सार्वभौम सत्ता का स्रोत जैसे सचिवालय ही होता है। सचिवालय में यतीन ने अनुभव किया कि नौकरशाही कितनी बड़ी शक्ति है। यह प्रशासन को

एक स्थायीपन दान करती है, जो वैसे सम्भव नहीं है।

जनता के चुने हुए लोग जो मन्त्री बनते हैं, वे प्रशासन को गति प्रदान करते हैं, क्योंकि उनका जन-जीवन से सीधा सम्पर्क होता है। मन्त्रियों की गति और नौकरशाही का स्थायीपन यदि सही सामंजस्य स्थापित कर ले, तो देश की प्रगति निश्चित है।

वैसे जनता के चुने हुए प्रतिनिधि भी नौकरशाही की अवहेलना नहीं कर सकते। उनकी नीति निर्धारित करने के लिए जिस कच्चे माल की, आँकड़ों की ज़रूरत पड़ती है, वह सिर्फ़ नौकरशाही ही उन्हें दे सकती है। नीति निर्धारित हो जाने के बाद उसका जो पालन होता है, वह भी नौकरशाही के द्वारा होता है।

नौकरशाही का ईमानदार और सन्तुष्ट होना बेहद आवश्यक है। इसके अलावा प्रजातन्त्र के चलने का और कोई रास्ता नहीं। देशी रियासतों के विलय में जितना योग सरदार पटेल का है, उतना ही श्रेय उनके सचिव बी.पी. मेनन को भी जाता है। इस सत्य से कोई इनकार नहीं कर सकता।

सचिवालय में काम करने के दौरान यतीन को अनेक अजीबोग़रीब हस्तियाँ देखने को मिलीं।

उसके अपने संयुक्त सचिव खुद एक विचित्र प्राणी थे। किसी ने उनको हँसते या मुसकराते हुए कभी नहीं देखा था। मेजर जनरल से कम हैसियत का अधिकारी उनके कमरे में घुसने की हिम्मत नहीं करता था। अपने काम में वह बड़े दक्ष थे और दूसरों से उतने ही परिश्रम की अपेक्षा करते थे, जितना परिश्रम कि वे ख़ुद करते थे। उन जैसा संगदिल व्यक्ति यतीन ने फिर कभी नहीं देखा।

एक बार एक मीटिंग के दौरान उनके घर से फ़ोन आया कि उनकी बच्ची का देहान्त हो गया है। उन्होंने फ़ोन सुना, एक मिनट चुप रहे और फिर उसी उत्साह से मीटिंग की कार्यवाही में भाग लेना शुरू कर दिया। फ़ोन की बात उन्होंने मीटिंग के बाद ही बतायी।

इसी प्रकार एक और ज्वायण्ट सेक्रेटरी थे, जो अत्यन्त भावुक, अध्ययनशील व मज़ाक़ पसन्द थे। मगर उनकी आदत यह थी कि वह सत्य को बिना कहे नहीं रह सकते थे। चाहे वह सत्य कितना भी कटु क्यों न हो। न जाने कितने मन्त्रियों से उनकी झड़प हो चुकी थी। एक बार तो एक वरिष्ठ मन्त्री ने उन्हें चौबीस घण्टे के भीतर मन्त्रालय छोड़ने को कहा था। उनका क्या था, चले गये। जैसा कि पता चला, वह तो एक बिस्तरबन्द और एक सूटकेस हमेशा तैयार रखते थे, क्योंकि पता नहीं कब उन्हें दिल्ली छोड़नी पड़ जाए। वह चले गये और थोड़े दिनों बाद एक-दूसरे विभाग में ज्वायण्ट सेक्रेटरी के पद पर फिर बुला लिये गये।

यतीन ने एक ऐसे उच्च अधिकारी के साथ भी काम किया, जो नितान्त शालीन स्नेही, मृदुभाषी और बे-तकल्लुफ थे। मगर इस सबके बावजूद उन्होंने यतीन की सालाना रिपोर्ट ख़राब कर दी। रिपोर्ट ख़राब करने के बाद भी उनके स्नेह में कभी

कोई कमी नहीं आयी।

यतीन ने सचिव को अपील भेजी, जिसके फलस्वरूप यह ख़राब रिपोर्ट वापस ले ली गयी।

कुछ अफ़सर थे कि फाइलों को साल-साल भर अपने पास रखते थे और कुछ अफ़सर इतने होनहार थे कि मेज़ पर काग़ज़ टिकता ही नहीं था। वे इतने चुस्त थे कि अगर कोई आदमी उनके कमरे में अपनी फाइल ग़लती से भी छोड़ आता था, तो वे उसे भी निबटा देते थे।

सबसे ज़्यादा दिलचस्प एक आई.सी.एस. अधिकारी थे जो कि पारसी थे। सिवा दस्तख़त करने के, उन्होंने कभी कोई काम नहीं किया। मीटिंग के दौरान वह सो जाते थे या फिर किसी बहाने पर अपना कमरा छोड़ देते थे। वह शायद अकेले ऐसे आई.सी.एस. अधिकारी थे, जिन्हें कि सरकार ने कभी सेक्रेटरी नहीं बनाया।

दिल्ली के इस प्रयास में यतीन की कई पुस्तकें छपीं। कुछ कविता संग्रह और कुछ ललित निबन्धों के संकलन। दिल्ली की साहित्यिक गतिविधियों में वह बराबर हिस्सा लेता था और नयी पीढ़ी से तो वह ख़ासकर जुड़ा था। नयी पीढ़ी के जोशीले लोगों में कुछ तो वाक़ई प्रतिभावान थे, मगर कुछ सिवा लफ्फाजी और गुटबन्दी के अतिरिक्त कुछ नहीं जानते थे।

दिल्ली छोड़ने के समय तक यतीन को इतनी प्रतिष्ठा मिल चुकी थी कि देश के सभी चोटी के अख़बार उसे छापने लगे थे और प्रायः सभी प्रथम श्रेणी के प्रकाशक उसकी किताबें छाप चुके थे।

दिल्ली के इसी प्रवास में यतीन ने गाँव की अपनी ज़मीन बेच दी और क़स्बे के मकान को तुड़वाकर उसकी जगह एक नयी हवेली बनवायी एकदम पक्की। बिजली भी ली गयी और सब काम शान से किया गया।

यतीन को लगता था कि पुराने घर की हर ईंट के साथ उसके बचपन के दुःखों का एक गवाह मरता जा रहा है। मगर यह मात्र उसका भ्रम था। चित्र फाड़ने से भला खलनायक कभी मरता है?

यतीन की पत्नी ने एक पुत्री को जन्म दिया और इसी के साथ उसका प्रोमोशन हो गया और वह फिर प्रयाग में नियुक्त हो गया।

अब उसके पिता भी उसी के पास आकर रहने लगे।

छः

इस बार प्रयाग में जो कोठी उसे रहने के लिए मिली वह वाक़ई विशाल थी। विस्तृत लॉन और दस से ऊपर कमरे। नौकर-चाकर जो थे, वे अलग।

कुछ दिनों बाद उसने एक नयी कार भी ख़रीद ली और फिर घूमना शुरू किया।

वे लखनऊ गये, वाराणसी गये और अयोध्या व चित्रकूट भी गये।

मिर्ज़ापुर का तो पता नहीं उसने कितना दौरा किया। चुनार का किला, खजूरी डैम, अष्टभुजा का मन्दिर, चचई प्रपात, टांडा विंदमफाल और गोविन्द गढ़ इन सबका दौरा बज़रिये कार के सपरिवार किया गया।

वे कौशाम्बी भी गये, जो कभी उसी राजा उदयन की राजधानी थी, जिसकी चर्चा कालिदास ने 'उदयन कथा कोविद ग्राम वृद्धान्' कहकर मेघदूत में की है।

विनीता से वह फिर भी नहीं मिला। मगर उससे क्या? मिलने या न मिलने से स्नेह और ममता पर क्या प्रभाव पड़ता है? न पाने और न मिलने से प्रेम बढ़ता ही है, कम नहीं होता।

प्रयाग में इस बार आकर यतीन कुछ उदास रहने लगा। इस उदासी के कई कारण थे। पहला कारण तो यह था कि वह विनीता की तरफ़ से बड़ा दुःखी था, क्योंकि उसने शादी नहीं की थी। वह सोचा करता था कि अपनी प्रिय वस्तु को दुःखी देखना ही क्या मनुष्य की नियति है? वह उसे भूलने की कामना करता था और याद करने की भी। जो चीज़ जितनी दूर होती है, वह उतनी ही और सुन्दर हो जाती है।

एक तरफ़ तो वह विनीता की ओर से दुःखी था तो दूसरी ओर वह पत्नी को लेकर भी कभी-कभी काफ़ी परेशान हो जाता था। उसने पत्नी को अपने और विनीता के बारे में सब कुछ बतला दिया था और नतीजा यह था कि पत्नी कहती थी कि तुमने अपना प्यार मुझे पूरी तरह कभी नहीं दिया। सच्चाई यह थी कि यतीन अपनी पत्नी से अनन्त प्रेम करता था और इसी कारण कभी-कभी झल्ला भी उठता था। अगर वह पत्नी से प्रेम न करता होता, तो वह उस पर गुस्सा क्यों करता? गुस्सा तो आप उसी से करते हैं, जिस पर आपका अधिकार होता है, जिससे आप प्रेम करते हैं।

सारी स्थिति को लेकर यतीन काफ़ी उद्विग्न हो उठता था। वह सोचता था कि जब उसका अपने ऊपर ही अधिकार नहीं है तो वह दूसरों पर क्या अधिकार करेगा? वह स्वयं अपने से पराजित था।

उदासी का दूसरा कारण उसकी नौकरी थी। दस साल नौकरी करते-करते वह ऊब चुका था। रोज़ वही दस बजे से पाँच बजे तक की क़ैद। रोज़ वही छोटे-बड़े का अन्तर और सरकार की वर्ण-व्यवस्था।

वह सोचता कि देश में इतनी ग़रीबी है और वह इतने ठाठ से रहता है। चारों ओर फैला हुआ भ्रष्टाचार और अपव्यय उसकी आत्मा को बेहद दुःख पहुँचता था। हालाँकि ऐसे भी क्षण आते थे, जब वह भी यह सोचता था कि काश, वह भी रिश्वत ले सकता।

नौकरी से पहले वह राजनीति के क्षेत्र में एक मुक्त जीवन की कामना करता था, जबकि जी इस तरह रहा था, जैसे पिंजरे में बन्द एक ऐसी चिड़िया हो, जिसके कि पंख काट डाले गये हों।

वह बार-बार सोचता कि नौकरी छोड़ दे और पूरी तरह साहित्य व सार्वजनिक सेवा में जुट जाए। मगर नौकरी छोड़ने की उसमें हिम्मत नहीं थी। रोज़ उसे ऐसे लोग मिलते जो सौ रुपये की नौकरी पाने की लालसा में उसके पास आते थे। इसके अलावा उसके पास नौकरी के अतिरिक्त और कुछ सहारा भी नहीं था।

इतनी ऊब और नफरत के बाद भी उसने काम नहीं छोड़ा, उसने यहाँ भी वही कायरता दिखायी, जो कि विनीता के सन्दर्भ में दिखायी थी। मूलतः वह कायर था। कायरता एक पाप है, जिसका कि प्रायश्चित्त करना पड़ता है। वही ठीक हुआ भी।

यतीन न तो परिस्थितियों से लड़ सका और न उनसे भाग ही सका। वह मानसिक रोग का शिकार हो गया। मन बदलने के लिए उसने किताबें लिखीं। मद्रास, त्रिवेन्द्रम, कन्याकुमारी, बंगलौर तथा हैदराबाद के दौरे किये। मगर सब बेकार रहा। धीरे-धीरे स्थिति यह आ गयी कि उसकी भूख, हँसी और नींद वग़ैरह सब कुछ ग़ायब हो गयी। वह विक्षिप्त हो गया।

अगर उसे साहित्य से प्रेम नहीं होता, तो पता नहीं वह कैसे जीता। उसने दुःख भरी कविताएँ लिखीं और उसी दुःख के कारण हास्य-व्यंग्य भी लिखा। मगर इससे उसकी बीमारी पर कोई प्रभाव नहीं पड़ा। वह दिन-ब-दिन और उदास होता गया और बच्चों की तरह डरने और रोने लगा।

वह न जाने कितनी जिन्दगियाँ एक साथ जीना चाहता था, वह चाहता था कि वह अफ़सर भी रहे और मुक्त भी रहे। वह चाहता था कि वह पति भी रहे और प्रेमी भी रहे। वह चाहता था कि वह एक लेखक भी रहे और अमीरी भी न छूटे।

जो आदमी अपनी ज़िन्दगी में सब कुछ पाना चाहता है, उसे अन्त में चलकर कुछ नहीं मिलता।

रोग

यतीन को उदासी ने बुरी तरह घेर लिया। उदासी और बड़ी गहरी आत्मा के भीतर तक पहुँचने वाली। वह चुप रहने लगा। दोस्तों से बचने लगा और एकदम अन्तर्मुखी हो गया।

उदासी के इस आलम में वह बार-बार सोचता कि घर छोड़ दे। किसी दिन दफ़्तर से न आए और स्टेशन पर जाकर गाड़ी पकड़ ले।

वह चाहता था कि भिक्षा माँगे, फटे कपड़ों में रहे और दाढ़ी बढ़ाकर या तो बद्रीनाथ चला जाए या फिर मध्य प्रदेश की पहाड़ियों में और वहाँ के वनों में कहीं रहने लगे।

वह चाहता था कि वह भी निराला की भाँति मुक्त हो जाए और वनवास को चला जाए।

मगर वैसा करने में मूलतः दूसरों की दया की अपेक्षा करना ही छिपा था। कोई उसे भी देवदास समझे और उस पर दया दिखाए; परन्तु भागने में बड़ी इल्लत यह थी कि परिवार ग़रीब हो जाता। इसके ख़िलाफ़ यदि वह आत्महत्या कर लेता, तो परिवार को सरकार से व बीमा निगम से पैसा ही पैसा मिलता। वह प्रायः आत्महत्या करने की सोचता। वह चाहता था कि किसी दिन नींद की गोलियाँ खा ले और सो जाए।

उदासी के साथ-साथ उसे घबराहट, व्याकुलता व भय ने भी बुरी तरह घेर लिया। उसके पेट में हर समय डर की एक गेंद उछलती रहती, जो उसे कुछ भी नहीं करने देती।

वह ज़रा-ज़रा-सी बात को लेकर बेहद परेशान रहने लगा उसकी नींद एकदम ख़त्म हो गयी। वह रात-रात भर महीनों तक जागता रहता और उसी स्थिति में दफ़्तर भी जाता रहता।

सारे लक्षणों के कारण कभी-कभी वह इतना बदहवास हो जाता कि बच्चों की भाँति फूट-फूटकर रोने लगता। दिमाग़ का बुद्धि भाग एकदम ठीक रहा, पर भावनाओं वाला भाग एकदम टूट गया। अपनी स्थिति पर खुद ही तरस आने लगा।

कुल मिलाकर वह काफ़ी कष्ट में था। शरीर का कोई भी कष्ट दिमाग़ के कष्ट का मुक़ाबला नहीं कर सकता। उसे याद था कि इसी डिप्रेशन के कारण उसके दो

मित्रों ने आत्महत्या की थी। इन दोस्तों में से एक तो साँड़ की तरह बलवान् था। मगर इस बीमारी ने उसे खा डाला।

यतीन दिल्ली गया और एक मनोवैज्ञानिक से मिला। उसने मनोविश्लेषण की सलाह दी। इस कार्य के लिए वह उसे एक घण्टे का समय देता था और प्रतिदिन चालीस रुपये लेता था। यतीन कोच पर लेट जाता था और जो भी मन में आता था उसे उसी भाषा में कहता जाता था।

फ्रायड की भाषा में इसे 'फ्री एसोसिएशन' कहते थे। उसने सारे डर, संकोच और शालीनता को ताक पर रखकर इस पद्धति का पूरा-पूरा पालन किया। मगर कोई ख़ास राहत नहीं मिली। कोच से उठते हुए उसे अच्छा महसूस होता था पर थोड़ी देर बाद वह फिर वहीं गड्ढे में पहुँच जाता था।

मनोवैज्ञानिक के एक महीने के इलाज में यह नौबत आ गयी कि उसकी पत्नी को कुछ आभूषण बेचने पड़े।

मनोवैज्ञानिक को छोड़कर यतीन मनोचिकित्सक के पास गया। डॉक्टर के अनुसार सारी बीमारी शारीरिक थी और दवाओं से ठीक हो जानी चाहिए थी। उसने यतीन को कुछ दवाइयाँ दीं, जो मस्तिष्क को शान्त रखती थीं, नींद लाती थीं और उदासी से लड़ती थीं।

इस इलाज से ज़रूर कुछ प्रभाव हुआ। मगर उतना नहीं, जितना कि अपेक्षित था। महीनों के बाद महीने बीत गये। जो भी दवा दी जाती थी, वह थोड़े दिनों बाद उनके शरीर का एक हिस्सा बन जाती थी और असर करना बन्द कर देती थी। अन्त में चलकर तय किया गया कि उसे बिजली दी जाए।

बीमारी के प्रभाव से यतीन गँजा होने लगा और उसके बाल सहसा सफ़ेद होने लगे। उसने खिजाब का प्रयोग शुरू किया। जवान दिखने से जवान रहने में काफ़ी मदद मिलती है। कम-से-कम यतीन का तो यही विश्वास था।

दो

मानसिक रोगियों को बिजली दो तरह दी जाती है।

पहला ढंग तो यह है कि आदमी होश में रहे और उसे बिजली का झटका दे दिया जाए। झटका लगते ही इंसान जो है वह बेहोश हो जाता है।

दूसरा ढंग है कि रोगी को पूरी तरह बेहोश कर लिया जाए और फिर बिजली दी जाए।

यतीन को बिजली बेहोश करके ही दी गयी। आपरेशन थियेटर में घुसते ही उसे अजीब सी दहशत हुई। ठीक वैसी ही, जैसे किसी मुजरिम को उस वक़्त होती होगी, जब वह फाँसी का फन्दा देखता होगा। चारों तरफ़ कोट पहने डॉक्टर और

नर्सें, बिस्तर के पास लगे आक्सीज़न से रबर-ट्यूब और कोने में रखी हुई बिजली देने की मशीन।

बिजली की मशीन से तो वाक़ई यतीन बुरी तरह डरता था। वह जानता था कि उसे बेहोश किया जाएगा, फिर उसके दाँतों के बीच रुई लगायी जाएगी, ताकि झटके के कारण वे टूट न जाएँ या जीभ को न कुतर लें और फिर माथे पर कहीं प्लग लगाकर बिजली दी जाएगी।

मगर यतीन के डरने से होता ही क्या था? यदि डॉक्टर लोग कहते थे कि उसके लिए वही इलाज उपयुक्त है, तो उसे बिजली लेनी ही थी और कोई चारा ही नहीं था।

यतीन को कुछ पता नहीं लगा कि क्या हुआ। उसे बेहोश किया गया और बस। जब वह होश में आया, तो क़रीब दो घण्टे हो चुके थे। उसने नर्स से पूछा, तो उसने उत्तर दिया कि बिजली दे दी गयी और अब आप बाहर कुर्सी पर बैठें।

बाहर आने पर उसने देखा कि उसकी पत्नी व उसके ससुर उसकी प्रतीक्षा में बाहर बैठे हैं। उन्हें देखते ही यतीन को रोने का दौरा-सा आ गया। वह बच्चों की तरह फूट-फूटकर रोने लगा। जब रोना बढ़ गया, तो शोभा डॉक्टर के पास गयी।

डॉक्टर ने बताया कि बिजली लगने के बाद लोग कुछ एब्नार्मल हो जाते हैं और यह रोना भी उसी का एक अंग है।

इसके अलावा बिजली लगने के बाद यतीन की याददाश्त कई घण्टों के लिए एकदम ख़त्म हो गयी। उसे याद ही नहीं रहा कि वह कहाँ है, क्यों है और कहाँ जाना है? धीरे-धीरे सारी बातें याद आने लगीं और कोई तीन-चार घण्टे बाद वह काफ़ी हद तक नार्मल हो गया।

उस रात उसे ख़ूब नींद आयी और उदासी भी चली गयी। इस बार उसे कुल मिलाकर पाँच बार बिजली लेनी पड़ी। इसके बाद जब-जब ज़रूरत होती, उसे बिजली दी जाती। बार-बार बिजली लगने पर भी यतीन बिजली देने वाली मशीन से काफ़ी खौफ खाता रहा।

यतीन की स्थिति धीरे-धीरे सुधरने लगी। उदासी के बादल छँटने लगे और नींद व भूख वग़ैरह भी नार्मल हो गयी। दवाई वह बराबर खाता रहा। रोग काबू में तो आ गया; पर उसके दौरे बीच-बीच में बराबर पड़ते रहे।

यतीन के विभाग के सीनियर अधिकारियों ने उसे दिल्ली नियुक्त करने का फैसला किया, ताकि उसका इलाज ठीक तरह चल सके। जिस अफ़सर ने एक बार उसे ख़राब रिपोर्ट दी थी, उसने सबसे ज़्यादा मदद की।

वह भारत सरकार के एक मन्त्रालय में डिपुटी सेक्रेटरी के पद पर नियुक्त हो गया और लगन व परिश्रम के साथ अपने सारे काम करने लगा।

तीन

उप सचिव होने के बाद यतीन को सरकार की मशीन को पास से देखने का मौक़ा काफ़ी मिला। काफ़ी महत्त्वपूर्ण काग़ज़ आते थे और उस पर निश्चित समय के भीतर कार्रवाई करनी पड़ती थी।

कुल मिलाकर सचिवालय में जितना अनुशासन और काम के प्रति निष्ठा है, वह नीचे के दफ़्तरों में नहीं है।

वह फाइलों पर टिप्पणियाँ लिखता, जो मन्त्री महोदय तक के पास जाती थीं और ऐसी मीटिंग भी अटेण्ड करता, जिसमें जनरल तक आते थे।

कुल मिलाकर वह कोई तीन वर्ष सचिवालय में रहा, जिसके दौरान उसे सरकारी वायुयान के द्वारा सीमावर्ती इलाकों का दौरा भी करना पड़ा। उसने अमृतसर जाने पर स्वर्ण मन्दिर व जलियाँवाला बाग़ देखा और राजस्थान जाने पर भयंकर वीरान इलाकों की यात्राएँ भी कीं।

उससे मिलने काफ़ी सीनियर अफ़सर आते थे और यतीन अपने कमरे में बैठकर उन दिनों की बातें सोचा करता था, जब कि उसे खाना भी एक वक़्त ही मिलता था। मगर उसका यह अहंकार कुछ क्षण ही रहता। थोड़ी देर बाद ही उसे भर्तृहरि का वह श्लोक याद आ जाता, जिसमें कवि ने कहा है कि वे सुन्दर नगर, वे शक्तिशाली सम्राट, वे सामन्त और दरबारी, वे पण्डित और विद्वान्, चन्द्रमा के समान सुन्दर वे युवतियाँ, वे चारण लोग और उनकी कथाएँ यह सब कुछ जिसके प्रताप से रसातल को चले गये, उस काल को नमस्कार है। कालाय तस्मै नमः।

वह सोचने लगता कि सचिवालय की इन शानदार इमारतों में न जाने कितने देशी और विदेशी बैठे हैं, सीना तानकर बैठे हैं और अब वे सबके सब किसी क़ब्रिस्तान में दबे पड़े हैं। इस सब सोचने का परिणाम यह रहा कि यतीन को मृत्यु के बारे में सोचने का काफ़ी शौक़ हो गया। मृत्यु! अन्त में सबको हराकर जीने वाली मृत्यु। मृत्यु जो चपरासी और सचिव में कोई भेद नहीं बरतती।

उसे लगा कि प्रकृति से बड़ी समाजवादी वस्तु और कोई नहीं है। धूप या वर्षा पड़ती है, तो अमीर और ग़रीब सब पर पड़ती है और चाँद निकलता है, तो सबके लिए निकलता है। भेदभाव तो मनुष्य करता है, प्रकृति नहीं करती। जैन दर्शन में प्रकृति को जो मूल माना गया है, वह उसे उचित ही लगा।

उप सचिव की हैसियत से उसे कई बार मन्त्री की कोठी पर जाना पड़ा। वहाँ उसने सेनाध्यक्षों, अन्य मन्त्रियों और विशिष्ट व्यक्तियों को पास से देखा।

उसे उस पार्टी की याद भी आयी, जिसमें उसने पण्डित जवाहरलाल नेहरू को चाय पीते और लॉन पर नंगे पैर घूमते देखा था। यह घटना उन दिनों की थी जबकि वह विश्वविद्यालय में पढ़ता था और उत्तर प्रदेश के तत्कालीन राज्यपाल के कहने

पर 'कुलपति शिविर' में शामिल हुआ था।

अपने उप सचिव होने के कार्यकाल में भी उसने एक बार ऐसी पार्टी में चाय पी जिसमें प्रधानमन्त्री शामिल थी।

वह सोचा करता है कि भाग्य जैसी कोई चीज़ ज़रूर है, जो कुछ लोगों को इतना बड़ा बनाती है और बाक़ी को वहीं छोड़ देती है। मगर इसका यह अर्थ नहीं कि नियतिवाद के कारण आदमी काम करना ही छोड़ दे।

इस सन्दर्भ में उसे गीता से बड़ी अनुरक्ति थी। वैसे गीता में भी ऐसी बातें हैं; जो कहीं-कहीं, एक-दूसरे का विरोध करती दीखती हैं; पर फिर भी मनुष्य ने अदृश्य को ढूँढ़ने के लिए या सुखी जीवन यापन के लिए जितने भी दर्शन बनाये हैं, उनमें कदाचित् गीता सबसे ज़्यादा तार्किक है।

हाँ, अलबत्ता सरलता के लिहाज़ से बाइबिल दिल को कहीं ज़्यादा छूती है।

यतीन हमेशा मन्दिरों, मस्जिदों और गिरजाघरों में जाता रहता, जहाँ वह अपने-आपको अपने से बड़ी शक्ति के सम्मुख पूरी तरह समर्पित करने की कोशिश करता। ये क्षण वास्तव में मुक्ति के क्षण होते थे।

चार

यतीन के पिता अनेक वर्षों से उसी के साथ रहते थे।

क़स्बे का मकान आधा बन्द रहता और आधा किराये पर दिया जाता। क़स्बे के नवीन बाबू सारे बन्दोबस्त करते थे।

जब कभी यतीन और उसका परिवार क़स्बे जाता, तो पूरा मकान खाली करवा लिया जाता था। आँगन में अमरूद और यूकेलिप्टस के पेड़ काफ़ी बड़े हो गये थे।

क़स्बे के मकान में भी यतीन और शोभा रहने-सहने का सारा सामान रखते थे। छाता, लालटेन, लाठी और बाल्टियों-बर्तनों से लेकर एक छोटी-सी लाइब्रेरी तक वहाँ मौजूद थी। सस्ती क्राकरी, कैलेण्डर से फाड़े गये, प्राकृतिक दृश्यों के शीशा लगे फ्रेम वाले चित्र और सन्दूक वग़ैरह, सब कुछ वहाँ था।

यतीन जब भी क़स्बे जाता, तो पाता कि कुछ लोग इसी बीच मर गये हैं। जो लोग कभी बच्चे थे, वे जब युवा होते जा रहे हैं। सारा-का-सारा माहौल नया सा लगता। यतीन का वही पुराना कस्बा अब पराया होता जा रहा था।

यतीन अब लगभग पचास वर्ष के आसपास हो गया था। उसके पिता की आयु अस्सी वर्ष से ऊपर थी। यतीन उनसे ज़्यादा बातें नहीं करता था। वह उन दुःखों को कभी नहीं भूला था जो उनकी अकर्मण्यता के कारण उसने व शेष परिवार ने कभी भोगे थे।

शोभा उनका पूरा ख़याल रखती थी और उनके कपड़े, बीड़ी, माचिस और जूतों

वग़ैरह का इन्तज़ाम वही करती थी।

उम्र ज़्यादा होने पर भी पिताजी का गुस्सा उतना ही था, जितना कि यतीन के बचपन में था, मगर अब यतीन उन्हें डाँटकर उत्तर दे सकता था। जैसे कभी यतीन अपने बाप से डरता था, वैसे ही धीरे-धीरे उसके बाप उससे डरने लगे थे।

आयु के साथ-साथ पिताजी अपंग होते चले गये। उनके कुछ अंगों पर पक्षाघात का प्रभाव भी हो गया। इलाज वग़ैरह तो होता रहा; मगर यतीन बराबर उनके चीख़ने-चिल्लाने पर उन्हें डाँटता रहा।

पिताजी ने अपनी पराजय स्वीकार कर ली और वे चुप रहने लगे। इसी स्थिति में एक दिन उनका देहान्त हो गया।

यतीन ने अपने जलील बाप की लाश को देखा और देखता ही रहा। बचपन का ख़ूँखार भेड़िया अब निस्पन्द होकर अपनी धरती पर पड़ा था।

जब यतीन की माँ ने अपनी चूड़ियाँ तोड़ीं और रोना शुरू किया, तब उसे होश आया और वह भी रोने लगा। जैसा भी था, वह उसका बाप था। वह और ज़्यादा ख़राब भी हो सकता था।

यतीन काफ़ी रोया। चिता में आग देते समय तक वह फिर नार्मल हो गया था। श्मशान के पण्डे और जमादार वग़ैरह मुर्दों को काफ़ी निःसंगता के साथ देखते थे। मुर्दों को जलाना तो उनका रोज़ का काम था। दो दिन बाद श्मशान से मृत पिता की अस्थियाँ इकट्ठी कीं और गढ़मुक्तेश्वर जाकर उन्हें गंगा में बहा दिया।

सब कुछ करने के बाद वह तट पर बैठ गया। वह गंगा की ओर देखता रहा और सोचता रहा कि न जाने कितने मुर्दों की अस्थियाँ युगों-युगों से इस नदी में बहती आ रही है।

घर आकर उसने पिताजी का खाली कमरा देखा और महसूस किया कि घर का एक सदस्य कम हो गया। यतीन का लड़का और लड़की भी अब क्रमशः सोलह व ग्यारह वर्ष के हो चुके थे और वे भी सब कुछ समझते थे।

यतीन को तो दृढ़ विश्वास हो गया था कि मृत्यु जो है वह जन्म से कहीं ज़्यादा मार्मिक घटना है। उसे उदासी के दौरे ने फिर जकड़ लिया। बाद में चलकर फिर बिजली लेनी पड़ी।

यतीन के पिता ने यतीन की माता के साथ कभी अच्छा व्यवहार नहीं किया था, मगर माँ थी कि विधवा होने के बाद सबसे ज़्यादा रोयी। इसके बाद वह ख़ुद उस कमरे में ज़्यादा वक़्त गुज़ारने लगी, जिसमें कि उनके पति ने अन्तिम साँस ली। सब कुछ कष्ट सहने के बाद भी उन्हें अपने पति से कितना प्यार था, यह देखकर यतीन चकित भी हुआ और दुःखी भी। थोड़े दिनों बाद घर का कारोबार फिर उसी तरह चलने लगा।

यतीन ने सोचा कि एक दिन आएगा, जब कि वह भी उसी तरह मरेगा, उसे

बाँसों की अर्थी पर लिटाया जाएगा और उसका प्यारा बेटा उसकी चिता में आग देगा और इस सबके बावजूद दुनिया के जो कामकाज हैं, वे इसी तरह चलते रहेंगे। पुराने पत्ते झड़ेंगे और नये पल्लव निकलेंगे। ऋतुएँ और फूल सब कुछ इसी तरह रहेंगे, सिर्फ़ वह नहीं रहेगा। सृष्टि का यह निर्मम क्रम सदा ऐसे ही चलता रहेगा।

पाँच

यतीन को अपना क़स्बा अब अच्छा नहीं लगता था। बीसों वर्ष तक नगरों और महानगरों में निवास करने के बाद वह यही चाहता था कि उसका भी किसी नगर में मकान हो, जहाँ कि वह रिटायर होने के बाद रह सके और साहित्य के प्रति पूरी तरह समर्पित हो जाए।

शोभा के एक रिश्ते के भाई देहरादून में डिस्ट्रिक्ट व सैशंस जज थे। उन्होंने अपनी कोठी के लिए बहुत सारी ज़मीन ख़रीद रखी थी। उन्होंने यतीन को देहरादून में ही मकान बनाने की सलाह दी। देहरादून यतीन को भी बेहद पसन्द था। पर्वतों की नीली श्रेणियों के बीच बसी एक धानों की हरी घाटी। देहरादून दिल्ली से भी दूर नहीं पड़ता था। जज साहब की मदद से उसने अपने लिए भी एक काफ़ी बड़ा प्लाट देहरादून में ही ख़रीद लिया।

रिटायर लोगों की इस बस्ती में गर्मियों में काफ़ी भीड़ हो जाती थी, क्योंकि मसूरी या चकरौता जाने वाले यात्री देहरादून तक रेल से जाते थे। देहरादून से आगे रेल नहीं जाती थी।

यतीन ने एक काफ़ी छोटा प्लाट मेरठ में भी ख़रीद लिया। मेरठ में प्रमुख आकर्षण यह था कि वह दिल्ली के एकदम पास था।

नगर में रहने के निश्चय के बाद यह ज़रूरी हो गया कि क़स्बे का पैतृक मकान बेच दिया जाए। यतीन के इस विचार को जानकर माता काफ़ी दुखी हुईं और रोने लगीं। उन्हें उस घर से लगाव था, क्योंकि वहीं वे पैदा हुई थीं, वहीं उनकी माँ, दीदी, बुआ व पिताजी सबका देहान्त हुआ था और वहीं उनकी शादी हुई थी और बच्चे हुए थे। मगर क्योंकि यतीन उनका इकलौता लड़का था और ख़ुद वह काफ़ी वृद्ध हो चुकी थीं, उन्होंने कुछ दिनों बाद मकान बेचने के सन्दर्भ में अपनी सहमति दे दी। हालाँकि उस समय भी उनकी आँखों में आँसू थे।

मकान बिकने में कई साल लग गये। या तो कोई ग्राहक आता ही नहीं था और यदि कोई आता था, तो वह बेहद कम क़ीमत देना चाहता था। मोल-भाव चलता रहा। अन्त में चलकर एक व्यक्ति ने उस मकान को चालीस हज़ार रुपयों में ख़रीद ही लिया। रजिस्ट्री वग़ैरह के लिए यतीन व उसकी माता अपने क़स्बे गये और वहाँ से कचहरी गये।

चलते वक़्त यतीन ने अपने उस पैतृक घर को आख़िरी बार देखा। अपना क़स्बा हमेशा के लिए छोड़ते हुए दुःख होना स्वाभाविक था। उस क़स्बे से और उस घर के हर कोने में उसकी कोई-न-कोई स्मृति चिपकी थी।

मकान की बिक्री की रजिस्ट्री होने के बाद यतीन की माता रोने लगीं। वह क़स्बे के एक-एक ऐसे घर में गयीं, जहाँ उनकी जान-पहचान का कोई व्यक्ति अभी तक जीवित था। इसके बाद यतीन और उसकी माता दोनों वापस शहर लौट आये।

मकान बेचने के बाद यतीन सहसा अपने को निराश्रय समझने लगा। चिड़िया तक अपना घोंसला रखती है और वह था कि सिर छिपाने के लिए कहीं कोई ऐसी जगह नहीं थी, जिसे वह अपनी कह सकता।

शोभा ने फैसला किया कि देहरादून का मकान जल्दी से जल्दी बनवाया जाए। यतीन को यह सलाह बहुत पसन्द आयी। उसे उन लोगों पर काफ़ी तरस आया, जो सारी उम्र होटलों में रहते हैं।

उसकी जान-पहचान के एक ब्रिगेडियर तो ऐसे थे, जिन्होंने अपना शानदार मकान बनवाया; पर उसे किराये पर चढ़ाया और ख़ुद होटल में रहने लगे। यतीन को ऐसी हरकत कतई पसन्द नहीं थी। वह चाहता था कि उसका अपना मकान हो, जिसमें लॉन हो, फूल हों और शीशम, लीची, चीड़, अशोक, अमलतास, कनेर और गुलमुहर के पेड़ हों। साथ में अनार और अमरूद हों तो और भी अच्छा। केला तो ख़ैर लगाना ही चाहिए। वर्षा का सच्चा सौन्दर्य तभी पता लगता है, जबकि वह केले के गाछों पर गिर रही हो।

वह चाहता था कि उसके ड्राइंगरूम में हज़ारों किताबें हों, सोफ़ासेट व कालीन हो, झाड़फानूस हों और टेबल लैम्प लगी, एक चमचमाती हुई पढ़ने की मेज़ हो। वह उन दिनों की प्रतीक्षा करने लगा जबकि ऐसा होगा।

कुछ लोग होते हैं जो केवल भविष्य में ही जीते हैं, और उसके लिए वर्तमान को क़त्ल करते जाते हैं। किसी हद तक यतीन भी ऐसे स्वप्नदर्शियों में से था।

छः

सब काम चलते रहे और साथ-साथ यतीन का डिप्रेशन भी चलता रहा। दवाइयाँ तो चलती ही रहीं। वक़्त ज़रूरत बिजली भी दी जाती रही। कभी-कभी तमाम दवाओं के बावजूद वह हफ़्तों तक नहीं सोता था और फिर भी दफ़्तर जाता रहता था और लिखता-पढ़ता रहता था। उसने कई बार शराब पीना शुरू करने की सोची। मगर उसकी कायरता ने उसे बचा लिया। वह जानता था कि यदि शराब से उसे कोई राहत मिली, तो वह निश्चयपूर्वक शराबी हो जाएगा। जिसका अर्थ होगा घर का सत्यनाश होना। ऐसा वह कतई नहीं चाहता था। उसके दो बच्चे थे, बूढ़ी माँ थी, शानदार

वर्तमान और आकर्षक भविष्य था और वह इसको ख़त्म नहीं करना चाहता था।

दिल्ली में जाकर उसकी साहित्यिक गतिविधियाँ काफ़ी बढ़ गयी थीं। किताब के बाद किताब निकलती गयी। रिसालों में वह और भी ज़्यादा छपने लगा और बड़ी बात तो यह कि वह राजधानी की एक ऐसी साहित्यिक संस्था का सदस्य हो गया, जहाँ कि चोटी के लेखक और कवि आते थे।

उसकी बड़ी इच्छा यह थी कि वह किसी ऐसे विभाग में जाए, जहाँ साहित्य से सम्बन्धित कामकाज होता हो। मगर हज़ार कोशिशों के बावजूद वह ऐसी जगह नहीं जा सका। वह उन्हीं फाइलों और दौरों से निबटता रहा, जिसका कि साहित्य से दूर का भी कोइ सम्बन्ध नहीं था।

उसके देखते-देखते न जाने कितने अयोग्य लोग साहित्य के नाम पर विदेश घूम आये, बड़े अख़बारों के सम्पादक बन गये और पता नहीं क्या-क्या प्रगति करते रहे; पर वह वहीं रहा, जहाँ कि था।

ऐसी परिस्थितयों में उसे ईर्ष्या होती, निराशा होती; पर अन्त में वह वही सोचता रहा कि साहित्य एक ऐसी चीज़ है, जिसमें प्रतिभा को छोड़कर और कोई तिकड़म काम नहीं करती। अन्त में वही बचता है, जो कि श्रेष्ठ रहता है। समय से बड़ा आलोचक और कोई नहीं होता।

सात

काफ़ी दिनों बाद यतीन को प्रयाग का दौरा मिला।

इलाहाबाद से उसे अत्यन्त लगाव था। जैसे-जैसे गाड़ी इलाहाबाद की दिशा में बढ़ती जाती, वैसे-वैसे ही उसकी उत्सुकता और ज़्यादा होती जाती। पुराने परिचित बोलचाल और फिर वही अपना पुराना इलाहाबाद।

वह डाक-बँगले में ठहरा और सरकारी कामकाज में लग गया।

सहसा उसने सोचा कि इस बार विनीता से ज़रूर मिल जाए, जैसे ही उसे फुर्सत मिली, वह एक अधिकारी की गाड़ी में विनीता से मिलने चला गया।

विनीता से मिले हुए उसे कोई पच्चीस वर्ष हो गये थे। वह जब पढ़ता था, तब वह पच्चीस का रहा होगा और विनीता बाईस तेईस की। अब वह लगभग पचास वर्ष का अधेड़ था, जिसके कि आधे बाल उड़ चुके थे और जो काफ़ी भारी-भरकम हो चुका था।

इतने दिनों बाद विनीता कैसी हो गयी होगी, यह वह बराबर सोचता रहा। वह बच्चों की तरह सोचता रहा कि कहीं ऐसा न हो कि विनीता घर में न हो या घर पर हो और उसे पहचान ही न पाए या फिर पहचान तो लें; पर अपमानित करके घर से निकाल दे। मगर ऐसा कुछ नहीं हुआ।

विनीता घर पर थी और अकेली थी। उसने यतीन को तुरन्त पहचान लिया और इस तरह सोफ़े पर बैठाया जैसे कि वे अभी कल ही मिले हों। उसने स्टोव जलाया और चाय का पानी रख दिया। साथ ही साथ यतीन के हज़ार मना करने के बावजूद उसके लिए आलू की टिकिया बनाने लगी।

यतीन उसे देखता रहा। वही पुरानी विनीता, एकदम वही। वैसी ही देहयष्टि, वैसी ही खुशमिज़ाजी और वैसी ही चंचलता। सिर के बाल सफ़ेद होने लगे थे और वह चश्मा भी लगाने लगी थी।

उसके ड्राइंगरूम में सोफ़ा और किताबें थीं और एक कोने में पूजा पाठ की सामग्री रखी थी। एक बेडरूम था और एक छोटा-सा किचन। बाहर छोटा-सा बरामदा जो लताओं से घिरा हुआ था।

चाय बन जाने पर दोनों चाय पीने लगे।

विनीता ने परिवार व बच्चों के बारे में पूछा और यतीन के डिप्रेशन के बारे में चिन्ता प्रकट की।

इसके बाद पुराने प्रोफेसरों और साथ पढ़ने वाले छात्राओं के बारे में बातचीत चलती रही।

यतीन को महसूस ही नहीं हुआ कि वह विनीता से पच्चीस वर्ष बाद मिल रहा है।

काफ़ी बातचीत के बाद यतीन ने विदा ली और अपनी कुछ किताबें विनीता को दीं।

बँगले के गेट तक उसे छोड़ने विनीता आयी। गेट बन्द करते हुए उसने कहा, 'फिर कभी आइएगा।'

आठ

विनीता से मिलने के बाद यतीन की स्थिति विचित्र हो गयी।

कॉलेज के पुराने दिन फिर वापस लौट आये। उसे पता चला कि विनीता के प्रति उसे कितना स्नेह है, यह वह ख़ुद भी नहीं जानता। इसके बाद उसका प्रयाग में मन नहीं लगा और वह दौरे से वापस लौट आया।

घर आने पर उसने शोभा को विनीता के साथ हुई भेंट के बारे में बताया। शोभा ने कुछ नहीं कहा। वह सिर्फ़ सुनती रही। यतीन चाहता था कि उसकी पत्नी नाराज़ हो, उसे बुरा-भला कहे, मगर ऐसा कुछ नहीं हुआ। उसके मौन ने यतीन को जो चोट पहुँचायी, वह उनकी बातें कभी नहीं पहुँचा सकती थीं। स्त्री जो है वह पुरुष पर पूरा अधिकार चाहती है। यह इस अधिकार को बाँट नहीं सकती।

उसके मौन से घबराकर यतीन ने पूछा कि वह उससे इतनी रुष्ट क्यों है? वे लोग भी तो हैं, जो वेश्यागमन करते हैं?

इसके उत्तर में शोभा ने बड़े संयम से कहा कि वेश्यागमन माफ़ किया जा

सकता है क्योंकि इसमें सिर्फ़ शरीर जलता है। पत्नी को दुःख वहाँ पहुँचता है, जहाँ उसे पता चले कि पति का मन पूरी तरह उसके पास नहीं है। अगर ऐसा ही स्नेह था तो तुमने उसी से शादी क्यों नहीं की?

यतीन के पास कोई उत्तर नहीं था। वह दोनों की दृष्टि में अपराधी था। वह थोड़ी देर चुप रहा और उसके साथ रोने लगा। उसकी पत्नी शोभा से यह सब नहीं देखा गया। वह भी पति के पास बैठकर रोने लगी।

भाद्रपद के कृष्णपक्ष की रात्रि थी। आकाश मेघों से बुरी तरह घिरा था।

भीतर पति-पत्नी रोते रहे और बाहर वर्षा होती रही।

पानी पड़ता रहा और पड़ता रहा।

❑

कहानी
(1980)

अबदुल्ला दीवाना

मेरी एक पुरानी एलबम में एक पुराना चित्र है। यह चित्र उस समय का है जब मैं प्रयाग विश्वविद्यालय का छात्र था और जबकि परिमल का एक विशेष उत्सव हुआ था। चित्र में सुमित्रानन्दन पन्त, ओंकार शरत्, सर्वेश्वर दयाल सक्सेना, रमानाथ अवस्थी, इलाचन्द जोशी, अज्ञेय, डॉ. हरदेव बाहरी, सुरेन्द्र चतुर्वेदी, ओंकारनाथ श्रीवास्तव, गिरिधर गोपाल, केशवचन्द्र वर्मा, डॉ. रघुवंश, लक्ष्मीकान्त वर्मा, दुष्यन्त कुमार, डॉ. धर्मवीर भारती, अजित कुमार, गंगा प्रसाद पाण्डेय, जगदीश गुप्त, रामावतार चेतन और ख़ाकसार उर्फ रवीन्द्रनाथ त्यागी—सभी शामिल हैं। बड़ा ऐतिहासिक चित्र है। सौ वर्ष बाद कम-से-कम एक लाख में बिकेगा। फिलहाल मेरे लिए तो करोड़ों का है क्योंकि इतने सारे दोस्त और सहधर्मी कभी एक साथ बिना हाथापाई किये इतनी देर नहीं बैठे। एक बार जब यह फोटो खो गया तो मैं फिर प्रयाग गया। बड़ी कोशिशों के बाद फोटोग्राफर की दुकान मिली मगर फोटोग्राफर जो था वह फिर भी नहीं मिला। वह शायद मर गया था। एक बुज़ुर्गवार ने मुझे ढाढस बँधाते हुए बताया कि फोटोग्राफर प्रायः मरते पाये जाते हैं। उनका यह शौक़ होता है। मैं चुप हो गया। इसके बाद दोस्तों की याद बराबर रखने के लिए मैंने यह चित्र एक दोस्त की एलबम में से चोरी कर लिया। निगाह तो उनकी पत्नी पर थी, पर हाथ लगा यह फोटो। यही वे कारण हैं जो करोड़ों रुपयों के बदले में भी मुझे इस चित्र को नहीं बेचने देते। वैसे असलियत यह है कि कोई ख़रीदने वाला मिला भी नहीं। मिलता तो शायद पाँच सौ रुपये में ही सौदा तय हो जाता। वैसे पचास रुपये भी कम नहीं होते।

डॉ. लक्ष्मी नारायण लाल की खुशक़िस्मती देखिए कि इस फोटो में वे भी शामिल हैं। लाल साहब को पहली बार परिमल में ही देखा था, उनकी लाली बाद में ही देखने को मिली। बाद में चलकर न जाने कितने लाल देखे—डॉक्टर लाल, बीमार लाल, प्रयाग के एक बड़े कालिज में साइकिल पर पढ़ाने को भागते लाल, गोष्ठियों में सबको चौंकाते हुए लाल, प्रयाग छोड़कर दिल्ली में मेरे मोहल्ले में बसते लाल और अचानक दिल्ली विश्वविद्यालय छोड़कर फ्री-लैंसिंग करने वाले डॉक्टर लाल। सरजू तट के पपीहे से अब्दुल्ला दीवाना होने तक के अनन्त रूप। मुझे यह खुशी है

कि जैसे ही वे मेरे मोहल्ले में आये, मेरा दिल्ली से तबादला हो गया। यह प्रयाग से दिल्ली गये, मैं दिल्ली से प्रयाग। उनके चले आने से प्रयाग की साहित्यिकता को जो क्षति पहुँची थी, वह मुझे पूरी करनी पड़ी। परोपकाराय सतां विभूतयः।

लक्ष्मी नारायण लाल ने उपन्यास भी लिखे कहानियाँ भी लिखीं, नाटक भी लिखे और पारसी थियेटर तथा जयप्रकाश नारायण पर भी लिखा। यानी बहुमुखी प्रतिभा के मामले में वे जयशंकर प्रसाद के समकक्ष उतरते हैं। अपने हावभाव, पात्रों के संवाद और रहने-सहने के स्टाइल में वे आगा हश्र काश्मीरी के हम वज़न हैं। कड़ुए तेल की मालिश, दातुन और बोल-चाल के सन्दर्भ में 'अहा ग्राम्य जीवन भी क्या है' लिखने वाले मैथिली शरण गुप्त की भाँति प्रकट हैं और 'ग्राम्य' होना, सुन्दर चीज़ों से प्रेम करना और फिर उनके लिए तड़पना इन सब मामलों में वे मेरे साथ बैठने के हक़दार हैं। अश्लील बातों को जितने भोलेपन से वे कह जाते हैं उतना शायद आपके लिए सम्भव नहीं। क्या सादगी है– ठीक वही जिसे देखकर कभी किसी शायर की मरने की इच्छा हुई थी। जहाँ तक दातुन का प्रश्न है, मेरे ख़याल से वे पहिले व्यक्ति हैं जिन्हें मैंने गुलाब की दातुन करते देखा है। ठीक वही निराला का– 'अबे सुन बे गुलाब' वाला अन्दाज़।

गुजराती के प्रख्यात साहित्यकार चन्द्रवदन मेहता के अनुसार साहित्य में भी वर्ण व्यवस्था है। कवि ब्राह्मण है। उपन्यासकार क्षत्रिय है और नाटककार शूद्र है। मैं कवि होने के नाते इस वर्ण व्यवस्था के ख़िलाफ़ नहीं हूँ। मगर डॉक्टर लाल ने हमारे रंगमंच को जो रूप देने की कोशिश की है, यदि वह शूद्रता है तो कम-से-कम मैं तो हरिजन ही होना चाहूँगा। वैसे भी आजकल जो सुविधाएँ हरिजनों को प्राप्त हैं, वे ब्राह्मणों को कहाँ? उनके सारे नाटक ऊँचे दर्जे के होते हैं और मुझे इस बात को कहने का हक़ इस कारण है कि उनमें से अधिकांश को मैंने कभी नहीं पढ़ा। हाँ, अलबत्ता जब उन्होंने पण्डित रंगीलाल द्वारा रचित अत्यन्त रोचक और प्राचीन असली क़िस्सा तोता-मैना को लेकर "औरत-मर्द की बेवफाई की दिलचस्पी" दास्तानों को नाटक के रूप में वर्तमान सन्दर्भों को लेकर प्रस्तुत किया तो मैं मन्त्रमुग्ध रह गया। ऐसा लगा कि मदनसेन, चन्द्रप्रभा, अंगध्वज और चम्पकलता अभी भी जीवित हैं और अपना पुश्तैनी धन्धा अभी भी उसी ज़िम्मेदारी से सँभाल रहे हैं। नाटक देखते-देखते लक्ष्मी नारायण लाल की ओर जो निगाह उठायी तो सहसा इस परम तत्त्व का भी 'अहसास हुआ कि असली क़िस्सा तोता-मैना के प्रणेता पण्डित रंगीलाल भी अभी ज़िन्दा हैं। इन नाटकों को देखते-देखते मेरे मन्त्रमुग्ध हो जाने का एक कारण यह भी था कि नाटक में भाग लेने वाली अभिनेत्रियों में से एक लड़की वाक़ई बहुत सुन्दर थी। औरतों की बेवफाई की दास्तान देखते हुए भी मुझे वह बेहद अच्छी लगी। क़िस्सा तोता-मैना की भाँति एकदम असली सौन्दर्य।

पर्ल बक कहती थी कि जो कुछ लिखा जाता है वह बस अनायास ही लिखा

जाता है। अर्नेस्ट हैमिंग्वे कहते थे लेखक एक कूप है जो धीरे-धीरे सूखता जाता है। सामरसेट माम के अनुसार लेखक को सनकी होना ज़रूरी है, टेनेलीज विलियम्स अपने अधूरेपन को दूर करने के लिए लिखता था और हेनरी मिलर का कहना था कि दुःख की स्थितियाँ ही किसी को लेखक होने के लिए विवश करती हैं। मैं देखता हूँ कि मेरे मित्र लक्ष्मी नारायण लाल इन सब महान् लेखकों की वाणियों को सच्चा साबित करते हैं। नहीं तो कौन होता है ऐसा पागल जो पूरे परिवार की ज़िम्मेदारी अपने कन्धों पर सँभाले हुए एकदम नौकरी छोड़ दे और आस्कर वाइल्ड से शब्दों में आवारगी को जीवन का चरम विकास मान बैठे? और फिर परिवार भी ऐसा जिसका एक सदस्य मानसिक रूप से काफ़ी हद तक अपंग है और जिस 'पंगु' को डॉक्टर लाल मात्र अपने वात्सल्य और स्नेह से 'गिरि' लँघवाना चाहते हैं? मगर बात सिद्धान्त की है या तो नौकरी कर लो या इज़्ज़त के साथ जी लो। लाल साहिब ने इज़्ज़त को तरजीह दी। पण्डित राज जगन्नाथ की सूचना के अनुसार कुछ हंस हैं जो गंगा के पवित्र जल तक को नहीं पीते यदि वह गन्दा होता है। गंगा नीरमपि त्यजन्ति मलिनम् ते राजहंसा वयम्।

लक्ष्मीनारायण लाल नाटक लिखते हैं, खेलते हैं, खेलाते हैं, देखते हैं और कभी-कभी नाटक पढ़ते भी हैं। ज़ाहिर है कि उनका व्यक्तित्व सचमुच में नटकीयता से भरा है। वे कभी सूत्रधार का अन्दाज़ अख़्तियार करेंगे तो कभी मध्यान्तर का। कभी-कभी अच्छी ख़ासी गुफ़्तगू के बीचोबीच पटाक्षेप कर देंगे और चुप हो जाएँगे। कोई हसीन चेहरा दीख गया तो भरतवाक्य की याद आ गयी वरना छुट्टी। उनके 'मन वृन्दावन' की राधा उनसे वह रासलीला करवाती है जिसकी शोभा और छवि विद्यापति के अनुसार शब्दातीत रही। नाटक के विभिन्न दृश्यों की भाँति उनके व्यक्तित्व के भी अनेक धरातल हैं, बन्द कमरे हैं, चक्रव्यूह है पर कुल मिलाकर नाटक को तीन घण्टे आप ज़रूर देख सकते हैं। हो सकता है, दूसरे दिन भी देखना चाहें।

यह लेख मैंने अपने पूरे होशों हवास में डॉ. लाल की पचासवीं वर्षगाँठ पर लिखा है और इस खुली शर्त पर लिखा है कि जब मैं पचास वर्ष का हो जाऊँगा तो वे भी मुझ पर एक नाटक लिखेंगे, मैंने उनके सन्दर्भ में जयशंकर प्रसाद की चर्चा की है और मुझे विश्वास है कि मेरे ऊपर लिखते हुए वे कम-से-कम भारतेन्दु हरिश्चन्द्र का हवाला ज़रूर देंगे। कितना अच्छा हो कि बाक़ी नाटककारों की आयु भी लाल साहिब को लग जाए ताकि वे हमारे रंगमंच का रंग बदल सकें। इस शुभकामना के व्यक्त करने का प्रमुख कारण यह है कि मैं ख़ुद नाटक नहीं लिखता।

पत्नी-प्रसंग

आज मैं पत्नियों के बारे में कुछ सोच-विचार करूँगा। पत्नियों के बारे में सोचना हमेशा सुखदायक होता आया और जहाँ तक परायी पत्नियों का प्रश्न है, स्थिति यह है कि उनका चिन्तन करना तो सदा से सुख की चरम सीमा होता आया। पत्नियाँ आम तौर पर उन स्त्रियों को कहा जाता है जिनके पति होते हैं। विवाह के बाद पत्नी जो है वह पति का आधा भाग हो जाती है। शतपथ ब्राह्मण में लिखा है कि 'अर्द्धो हवा एष आत्मनः यत्पत्नी' जो कि एकदम ग़लत है क्योंकि पत्नी पति का आधा भाग नहीं बनती बल्कि पूरे इलाक़े की मालिक हो जाती है। पति बेचारा तो कहीं बचता ही नहीं। मैंने ऊपर पत्नी की परिभाषा दी थी और अब यह ज़रूरी हो गया है कि ग़रीब पति की परम्परागत परिभाषा भी दे दी जाए। मोटे तौर पर यह कहा भी जा सकता है कि जो ग़लती करके न माने, वह मूर्ख है; जो ग़लती करके मान ले वह इंसान है और जो बिना ग़लती किये ग़लती मान ले वह पति है।

पुराने ज़माने बड़े अच्छे थे। वाल्मीकि रामायण में अनार्य और चरित्रहीन पति की भी सेवा करने का आदेश दिया गया है और जहाँ तक दुष्ट पत्नियों का प्रश्न है उनके परित्याग की तो खुली अनुमति दी गयी है। ये ही तो वे कारण हैं कि ये महान् ग्रन्थ आज भी हमारी संस्कृति के स्तम्भ माने जाते हैं। अहिल्या ने इन्द्र के साथ गुप्त रूप से प्यार किया था और इस कारण उसे पत्थर होना पड़ा। इस तरह का ख़तरा आज कल की पत्नियों को नहीं है क्योंकि वे तो पहले से ही पत्थर हैं। राजा रामचन्द्र के स्नान के लिए विभीषण ने शृंगार क्रिया में निपुण कमलनयनी युवतियों का मुकम्मिल बन्दोबस्त किया और लगे हाथों नारी को नरक का द्वार भी घोषित किया गया। प्राचीन ग्रन्थ 'लाठी संहिता' (इस नाम की एक पुरानी पोथी है और मैं कोई मज़ाक़ नहीं कर रहा और हाँ, पोथी के नाम पर ध्यान दीजिए क्योंकि पत्नियों के सन्दर्भ में यह एक विशेष सन्देश देता है) के अनुसार समाज में अनेक पत्नियाँ रखने वाले व्यक्ति की ही प्रतिष्ठा होती थी। और इस सबके बावजूद पति जो था वह हर हालत में स्त्री का परम आभूषण माना जाता था। भर्ता नाम परं नार्या भूषणं भूषणादपि। इन सब बातों को पढ़कर शरीर के मुख नामक अंग से यह

पंक्ति बरबस निकल पड़ती है– वे दिन भी कितने सुन्दर थे। और फिर बच्चन की दूसरी पंक्ति याद आती है– जो बीत गयी, सो बात गयी। पतियों का यह स्वर्णयुग वाक़ई बीत गया।

इसके बाद हालत बदली और बदलती ही चली गयी। बहु पत्नी के स्थान पर बहुपति की प्रथा आ गयी जिसे कुमारी द्रौपदी ने विशेष प्रतिष्ठा दी। कन्याओं ने अपने पति स्वयं ही चुनने शुरू कर दिये और स्वयंवर नाम के टेस्ट मैचों की शुरुआत हुई। आल्हा, ऊदल और मलखान वग़ैरह ने रूपसियों की प्राप्ति के लिए बावन युद्ध लड़े। परिणाम यह निकला कि एक ओर तो देश कमज़ोर हुआ और दूसरी ओर लाला मटरूमल अत्तार ने सारी लड़ाइयों का आँखों देखा हाल लिखकर लाखों रुपये पैदा किये। इन सब सूरमाओं में से किसी की पत्नी ने उसे सुख दिया हो, इसका कोई प्रमाण सारे वीरगाथा- काल के साहित्य में कहीं नहीं मिलता। रानी सारन्धा ने एक घोड़े को लेकर अपने पति को औरंगज़ेब आलमगीर से भिड़वा दिया था। घोड़ा बड़ी चीज़ है, पति तो आता-जाता रहता है। मैकबेथ की धर्मपत्नी ने अपने पति से अपने ही राजा की हत्या करवा दी थी और वह भी तब जब कि राजा उनका अतिथि था। अतिथि सत्कार का इससे बेहतरीन नमूना शेक्सपियर भी पेश नहीं कर सके। सुकरात की बीवी यदि इतनी मधुरभाषिणी न होती तो वह ग़रीब चौराहों पर बातचीत न किया करता जिसके कारण उसे तो ज़हर का प्याला पीना पड़ा और ग़म ग़लत करने के लिए उसकी पत्नी को शायद शराब पीनी पड़ी। ज़्यादा तार्किक पत्नी होने के कारण ही सर टामस मूर की देह के हेनरी अष्टम ने दो अध्याय करवाये थे। अद्वैतवाद से द्वैत बाद वाली स्थिति। लिंकन की पत्नी मक्खन की इतनी शौक़ीन थी कि कैबिनेट मीटिंग के बीच मक्खन की प्याली राष्ट्रपति के मुँह पर फेंककर मारा करती थी। निशाना आमतौर पर ठीक ही बैठता था जैसा कि लिंकन के चित्रों से भी प्रकट होता है। मक्खन की प्यालियाँ जो टूटी होंगी सो अलग।

समय के साथ-साथ वाक़ई सब कुछ बदलता चला गया। हालत यह आ गयी कि घर में यदि पत्नी है, तो अब आपको खुद आत्महत्या करने की ज़रूरत ही नहीं रही। पत्नी का प्रेमी आएगा जो आपकी आत्महत्या कर देगा। जहाँ तक वक़्त के बदलने का प्रश्न है, एक लोक कवि की वाणी याद आती है जो आपकी खिदमत में अर्ज़ करता हूँ। सत्युग में सत सेइया, द्वापर में कृष्ण कन्हैया, फिर हाथी से पार जगइया, अब तो झूलत है नइया...

मेरे विचार में अब समय आ गया है जब कि 'घड़ियाल बचाओ अभियान' के स्थान पर 'पति बचाओ अभियान' शुरू किया जाना चाहिए। सब कुछ सुधरता जा रहा है मगर पत्नियाँ हैं कि हर माडल पिछले से ख़राब ही निकल रहा है। आस्ट्रेलिया में ऐसी कार ईजाद कर ली गयी जो मालिक की आवाज़ पर चलती है मगर अभी तक ऐसी बीवी नहीं बनी जो मियाँ के कहने के मुताबिक चलती हो। शादी चीज

ही ऐसी है कि अच्छे-अच्छे शोहदे शहीद हो गये। इंग्लैण्ड में नैपोलियन का वह कोट नीलाम हो रहा है जो उसने वाटरलू के युद्ध में पहना था। यहाँ पतियों के कोट तो ख़ैर पहले ही उतर चुके सिर्फ़ उनकी पतलून उतरनी बाक़ी है। वैसे भी जहाँ तक वाटरलू की लड़ाई का प्रश्न है वह तो वे शरीफ़ इंसान उसी वक़्त हार गये थे जबकि फेरे फिरे थे। अब तो बेचारा पति घर में बैठता है बच्चों को दूध पिलाता है और क़िस्मत को रोता है और क़िस्मत जो है वह जार्जट की नयी साड़ी पहन रेलवे इंजनों की ब्यूटी परेड देखने स्टेशन जाती है या उस महान् ब्रिटिश कलाकार को याद करती है जिसने अभी-अभी यह घोषणा की है कि युवतियों के भविष्य के बारे में यदि कोई सटीक भविष्यवाणी की जा सकती है तो वह केवल उनके उरोजों को ही देखकर की जा सकती है। मैंने ऊपर रेलवे इंजनों की सौन्दर्य प्रतियोगिता की चर्चा की थी। इत्तिफाक देखिए कि उनमें भी जो इंजन सबसे ज़्यादा ख़ूबसूरत चुना गया, उसकी उम्र कोई पन्द्रह या सोलह साल से कम ही थी। यानी कि जिस उम्र में लड़की की ख़ूबसूरती निखरती है, उसी में रेलवे इंजन भी अपने शबाब पर आया है। दूसरे शब्दों में लड़की में और रेल के इंजन में कोई ख़ास फर्क नहीं। अब ये अबला नहीं, बला हो गयीं।

मगर खेद की बात यह है कि इस पति नाम के गधे को कोई बचा नहीं सकता। बद्रीनाथ धाम के कपाट दुबारा खुल सकते हैं क्योंकि महन्तजी की चाँदी की छड़ी भीतर रह गयी थी पर पति जो है उसकी स्थिति कोई नहीं सुधार सकता। वैज्ञानिकों ने प्रयोग के बाद बतलाया है कि युवतियों के अधरों में कभी-कभी संक्रामक रोगों के कीटाणु होते हैं और उन्हें चूमना उन रोगों को अलिखित निमन्त्रण देने के बराबर है मगर इससे क्या? गढ़वाल के गाँव में एक बकरा है जो बीस सेर दूध रोज़ देता है और इस कारण श्वेतक्रान्ति का अग्रदूत कहलाने का उतना ही हक़दार है जितना कि रक्तक्रान्ति के सन्दर्भ में स्तालिन पर। पति नाम के पशु या पक्षी से आप किसी क्रान्ति की आशा नहीं कर सकते। आदमी पति बना और हाथ से गया। चार्ल्स लैम्ब और ओलिवर गोल्डस्मिथ गधे नहीं थे जो सारी उम्र अविवाहित रहे। डिजराइली और डॉक्टर जानसन ने शादी ज़रूर की मगर उनकी पत्नियाँ उनसे इतनी ज़्यादा उम्र वाली थीं कि श्रृंगार रस के स्थान पर वात्सल्य रस का ही मज़ा देती थीं। बीवी की बीवी और अम्मा की अम्मा। ऐसे लोगों की बात मैं नहीं करता। आम पति जो होता है वह पिटेगा, फटेहाल रहेगा, गुलामी भुगतेगा, बेगार करेगा, मगर बीवी को नहीं छोड़ेगा। औरों की क्या कहूँ, मेरी अपनी हालत कभी-कभी इतनी नाज़ुक हो जाती है कि कहीं नहीं जा सकती। बात ही कुछ ऐसी है, वरना क्या बात करनी नहीं आती? कवि के शब्दों में सब कुछ होते हुए भी स्थिति यही है जो शायद हज़ार साल पहले मेरे जैसे किसी दूसरे पति के साथ रही होगी।

चाँदनी में जब गधा गाने लगा
मुझको फिर तेरा ख़याल आने लगा

बीसवीं सदी का जिन्न

प्राचीन काल में यदि किसी व्यक्ति को कोई चीज़ प्राप्त करनी होती थी, वह उसके लिए तप का यज्ञ करता था और पुण्य कार्यों में रुचि लेता था। राजा रघु ने इन्द्र से धन प्राप्ति के लिए यज्ञ किया था और शिव जैसे वर की प्राप्ति के लिए राजा दक्ष की कन्या पार्वती ने तपस्या की थी। केवल तपस्या कहीं कम न पड़ जाए, इस डर से सदा के चतुर इन्द्र ने उसकी सहायता के लिए वसन्त और कामदेव को भी साथ भेज दिया था। कामदेव अपनी ड्यूटी बजाने में सदा से तत्पर रहते आये। जहाँ शिव समाधि में संलग्न थे और कुमारी पार्वती उनकी सेवा में संलग्न थीं, वहाँ ये हज़रत किसी समाचार पत्र के विशेष संवाददाता की भाँति आम की एक डाल पर बैठ गये और तीर कमान सँभाल कर निशाना साधने लगे। जैसे ही शिव के नेत्र खुले और उन्होंने पार्वती के रूप को निहारा, उन्हें एहसास हो गया कि आसपास कहीं कामदेव ज़रूर है। उनका तीसरा नेत्र– जो केवल आपात्कालीन स्थिति में ही प्रयोग किया जाता था– सहसा खुला और जब तक देवताओं ने महादेव से क्रोध शान्त करने की अपील जारी की तब तक कामदेव जो थे बेचारे भस्म हो गये। भस्मावशेषं मदनं चकार। रति ने अपने पति के वियोग में इतना विलाप किया कि बाक़ी काम छोड़कर कवि कालिदास को एक पूरा सर्ग वैतालीय छन्द में उस विलाप पर ही लिखना पड़ा। जैसा कि ज़ाहिर है रति जो थी, वह पिछड़े क़िस्म की मुसम्मात थी। अगर आजकल की कोई सम्भ्रान्त सुन्दरी होती तो पति के दिवंगत होते ही विदेश चली जाती और वहाँ किसी अधेड़ करोड़पति से शादी कर डालती।

शुरू-शुरू में जो काम तप और यज्ञ वग़ैरह से होता था, वह बाद में बाहुबल से होने लगा। लड़कियों के लिए स्वयंवर और राज्यों के लिए युद्ध आयोजित होने लगे। पद्धति में यह मौलिक परिवर्तन क्यों आया, इस मुद्दे को लेकर पण्डितों में मतभेद है। कुछ विद्वानों का मत है कि यज्ञ और तप में बाधा डालने के लिए महाराज इन्द्र सदा मेनका, तिलोत्तमा या उसी तरह की दो-चार गिनी-चुनी अप्सराओं को ही भेजा करते थे। जिसके कारण हमारे ऋषि-मुनियों के जीवन में बड़ी एकरसता आ गयी थी। कुछ विशेषज्ञों का मत है कि अप्सरा भेजने में कभी-कभी काफ़ी देरी होती थी

जबकि बाहुबल से स्त्री जल्दी मिल जाती थी। बाहुबल से इच्छित पदार्थ प्राप्त करने की परम्परा हज़ारों वर्ष तक चलती रही और किसी हद तक अभी भी जीवित है। मगर बीसवीं सदी में एक ऐसा जिन्न प्रकट हुआ कि उसने बाक़ी सारी शक्तियों को निर्मूल कर दिया।

जो काम सतयुग में तपोबल से और त्रेता और द्वापर में बाहुबल से होते थे वे इस युग में सिफ़ारिश से होने लगे। यों थोड़ी-बहुत सिफारिश पहले भी चलती थी। कुमारी शूर्पणखा जो लक्ष्मण जी से 'डेट' लेने गयी थी, वह रामचन्द्रजी की सिफारिश पर ही गयी थी हालाँकि इस क्रिया के सम्पन्न होने में उन्हें जो सुख मिला, उसे देखते हुए हम लक्ष्मण जी को एक कुशल प्रेमी नहीं कह सकते। पवनपुत्र हनुमान को राजा रामचन्द्र की सेवा करने का जो अवसर मिला था वह भी सुग्रीवराज की सिफारिश पर ही मिला था। धीरे-धीरे ऐसे प्रसंग वृद्धि को प्राप्त होने लगे। शिव-पार्वती की तो न जाने, कितनी कथाएँ इस सन्दर्भ में प्रचलित हैं। ये दोनों पति-पत्नी सेहत का बड़ा ख़याल रखते थे और इसी कारण प्रायः सुबह-सुबह ताज़ी हवा का सेवन करने वन की दिशा में जाया करते थे। पार्वती जी को रोज़ कोई-न-कोई दुखी या दरिद्र मिलता था जिसकी सिफारिश वे शिवजी से किया करती थीं। जितनी देर वे पति-पत्नी दुखियों का दुख दूर करते थे, उतनी देर इनका साँड़ या तो इधर-उधर खेतों में फ़सल खाता था या फिर वह बेचारा भी किसी दुखी गाय का दुख दूर करता था।

शिव-पार्वती के सन्दर्भ में राजा रत्नसेन की कथा का संक्षिप्त वर्णन करना एकदम प्रासंगिक होगा। ये वे हज़रत थे जिन्होंने मलिक मुहम्मद जायसी की सूचना के अनुसार अपनी प्रेमिका को बज़रिये हीरामन तोते से अपने पास बुलवाया और कुल मिलाकर स्थिति यह रही कि जब इनकी प्रेयसी इनके पास पहुँची तो ये हज़रत मूर्च्छित हो गये। रानी पद्मावत ठहरी एक व्यस्त महिला; उसे किसी और प्रेमी का उद्घाटन करना था। जब राजा रत्नसेन के निकट भविष्य में होश में आने के कोई लक्षण नहीं दिखाई दिये तो उसने राजा की छाती पर चन्दन से लिखा कि जब मिलन की वेला आयी तो आप मूर्च्छित हो गये। अब मैं जाती हूँ क्योंकि जहाँ तक मेरा ख़याल है, भेंट जो होती है वह जाग्रत अवस्था में होती है न कि मूर्च्छा की स्थिति में। शिलालेख के अंकित करने के बाद वे चली गयीं। पद्मावती काफ़ी होनहार क़िस्म की रूपसि थी; वह जब कभी भी किसी प्रेमी से मिलने जाती थी तो थोड़ा-सा चन्दन अपने पास ज़रूर रखती थी। मूर्च्छा टूटने पर राजा रत्नसेन ने प्राण देने चाहे पर पार्वती जी की सिफारिश पर शिव ने उसे सिंहलगढ़ में प्रवेश करने का द्वार बतलाया। पुराने ज़माने में और तो और, कवि लोग तक सिफारिश किया करते थे। जहाँगीर ने अबुलफजल की जो हत्या की थी, उसमें उसकी सहायता करने के कारण सम्राट अकबर ने राजा इन्द्रजीत पर सिर्फ़ एक करोड़ रुपये का जुर्माना किया था। इस जुर्माने को माफ़ कराने के सिलसिले से कवि केशव दास आगरा गये थे और

राजा टोडरमल से मिले थे। टोडरमल की तगड़ी सिफारिश पर बादशाह ने जुर्माना जो था वह माफ़ कर दिया था। इसी प्रकार कविवर बिहारीलाल का मुग़ल सम्राटों से जो परिचय हुआ था वह महात्मा नरहरि दास की सिफारिश पर हुआ था। इन सब उदाहरणों के बावजूद सिफारिश का दर्जा उन दिनों विशेष ऊँचा नहीं था और अधिकतर लोग दूसरे का राज्य या उसकी पत्नी अपने प्रयत्नों से ही प्राप्त किया करते थे। यक़ीन न हो तो आप लाला मटरूमल द्वारा रचित आल्हे की बावन लड़ाइयाँ पढ़ें।

इन दिनों तो स्थिति यह है कि सिफारिश जो है वह बच्चे के जन्म या उसके माँ-बाप की शादी के समय से शुरू हो जाती है और उसके उपरान्त अन्त समय तक सारा कार्यकलाप उसी के आधार पर होता है। कभी-कभी तो मरने के बाद श्मशान में जगह मिलने के लिए भी सिफारिश का सहारा लेना पड़ता है। हालत यह है कि बिना सिफारिश के आगे बढ़ने की बात तो दूर रही, आप शायद वहाँ भी खड़े नहीं रह सकते जहाँ कि अब तक खड़े थे। कुछ होनहार लोगों ने क्या कला और क्या विज्ञान– दोनों दृष्टि से इसका ऐसा विकास किया है कि अपने दाँतों तले उनकी उँगली दबाने की तबीयत होती है कि इन दिनों सिफारिश की सुविधा क्षेत्रीय आधार पर उपलब्ध है और आवश्यकता के अनुरूप भी। कुछ सिफारिशकार तो जयशंकर प्रसाद की भाँति इतनी बहुमुखी प्रतिभा वाले हैं कि डिपार्टमेण्टल स्टोर का काम करते हैं और कहीं-कहीं तो चौबीस घण्टे की सर्विस चलती है। इस सन्दर्भ में मैं स्वयं एक ऐसे व्यक्ति को जानता हूँ जिनके पास से कभी निराश होकर नहीं लौटा। हमारे परिचितों में से एक हक़ीम साहब को इन्होंने चौथी पत्नी रातों-रात दिलवा दी और एक और सज्जन जो अपनी पत्नी से निजात पाना चाहते थे, उन्हें रुपया दिलवा दिया। एक और हज़रत को किसी कानूनी केस में फँसवाना था और वह शुभ कार्य भी इसी सन्दर्भ में पूरा कर दिया गया। वह मुसम्मात कुछ दिनों तो हक़ीम साहब के यहाँ रही पर उसके बाद इन्हीं के हरम में भर्ती हो गयी। इनकी प्रतिभा देखिए कि एक पत्थर से तीन चिड़ियों का शिकार किया और पत्थर जो था, उसे उठाकर फिर जेब में रख दिया।

एक और सज्जन थे– सिफारिश और मदद करने के क्षेत्र में सच्चे कलाकार। सिफारिश और चन्दा– इन दो सार्वजनिक सेवाओं के प्रति पूर्ण समर्पित जीवन। चन्दे की राशि हमेशा विधवा स्त्रियों और अनाथ बच्चों के हित में लगायी जाती थी। यह दीगर बात है कि गोगिया पाशा की भाँति विधवा का अर्थ इनका अपनी पत्नी से होता था और अनाथ का अभिप्राय इनके अपने बच्चों से। सिफारिश के लिए मेज़ पर हमेशा दो टेलीफ़ोन रखते थे। किसी का काम हो, कोई वक़्त हो, वे हमेशा मुख्यमन्त्री से बात किया करते थे। सिर्फ़ चन्द लोगों को पता था कि सिफारिशी टेलीफ़ोन का कनेक्शन सिर्फ़ बाथरूम तक था। इसी प्रकार एक और पहुँचे हुए कलाकार से भी मेरा साबका पड़ा। ये हज़रत उन लोगों में से थे जो सिफारिश तो करते ही थे मगर

साथ में ख़ुद आपके घर आकर पूछते थे कि ज़रूरत हो तो अपने गण छोड़ें। दूसरे शब्दों में एकदम होम डिलवरी सर्विस। एक बार आये तो कहने लगे कि बन्धु, तुम अपनी किताबें विदेश में क्यों नहीं छपवाते? अगर ऐसा करो तो एक साल में अमीर हो जाओगे। एक मोटर आगे होगी और एक पीछे। मैंने अर्ज़ किया कि उन मोटर के आगे-पीछे होने से कुछ नहीं होता, मज़ा तब आता है जबकि मोटर आपके पास हो। रही प्रकाशन की बात तो स्थिति यह है हम अपने देसी प्रकाशकों से ही ख़ुश हैं। हाथापाई, गाली-गलौज और मुक़दमेबाज़ी की जो सुविधा देसी प्रकाशक देते हैं, वह सुविधा विदेश के शालीन सम्भ्रान्त और ईमानदार प्रकाशक कैसे दे सकते हैं? मेरी इस वाणी को सुनकर ये बन्धु कहने लगे कि अच्छा यदि ऐसा ही है तो एक शादी और कर लो। वह लेखक भी कोई लेखक है जिसके पास मात्र एक पत्नी ही हो? पत्नी तो मकान की तरह है, आज यहाँ रहते हैं, कल वहाँ। रह गये बच्चे सो वे फर्नीचर की भाँति हैं। मकान के साथ फर्नीचर भी बदलता जाता है, हाँ अलबत्ता कोई पीस ज़्यादा पसन्द हो तो साथ लेते जाना। मैंने चमककर कहा कि मित्र, तुम तो सच्चे शुभचिन्तक निकले मगर स्थिति यह है कि ऐसा करने से पुरानी पत्नी को बड़ा कष्ट होगा। इन्होंने तुरन्त एक सिद्ध विचारक की भाँति उत्तर दिया कि तुम तो यार एकदम दक़ियानूसी निकले। पहले तो यही क्या पता कि उसे दुःख होगा? क्या मालूम कि वह असहाय स्त्री इस क्षण की प्रतीक्षा ही कर रही हो। स्त्री के चरित्र और पुरुष के भाग्य का किसे पता? दूसरी बात यह है कि इस असार संसार में दुख किसे नहीं है? अफ्रीका और एशिया के करोड़ों लोग नंगे और भूखे घूमते हैं, क्या वे दुखी नहीं हैं? जो दुखी हैं वे भाग्यवान हैं। उनके लिए स्वर्ग का सिंहासन सुरक्षित है। तीसरी बात यह है कि जिस कन्यारत्न की बात मैं तुमसे कह रहा हूँ वह भी तो तुम्हारे वियोग में रात-दिन जली जा रही है। उसका दुख क्या कुछ कम है? वह बेचारी तो रेत पर पड़ी मछली की भाँति एकदम समर्पित है। तीन लेखकों से शादी कर चुकी है, चार-पाँच लेखकों के साथ बिना शादी किये रह चुकी है, मगर उसकी आत्मा है कि फिर भी शान्त नहीं होती। आत्मा क्या है, छोटी लाइन का इंजन है, जो हमेशा जलता रहता है। ज़रा सोचो, आखिरकार वह भी तो एक इंसान है, उसे क्या इस तरह निराश करोगे?

उनकी वाणी सुनकर मुझे वाक़ई हार्दिक दुख हुआ। हिन्दी का कौन ऐसा लेखक होगा जो ऐसी कष्ट में पड़ी हुई बालिका का उद्धार करने से मुँह मोड़ ले। यह तो ऐसी ज़िम्मेदारी है जिससे कि हम चाहते हुए भी नहीं बच सकते। हमारा कोमल हृदय द्रवित हो गया। अपना पैतृक चरित्र ध्यान में रखते हुए मैंने कहा कि अच्छा जरा पत्नी से परामर्श कर लूँ, कल जवाब दूँगा। इतना सुनने पर इस कलाकार ने मुझे बड़ी हिकारत के साथ देखा, शायद नपुंसक भी कहा, एक चार मीनार सुलगायी और चला गया।

इस प्रबन्ध में ऊपर जो कुछ भी कहा गया है उस सब के बावजूद इस संसार में ऐसे पुरुषरत्न भी हैं, जो सिफारिश करते हुए सकुचाते हैं। एक ही सज्जन, जिनके अपने सारे काम मात्र सिफारिश के ही आधार पर सम्पन्न हुए हैं, वक़्त पड़ने पर मुझ से काफ़ी ऊँचे आसन से कहने लगे कि सिवा सिफारिश के बाक़ी सारे काम कर सकता हूँ। सिफारिश अलबत्ता नहीं कर सकता क्योंकि इससे देश का पतन हो जाता है। इसके बाद इन्होंने मुझे दो-चार देशों के नाम भी बताये जिनका पतन इनकी सिफारिश के कारण हुआ था।

चर्चित होने का सुख

चर्चित होने का सुख शायद सबसे बड़ा सुख होता आया। कवि जो थे वे सदा से यशः प्रार्थी रहे। एक लोककथा के अनुसार वीर विक्रमाजीत एक बार घोड़ा फेंकते हुए पता नहीं किस इलाक़े में पहुँच गये और काफ़ी दिनों तक सही रास्ते की खोज में विभिन्न क्षेत्रों में अपने घोड़े को पदयात्रा कराते रहे। मगर उनकी सारी थकान, ग्लानि और सारी उदासी उस क्षण दूर हो जाती थी जब वे यह प्रश्न करते थे कि मैं कहाँ हूँ, और यहाँ किस राजा का राज्य है और उत्तर देने वाला स्थानीय बेताल हमेशा यह उत्तर देता था कि वह वीर विक्रमाजीत का राज्य है। राजा तो उज्जैन में प्राप्त होगा मगर उसका राज्य जो है वह सारी दिशाओं में प्राप्त है। इसी प्रकार डॉक्टर जानसन भी एक बार एक सराय में दो कोचवानों के मुखद्वय से अपनी चर्चा सुनकर आह्लादित हुए थे और यही हादसा कभी-कभी बाबर के साथ भी होता था। बाबर की यह बहुत ख़राब आदत थी कि वह अपने केन्द्रीय जाँच ब्यूरो पर पूरा विश्वास नहीं रखता था; वह प्रायः अपना वेश बदलकर रात को सरायों में जाया करता था और वहाँ अपने राज्य की और अपनी चर्चा सुना करता था। आगरा में एक बार ऐसा हुआ कि ठीक ऐसी ही स्थिति में शाही फीलख़ाने का एक हाथी बिगड़ गया और कुछ वैसी ही हरकतें करने लगा जैसी कि कुछ व्यक्ति चुनाव हारने के बाद अब करते हैं। तोड़फोड़ के उस माहौल में जब वह हाथी सराय में आया तो बाबर को देखते ही उसने सलाम की और सिर झुकाकर एक बाज़ू में खड़ा हो गया। उनके साथ बैठे जो हज़रत गप्पे मार रहे थे उन्होंने बादशाह सलामत को अपना आदाब अर्ज़ किया और माफ़ी माँगी। मेरा ख़याल है कि उसके बाद सराय की भटियारिन ने भी बादशाह से कबाब के पैसे नहीं माँगे होंगे।

चर्चित होने के महान् सुख को ध्यान में रखते हुए यदि किसी ऐसे व्यक्ति या वस्तु की चर्चा न हो जिसकी कि चर्चा होनी चाहिए तो उस स्थिति में संवेदनशील व्यक्ति का दुःखी होना स्वाभाविक है। यह दुःख काफ़ी गहरा होता है और उस दुःख से कहीं ज़्यादा होता है जो मुझे उस वक़्त होता है जबकि एक रूपवती लेखिका मुझसे बातें न कर अज्ञेय से बातें करती हैं। वात्स्यायन जी हैं कि उसकी बातों को सुनते

जाते हैं और खाकसार है कि खड़ा हुआ या बैठा हुआ मशाल की भाँति जलता रहता है। ठीक इसी प्रकार के दुःख से मैं इस कारण सदा से जलता आया कि बहुमुखी प्रतिभा वाले मेरे ज़िले की चर्चा क्यों नहीं होती। वह ज़िला जिसमें कण्व ऋषि का आश्रम था, जहाँ विदुर निवास करते थे (जिनसे भेंट करने भगवान कृष्ण स्वयं आये थे), जहाँ सुल्ताना डाकू और नजीब खाँ जैसी हस्तियाँ प्रकट हुईं और जहाँ पण्डित पद्मसिंह शर्मा और दुष्यन्त कुमार ने जन्म लिया, उस ज़िला बिजनौर की यदि चर्चा न हो, तो वहाँ के निवासियों को कैसा लगेगा? जिस ज़िले ने उत्तर प्रदेश सरकार को मन्त्री, केन्द्रीय सरकार को वज़ीर और पंजाब सरकार को गवर्नर दिया हो, यदि उसकी भी उपेक्षा की जाए तो क्या आपको सचमुच कोई ग्लानि नहीं होगी?

वह एक विचित्र संयोग रहा कि ऊपर बताये गये तीनों सरकारी पद एक ही व्यक्ति को दिये गये थे और वे थे हाफ़िज़ मुहम्मद इब्राहीम। कमाल के ईमानदार, शालीन और नम्र। नम्रता तो इतनी मात्रा में थी कि कभी-कभी परेशानी का सबब बन जाती थी। मना तो कभी किसी को किया ही नहीं। एक दिन उनके व्यक्तिगत सचिव ने देखा कि कल उन्हें एक एम्पोरियम का उद्घाटन करने जाना है। पूछताछ पर पता चला कि वह एक ऐसी दर्ज़ी की किसी गली में निहायत छोटी-सी एक दुकान थी जो कि सिलाई की एक अदद मशीन शायद कहीं से चोरी करके लाया था। व्यक्तिगत सचिव ने सिर पर हाथ रखा, हाफ़िज़ जी को रोका और स्वयं जाकर दुकान का उद्घाटन किया। दुकान जो थी वह शायद उसी हफ़्ते बन्द हो गयी। हाफ़िज़ जी नगीने के थे– ठीक वही नगीना जहाँ डाकगाड़ी से उतरकर अकबर इलाहाबादी ने पानी पीने की कभी कोशिश की थी और फिर भी प्यासा ही रहना पड़ा था। कवि के प्यासे कण्ठ से जो पुकार निकली थी वह इस प्रकार थी– यह पहला नगीना है कि जिस पर आब नहीं।

बिजनौर एक ऐसा ज़िला है जहाँ सब कुछ है। वहाँ भूगोल है, इतिहास है, आदमी और औरतें हैं, पशुपक्षी हैं, जलवायु है, लोकगीत हैं और तराई की प्राकृतिक सुषमा है। यहाँ ताजपुर का शानदार गिरजाघर है, नजीबखान का क़िला है और फैजी मकबरा है। पुराने ज़माने में यहाँ कितनी ही छोटी-मोटी रियासतें थीं जो अब ख़त्म हो गयीं। ख़ैर स्थिति यह है कि रियासतें चली गयीं मगर रईसी बाक़ी है, बग्घियाँ बिक गयीं मगर साइंस अभी तक ज़िन्दा है। हालत खस्ता है। रईस हैं मगर रण्डियाँ नहीं, खिजाब है मगर बाल नहीं, नदियाँ हैं जिनमें पानी नहीं और जिन नदियों में पानी है, उन पर पुल नहीं। पुराने गजेटियर के अनुसार बिजनौर की बालू से कभी स्वर्णकण निकला करते थे पर ज़माने के साथ-साथ हालत बदलती गयी। अब वे स्वर्णकण तो क्या, पुराना गजेटियर तक नहीं मिलता। कुछ वर्ष पहले तक यह ज़िला उत्तर प्रदेश का सबसे छोटा ज़िला माना जाता था मगर जैसे-जैसे उरई और जालौन जैसे नये ज़िले बनते गये, बिजनौर से सम्मान भी छिनता गया। समय की गति शायद सदा

के लिए रुक गयी। वैसे भी बिजनौर शायद सारे संसार में एक ऐसा अकेला नगर है, जहाँ घण्टाघर तो है मगर उसमें घड़ी कभी नहीं लगायी गयी। ख़ैर।

कल सुबह अख़बार जो खोला तो ऐसा लगा कि मेरी उदासी की झील में किसी ने सहसा एक अदद पत्थर फेंक दिया। तबीयत बगीचा-बगीचा हो गयी। अख़बार के सबसे पहले पन्ने पर ही बिजनौर का ज़िक्र था और वह भी काफ़ी स्वस्थ अक्षरों में किया गया था। ख़बर थी कि मेरे छोटे ज़िले में एक छोटी-सी सड़क बनाने के सन्दर्भ में कुछ लोगों ने एक लाख से ऊपर कोई छोटी-सी राशि ग़बन कर ली। ख़बर का पढ़ना था कि गर्व से मस्तक ऊँचा हो गया। इत्तिफाक देखिए कि ठीक ऐसी ही घटना आज सुबह फिर हो गयी। आज अख़बार में ज़िले की चर्चा फिर की गयी थी हालाँकि सन्दर्भ दूसरा था। आज जो चर्चा थी वह इस मुद्दे को लेकर थी कि कण्व ऋषि का आश्रम जो था वह बिजनौर में न होकर गढ़वाल में था। मैंने ख़बर तो पढ़ ली मगर बात गले नहीं उतरी। कुछ ऐसा महसूस हुआ कि गढ़वाल के निवासी शकुन्तला को तो ले नहीं जा सके और अब और कुछ नहीं बचा तो कण्व ऋषि के आश्रम पर ही क़ब्ज़ा करना चाहते हैं। शिकार खेलने का जितना उम्दा इलाक़ा मेरे ज़िले में है उतना कोटद्वार के इलाक़े में शायद नहीं है। राजा दुष्यन्त जो था वह शिकार खेलने ज़रूर मेरे ही ज़िले की तराई में आया होगा। क्या रत्नगर्भा भूमि निकली कि राजा दुष्यन्त चले थे हिरण के पीछे और मिल गयी शकुन्तला। कालिदास के शब्दों में किसी अनाविद्ध रत्न और अनाघ्रात पुष्प की भाँति ताज़ी और सुन्दर। ख़ैर, अच्छा ही होगा यदि कण्व ऋषि के आश्रम को लेकर कुछ वाद-विवाद चले और तूल पकड़े। वैसा करने से ज़िला बिजनौर की प्रतिभा और प्रकट होगी। भवभूति की भाँति कोई समान धर्मा ज़रूर निकलेगा जो इस ज़िले की सही क़ीमत आँक सकेगा।

आप कुछ भी हों न हों, मैं आपको एक नेक सलाह देने से नहीं कतरा सकता और वह सलाह यह है कि आप आइए और मेरे ज़िले की प्रतिभा से लाभ उठाइए। कवियो, आओ मेरे पैर की छाप पर पैर रखते चले आओ। यहाँ आकर चाहे काव्य लिखो, चाहे महाकाव्य लिखो और चाहो तो कुछ न लिखो। चाहे भक्ति पर लिखो, चाहे शृंगार पर लिखो और चाहो तो फिर से वीरगाथा काल पर उतर आओ। मेरे ज़िले में गंगा की पवित्र धारा, गाँव की सुन्दरियाँ और फौजदारी करने वाले सम्भ्रान्त ग्रामीण लोग तुम्हारी प्रतीक्षा में दोनों आँखें खोलकर खड़े हैं। आओ, इन्हें निराश न करो। चित्रों और चलचित्रों के बनाने वालो, तुम भी आओ। यहाँ तराई है, वन हैं, नदियाँ हैं, पर्वत हैं और हँसती-गाती बालिकाएँ हैं और तुम हो कि इस क्षेत्र का उपयोग ही नहीं करते। बड़े लोगो, तुम भी आओ। यह क्षेत्र अभी काफ़ी पिछड़ा है। सड़कें काफ़ी कच्ची हैं और ग़बन करने की सम्भावनाएँ काफ़ी पक्की हैं। गन्ना और त्यागी लोगों की उपज करने वाले इस इलाक़े को इस तरह न छोड़ो। बाद में नहीं कहना कि मैंने वक़्त पर ख़बर नहीं दी।

मुझे अपने ज़िले पर बड़ा गर्व है। भूतपूर्व राज्यपाल श्री धर्मवीर की भाँति मैं भी यहीं पैदा हुआ। खुशी और गर्व के इस दौरे में कभी-कभी मैं सोचता हूँ कि भविष्य के इतिहासकार मेरा वर्णन कुछ इस प्रकार करेंगे।

"श्री रवीन्द्रनाथ त्यागी का जन्म उत्तर प्रदेश के ज़िला बिजनौर में हुआ था। बिजनौर को कभी-कभी विजयानगरम् भी कहा जाता रहा। यह उसी पवित्र भूमि का प्रताप था कि इतना महान् कलाकरा वहाँ पैदा हुआ कि जिसे सारा देश ही नहीं बल्कि उनका ज़िला भी जानता था। यहाँ के प्राकृतिक सौन्दर्य ने उनके काव्य को प्रेरणा दी और यहाँ के निवासियों ने उनके हास्य व्यंग्य को। हाल ही में मिले कुछ शिलालेखों और कालपात्रों से पता लगा है कि इस व्यक्ति का जन्म बीसवीं शताब्दी (ईसवी) के पूर्वार्द्ध में हुआ था और मृत्यु जो थी वह उसी सदी के उत्तरार्द्ध में सम्पन्न हुई थी। इसी कारण इन्हें बीसवीं शताब्दी का प्रतिनिधि साहित्यकार माना गया। उनके ज़िले का भूगोल उनके अपने भूगोल से काफ़ी मिलता था; वे भी अपने ज़िले की भाँति ऊपर से पतले थे, बीच में आगे निकले हुए और नीचे से लगभग चौरस। वे एक ओर पवित्र पुष्पासलिला भगवती भागीरथी की भाँति चंचल थे तो दूसरी ओर पर्वतों की भाँति गम्भीर। वे सारी उम्र वहीं खड़े रहे जहाँ थे, कभी आगे नहीं बढ़े। साहित्य के इतिहास के सन्दर्भ में उनको भुला देना कठिन होगा क्योंकि वे पहले ऐसे कलाकार थे जो साहित्य को अन्तरराष्ट्रीयता, राष्ट्रीयता और प्रान्तीयता की सीमा से मुक्त करके उसे ज़िले के स्तर पर लाये। खेद हैं कि उनकी मृत्यु कुछ जल्दी ही हो गयी, अगर वे कुछ और वर्ष खींच जाते तो साहित्य को ज़िला क्या, तहसील और परगने के स्तर पर ले आते।"

मूँछों को लेकर

मैं पुलिसवालों से बहुत घबराता हूँ। बिना किसी कुसूर के भी पता नहीं क्यों, इस महकमे से मुझे काफ़ी डर लगता है। शास्त्रों में बतायी गयी आहार, निद्रा और भय वाली वाणी को अपने सन्दर्भ से विश्लेषण करते-करते मैं इस निष्कर्ष पर पहुँचा कि मेरे इस भय का मूल कारण यह है कि मैंने कभी किसी पुलिस वाले को हँसते नहीं देखा। कानून की ज़िम्मेदारी और घनी मूँछों के भार से ये बेचारे मासूम लोग इतना दबे रहते हैं कि इनसे हँसते नहीं बनता। इलाहाबाद हाईकोर्ट के जस्टिस मुल्ला ने पुलिस के बारे में बड़ा कड़ा निर्णय दिया था जिससे इस महकमे की ज़िम्मेदारी पर काफ़ी प्रभाव पड़ता था। मगर कल जो अख़बार में पढ़ा कि पुलिस के एक कर्मचारी ने किसी एक शालीन सज्जन की आधी मूँछें साफ़ करा दीं तो तबीयत बगीचा-बगीचा हो गयी। तबीयत का बाग़-बाग़ होना मैं नहीं कहूँगा : यह मैं उस वक़्त कहता जब कि वे उसकी पूरी की पूरी मूँछें साफ़ करा देते जो कि सम्भवतः न्याय संहिता के विरुद्ध होता। वैसे यह भी सम्भव है कि वह विशिष्ट पुलिसमैन कुछ मज़ाक़ पसन्द क़िस्म का इंसान था।

मूँछ दरअसल कुछ चीज़ ही ऐसी है कि इसे देखकर मज़ाक़ का मूड बन ही जाता है। फौज के एक ब्रिगेडियर की याद आती है जिनकी कि मूँछों में सिगरेट सुलगाते समय ऐसी भयंकर आग लगी थी कि फायर ब्रिगेड बुलानी पड़ी थी। ब्रिगेडियर के लिए भी यदि ब्रिगेड न आती तो फिर किसके लिए आती? एक बार रामलीला में हनुमानजी की पूँछ ने कुछ ऐसी जयशंकर प्रसाद वाली बहुमुखी प्रतिभा दिखायी कि रामायण पढ़ने वाले पण्डित जी की दाढ़ी और मूँछ– दोनों लंका के साथ-साथ दहन हो गयीं। इसे कहते हैं यथार्थवादी मंच। मुझसे खुद एक बार काम करते-करते अपनी सिगरेट से कुछ सरकारी काग़ज़ात जल गये थे। माफ़ी माँगने जब मैं अपने सीनियर के पास गया तो उन्होंने मेरी क्षमा याचना स्वीकार करते हुए और सिगरेट अपने पास से पेश की ताकि बाक़ी फाइल का निपटारा भी उसी तत्परता के साथ किया जा सके।

मूँछों के सन्दर्भ में अपने देश का इतिहास काफ़ी याद आता है। राणा प्रताप,

छत्रपति शिवाजी और सारे मुग़ल शहंशाह मूँछें रखते थे। महाकवि भूषण को ऐसे कवित्त कहने आते थे कि जिन्हें सुनकर आपका हाथ कहीं भी हो, वहाँ से हटकर मूँछों पर पहुँच जाता था। मूँछों तक हाथ पहुँचाने में कविता का प्रयोग करने वाले सम्भवतः वे अकेले कवि थे। नाना फड़नवीस की मूँछें इतनी विकसित थीं कि उनके कारण वे स्वयं अपने नाना लगते थे। जिस प्रकार सैमसन की शक्ति उसके केशों में निहित थी, उसी प्रकार राजपूतों का शौर्य उसकी मूँछों में छिपा था। राय पिथौरा उर्फ सम्राट, पृथ्वीराज की मूँछों में छिपा था। राय पिथौरा उर्फ सम्राट पृथ्वीराज की मूँछों को लेकर चन्द बरदाई ने चन्द कविताएँ लिखीं। मूँछें वास्तव में मध्ययुग का प्रतीक थीं और इसी कारण वे प्रायः चेहरे के मध्य में ही पाली जाती थीं।

समाजवाद और प्रजातन्त्र इत्यादि के आने के साथ-साथ मूँछों की हुकूमत ख़त्म हो गयी। क़र्ज़न ने मुल्क को जन कर दिया। कवि के शब्दों में इन्तज़ामे सफ़ाई के सिलसिले में चेहरे के बाल खोने पड़े। कुछ पुरातन पन्थी हिन्दू लोग जो कहते कि रामराज्य में सच्चा प्रजातन्त्र था, एकदम ठीक है। गीताप्रेस से अभी तक राम या लक्ष्मण का कोई ऐसा चित्र नहीं छपा जिसमें उन्होंने मूँछें धारण कर रखी हों। यही ज़माना फिर आ गया। इतिहास तो अपने को दुहराएगा ही। वह उसकी पुश्तैनी आदत जो ठहरी। और हाँ सीताजी की भाँति मूँछें अब वन से फ़िर लौट रही हैं और गलमुच्छे बनकर इलाक़े की हवा बन्द कर रही हैं। सीता की भाँति एक दिन ये फिर से पन को जाएँगी और उत्तर रामचरित जो है वह फिर लिखा जाएगा।

मूँछों के सन्दर्भ में और भी बहुत सी बात याद आ रही है। एक बार एक रईस एक गवर्नर से मिलने गये। मूँछों पर मोम लगा लिया ताकि वे यूनियन जैक टाँगने के लिए सीधी तनी रहें। इत्तिफाक की बात कि गवर्नर कुछ व्यस्त था और इन्हें वेटिंग चेम्बर में बैठना पड़ा। घबराहट में कुछ पसीने जैसे क़िस्म की चीज़ भी आ गयी। अन्ततोगत्वा स्थिति यह रही कि जब ये लाट साहब के कक्ष में प्रविष्ट हुए तो एक मूँछ तो 'स्टेच्यू ऑफ लिबर्टी' के हाथ की भाँति ऊपर को तनी थी और दूसरी मूँछ जो भी वह कालका मेल के सिग्नल की भाँति नीचे को गिरी थी। (गवर्नर खुशदिल इंसान था, उसने उन्हें वहीं आनरेरी मैजिस्ट्रेट बना दिया।) आप कुछ भी कहें, अँग्रेज़ लोग वैसे बड़े गुड ग्राहक होते थे। कहीं-कहीं तो यह बात पण्डित सुन्दरलाल तक ने मानी।

एक दफ़ा एक मुशायरे में 'दिलदार की आँखें' की जगह 'दिलदार की मूँछें' को लेकर काफ़ी फौजदारी हुई थी। बात रिसालों तक पहुँची। काव्य मर्मज्ञों ने लिखा- इंसान की मूँछें शैतान की मूँछें, रावण के लबों पर हैं हनुमान की मूँछें। हनुमान जी की पूँछ का जीवन-चरित्र तो आप ने सुना ही है, आज उनकी मूँछों की चर्चा भी सुन लीजिए। वैसे देखा जाए तो मूँछ और पूँछ– इन दोनों में मौलिक अन्तर तो बस एक ही है। एक आगे होती है और दूसरी पीछे। मैंने एक बार ऐसा पंचतन्त्र

छाप बन्दर भी देखा है जो अपनी पूँछ से अपनी पूँछ खुजला रहा था। कालिदास ने इसी स्थिति को सम्भवतः 'मणि कांचन संयोग' कहकर पुकारा।

मूँछों की अनेक क़िस्में हैं। कुछ मूँछें तितली जैसी होती हैं जिनका रिवाज़ अब सिर्फ रेलों के महकमे में रह गया है। बड़ी मूँछें रखने से गाड़ी पर वज़न पड़ता है। इसके बाद सन्तुलित मूँछें होती हैं जैसी विद्यानिवास मिश्र या विनोद चन्द्र पाण्डेय की। इससे अगली स्थिति होती है मुच्छड़ होने की। ऐसे लोग जो कुछ भी पीते हैं छानकर ही पीते हैं। इनका सम्बन्ध अपनी (या किसी दूसरे की पत्नी) के साथ कभी पूरी तरह निकट नहीं हो पाता। एक साहब थे जो अपनी मूँछों से जूते साफ़ किया करते थे। एक ओर बूट साफ़ करते थे और दूसरी ओर मूँछें। मैंने उन्हें एक बार इस पवित्र क्रिया को जूता पहने-पहने भी सम्पन्न कर देखा था। कुछ मूँछें हैं जो अभी भी ऊपर को तानी जाती हैं। एक सज्जन थे जिनकी मूँछें सुबह का सवा दस बजाती थीं और शाम को आठ बजकर बीस, उन्हें देखकर लोग अपनी घड़ियाँ मिलाया करते थे। हिन्दी साहित्य के क्षेत्र में रामचन्द्र शुक्ल की मूँछों से विशुद्ध आचार्यत्व टपकता था, महावीर प्रसाद द्विवेदी की मूँछ और उनके हाथ का डण्डा लगभग बराबर क़द और आयु के थे और अज्ञेय जी की मूँछ की मुद्रा प्रायः बदलती ही रही। प्रयोगवाद के प्रवर्तक के लिए यही उचित था।

मुझे आपको यह सूचना देते हुए हार्दिक सुख होता है कि इधर स्त्रियाँ भी मूँछें रखने लगी हैं। हाजी लकलक ने जो लिखा था कि मकसदे हज़्ज़ाम है औरत बनाना मर्द को, वह अब ग़लत साबित हो गया। औरतें आदमी से हर क्षेत्र में बराबर हैं तो फिर वे मूँछें ही क्यों न उगाएँ? पिछली बार तो रेल में कई रूपसियाँ ऐसी दृष्टिगोचर हो गयीं कि जिन्हें देखकर लगता था कि कोई वन महोत्सव मनाया जा रहा था। उन्होंने मेरे मूँछविहीन मुखचन्द्र को देखा और लज्जा से अभिभूत होकर अपने नयनकमल नीचे कर लिये।

❑

पत्र
(2008)

अनिल कुमार के नाम

25.10.94

प्रिय अनिल कुमार जी,

पत्नी राजधानी से वापिस आ गयी। आपने उनके साथ जो भद्रता व सहृदयता दिखायी, उसके लिए मैं सचमुच आपका आभारी हूँ।

आपने उनसे जो कुछ कहा, उसका उत्तर इस प्रकार है—

(अ) प्रेमयात्रा में प्रकाशन-वर्ष (1992) आपने डाला है। मैं तो 1991 चाहता था चूँकि छपी वह 1991 ही में थी। उसमें छपे सारे निबन्ध बहुत पुराने हैं। पिछले कुछ वर्षों में छपा कोई निबन्ध नहीं है।

(ब) 'तैलचित्र' की अभी एक भी प्रति नहीं बिकी, यह जानकर मन गद्‌गद् हो गया। आप तो 'प्रकाशक-रत्न' की उपाधि से सम्मानित किये जाने चाहिए।

(स) नया व्यंग्य-संग्रह मात्र भाई विजय कुमार जी को दिये वचन के कारण दिया। आपको लेखक बहुत, मुझे प्रकाशक बहुत। कुछ लोगों ने मना भी किया था पर मैं नहीं माना।

(द) 'कनेर के फूल' के प्रूफ पाण्डुलिपि के साथ रजिस्टर्ड डाक से एक या दो किश्तों में भेजें। शुरू के आठ पेज व फ़्लैप-मैटर के प्रूफ भी मैं पढ़ूँगा। यह सारा काम नवम्बर 1994 में पूरा हो जाना चाहिए। दिसम्बर में मैं बिहार जाऊँगा। पुस्तक का कवर पीला हो क्योंकि कनेर के फूल पीले ही होते हैं। बाक़ी सब आर्टिस्ट पर छोड़ दें।

(क) अपना बिक्री-विभाग और विज्ञापन-प्रक्रिया इत्यादि ठीक कीजिए। यही कमी है, और कुछ नहीं। बिक्री तो ठीक होनी ही है।

(ख) यदि हमारे सम्बन्ध बिगड़ने ही हैं (जिसकी मुझे कोई आशंका नहीं दिखाई पड़ती) तो पूरा स्टॉक ज़रूर उठवा लूँगा। The Author's Guild है, पंच है, अदालत है और ईश्वर है। बिक्री तो ठीक होनी ही है पर उससे ज़्यादा ज़रूरी है लेखक व प्रकाशक के आपसी सम्बन्ध। वे नहीं तो कुछ नहीं। स्टॉक उठाने की धमकी पत्नी को देने से आपको क्या लाभ हुआ?

(ग) आपने मेरी पत्नी पर क्रोध और आक्रोश प्रकट किया, यह आपके लिए परम

लल्जा व खेद की बात है। आपको मुझसे या उनसे क्षमा माँगनी कतई ज़रूरी नहीं। हाँ, अपने मन में स्वयं ईश्वर से क्षमा प्रार्थना करना न भूलें। वे मेरी दूत की हैसियत से गयी थीं। दूत का (और स्त्री का) कभी अनादार नहीं करना चाहिए। भविष्य में मैं स्वयं ही आऊँगा। बेफिक्र रहिए। आप जैसे कुलीन व्यक्ति से इस व्यवहार की आशा कतई नहीं थी।

(च) यदि हम स्नेह से रहेंगे तो दोनों का फ़ायदा है। यदि संघर्ष चलता है तो दोनों की ही बदनामी व हानि होगी। यदि आप समझते हैं कि आप मुझे अकेले पर अन्याय कर सकने में समर्थ हैं तो मैं अत्यन्त नम्रता के साथ करबद्ध निवेदन करूँगा कि आप 'वज्रमूर्ख' हैं।

इस पत्र का उत्तर देंने का कष्ट न करें। प्रूफ भेजें। पिछली ग़लतियों से कुछ सीखें। प्रसन्न होंगे, सपरिवार।

मेरे योग्य सेवा।

आपका बड़ा भाई
रवीन्द्रनाथ त्यागी

आशा रावत के नाम

(1)

17.3.1994

प्रिय बहिन,

मैंने आपकी पुस्तक 'जस की तस' अपनी अलमारी में नहीं रखी वरन उसे ध्यानपूर्वक पढ़ गया। कुछ रचनाएँ दो बार भी पढ़ीं। आँखों की हरियाली, बोल मेरी मछली कित्ता पानी, अभयदान, भूलसुधार, खोजो तो समाधान, छोटा मंच, उड़ जा तोते, देवी के उपहार तथा 'बोल मेरी मछली' संकलन की सर्वश्रेष्ठ रचनाएँ हैं। इतनी रोचक व सरल व्यंग्य-कथाओं के छापने पर मैं आपको बधाई देता हूँ।

कुछ वाक्य बड़े मार्मिक हैं। सच्चाई से भागने वाले सच्चाई की बात करते हैं। लैंस के पहन लेने के बाद बन्द आँखों से दीखता है और ठीक वही दीखता है जिसे आप देखना चाहते हैं। बजट जैसी दुर्घटनाएँ तो हर साल घटती हैं। बड़े लोगों के दिल में जनता का दर्द उठता है और जब दर्द उठता है तो जाम के साथ छलकता है। जब सारी सृष्टि ही विनाशशील है तो एक मामूली पुरुष के लिए इतनी आसक्ति क्यों? देखने और छूने के बीच बहुत ज़्यादा फासला होता है। कितना अच्छा होता यदि हम बहुत अमीर होते या फिर बहुत ग़रीब ही होते। पानी सिर पर गुज़रने से पहले ही चेत जाएँ तो हम भारतीय कैसे कहलाएँ? जैसे दल जगह-जगह बिखरे पड़े हैं। कहीं-कहीं तो पूरा पैराग्राफ़ ही कविता का आनन्द देता है। कई जगह प्रशंसा करने का अन्तिम ध्येय निन्दा करना ही होता है। पुस्तक में काफ़ी कमज़ोरियाँ हैं। भाषा पत्रकार की है, साहित्यकार की नहीं। रचनाएँ बेहद छोटी हैं। जैसे ही सुख की प्राप्ति आरम्भ होती है वैसे ही रचना समाप्त हो जाती है। कुछ रचनाएँ पूर्णतः या अंशतः कमजोर हैं। बेहतर होगा कि आप नीचे लिखी 'महान' पुस्तकें तुरन्त पढ़ें और अगली किताब पर ज़्यादा परिश्रम करें।

1. भूल-चूक लेनी देनी ग़रीबी (विनोद भट्ट) गुजराती से अनुवाद
   राजकमल पेपरबैक्स
2. मार्क श्री की ग़रीबी (महावीर चाचान)

नटराज प्रकाशन, अशोक विहार, फेज प्रथम, दिल्ली-110052

3. बाबू भोलानाथ (गिरिजाशरण अग्रवाल)
हिन्दी साहित्य निकेतन, 16 साहित्य विहार, बिजनौर

4. शुक्ल पक्ष (रवीन्द्रनाथ त्यागी)
पराग प्रकाशन
3/114 कर्ण गली, विश्वास नगर
शाहदरा, दिल्ली-110032

पुस्तक नम्बर 3 नाम से सस्ता है, किताब बहुत बढ़िया है। पुस्तक न. चार में मेरे चुने हुए विशुद्ध साहित्यिक व्यंग्य लेख हैं। पुस्तक अभी-अभी आउट हुई है।

इस पत्र की प्राप्ति की सूचना दें।

इसकी एक नक़ल डॉ. मधुसूदन पाटिल को दें। वे इसे इसी रूप में छापेंगे। मेरे द्वारा की गयी समीक्षाओं की सदा यही गति होती आयी।

अपने पतिदेव से मेरा प्रणाम कहें। बच्चों को स्नेहाशीष। शारदा आपको नमस्कार कहती है।

विनीत
रवीन्द्रनाथ त्यागी

(2)

23.7.1999

प्रिय बहिन,

'गुरुदक्षिणा' की पावती भेज चुका हूँ। पुस्तक आज समाप्त कर ली। पुस्तक सचमुच श्रेष्ठ है। किसी दुखान्त कथा को हल्की-फुल्की शैली में प्रस्तुत करना बहुत बड़ी कला होती है और यह कला इस पुस्तक में है। ठोस यथार्थ पर खड़ी इस पुस्तक में अतिरिक्त भावुकता या लिजलिजापन बिल्कुल नहीं है... यह इसकी दूसरी उपलब्धि है। अब आपका लेखन प्रौढ़ हो गया है। बधाई...

बाकी मिलने पर। बराबर लिखती रहें। आपके साक्षात्कार के बाद, मेरे दो (या तीन) व्यंग्य-संग्रह, एक कविता-संग्रह व दो किताबें बच्चों के लिए छपीं। तीन बड़े पुरस्कार मिले। शोध ग्रन्थ भी लेखकों ने छपाये। तेईसवाँ व्यंग्य-संग्रह इसी वर्ष आएगा। भारतीय ज्ञानपीठ सौ चुनी हुई व्यंग्य रचनाओं का मोटा संग्रह छाप रहा है। दिसम्बर में उसके प्रूफ भी पढ़ने हैं। चौबीसवाँ व्यंग्य-संग्रह प्रकाशक को जाने वाला है। मोटी पोथी है। अगले वर्ष आउट होगी।

मेरी पत्नी आपको प्रणाम भेजती है। बच्चों को प्यार। पतिदेव को प्रणाम कहें।

आपका बड़ा भाई
रवीन्द्रनाथ त्यागी

कमल किशोर गोयनका के नाम

(1)

जम्मू छावनी
24.11.84

आदरणीय भाई,

आपके पत्र का उत्तर मैंने 22.10.84 को जाकिर हुसैन कॉलेज वाले पते पर दिया था। सारी पुस्तकों के नाम और पते वग़ैरह लिखे थे। आशा है, पत्र आपको अब तक मिल गया होगा। यदि अब भी न मिला हो तो लिखिएगा, मैं सारी सामग्री फिर से भेज दूँगा।

पुरस्तकों की मेरे पास एक-एक प्रति ही है। वह मैं नहीं दे सकता। पुस्तकें तो आपको ही इकट्‌टी करनी पड़ेंगी। आलोचना वग़ैरह भी विभिन्न पत्रिकाओं की जिल्दों में बँधी पड़ी हैं। जब उचित समझें तो एक सप्ताह के लिए आइए, मेरे पास ठहरिए और नोट्स वग़ैरह ले लीजिए। रचनाओं के अन्तिम चयन और भूमिका के लिए तो हम दोनों को साथ बैठना ही होगा।

प्रसन्न होंगे, सपरिवार

आपका
रवीन्द्रनाथ त्यागी

P.S. मैं आपको अपनी पूरी सहमति देता हूँ कि आप मेरी रचनाओं का संलग्न व सम्पादन ख़ुशी के साथ कर सकते हैं।

(2)

जम्मू छावनी
6.12.84
रवीन्द्रनाथ त्यागी

कण्ट्रोलर, डिफेंस एकाउण्ट्स
(उत्तरी कमान)

आदरणीय भाई गोयनका जी,

आपका 30/11 का पत्र कल मिला। मैं अपनी सारी पुस्तकों के विषयानुसार नाम और संक्षिप्त पते भेजता हूँ। कृपया प्रकाशकों से एक-एक प्रति मँगवा लें। जो ख़र्च होगा, उसके बारे में बात कर लेंगे। मैं अत्यधिक व्यस्तता के कारण प्रकाशकों को नहीं लिख पाऊँगा। अगर लिखूँगा भी, तो मुफ़्त पुस्तक वे कभी नहीं भेजेंगे।

सारी पुस्तकें पढ़कर पुस्तक की रूपरेखा तैयार कल लें। फिर इधर आएँ, मेरे पास ठहरें और समीक्षा वग़ैरह की जो सामग्री मेरे पास है, उसे देख लें। मेरी ओर से सारा सहयोग आपके साथ है।

जगदीश चतुर्वेदी जी पर जो पुस्तक निकल रही है, उसकी एक प्रति मुझे रजिस्टर्ड डाक से भेजना न भूलें। सपरिवार स्वस्थ व प्रसन्न होंगे।

हमेशा आपका
रवीन्द्रनाथ त्यागी

(3)

R.N. TYAGI,
Controller of Defence Accounts,
Northern Command

Jammu Cantt
15th December, 1984

Dear and Respected भाई गोयन्का जी,

I am in receipt of your kind letter dated 11.12.84 which I received just now. To avoid delay I am dictating reply in English which I am sure you would not mind.

I would again suggest that you take one copy of my each book from the publishers in Delhi and they can debit the concessional cost of the books to my account. If you still want that I should send a letter to the publishers, then please send me a draft of the same and the names of the publishers to whom you want to address it. On getting the draft from you I would make out copies here send them back to you for further action.

As correctly observed by you I have written serious poetry, humour and satire, one novel and one book for children. My memoirs are included in the books of humour and satire and so far as my autobiography is concerned, I may honestly admit that my novel is purely autobiographical.

I have not written any drama, one act play, interview, preface of any book, reviews or letters. I have written personal letters to friends and relatives but I have no copies of the same.

You are most welcome to come here and stay with me when-ever you think fit. I am of the opinion that the preface of the book should be finalised only when you have visited my house here because I will show you enough material which is available with me about myself. This includes interviews of mine taken by other writers, detailed reviews of my books and also other material written by learned people about me.

I again promise that I will help you in publication of this book to my best of capability. It is an honour that a writer of your standing has become interested in me.

I would be waiting for your book on Shri Jagdish Chaturvedi. Send it by registered post.

Hope this finds you and the family in the best of health and spirits.

शुभ कामनाओं के साथ

Yours sincerely,

रवीन्द्रनाथ त्यागी

(R.N. TYAGI)

Dr. K.K Goyanka,
New Delhi

P.S Please do see my book उर्दू हिन्दी हास्यव्यंग्य Which I have edited and the preface of which will be helpful to you.

मेरा नवीनतम व्यंग्य संग्रह (पद यात्रा) आ गया है। अगले हफ़्ते इसकी एक प्रति भेजूँगा।

(4)

जम्मू छावनी

24-12-84

प्रिय भाई गोयनका जी,

ड्राफ़्ट (प्रकाशकों को लिखे पत्र की—गोयनका) की आठ प्रतियाँ भेजता हूँ। आशा है, उनसे आपको पुस्तकें मिल जाएँगी।

बाकी मिलने पर।

अपने ताज़े व्यंग्य-संग्रह 'पद-यात्रा' की एक प्रति रजिस्ट्री से भेजी है। प्राप्ति

की सूचना अवश्य दें।

सपरिवार प्रसन्न होंगे।

विनीत

रवीन्द्रनाथ त्यागी

(5)

R.N. TYAGI,
Controller of Defence Accounts,
Northern Command

Jammu Cantt
31st December, 1984

My dear भाई गोयनका जी,

I am in receipt of your kind letter dated 23.12.1984

I would suggest that first of all, please get hold of all my books and select poems and articles which both of us will sit together and finalise their inclusion in the book. If books are not available on request, then please purchase them. As I told you earlier, we will discuss the matter regurding expenditure incurred by you.

After getting all the books and selection of poems and articles, I will request you to come here to take help from the material from me for writing preface. This matter is lying scattered in a large number of books and magazines. Accordingly you will have to stay for a week with me.

In my opinion the first chapter of the book would be the detailed preface written by you. The second chapter will contain selected poems. The third chapter will contain selected humour and satire without any further classification. The fourth Chapter will contain a portion from my novel which I will suggest. The fifth chapter will contain some pieces from the book written for children and the last chapter would give my biographical data with a pencil sketch of myself. We shall not include any latters etc. In the book because I don't have them. Regarding reviewes of books written by me I would submit that I have hardly written more than one or two reviewes. There is no sense to include a chapter on reviews which are so small in number. Hope you and the family are in the best of health and spirits. Please accept my best wiehes for the new year.

शुभ कामनाओं के साथ

Yours sincerely,

रवीन्द्रनाथ त्यागी

(R. N. TYAGI)

Shri K.K Goyanka,

P.S. मैं आपके चुनाव के बारे में लगभग सन्तुष्ट हूँ। मगर "शतरंज के खिलाड़ी" एक कमज़ोर रचना है। उसे न लें तो शायद बेहतर होगा।

(6)

जम्मू छावनी

14-1-85

प्रिय भाई गोयनका जी,

कई दिन से आपका पत्र नहीं आया। सोचा कहीं निराश होकर अपना प्रोजेक्ट छोड़ न बैठे हों। कृपया लिखें कि पुस्तकें प्राप्त हो गयी हैं या नहीं। उधर मैं भी आपकी भूमिका के लिए सामग्री इकट्‌ठी कर रहा हूँ।

एक खण्ड 'संस्मरणों' का भी जाएगा चाहे उसमें हास्य-व्यंग्य की ही रचनाएँ क्यों न हों।

शेष कृपा। पत्र तुरन्त लिखें कि काम जारी है और 1985 में पुस्तक छप जाएगी। जगदीश चतुर्वेदी जी पर पुस्तक आउट होते ही एक प्रति रजिस्टर्ड डाक से भेज दें। उन्हें मैंने हमेशा अपना सगा छोटा भाई माना है।

'पद-यात्रा' कैसी लगी? नव-वर्ष की शुभकामनाएँ।

हमेशा आपका

रवीन्द्रनाथ त्यागी

(7)

मान्य भाई गोयनका जी,

मैं कल दौरे से लौटा तो आपके दो पत्र मिले। आशा है आप अब पूर्णरूप से स्वस्थ होंगे। आपके प्रश्नों के उत्तर इस प्रकार हैं—

1. मैं संक्षिप्त जीवन-सारणी तैयार कर लूँगा। एक पृष्ठ में जा जाएगी।

2. सम्पूर्ण रचनाओं की काल क्रमानुसार सूची मेरे पास नहीं है।

3. 'सूखे और हरे पत्ते' को छोड़कर बाक़ी काव्य-ग्रन्थ आपको मिल गये हैं। आपने कविताओं का जो चुनाव किया है, मैं उससे सहमत हूँ। 'सूखे और हरे पत्ते' की प्रति वी. पी. से मँगा लीजिए। अन्तिम चुनाव साथ बैठ कर ही करेंगे और वह भी तब जब कि आपके पास मेरी सारी किताबें प्राप्त हो जाएँगी। यही बात व्यंग्य रचनाओं के बारे में भी कहना चाहूँगा। जो पुस्तक न मिले, उसे ख़रीद लीजिए।

4. 'निषेध' में छपी सारी कविताएँ मेरे काव्य-संकलनों में छप चुकी हैं।

5. कविताओं का रचना-काल या प्रकाशन-काल मेरे पास नहीं है। लम्बी कविताएँ

वही हैं जो काव्य-ग्रन्थों में संकलित हैं। अप्रकाशित कविताएँ व व्यंग्य-लेख ज़रूर भेज दूँगा। कविताएँ रचना-क्रम से ही दीजिए। मेरे काव्य-ग्रन्थ इस प्रकार छपे हैं :

(1) सूखे और हरे पत्ते (1962)

(2) कल्प वृक्ष (1965)

(3) आदिमराग (1967)

(4) आख़िरकार (1978)

(5) सलीब से नाव तक (1983)

आप सबसे पुराने काव्य-ग्रन्थ से चुनाव शुरू कीजिए और फिर क्रमानुसार आगे बढ़ते जाइए। उसी पद्धति का अनुसरण आप व्यंग्य-ग्रन्थों के साथ कर सकते हैं।

6. मैं आपसे सहमत हूँ कि व्यंग्य रचनाएँ निबन्ध, कहानी, संस्मरण, व्यक्तिगत आदि खण्डों में विभाजित की जाएँ। उससे पुस्तक और भी सुन्दर हो जाएगी। मगर यदि ऐसा करें तो व्यंग्य-रचनाओं को रचना-काल के अनुसार रखने का विचार छोड़ दें। दोनों चीज़ें एक साथ होनी कठिन हैं।

7. मेरे पास कोई साहित्यिक टिप्पणी या ऐसा लेख नहीं है जिस पर मैंने साहित्य के बारे में कुछ लिखा हो।

8. मैंने काव्य-सृजन प्रक्रिया पर कभी कुछ नहीं लिखा। मेरे 'गर्दिश के दिन' व्यंग्य-रचना में हल्का-सा ज़िक्र है कि कविता और व्यंग्य साथ-साथ कैसे लिखता हूँ।

आपको जानकर खुशी होगी कि चकल्लस पुरस्कार इस्ट ने इस वर्ष का बीस हज़ार का इनाम मुझे दिया है। फ़रवरी में पुरस्कार लेने बम्बई जाऊँगा।

आपकी मेरे बारे में जो पुस्तक छपेगी उसकी भूमिका और अन्तिम चुनाव के लिए हम लोग साथ-साथ बैठेंगे। मैं भूमिका के लिए सामग्री (इण्टरव्यू, समीक्षा इत्यादि) इकट्ठी कर रहा हूँ। सपरिवार प्रसन्न होंगे।

विनीत
रवीन्द्रनाथ त्यागी

(8)

जम्मू छावनी
30-1-85

मान्य भाई गोयनका जी,

आपके दो पत्रों का उत्तर मैंने आज ही दिया है। आपका नया पत्र आज ही मिला। आपका व्यंग्य-लेखों का चुनाव ठीक ही है। एक जनप्रिय उपन्यास के नोट्स, विज्ञापन विवाह का और ग्यारहवें राजकुमार की कथा हर्गिज़ न लें। ये रचनाएँ निचले स्तर की हैं। अन्तिम चुनाव साथ बैठ कर करेंगे।

पुस्तक में बातचीत ज़रूर शामिल कीजिए, यह मेरा सौभाग्य होगा कि आप मेरे साथ बैठकर बातें करें। मेरे जो इण्टरव्यू लिये गये हैं उनमें से कुछ प्रकाशित रूप में मेरे पास हैं। अश्क़जी व विनोद चन्द्र पाण्डे जी के पास मेरे पत्र हो सकते हैं। आप उन्हें लिखकर मँगवा लें। मैं भी उन्हें लिखूँगा। कुछ पत्र शायद भाई मणी मधुकर के पास हों। आप उनसे पूछ लें। मैं पत्र बहुत ही कम लिखता हूँ। परिवार वालों के पास मेरे पत्र शायद ही हों। पत्रों वाला अंश शायद छोड़ना ही पड़ेगा। अकेले भाई जगदीश चतुर्वेदी के पत्र देना ठीक नहीं लगेगा।

सपरिवार प्रसन्न होंगे,

विनीत
रवीन्द्रनाथ त्यागी

(9)

मान्य भाई गोयनका जी,

आपका 14/2 का पत्र आज मिला। मैं आपके पिछले सारे पत्रों का उत्तर दे चुका हूँ।

इस पत्र में आपने जो व्यंग्य-लेख चुने हैं, वे ठीक हैं। 'कृष्णवाहन की कथा' में से 'सिन्दवाद की अन्तिम यात्रा' को 'यात्रा व शिकार' खण्ड में ज़रूर शामिल करें। अन्तिम चुनाव साथ बैठ कर होगा। आप लोकभारती से 'मल्लिनाथ की परम्परा' तो ज़रूर ही ख़रीद लें। 'अतिथि-कक्ष' भी एक सशक्त पुस्तक है।

अपूर्ण कथा का सिर्फ़ पहला खण्ड लेना है—पहला परिच्छेद छोड़कर। आप रचनाओं को अलग-अलग विधाओं में रखना चाहते हैं—इससे मैं पूरी तरह सहमत हूँ।

यहाँ जेरोक्स मशीन उपलब्ध नहीं है। फिर भी रमेश मेहता से बात करूँगा।

मैंने अपनी किसी पुस्तक की कोई भूमिका कभी नहीं लिखी। 'मेरी श्रेष्ठ व्यंग्य रचनाएँ' में भी जो भूमिका है वह धनंजय वर्माजी ने लिखी है। पुस्तक की भूमिका के लिए सामग्री बराबर इकट्ठी कर रहा हूँ।

पत्रों के बारे में लाचार हूँ। इस सन्दर्भ में कुछ भी करना असम्भव प्रतीत होता है। हमलोग चकल्लस की बीस हज़ार का पुरस्कार लेने बम्बई जा रहे हैं। मार्च में मेडिकल लीव शायद लेनी पड़े।

आप मेरे लिए इतना कर रहे हैं—इसके लिए आभारी हूँ। आप सपरिवार प्रसन्न होंगे।

विनीत
आपका भाई
रवीन्द्रनाथ त्यागी

(10)

आदरणीय भाई गोयनका जी,

आपका 24/2 का पत्र कल मिला। 'अतिथि-कक्ष' काफ़ी स्तरीय पुस्तक है। उसे ज़रूर पढ़िए। 'अपूर्ण कथा' के बारे में आपने जो लिखा है, मैं उससे काफ़ी हद तक सहमत हूँ।

यहाँ आने के लिए मई का महीना ही ठीक रहेगा, मगर आने से पहले मुझसे पुष्टि कर लें कि मैं यहाँ हूँ या नहीं।

आपका आभारी
रवीन्द्रनाथ त्यागी

(11)

जम्मू छावनी
4.4.85

मान्य भाई गोयनका जी,

आशा है आप सपरिवार स्वस्थ व प्रसन्न होंगे। मई के प्रथम सप्ताह में आप यहाँ आएँगे और आने से एक सप्ताह पूर्व मुझे लिखेंगे। मैं स्टेशन पर रिसीव करने आऊँगा। मई में गोविन्द मिश्र जी भी जम्मू में ही होंगे। आप मेरे साथ ठहरेंगे। मेरा विचार है कि रचनाओं का अन्तिम चुनाव एक दिन में हो जाएगा, बाक़ी छः दिनों में आप भूमिका के लिए मेरी सामग्री देख लें। मई में मेरा तबादला होने की भी आशंका है। 'अपूर्ण कथा' हिन्द पॉकेट बुक्स से आ गयी है। अब तक तो मेरी सारी पुस्तकें मिल गयी होंगी। बच्चों को प्यार।

आपका भाई
रवीन्द्रनाथ त्यागी

(12)

जम्मू छावनी
16.4.85

मान्य भाई गोयनका जी,

सम्भव हो तो आप 3/5 को चलकर 4/5 की सुबह यहाँ आ जाएँ। यह मुझे तुरन्त लिख दें कि आप किस ट्रेन से आ रहे हैं ताकि मैं स्टेशन पर आपको रिसीव कर सकूँ।

यदि आप 4/5 की सुबह आएँगे तो 4/5 को और 5/5 को हम लोग पुस्तक

पर काम कर सकते हैं। 4/5 व 5/5 दोनों दिन मेरी छुट्टी है। ज़रूरी हुआ तो मैं 6/5 की छुट्टी ले लूँगा। तीन दिनों में सारा काम हो सकता है। आशा है आप सपरिवार स्वस्थ व प्रसन्न हैं। उत्तर की प्रतीक्षा में,

आपका
रवीन्द्रनाथ त्यागी

(13)

जम्मू छावनी
26-4-85

मान्य भाई गोयनका जी,

मैं बीमारी के चक्कर में फँस गया। अब मैं 18/5 तक छुट्टी पर हूँ। आप मई के प्रथम सप्ताह में यहाँ आ जाइए। मैं भी छुट्टी पर होने के कारण सारा दिन आपके साथ काम करूँगा। बीमारी के कारण मैं स्टेशन पर शायद न आ सकूँ। आप या तो जम्मू मेल से आइए या फिर शालीमार एक्सप्रेस से आइए। आटो ड्राइवर से कहिए कि वह आपको सतवारी में टाइगर सिनेमा के पास पहुँचा दे। टाइगर से लगा हुआ मेरा एक दफ़्तर है जहाँ से चौकीदार आपको मेरे घर तक पहुँचा देगा। श्री गोविन्द मिश्र मई के अन्त तक आएँगे। आप उनकी प्रतीक्षा न करें। ठीक होंगे।

विनीत
रवीन्द्रनाथ त्यागी

(14)

जम्मू छावनी
9-5-85

प्रिय भाई गोयनका जी,

आशा है आप ठीक तरह पहुँच गये और सपरिवार स्वस्थ व प्रसन्न होंगे। आपके साथ बिताया गया समय हमेशा याद रहेगा। यहाँ रहने में जो असुविधा व कष्ट हुआ हो, उसके लिए हम दोनों क्षमाप्रार्थी हैं।

पुस्तक की प्रतीक्षा में आँखें खुली रहेंगी। 'अतिथि-कक्ष' व 'मल्लिनाथ की परम्परा' के नये संस्करण निकालने के लिए कृपया उपयुक्त प्रकाशक से बात करें।

आपकी पत्नी को हम दोनों का प्रणाम। बच्चों को प्यार, कुशलता का पत्र ज़रूर लिखते रहें।

आपका भाई
रवीन्द्रनाथ त्यागी

(15)

जम्मू छावनी
12-5-85

प्रिय भाई गोयनका जी,

एक पत्र 10/5 को लिखा था, मिला होगा। यह पत्र मैं इसलिए लिख रहा हूँ कि आपके पास 'मेरी श्रेष्ठ व्यंग्य रचनाएँ' की जो प्रति है उसमें धनंजय वर्मा की लिखी महत्त्वपूर्ण भूमिका नहीं है। यदि आप चाहें तो तुरन्त लिखें ताकि मैं उसकी नक़ल या फ़ोटो-स्टेट कॉपी आपको भेज सकूँ।

आपके साथ गुज़रा हुआ वक़्त हमेशा याद रहेगा। मेरा सौभाग्य है कि आप जैसा मित्र मिला। अब यह मैत्री जीवन-पर्यन्त रहेगी।

बच्चों को प्यार। आपकी प्रिय पत्नी को हम दोनों का प्रणाम। अम्मा आशीर्वाद भेजती हैं।

विनीत
रवीन्द्रनाथ त्यागी

(16)

जम्मू छावनी
17-5-85

प्रिय भाई गोयनका जी,

आपके जाने के बाद मैंने दो पत्र लिखे जो अब तक मिल गये होंगे। आपका 10/5 का पत्र मुझे 14/5 को मिला। निम्नलिखित सामग्री भेजता हूँः

1. मास्टर भोलाराम दिल्ली गये।

2. पाँच व्यंग्य पुस्तकों की समीक्षाएँ।

3. अपने पुत्र के नाम लिखा मेरा एक पत्र।

4. 'मेरी श्रेष्ठ व्यंग्य रचनाएँ' के प्रथम संस्करण में छपी धनंजय वर्मा द्वारा लिखित भूमिका।

5. 'समीक्षा व आलोचना' वाले खण्ड में 'उर्दू हिन्दी हास्य-व्यंग्य' की भूमिका को 'उर्दू-हिन्दी हास्य-व्यंग्य : एक विहंगावलोकन' शीर्षक से डालें तो शायद ज़्यादा ठीक होगा।

6. हास्य-व्यंग्य के खण्ड में 'पत्र और भाषण' वाला जो भाग है, उसमें 'लेखक के नाम पाँच पत्र' ('अतिथि-कक्ष') भी शामिल कर लें। काफ़ी सशक्त रचना है।

7. पुस्तकों के फ़्लैप पर जो सम्मतियाँ छपी हैं, उन्हें एक परिशिष्ट में ज़रूर दें।

8. 'मल्लिनाथ की परम्परा' व 'अतिथि-कक्ष' के नये संस्करण के लिए उपयुक्त

प्रकाशक से बात करें। यह बहुत ज़रूरी है।

9. सारी सामग्री रजिस्टर्ड डाक से भेज रहा हूँ। प्राप्ति की सूचना तुरन्त दें।

10. बच्चों के लिए लिखी कविताएँ आप शायद ले गये हैं। बहरहाल, मुझसे और कोई सामग्री लेनी हो तो ज़रूर लिखें।

11. मैं अब ठीक हूँ। सोमवार से दफ़्तर जाना शुरू करूँगा। आपके स्नेह को मैं कभी नहीं भूल सकता। यह मेरा परम सौभाग्य है जो आप जैसा मित्र मिला। बच्चों को प्यार व अपनी पत्नी को हम दोनों का प्रणाम। आपने अपने पत्र में मेरी अपेक्षा मेरी सगी पत्नी की बहुत ज़्यादा प्रशंसा की है। अब तो मुझे उससे ईर्ष्या होने लगी है।

आपका भाई

रवीन्द्रनाथ त्यागी

(17)

प्रिय भाई गोयनका जी,

आपके दो पत्र मिले। बच्चों के लिए दो कविताएँ भेजता हूँ। आशा है, पसन्द आएँगी, फ़ोटो कुछ दिनों के बाद भेजूँगा। अभी स्थिति नाज़ुक है।

'अतिथि-कक्ष' के पुनः प्रकाशन के लिए एक पत्र अभी श्री विश्वनाथजी को भेज रहा हूँ। उत्तर आते ही आपको लिखूँगा। मैं चाहूँगा कि एक हज़ार पुस्तकों की रॉयल्टी मुझे एडवांस दे दी जाए। आगे आप जो उचित समझें। पुस्तक का नाम मैं बदलना नहीं चाहूँगा और हाँ, 'मल्लिनाथ की परम्परा' के सारे अधिकार मेरे पास हैं। उसे भी छपवा दीजिए। कृपा होगी।

मैं बीमार चल रहा हूँ। इधर एक बड़े डॉक्टर को संशय है कि मुझे शायद कैंसर हो गया है और इसी कारण बुख़ार तीन महीने बाद भी नहीं उतर रहा है। कल वे मेरा कुछ गोश्त काटेंगे-गले में से जहाँ एक मांस का पिण्ड सहसा प्रकट हो गया है—ठीक उसी तरह जैसे किसी अच्छी ख़ासी गोष्ठी में नामवर सिंह प्रकट हो जाएँ। मुझे कोई चिन्ता नहीं है। मीना कुमारी ने एक जगह लिखा है :

न कोई चाहत है, न ज़रूरत है
मौत क्या इतनी ख़ूबसूरत है?

भाभीजी को हम दोनों का करबद्ध प्रणाम, बच्चों को अमित स्नेह,

विनीत

रवीन्द्रनाथ त्यागी

पी.एस.क

1. 25 किलो चावल पहुँच गये होंगे। प्राप्ति की सूचना दें।

2. भविष्य में हम लोगों की प्रशंसा नहीं करेंगे। सच्ची दोस्ती में ऐसा करना शोभा नहीं देता।

(18)

प्रिय भाई गोयनका जी,

आप चावलों के लिए कुछ रुपये दे गये थे। आधे चावल भिजवा रहा हूँ, बाक़ी बाद में जाएँगे। इन्हें एक या दो माह के बाद काम में लाएँ। मेरा रजिस्टर्ड पत्र मिला होगा। प्राप्ति की पुष्टि तुरन्त करें।

प्रसन्न होंगे,

आपका
रवीन्द्रनाथ त्यागी

(19)

R.N. TYAGI,
Controller of Defence Accounts,
Northern Command

Jammu Cantt
12th June, 1985

My dear भाई गोयनका जी,

I got your three letters. As I was sick, I could not write to you earlier. You will be glad to Know that extra growth inside the skin of my neck has been removed by operation and pathological examination reveals that I have no cancer. It is all due to good wishes of friends like you.

2. Regarding books I would like to state as under:—

(a) Please write as to by what time your book on me will be out. I am eagerly waiting to see it. If you want any further material from me, Kindly write about it. Regarding photograph, I will try to send you another photograph if possible. However, I think that the photograph which I have given you is alright. If you like you can get a sketch made out on the basis of this photograph. My photpgraph with my wife is not relevant for the book. Similarly the material already available with you is enough and there is no necessity for sending unpublished essays etc;

(b) Shri Vishwa Nath of Rajpal And sons has since written to me in most clear terms that I can get अतिथि कक्ष published by any publisher. Accordingly you kindly advise Shri Prem Shanker Sharma to send me two copies of contract duly signed by him with a bank draft for Rs. 1250- as suggested by you. The draft should be in favour of State Bank of India or Punjab National I Bank at Jammu. I will not accept cheque and accordingly he should send only the bank draft which should be "Account Payee only." The bank draft and two copies of contract should be sent to me under registerd cover. I will return one copy of contract on most urgent basis;

(c) Regarding my another book मल्लिनाथ की परम्परा I would submit that all rights in regard to this book are vested in me and Lok Bharti Prakashan of Allahabad has printed the second edition without any authority or contract with me. Accordingly please ask Sh. Prem Shanker Sharma or any other your Publisher friend to bring out third edition of the book. The terms shall remain the same as indicated in (b) above;

(d) You will be glad to know that the new collection of my humorous and satirical essays is ready for bublication. The press copy will be ready with in a week or so. In case any new publisher wants to publish it, I will give the manuscript to him subject to the condition that my royalty would be 15%, the book shall be out within six months and entire royalty for the first edition shall be given to me. In advance. In case you have such a friend then send him to Jammu with contract agreement and bank draft. I am suggesting to send the Publisher here so that the manuscript is given by hand to ensure its safety. In case there is no such Publisher then I will send the book to any top Publisher who will publish it without giving any advance royalty.

About this book (the title of which is आत्मलेख) Kindly take urgent action because I want to send it to. press as early as possible.

3. The rice has already been sent to Delhi and I hope that by now it has reached you. If it has not reached, the responsibility is ours. 25 Kgs of rice will be delivered to you through a very responsible man in near future. This will be in addition to the rice already sent.

4. Namastey to your dear wife from both of us. Love to children.

शुभकामनाओं के साथ
Yours sincerely,
रवीन्द्रनाथ त्यागी
(R . N .

TYAGI)

Dr. Kamal Kishore Goyanka,
Delhi

P.S.

अभी छुट्टी पर ही हूँ। शायद सोमवार से दफ़्तर जाना शुरू करूँगा।

अँग्रेज़ी में पत्र डिक्टेट कराने के लिए क्षमाप्रार्थी हूँ।

उत्तर की प्रतीक्षा रहेगी।

(20)

जम्मू छावनी
24-6-85

प्रिय भाई गोयनका जी,

आज आपका कृपा-पत्र भी मिला और जनप्रिय प्रकाशन का अनुबन्ध व रु. 1250/- का ड्राफ़्ट भी। मैं सारी सामग्री उन्हें रजिस्टर्ड डाक से कल भिजवा दूँगा। ड्राफ़्ट क्रेडिट होता रहेगा। मैं आपके इस उपकार के लिए हृदय से आभारी हूँ।

'मल्लिनाथ की परम्परा' के लिए आप जैसा कहेंगे, मैं वैसा ही करूँगा। यदि श्री प्रेमशंकर शर्मा प्रोडक्शन ठीक करते हैं और वैसे भी ठीक हैं तो उन्हें पुस्तक देने में मुझे बड़ी ख़ुशी होगी। 'अतिथि-कक्ष' की भाँति आधी रायल्टी का ड्राफ़्ट उन्हें अलबत्ता ज़रूर अनुबन्ध के साथ भेजना पड़ेगा। 'आत्मलेख' (नया व्यंग्य-संग्रह) किसी बड़े प्रकाशक के यहाँ से 1986 के अन्त तक ज़रूर छप जाएगा। मेरी 'प्रतिनिधि रचनाएँ' यदि राजपाल एण्ड संस के यहाँ से प्रकाशित हो जाएं तो मैं आपको एक दर्जन पोज़ में फ़ोटो भेजने को तैयार हूँ।

बम्बई में एक संस्था है जिसका नाम है– रंगायन। उन्होंने ही मुझे बीस हज़ार रुपये का पुरस्कार दिया है। हास्य-व्यंग्य के क्षेत्र में यह सबसे ज़्यादा राशि का पुरस्कार है। यह पुरस्कार मुझे इसी वर्ष फ़रवरी में बम्बई में दिया गया था। पुरस्कार का नाम कुछ अजीब है–चकल्लस पुरस्कार। मुझसे पहले यह पुरस्कार परसाईजी व शरद जोशीजी को दिया जा चुका है।

चावल पहुँच गये, बड़ी ख़ुशी हुई। अगली किश्त एक माह के भीतर पहुँच जाएगी। विद्यानिवास मिश्र का निबन्ध 'मैंने सिल पहुँचायी' ज़रूर पढ़िएगा।

कैंसर नहीं निकला, यह तो ठीक है (और यह सब भगवान की कृपा व आप सब मित्रों की शुभकामनाओं का परिणाम है), मगर यह बात भी सच है कि जितने दिनों तक कैंसर की सम्भावना रही, उतने दिनों तक मैं अचानक एक महत्त्वपूर्ण व्यक्ति बना रहा, मित्रों के पत्र, रिश्तेदारों के तार और पत्नी की अतिरिक्त सेवा। कैंसर न निकलने पर कुछ लोगों को काफ़ी निराशा हुई।

अपनी पत्नी को हम दोनों का प्रणाम कहिए। बच्चों को अमित स्नेह,

हमेशा आपका
रवीन्द्रनाथ त्यागी

प्रिय भाई गोयनका जी,

मेरा 25/6 का पत्र आपको मिल गया होगा। आपका उसी तारीख़ का लिखा पोस्टकार्ड मुझे कल मिला। आपके प्रश्नों के उत्तर मैं इस प्रकार देता हूँः

1. चकल्लस पुरस्कार मिलने पर मुझे बहुत अच्छा लगा। हिन्दी हास्य-व्यंग्य सन्दर्भ में यह देश का सबसे बड़ा पुरस्कार है। बीस हज़ार रुपये, एक क़ीमती ऊनी शाल और एक शानदार स्मृति चिह्न। मुझसे पहले यह पुरस्कार परसाई व शरद जोशी को मिला है। दोनों मुझसे बड़े लेखक हैं। जो पुरस्कार उन्हें मिला, वही पुरस्कार जब मुझे दिया गया तो प्रसन्न होना स्वाभाविक था। एक और ख़ुशी की बात यह रही कि पुरस्कार नरेन्द्र शर्मा जी के हाथों से प्राप्त हुआ। पुरस्कार को लेकर कितने ही उम्दा अख़बारों में समाचार व फ़ोटो छपे। और क्या चाहिए लेखक को? यशः प्रार्थी कवि। रामावतार चेतन वाक़ई एक शक्तिशाली व समर्पित व्यक्ति हैं जिन्होंने अपनी भयंकर बीमारी के बावजूद इस पुरस्कार की स्थापना की।

पुरस्कार के सन्दर्भ में दो बातें ज़रा अच्छी नहीं लगीं। पहली बात तो यह कि पुरस्कार का नाम 'चकल्लस पुरस्कार' होना खटकता है। चकल्लस शब्द बहुत सस्ता और भोंडा है। पुरस्कार का नाम बदल दिया जाए तो ज़्यादा ठीक रहेगा। दूसरी दुःख की बात यह है कि पुरस्कार प्राप्ति के बाद जब मैंने सैकड़ों आदमियों से खचाखच भरे हॉल में अपनी रचना पढ़नी शुरू की, तो मुझे हूट कर दिया गया। बड़ा दुःख हुआ। ज़्यादा दुःख इस बात को लेकर हुआ कि जब शरद जोशी बोले तो उन्हें हूट नहीं किया गया।

2. लेखक का सच्चा सम्मान उसके कृतित्व से होता है, पुरस्कार वग़ैरह से नहीं। रूडयार्ड किपलिंग को नोबेल पुरस्कार दिया गया, मगर लोग उसका नाम तक नहीं जानते। उसके बरख़िलाफ़ ओ, हेनरी को कभी कोई पुरस्कार नहीं मिला, मगर उसे लाखों लोग अभी भी पढ़ते हैं।

3. पुरस्कार एक तरह का 'रिकगनिशन' है जिससे लेखक को प्रेरणा मिलना स्वाभाविक है।

4. हिन्दी में जो पुरस्कार हैं उसके बारे में कुछ न कहा जाए तो ठीक है। ज्ञानपीठ पुरस्कार दिनकर को पहले दिया गया और पन्तजी को बाद में। अभी भी जैनेन्द्र कुमार के रहते हुए पुरस्कार महादेवी को दिया गया जो एकदम ग़लत है। साहित्य अकादमी एवार्ड में भी ख़ूब गुटबन्दी चलती है। हाँ, अलबत्ता अगर कभी यह एवार्ड मुझे दिया गया तो मैं अपनी सारी आलोचना वापिस ले लूँगा। लिखूँगा कि अकादमी एवार्ड निष्पक्ष है और मात्र लेखक के कृतित्व को ध्यान में रखकर दिया जाता है।

आपका पोस्टकार्ड वापिस भेजा हूँ, क्योंकि उसमें आपके प्रश्न लिखे हैं और शायद उसकी कॉपी आपके पास न हो। इण्टरव्यू छपने पर पेपर की कटिंग मुझे अवश्य भेजेंगे। भूलिएगा नहीं। फ़िलहाल नया फ़ोटो भेजना सम्भव नहीं है। जो चित्र आपके पास हैं, उनका उपयोग कर लें। 'प्रतिनिधि रचनाएँ' छपने से पहले—बहुत पहले—अपना नया फ़ोटो भेजूँगा।

चावल की दूसरी खेप जल्दी ही पहुँचेगी। मैं अब पूर्ण रूप से स्वस्थ हूँ और बराबर दफ़्तर जा रहा हूँ। जगदीश चतुर्वेदी वाली पोथी कब आ रही है? छपने पर एक प्रति भेजेंगे। आपकी प्रिय पत्नी को हम दोनों का करबद्ध प्रणाम। बच्चों को अमित स्नेह।

हमेशा आपका
रवीन्द्रनाथ त्यागी

(22)

जम्मू छावनी
17-7-85

प्रिय भाई गोयनका जी,

आज शारदा दिल्ली से लौटी। उसने बताया कि आप मेरे फ़ोटो की प्रतीक्षा कर रहे हैं। फ़ोटो खिंचवा लिया है। आशा है, पसन्द आएगा। मैं आपको विश्वास दिलाता हूँ कि फ़ोटो मौलिक व अप्रकाशित हैं। इसका निगेटिव मेरे पास है। जब बड़े साइज़ का फ़ोटो चाहेंगे, मैं तुरन्त भेज दूँगा। इण्टरव्यू छपने पर उसकी कटिंग मुझे भेजना न भूलें।

आपको जानकर प्रसन्नता होगी कि मेरा नया व्यंग्य-संग्रह सरस्वती विहार से आएगा। उनकी स्वीकृति मेरे पास आ गयी है और मेरी पाण्डुलिपि उनके पास पहुँच गयी है।

आपने बड़ी कृपा की कि मेरी पत्नी से मिलने प्रोबिन रोड आये। शारदा आपकी प्रिय पत्नी को इतना चाहने लगी है कि मैं लिख नहीं सकता। यह हम लोगों का सौभाग्य है जो आप जैसे शालीन और विद्वान व्यक्ति के सम्पर्क में आये।

बच्चन जी ने पन्तजी के मुक़दमे वाला संस्मरण 'धर्मयुग' में छपाया है। मैंने जीवन में कभी किसी सम्पादक को पाठक के नाते पत्र नहीं लिखा था, मगर इस बार रहा नहीं गया। उसकी एक कॉपी भेजूँगा। मेरी 'प्रतिनिधि रचनाओं' में वह एकदम फ़िट बैठेगा। प्रसन्न होंगे,

आपका
रवीन्द्रनाथ त्यागी

(23)

जम्मू छावनी
2-8-85

प्रिय भाई गोयनका जी,

मेरा फ़ोटो व पत्र मिल गये होंगे। 'प्रतिनिधि रचनाएँ' कहाँ से छपने की सम्भावना है? श्री विश्वनाथजी ने क्या कहा? जनप्रिय प्रकाशन को बच्चों की हास्य कथाओं की एक नयी किताब दे रहा हूँ। कोई एडवांस वग़ैरह मैंने माँगा ही नहीं। अनुबन्ध की प्रतीक्षा है।

कुशलता का पत्र लिखें। आपकी पत्नी को हम दोनों का प्रणाम। बच्चों को प्यार। मेरे योग्य सेवा, उत्तर की प्रतीक्षा में,

आपका भाई
रवीन्द्रनाथ त्यागी

P.S. इण्टरव्यू कब और कहाँ छपने की उम्मीद है?

(24)

जम्मू छावनी
1-9-85

प्रिय भाई गोयनका जी,

आशा है, आप सपरिवार स्वस्थ व प्रसन्न हैं। काफ़ी दिनों से आपका कोई पत्र नहीं आया। मैं जानने को उत्सुक हूँ कि मेरी प्रतिनिधि रचनाओं वाली पुस्तक की क्या स्थिति है। भूमिका आपने अब तक लिख ली होगी। प्रकाशक तय हुआ या नहीं? आपके विचार में 'पोथी' कब तक 'प्रकट' हो जाएगी?

इण्टरव्यू की क्या स्थिति है? किसी पत्र या पत्रिका में छपने की सम्भावना (या आशंका) है? मेरा फ़ोटो मेरी रचनाओं से अच्छा और ज़्यादा प्रामाणिक है। नया व्यंग्य-संग्रह सरस्वती विहार से वर्ष के अन्त तक शायद आए। बच्चों की पुस्तक की पाण्डुलिपि जनप्रिय प्रकाशन को भेज दी है। दोनों प्रकाशकों से अनुबन्ध आ गये हैं।

और क्या ठाठ हैं? आपके उत्तर की प्रतीक्षा करूँगा। यशः प्रार्थी कवि। आपकी पत्नी को हम दोनों का प्रणाम। बच्चों को अमित स्नेह,

विनीत
रवीन्द्रनाथ त्यागी

(25)

जम्मू छावनी
20-9-85

प्रिय भाई गोयनका जी,

मैंने 2/9 को पत्र लिखा था। मिला होगा। कृपा करके लिखें कि मेरा भेजा फ़ोटो मिल गया है।

कृपया लिखें कि पुस्तक की क्या स्थिति है? भूमिका तैयार हो गयी या नहीं? प्रकाशक कोई मिला या नहीं? इण्टरव्यू कब और कहाँ छप रहा है? मुझे कटिंग भेजेंगे। हम लोग परसों श्रीनगर जा रहे हैं। एक सप्ताह रुकेंगे। आशा है, आप सपरिवार स्वस्थ व प्रसन्न हैं। अपनी पत्नी को हम दोनों का प्रणाम कहें। उत्तर की प्रतीक्षा में,

विनीत
रवीन्द्रनाथ त्यागी

(26)

जम्मू छावनी
30-9-85

प्रिय भाई गोयनका जी,

मैं कल रात ही श्रीनगर के दौरे पर से लौटा। तब आपका पत्र मिला। हार्दिक आभार।

फ़िलहाल मैं कोई व्यंग्य-लेख भेजने की स्थिति में नहीं हूँ। इण्टरव्यू के साथ मेरी कोई श्रेष्ठ पुरानी रचना-चाहें तो-छाप दें। इण्टरव्यू की कटिंग मुझे ज़रूर भेज दें। मेरा नया फ़ोटो आपके पास है ही। 'प्रतिनिधि रचनाएँ' के छपने की प्रतीक्षा में आँखें खुली रहेंगी।

जनप्रिय प्रकाशक को मेरे फ़ोटो की ज़रूरत है। मेरे पास कोई फ़ोटो नहीं है। यदि वे चाहें तो आप मेरा चित्र उन्हें दे दें और फिर वापिस ले लें। आपकी पत्नी को हम दोनों का प्रणाम, बच्चों को प्यार।

विनीत
रवीन्द्रनाथ त्यागी

(27)

जम्मू छावनी
22-11-85

प्रिय भाई गोयनका जी,

मैंने 4/11 को अपनी 'प्रतिनिधि रचनाएँ' की रूपरेखा भेजी थी। आज प्रातः मेरी पत्नी ने आपसे फ़ोन पर भी बात की। कृपा करके मेरे उस पत्र के बारे में आपकी जो प्रतिक्रिया हो, वह लिखिए। आप यदि कोई और रूपरेखा चाहते हों तो वह भी लिखिए।

जगदीश चतुर्वेदी और देवेन्द्र सत्यार्थी दोनों की पुस्तकों की एक हास्य-व्यंग्यात्मक समीक्षा लिखी है। अगले संग्रह में जाएगी। उससे पहले कहीं छपेगी। 'अतिथि-कक्ष' की प्रतियाँ अभी तक नहीं आयी हैं। 'प्रतिनिधि रचनाओं' वाली किताब प्रेस में जाने से पूर्व उसकी पाण्डुलिपि देखना चाहूँगा। इण्टरव्यू की कटिंग की प्रतीक्षा रहेगी।

इधर मैंने काफ़ी लिखा है। पन्द्रहवाँ व्यंग्य-संग्रह तैयार-सा ही है। बस रचनाएँ पत्र-पत्रिकाओं में छप जाएँ तो किताब प्रेस में चली जाएगी। चौदहवाँ व्यंग्य-संग्रह ('आत्मलेख') सरस्वती विहार से मार्च तक आ जाएगा। अपनी पत्नी को हम दोनों का प्रणाम कहिएगा। उत्तर की प्रतीक्षा में,

आपका भाई
रवीन्द्रनाथ त्यागी

(28)

5.10.85

प्रिय भाई गोयनका जी,

आपका 30/9 का कार्ड आज मिला। मैंने भी इसी तारीख़ को आपके नाम एक पत्र लिखा था जो मिला होगा।

आप चुनाव में पराजित होने को इतनी सीरीयसली लेंगे—यह मुझे आपसे आशा न थी। 'हानि-लाभ, जीवन-मरण, यश-अपयश, विधि हाथ' बाबा तुलसीदास की इसी पंक्ति के सहारे मैं बड़े-बड़े दुःखों के बीच जीवित रहा हूँ। अपनी उदासी और निष्क्रियता को लात मारिए और सपरिवार ताज एक्सप्रेस से आगरा घूमने जाइए। तबीयत हो तो फतेहपुर सीकरी व मथुरा/वृन्दावन भी जाइए। फतेहपुर सीकरी से कुछ दूर वह स्थान है जहाँ बाबर और राणा साँगा की लड़ाई हुई थी। राणा साँगा वहीं युद्ध में हारे थे। और मरे थे।

सौभाग्य से मैं ऐसी सेवा में आया जो कि अखिल भारतीय है, और मैं जहाँ भी रहा, वहीं मैंने आसपास की सारी ऐतिहासिक जगहों की, आध्यात्मिक तीर्थों की, भरपूर यात्रा की। प्रयाग में तो न जाने कितने सरकारी अफ़सर रहते हैं पर मैं शायद अकेला व्यक्ति हूँ जिसने कानपुर, लखनऊ, चित्रकूट, अयोध्या व सारनाथ, रीवाँ, गोविन्दगढ़, चुनार, विन्ध्याचल, कौशाम्बी, चचई प्रपात, टाण्डा फॉल, विंढम फॉल

और न जाने कितनी और जगहों की यात्रा की। जौनपुर छूट गया, इसका अफ़सोस है। जौनपुर में ही शेरशाह सूरी पढ़ा था और अकबर का बनवाया हुआ ऐतिहासिक पुल वहाँ अभी भी है। यात्रा से बड़ा उदासी को दूर करने का कोई मन्त्र मुझे नहीं आता। और कुछ नहीं तो जम्मू-कश्मीर की यात्रा कर लीजिए। अभी तो मैं यहाँ पर हूँ। आप जैसे मनीषी को उदास रहना और वह भी एक छोटे से चुनाव में हारने के कारण उदास रहना मुझे बड़ा दुःखदायी लगता है। अरे लोगों की सल्तनतें चली गयीं, बादशाह अन्धे किये गये और रानियों को लन्दन के टावर में फाँसी दी गयी। मैं इतिहास का बहुत बड़ा पाठक हूँ और 'उदासी' से रुग्ण होते हुए भी बराबर काम करता चलता जाता हूँ। चौदहवाँ व्यंग्य-संग्रह प्रेस में है और पन्द्रहवाँ संग्रह लगभग तैयार है। पुस्तक तब छपेगी जब ये सारी रचनाएँ पत्र-पत्रिकाओं में छप जाएँगी। अपने को ज़बर्दस्ती काम में लगाइए। खाली दिमाग़, शैतान का घर।

हमेशा आपका
रवीन्द्रनाथ त्यागी

(29)

जम्मू छावनी
4.11.85

प्रिय भाई गोयनका जी,

मैंने शायद 19/10 को एक पत्र लिखा था। मिला होगा। मैं प्रतिनिधि रचनाओं का एक खाका (ऊपर लिखा) भेजता हूँ। इस सन्दर्भ में बाक़ी विवरण इस प्रकार है :

1. भूमिका तो आप लिखेंगे ही।

2. कविताएँ हम लोग चुन चुके हैं।

3. हास्य व्यंग्य की रचनाएँ हमलोग चुन चुके हैं। उनका आप वर्गीकरण करेंगे जैसे यात्रा, शिकार, संस्मरण, व्यक्तिगत इत्यादि इत्यादि।

4. अपूर्ण कथा का पहला खण्ड (घर) जाएगा मगर उसका पहला परिच्छेद कटेगा।

5. बाल साहित्य आपके पास है। भोलाराम वग़ैरह की कहानियाँ व बच्चों की कविताएँ।

6. समीक्षात्मक टिप्पणियों में समय-समय पर लिखी समीक्षा दूँगा। मैंने अपने पास जो सामग्री देखी है, उसको ध्यान में रखते हुए मैं सर्वश्री परसाई, रमेश बक्षी, मुद्राराक्षस, लतीफ़ घोंघी, कमलेश्वर किशन चन्दर, डॉ. शिवमंगल सिंह सुमन, श्रीलाल शुक्ल, रघुवीरसहाय, रेणु, चतुरसेन शास्त्री, भगवतशरण उपाध्याय, अमृता प्रीतम व अश्क़ जी की कृतियों के बारे में अपनी समीक्षात्मक टिप्पणियाँ देना चाहूँगा।

7. साक्षात्कार सुदर्शन नारंग (नयी कहानियाँ) डॉ. रणवीर रांग्रा (सैनिक समाचार)

व एक जो आप कर रहे हैं— ये तीनों शमिल होंगे।

8. मेरे दो गम्भीर लेख (छोटे-छोटे) जाएँगे जो धर्मयुग व संचेतन में छप चुके हैं।

(ब) उर्दू हिन्दी हास्य व्यंग्य पुस्तक की भूमिका अभी मैं कुछ उसे एडिट करूँगा।

(स) इसमें सब फ़्लैप मैटर जाएगा मगर उसे मैं भेजूँगा। किताबों के कवर पर जो छपा है वह बहुत संक्षिप्त है।

(द) और (क) सामग्री आपके पास है ही। संक्षिप्त परिचय मैं फिर भेजूँगा।

जिन चीज़ों पर टिक लगी है, उन्हें मैं भेजूँगा। आप लिख दें कि किस तारीख़ तक सारी सामग्री आप चाहेंगे।

●

कृपया लिखें कि पल्लवी प्रकाशन के बारे में जगदीश भाई से कोई बात हुई या नहीं और अगर हुई तो क्या निश्चय किया। आप चाहेंगे तो उन्हें मैं भी लिख सकता हूँ। आपका उत्तर आने पर ही उन्हें लिखूँगा।

●

पोस्टकार्ड साइज़ फ़ोटो आप जब चाहेंगे तभी भेज दूँगा। जो सामग्री ऊपर लिखी है, उसी के साथ फ़ोटो भी भेज दूँगा।

●

पुस्तक का फ़्लैप आप लिखेंगे। दूसरे फ़्लैप पर आपकी वही फ़ोटो जाएगी जो जगदीश जी की किताब पर छपी है। बहुत सुन्दर फ़ोटो है।

●

प्रेस में जाने से पहले मैं पाण्डुलिपि देखना चाहूँगा।

●

नये हिन्दी 'शीराजा' में बच्चन के साथ आपका इण्टरव्यू पढ़ा। बधाई।

अपनी पत्नी से हम दोनों क्या प्रणाम करें। बच्चों को प्यार। यह पत्र सँभाल कर रखें। उत्तर की प्रतीक्षा रहेगी।

विनीत :
रवीन्द्रनाथ त्यागी

प्रतिनिधि रचनाएँ

1. भूमिका : डॉ. गोयनका
2. कविताएँ
3. हास्य व्यंग्य की रचनाएँ
4. उपन्यास का एक अंश
5. बाल साहित्य

6. समीक्षात्मक टिप्पणियाँ
7. तीन साक्षात्कार
8. परिशिष्ट :
   (अ) आप का हिन्दी साहित्य : कुछ मुक्त विचार
   (ब) उर्दू हिन्दी हास्य व्यंग्य : एक भूमिका
   (स) मेरे बारे में लिखी गयी प्रशंसाएँ : मत और सम्मत
   (द) मेरे लिखे हुए कुछ व्याक्तिगत पत्र
   (क) पेंसिल स्कैच व संक्षिप्त परिचय

(30)

जम्मू छावनी
26 दिस. 85

प्रिय भाई गोयनका जी

दिल्ली से लौट कर मैं "प्रतिनिधि रचनाओं" पर ही जुटा रहा। पुस्तक की रूप रेखा इस पत्र के साथ संलग्न है। आपकी रूपरेखा और मेरी रूपरेखा में कोई ख़ास फ़र्क़ नहीं है पर मैं चाहूँगा कि आप मेरी दी गयी रूपरेखा को ही अपनी स्वीकृति दें। कृपा।

संलग्न रूपरेखा में जहाँ-जहाँ टिक लगा है, उसका अर्थ यह है कि सामग्री आपके पास है। भूमिका आप लिखेंगे ही। उपन्यास में "अपूर्ण कथा" का प्रथम खण्ड जाएगा जिसमें पहला परिच्छेद कटेगा और बाक़ी परिच्छेदों की गणना भी बदलनी होगी। इसी प्रकार "उर्दू हिन्दी हास्य व्यंग्य" की भूमिका आपके पास है। हाँ अलबत्ता मैं उसे 'एडिट' ज़रूर करूँगा। जिन स्थानों पर टिक नहीं लगा है वे ऐसी हैं कि उनकी सामग्री आपके पास नहीं हैं। आलोचना, समीक्षात्मक टिप्पणियाँ, मुक्त विचार, मत और सम्मत व दो साक्षात्कार की नक़ल इसी पत्र के साथ भेज रहा हूँ। तीसरा साक्षात्कार आपका होगा। अपना संक्षिप्त परिचय भी भेजता हूँ। चित्र पासपोर्ट साइज़ का मेरे पास है और उसे मैं भेज रहा हूँ। इसी फ़ोटो का बड़ा फ़ोटो भी इसी से बन सकता है जैसा कि जनप्रिय प्रकाशन ने "अतिथि कक्ष" के नये संस्करण पर दिया है। वैसे आप पोस्टकार्ड फ़ोटो चाहेंगे तो वह भी भेज दिया जाएगा।

'मत और सम्मत' में मैंने वे टुकड़े लिये हैं जो कि मेरे "तथाकथित कृतित्व" पर प्रकाश डालते हैं। जगह बचाने के लिए मैंने उन्हें runing way में दिया है जो कि आजकल विदेशों में बहुत पॉपुलर है। आप अपनी भूमिका में इन मतों और सम्मतों से सहायता ले सकते हैं पर उसका परिणाम यह नहीं होना चाहिए कि "मत और सम्मत" को छोटा किया जाए या एकदम छोड़ ही दिया जाए। संक्षिप्त परिचय भेज

रहा हूँ। सम्भव हो तो इसके ऊपर एक पेंसिल स्कैच बनवा लें।

नीचे कुछ इच्छाएँ देता हूँ, आशा है आपको उनसे कोई आपत्ति नहीं होगी।

(अ) प्रेस में जाने से पूर्व मैं पाण्डुलिपि देखना चाहूँगा।

(ब) हर रचना के अन्त में काला डाट (•) ज़रूर लगवाएँ।

(स) पुस्तक डिमाई साइज़ में छपेगी।

(द) पुस्तक में सीधे ब्रैकेटों का ही प्रयोग किया जाए [ ] गोल नहीं ( )।

(क) पुस्तक का कवर हम दोनों साथ बैठ कर तय करेंगे।

(ख) 'चकल्लस पुरस्कार' का ज़िक्र न करें। वह बड़ा भोंडा नाम है। मैं तो इसलिए बम्बई गया था कि बीस हज़ार रुपयों के लिए यदि कुछ त्याग भी करना पड़े तो मुझ जैसे "त्यागी" को संकोच नहीं करना चाहिए। पुरस्कार का ज़िक्र मैंने 'संक्षिप्त परिचय' में कर दिया है। और ज़रूरत नहीं।

(ग) जो भी सामग्री आपके पास है या जो मैं अब भेज रहा हूँ, वह सारी की सारी पुस्तक में जाएगी। मैं अपने हिस्से की रॉयल्टी नहीं लूँगा और यदि प्रकाशक चाहे तो मेरा वह हिस्सा आप प्रकाशक को ही दे दें ताकि किताब पूरी छपे। आपको सूचित करते हुए मुझे हर्ष होता है कि मुझ पर सरस्वती और लक्ष्मी–दोनों की कृपा है। मेरी पत्नी का नाम शारदा है और साली का नाम लक्ष्मी है।

अब स्थिति यह है कि सारी सामग्री आपके पास है। अब आप इसे कहीं भी, कैसी भी और कभी भी छपवा सकते हैं! वैसे मैं यही प्रार्थना करूँगा कि पुस्तक 1986 में ज़रूर आ जाए। सम्भव है कि मेरी नियुक्ति मेरठ ही हो जाए। वैसा हो गया तो मैं हर शनिवार को आपके पास आ सकता हूँ या आप मेरठ आ सकते हैं।

अपनी पत्नी को हम दोनों का प्रणाम। बच्चों को प्यार। इस सामग्री के मिलने की सूचना तुरन्त दें। यह भी लिखें कि पुस्तक 1986 में अवश्य प्रकट हो जाएगी।

उत्तर की प्रतीक्षा में

विनीत : रवीन्द्रनाथ त्यागी

(अ) संलग्न सामग्री :

(1) आलोचना (2) समीक्षात्मक टिप्पणियाँ (3) मुक्त विचार (4) दो साक्षात्कार (5) मत और सम्मत (6) संक्षिप्त परिचय (7) एक फ़ोटो

(ब) इण्टरव्यू का क्या रहा? कब छप रहा है? जनसत्ता में ही आ रहा है न?

इस पत्र को सँभाल कर रखें।

नववर्ष की शुभकामनाओं के साथ,

आपका भाई

रवीन्द्रनाथ त्यागी

(31)

जम्मू छावनी
30-12-85

प्रिय भाई गोयनका जी,

मैंने कुछ सामग्री 26/12 को रजिस्टर्ड डाक से भेजी थी; मिली होगी। जैसा कि रूपरेखा में देखा होगा, मैं प्रतिनिधि रचनाओं में 'उर्दू-हिन्दी हास्य-व्यंग्य' की भूमिका 'एडिट' करके शामिल करना चाहता हूँ। मैं उसमें जो 'शोध' चाहता हूँ, वह इस प्रकार है:

(1) प्रस्तावना (दसवाँ पृष्ठ)- ऊपर वाले पैरेग्राफ़ के अन्त में जोड़ दीजिए कि "इस सन्दर्भ में शान्ति मेहरोत्रा को भी भुलाया नहीं जा सकता।"

(2) दूसरे पैरे के अन्त का वाक्य हटा दीजिए (पृष्ठ 10)

(3) अन्तिम पैरेग्राफ़ (पृष्ठ 10 व 11) हटा दीजिए। नया पैराग्राफ़ इस प्रकार होगा :

"हास्य-व्यंग्य लेखकों की जो अगली पीढ़ी है उसमें लतीफ़ घोंघी, नरेन्द्र कोहली, के. पी. सक्सेना, आबिद सुरती, लक्ष्मीकान्त वैष्णव, अजातशत्रु, श्रीकान्त चौधरी, शंकर पुणताम्बेकर, विनोद शंकर शुक्ल, ज्ञान चतुर्वेदी, सुरेश कान्त और प्रेम जनमेजय की याद सबसे पहले आती है। हास्य-व्यंग्य की नयी पीढ़ी सामने आ रही है और यह हम सभी के लिए सन्तोष की बात है।"

(4) (पुस्तक का 13 वाँ पृष्ठ) अन्तिम पैरे में से पाँचवें वाक्य पर 'दिनकर सोनवलकर' का नाम हटाकर 'सरोजिनी प्रीतम' का नाम दीजिए।

(5) पृष्ठ 17 में से अन्तिम पैराग्राफ़ एकदम निकाल दीजिए। मेरा नाम भी हटाया जाना चाहिए।

(6) पृष्ठ 12 पर प्रथम पैरे का अन्तिम वाक्य निकाल दें।

और बस! अगले हफ़्ते आँख का ऑपरेशन होगा और कई माह तक शायद लिख-पढ़ न पाऊँ। इसी कारण ये काम निबटा रहा हूँ। बच्चों को प्यार,

सम्भव हो तो इस पत्र के मिलने की पुष्टि अवश्य कर दें।

हमेशा आपका
रवीन्द्रनाथ त्यागी

(32)

जम्मू छावनी
3-1-86

प्रिय भाई गोयनका जी,

आपके दो पत्र आज एक साथ मिले। मज़ा आ गया।

'राजपाल एण्ड संस' एक बड़ी संस्था है और वहाँ से किताब छपना एक गौरव की बात होगी। मगर मुझे यह भय है कि वे कहीं बीच भँवर में नाव न छोड़ दें। मेरे मित्र डॉ. लक्ष्मी नारायण लाल जब पचास वर्ष के हुए थे तो उन पर भी एक किताब 'राजपाल एण्ड संस' से छपनी थी, एक रचना मेरी भी थी। मगर वह किताब नहीं ही छपी!

मेरी हार्दिक इच्छा तो यही है कि पुस्तक जान पहचान के किसी तथाकथित छोटे प्रकाशक से छपाएँगे तो शायद हम लोग ज़्यादा सुखी रहें।

जनप्रिय प्रकाशन ने 'अतिथि कक्ष' ठीक छापी है। काग़ज़ कुछ कमज़ोर है, बस।

हिन्दी शीराजा के नये अंक में मुझ पर डॉ. बालेन्दुशेखर तिवारी का एक शोध-प्रबन्ध छपा है। रमेश मेहता अंक तो आपको भेजेंगे ही।

फ़रवरी से सारिका में मेरा स्तम्भ नियमित रूप से शुरू होने की आशा है। आगे भगवान् की इच्छा।

मेरा व्यंग्य संग्रह 'आत्मलेख' सरस्वती विहार में 'बन्द' है। पता नहीं कब छापेंगे। नफ़ीस आफरीदी चिट्ठी का उत्तर ही नहीं देते। अब शायद दीनानाथजी को ही लिखना पड़ेगा।

आँख के आपरेशन के लिए आज से चालीस दिन की छुट्टी ले ली है। मार्च में शायद मेरठ की नियुक्ति के ऑर्डर आ जाएँ। जनप्रिय वाले 'हमारे मास्टर साहिब' कब निकालेंगे, कुछ पता नहीं। एक पत्र उन्हें फिर लिखा है। आपसे मिलने को मन बहुत करता है। प्रसन्न होंगे,

आपका भाई
रवीन्द्रनाथ त्यागी

(33)

24.1.86
जम्मू कैण्ट
1.2.86
उत्तर

प्रिय भाई गोयनका जी,

आपका पत्र मिला। हार्दिक आभार। मेरी आँख का आपरेशन 15/1 को हो गया है। सब ठीक है। अभी पढ़ने लिखने से मजबूर हूँ और इसी कारण यह पत्र पत्नी से लिखवा रहा हूँ।

आपको जान कर ख़ुशी होगी कि पहली फ़रवरी से सारिका में मेरा स्तम्भ शुरू हो रहा है। जनवरी के दूसरे अंक में इसकी घोषणा भी कर दी गयी है।

मेरी पुस्तक व इण्टरव्यू के बारे में जब उचित समझें तब लिख दें। आपके पत्र की प्रतीक्षा रहेगी। हम दोनों का भाभीजी को प्रणाम। बच्चों को शुभाशीष। सप्रेम शुभकामनाओं सहित,

सदैव आपका
रवीन्द्रनाथ त्यागी

(34)

जम्मू छावनी
25.2.86

प्रिय भाई गोयनका जी,

मेरा आँख का आपरेशन ठीक नहीं रहा। दूसरा आपरेशन किया गया। अभी तो छुट्टी ही पर हूँ। यह पत्र भी पत्नी से ही लिखवा रहा हूँ। 'मेरी प्रतिनिधि रचनाएँ' के लिए प्रकाशक का क्या रहा? मेरे ख़याल में कोई भी नया प्रकाशक उसे ले लेगा जब कि पुस्तक से केवल साढ़े सात प्रतिशत रॉयल्टी लेंगे। मैं पहले ही बता चुका हूँ कि मुझे अपने लिए कोई रॉयल्टी उतनी ज़रूरी नहीं है। मेरी तो बस यही इच्छा है कि इस वर्ष के भीतर किताब छप जाए। 'सारिका' में मेरा स्तम्भ कैसा लग रहा है? उत्तर की प्रतीक्षा रहेगी। भाभीजी को दोनों का प्रणाम, बच्चों को शुभाशीष,

आपका भाई
रवीन्द्रनाथ त्यागी

(35)

जम्मू छावनी
7.3.86

प्रिय भाई गोयनका जी,

एक पत्र लिखा था, शायद मिला हो। मेरी आँख का दूसरा आपरेशन सफल रहा टैम्परेरी चश्मा मिल गया है। वैसे अभी छुट्टी पर ही हूँ।

विनोद चन्द्र पाण्डेय भारत सरकार के सचिव हो गये हैं। उनकी नवीनतम काव्यकृति (नव फाल्गुनी) काफ़ी कमज़ोर है।

जगदीश चतुर्वेदी को मैं भी बराबर याद करता हूँ। धर्मयुग में एक व्यंग्य लेख छपेगा जिसमें उनकी चर्चा है।

‘सारिका’ में मेरा स्तम्भ कैसा लग रहा है? मार्च के पहले अंक में जो किश्त छपी है, उसमें आपकी चर्चा है। ज़रूर पढ़ें। ‘नीलयक्षिणी’ व ‘जगदीश चतुर्वेदी : एक विवादास्पद रचनाकार’– इन दोनों ग्रन्थों की समीक्षा भी सारिका के मेरे स्तम्भ में छपने जा रही है। इस स्तम्भ को करीब एक वर्ष तक चलाऊँगा। अगले वर्ष ‘पराजित पीढ़ी के नाम’ एक व्यंग्य संग्रह के रूप में छपेगा। अनुबन्ध पराग प्रकाशन ने काफ़ी पहले ही कर लिया है। पुस्तक की प्रेस कापी तैयार कर ली है। मोटी किताब होगी। आपने जो स्नेह मुझे दिया है, उसका बदला मैं कभी नहीं चुका पाऊँगा। फिर भी उस दिशा में प्रथम चरण के रूप में इस व्यंग्य संग्रह को मैं आपको ही समर्पित कर रहा हूँ। यक़ीन दिलाता हूँ कि पुस्तक आपकी गरिमा के अनुरूप होगी।

‘मेरी प्रतिनिधि रचनाएँ’ को कोई प्रकाशक मिला या नहीं? बहरहाल किताब तो इस वर्ष छपनी है चाहे मुझे उसके लिए चन्दा करना पड़े या रिज़र्व बैंक में डकैती डालनी पड़े!

आपके उत्तर की प्रतीक्षा रहेगी। कृपया यह भी लिखें कि जनप्रिय प्रकाशन मेरी बच्चों वाली पोथी कब तक छापेंगे। वे मेरे पत्रों का तो उत्तर ही नहीं देते।

मेरा नया व्यंग्य संग्रह सरस्वती विहार से जुलाई/अगस्त तक अवश्य प्रकाशित हो जाएगा। छपते ही भेजूँगा।

‘हिन्दी शीराज़ा’ का ‘रवीन्द्रनाथ त्यागी विशेषांक’ (!) मिल गया होगा। आपकी पत्नी को हम दानों का प्रणाम, बच्चों को प्यार,

स्नेहाधीन
रवीन्द्रनाथ त्यागी

(36)

जम्मू छावनी
18-3-86

प्रिय भाई गोयनका जी,

मैंने आपका पिछला पत्र मिलते ही रमेश मेहता से कह दिया था। उन्होंने अंक भेजे मगर वे शायद डाक विभाग के साहित्य-प्रेम के शिकार हो गये। अभी-अभी उनके दफ़्तर गया था। दोनों अंकों की अतिरिक्त प्रतियाँ रजिस्टर्ड डाक से भेजता हूँ। प्राप्ति की सूचना देंगे।

भविष्य में भी ‘शीराज़ा’ पहुँचता रहेगा—यह रमेश मेहता ने आश्वासन दिया। जब मैंने कहा कि अंक न मिलने पर गोयनका जी शायद आपके शरीर को कुछ क्षति पहुँचाने की कोशिश करें तो उन्होंने इन दोनों अंकों पर अपनी शुभकामनाएँ दर्ज़ कर दीं।

आपका भाई
रवीन्द्रनाथ त्यागी

(37)

जम्मू छावनी
12/4/86

प्रिय भाई गोयनका जी,

उत्तर में देरी के लिए क्षमा प्रार्थी हूँ। मेरी लड़की अचानक बुरी तरह बीमार पड़ गयी। दिल्ली में अस्पताल में भरती है। शारदा भी वहीं है। मैं परेशान व अकेला यहाँ पर हूँ।

कृपा करके लिखें कि 'प्रतिनिधि रचनाएँ' के लिए कोई प्रकाशक मिल गया। जनप्रिय प्रकाशन से फ़ोन करके यह भी लिखें कि बच्चों वाली किताब अन्दाज़न कब तक आउट होगी। प्रेम जनमेजय की पुस्तक का जो रिव्यू आपने लिखा है वह शत प्रतिशत सही है। मैंने पुस्तक पढ़ी है। निराशा ही हुई। जल्दी-जल्दी छपने की उत्सुकता में नये लोग शिल्प की तरफ़ कोई ध्यान देते ही नहीं। बड़ा दुःख होता है कि कोई सशक्त नया व्यंग्यकार अभी तक सामने नहीं आ रहा। बच्चों को प्यार,

आपका भाई
रवीन्द्रनाथ त्यागी

(38)

12.4.86

प्रिय भाई गोयनका जी,

मैंने एक कार्ड आज सुबह लिखा था। पूछा था कि 'प्रतिनिधि रचनाएँ' के लिए कोई प्रकाशक मिला या नहीं। मैंने आपकी समस्या हल कर दी। मैंने श्रीकृष्ण को लिखा था। उसका उत्तर अभी-अभी आया है जिसमें लिखा है कि डॉ. गोयनका द्वारा सम्पादित 'रवीन्द्रनाथ त्यागी की प्रतिनिधि रचनाएँ' छापकर उन्हें प्रसन्नता होगी। अब आप उनसे तुरन्त अनुबन्ध कर लें। उन्होंने यही लिखा है।

पुस्तक प्रेस में जाने से पहले मैं देखना चाहता था। अब मैं उसे ज़रूरी नहीं समझता। पुस्तक का कवर मैं आपको दूँगा। एक बात और। मैंने अपने संक्षिप्त परिचय के साथ अपने साहित्यिक मित्रों के नाम दिये थे। वे नाम मुझे आप लिख दें ताकि अगर कुछ सुधार करना हो तो कर दूँ। उत्तर की प्रतीक्षा में,

आपका भाई
रवीन्द्रनाथ त्यागी

(39)

R.N. TYAGI,
Controller of Defence Accounts,
Northern Command

Jammu Cantt.
23rd April, 1986

My dear भाई गोयनका जी,

I received your kind letter dated 21.4.86 this morning for which I am grateful to you. I had just written to Srikrishna as to whether he would like to publish the book on me which is being edited by Dr. Goyanka. He has replied that he will be very happy to publish the book. I have not stated anything about the percentage of royalty etc. I suggest that you enter into agreement with him as early as possible and thereafter give the manuscript to him in such a way that the book is out during 1986.

I have decided to see the book before it goes to press. please let me know when you have finished your preface so that I may come to delhi for a day or so and see the final shape of the book.

Regarding my friends please do not forget to include the names of Shri Kamaleshwar, Ramavtar Chetan, Dr. Jagdish Gupta, Dr. Ranvir Rangra and Dr. Laxhminarayan Lal.

I am waiting your envelope by book post. I will do the needful immediately on its receipt.

As stated earlier I will discuss the plan of "book cover" with you when we meet.

Kindly also let me know as to by what time I could expect the publication of my book for children from Janpriya Prakashan. This botheration is being given because Sh. Prem Shanker Sharma does not believe in replying to my letters.

I think we should forget now about your interview with me in Jan Satta.

I would now earnestly request you to find out a publisher for my one of the best books मल्लिनाथ की परम्परा. I will be happy to get 50 percent of the royalty in advance. Please do something for this book.

My daughter was better and so the doctors advised her to take the final examinations. My wife and my daughter are accordingly in meerut. When they come back to Delhi, they will feel very much encouraged if you could talk to them on telephone.

Please let me know if I could be of any service to you.

Wating for your reply.
शुभकामनाओं के साथ
Yours sincerely,
रवीन्द्रनाथ त्यागी
(R.N. TYAGI)

जल्दी में था। पत्र अँग्रेज़ी में डिक्टेट करा दिया। क्षमा करना।
बच्चों को हार्दिक स्नेहाशीष।

(40)

जम्मू छावनी
24-4-86

प्रिय भाई गोयनका जी,

एक पत्र कल लिखा था—अँग्रेज़ी में, मिला होगा। आपकी भेजी सामग्री आज मिली। उसे 'संशोधित' व 'परिवर्धित' करके वापिस भेजता हूँ। प्राप्ति की सूचना ज़रूर-ज़रूर दें। इस सामग्री में डॉ. रांग्रा के साथ जो इण्टरव्यू हुआ था, उसका नाम बदल दिया है। नया नाम भी रांग्रा जी ही ने दिया था। इस सामग्री का आप क्या करेंगे। यह आप जानें। मेरा 'मत और सम्मत' वाला जो भाग है, वह नहीं हटेगा। पाण्डुलिपि देखने आऊँगा—प्रेस में जाने से पूर्व। बच्चों को अमित स्नेह,

आपका भाई
रवीन्द्रनाथ त्यागी

(41)

जम्मू छावनी
14-5-86

प्रिय भाई गोयनका जी,

मेरे लिए आप प्रेमशंकर शर्मा जी के घर तक गये—यह जानकर आभार से मस्तक झुक गया। सचमुच। शर्मा जी का पत्र आज ही आया है। वे बच्चों वाली किताब को दो पुस्तकों में छापना चाहते हैं जो मुझे ठीक नहीं लगता है। पुस्तक बहुत पतली होने से 'व्यक्तित्वहीन' हो जाएगी। मैं उन्हें लिख रहा हूँ कि उनके इस इरादे से मैं सहमत नहीं हूँ।

'प्रतिनिधि रचनाएँ' के अनुबन्ध की एक प्रति हस्ताक्षर करके भेजता हूँ। अब तो 'आशंका' लगती है कि 'प्रतिनिधि रचनाएँ' वाली पोथी इस वर्ष के भीतर ही आउट हो जाएगी।

मैं विपत्ति के फँसा हूँ। पत्नी व लड़की दोनों दिल्ली में ही हैं। बाक़ी दुःख आपको नहीं बताऊँगा। आप भी परेशान हों—इससे क्या फ़ायदा? बताऊँगा—मिलने पर। पत्र की प्राप्ति की सूचना दें। बच्चों को अमित स्नेह,

आपका भाई

रवीन्द्रनाथ त्यागी

P.S. जनप्रिय प्रकाशन 'मल्लिनाथ की परम्परा' लेने को तैयार है। मैंने अनुबन्ध माँगा है। शर्तें वही होंगी जो 'अतिथि-कक्ष' के साथ थीं। उन्होंने भी यही लिखा है।

x x x

पुस्तक का नाम 'रवीन्द्रनाथ त्यागी : प्रतिनिधि रचनाएँ' की अपेक्षा 'रवीन्द्रनाथ त्यागी की प्रतिनिधि रचनाएँ' ज़्यादा ठीक रहेगा। निर्णय आप पर छोड़ता हूँ।

(42)

जम्मू छावनी

17/5/86

प्रिय भाई गोयनका जी,

आपका 15/5 का पत्र अभी-अभी मिला। भाषण वाले हिस्से में 'एक दीक्षान्त भाषण" ले लें जो 'शोकसभा' नामक व्यंग्य संग्रह में शामिल है। यह पुस्तक नेशनल पब्लिशिंग हाउस से छपी थी और आपके पास उसकी प्रति थी।

उपन्यास के लिए सम्भावना प्रकाशन, रेवती कुंज, हापुड़ से 'अपूर्ण कथा' की एक प्रति मँगा लें। यदि वहाँ से न मिले तो हिन्द-पॉकेट बुक्स से पुस्तक की एक प्रति ले लें। मात्र पहला खण्ड (शीर्षक : घर) आपको लेना है और वह भी पहला परिच्छेद छोड़ कर।

अनुबन्ध वग़ैरह मैं 15/5 को आपको लौटा चुका हूँ। वह लिफ़ाफ़ा अब तक मिल गया होगा। आप जब लिखेंगे, तभी मैं दिल्ली आने का प्रोग्राम बनाऊँगा।

भूमिका में मेरे 'कवि' पक्ष को समुचित स्थान दिया होगा। मैं पहले कवि हूँ,

बाक़ी बाद में। शेष मिलने पर,

आपका भाई
रवीन्द्रनाथ त्यागी

(43)

R.N. TYAGI
Controller of Defence Accounts
Northern Command

Jammu Cantt
27th May, 1986

My dear गोयनका जी,

Kindly refer to your letter dated 22-5-1986 which I received yesterday. As I am busy, I am dictating this letter in English. I am sure that you would not mind it. Position in regard to the points raised by you is as under:—

(a) I have reconsidered the matter regarding book for children. In my opinion the book should not be divided in two parts. The whole book should be published as one volume. So far as reducing the cost is concerned, I am prepared to take royalty at 10 percent instead of 15 percent. Kindly communicate this decision to Janpriya Prakashan.

(b) I am very glad that the manuscript of your book on me will be ready by 15.06.1986. I am proceeding to Meerut on tour on 18.06.1986 evening. I shall stay in Meerut for a day or so. I shall feel obliged if you could come to Meerut on 19.06.1986 evening and spend the night with me. We will read the manuscript and discuss the important points if any. I will be staying at MES Inspection Bungalow and would be available there after 5.00 p.m. on 19.6.1986. Please note down the time, date and place of meeting mentioned above and confirm to me that it would suit you. If there is any change from my side, I would keep you informed on telephone. The MES DAK BANGLOW is on the Mall road.

(c) When we meet, I will hand over two photographs for the cover of the book and also a poem in my own handwriting; and

(d) The copy of the contract which is with me will be brought by me and handed over to you at Meerut. Please come with my copy of the contract Agreement when you come. Please note it very carefully.

Rest of my problems I will discuss when we meet.

बच्चों को अमित स्नेह,

आपने प्रेम जनमेजय की जो समीक्षा लिखी थी, उसे बिना समझे हुए काफ़ी तथाकथित व्यंग्य-प्रेमी आपको तंग कर रहे हैं। आपके उत्तर की प्रतीक्षा रहेगी।

आपका भाई
रवीन्द्रनाथ त्यागी
(R.N Tyagi)

(44)

जम्मू छावनी
4.6.86

प्रिय भाई गोयनका जी,

अभी-अभी आपको फ़ोन किया तो आपकी पत्नी ने बताया कि आपके पूज्य पिताजी का स्वर्गवास हो गया है। बहुत दुःख हुआ। मेरी संवेदनाएँ आपके साथ हैं। भगवान उनकी आत्मा को शान्ति दें और आपको साहस दें कि आप इस दुःख को झेल सकें।

उन्नीस जून को मेरठ में आपसे भेंट होगी ही। मेरा 27/5 का अँग्रेज़ी में टाइप किया पत्र मिल गया होगा। बाकी मिलने पर,

आपका भाई
रवीन्द्रनाथ त्यागी

(45)

जम्मू छावनी
14-6-86

प्रिय भाई गोयनका जी,

शाहदरे से लिखा आपका कृपा पत्र आज मिला। यदि आप 19/6 को मेरठ नहीं आए तो फिर मैं आपसे सम्भवतः अगस्त ही में मिल सकूँगा। देख लीजिए कि फिर किताब इस वर्ष में छप सकेगी या नहीं। प्रेस में जाने से पहले पाण्डुलिपि तो मुझे देखनी ही है। आप फिर विचार कर लें और एक रात के लिए मेरठ ज़रूर आ जाएँ।

मेरी बच्चों की किताब का क्या रहा? एक ही किताब छपेगी न? उसका नाम भी लिखिए ताकि आपकी किताब में जो मेरा परिचय वग़ैरह है, उसमें पुस्तक का सही नाम दे सकूँ। मेरे योग्य सेवा,

आपका भाई

रवीन्द्रनाथ त्यागी

P.S. एक कष्ट देता हूँ। जून की पहली 'सारिका' में मेरा स्तम्भ नहीं गया। शायद जून के दूसरे अंक में भी नहीं जाएगा। मैं चिन्तित हूँ। 'पराजित पीढ़ी के नाम' पुस्तक का अनुबन्ध हो चुका है और अगर ऐसे में मुद्गल जी मुझे मँझदार में छोड़ेंगे तो मेरी प्रतिष्ठा को बड़ी चोट पहुँचेगी। मैं मुद्गल जी को पास से नहीं जानता। आप कृपा करके स्थिति का पता लगाएँ और लिखें कि मेरे स्तम्भ पर कोई आँच नहीं आएगी। कभी-कभी न छपे, यह दीगर बात है।

(46)

जम्मू छावनी

5-7-86

प्रिय भाई गोयनका जी,

मेरा तबादला मेरठ को हो गया है। अब मैं आपसे मिलने जुलाई के अन्त या अगस्त के प्रारम्भ में आऊँगा। पाण्डुलिपि उसके बाद प्रेस में दे देंगे। आपकी बतायी सामग्री साथ ले आऊँगा। कुछ देरी हो जाएगी मगर और कोई चारा ही नहीं। मेरठ का अभी पता अपने अगले पत्र में लिखूँगा।

एक कष्ट और! जनप्रिय प्रकाशन को मैंने दो पुस्तकें निकालने की अनुमति दे दी थी। बच्चों की इन दो किताबों के नाम होंगे “हमारे मास्टर साहब” तथा “हमारे मोटे मास्टर” उनसे फ़ोन करके मुझे लिखें कि ये दोनों पुस्तकें कब तक आउट होंगी। कष्ट के लिए क्षमा चाहता हूँ। उत्तर अभी जम्मू के पते पर ही दें। सपरिवार प्रसन्न होंगे।

आपका भाई

रवीन्द्रनाथ त्यागी

P.S. : कष्ट के लिए वाक़ई लज्जित हूँ।

(47)

मेरठ छावनी

9-8-86

प्रिय भाई गोयनका जी,

यह जानकर बड़ी ख़ुशी हुई कि आप पाण्डुलिपि के साथ मेरठ आएँगे। आने से पहले या तो पत्र लिख दें या मुझे फ़ोन कर दें ताकि मैं आपको बस-स्टैण्ड पर रिसीव कर लूँ। अभी कोठी नहीं मिली है, एक छोटे-से फ़्लैट में किसी तरह गुज़र कर रहा हूँ।

मेरे दफ़्तर का फ़ोन नम्बर है– 76453 घर पर अभी फ़ोन नहीं लगा है, जहाँ तक घर के पते का प्रश्न है, उसके लिए मेरा सुझाव है कि या तो आप किसी Working day पर आएँ और सी.डी.ए. (ट्रेनिंग) के दफ़्तर पहुँच जाएँ। वहाँ मैं 5.30 तक रहता हूँ। वहाँ से हम दोनों साथ-साथ घर आ सकते हैं। यदि छुट्टी के दिन आएँ तो भी सी.डी.ए. (ट्रेनिंग) के दफ़्तर ही पहुँचें, वहाँ चौकीदार मेरा पता आपको बता देगा सबसे अच्छा तो यही है कि आप छुट्टी के दिन आएँ, एक दिन पहले मुझे फ़ोन कर दें, मैं आपको सुबह बस स्टैण्ड से ले आऊँगा और शाम को वहाँ छोड़ आऊँगा। वैसे में "IDAS FLATS" में रहता हूँ।

जब आएँ तो पूरी पाण्डुलिपि साथ लाएँ। शारदा ने बताया कि इधर आप काफ़ी व्यस्त चल रहे हैं। मेरा निवेदन है कि आप आराम से अपनी सुविधानुसार आएँ। आपकी पत्नी को हम दोनों का प्रणाम। बच्चों को अमित स्नेह।

आपका भाई
रवीन्द्रनाथ त्यागी

(48)

मेरठ छावनी
27-8-86

प्रिय भाई गोयनका जी,

बुलन्दशहर में रहने वाले अपने पुराने मित्र और युनिवर्सिटी के साथी श्री गौड़ को लिखा एक पत्र भेजता हूँ। मुझे पूरी-पूरी आशा है कि वे एक प्रभावशाली व्यक्ति होंगे और आपकी खुले हाथ मदद करेंगे। अगर मैं आपके किसी काम भी आ सका तो वह मेरा सौभाग्य ही होगा। सितम्बर के प्रारम्भ में आपकी प्रतीक्षा यहाँ करूँगा। पूरी पाण्डुलिपि ही लेकर आना। कुछ और परेशानियाँ भी हैं जिनके बारे में आपसे सलाह लूँगा।

यह भी पता लगाने की कोशिश करना कि जनप्रिय प्रकाशन मेरी बच्चों की दो किताबें कब आउट कर रहा है, वह पत्रों के उत्तर नहीं देते। बच्चों को अमित स्नेह,

आपका भाई
रवीन्द्रनाथ त्यागी

P.S. : सारिका (अगस्त, दूसरा पक्ष) का अंक ले जाना और गौड़ को देना। उसमें उसकी चर्चा है। मुझे लिखना कि गौड़ साहिब ने मदद की या नहीं।

(49)

मेरठ छावनी
8-9-86

प्रिय भाई गोयनका जी,

मेरे पिछले पत्र मिले होंगे। बुलन्दशहर में मेरे मित्र ने कैसा व्यवहार किया?

अब आप अपेक्षाकृत कुछ मुक्त हो गये होंगे। मेरी करबद्ध प्रार्थना है कि अब आप किसी भी शनिवार या रविवार को पूरी पाण्डुलिपि लेकर एक दिन यहाँ चले आएँ। मैं चाहता हूँ कि पाण्डुलिपि अब शीघ्र ही 'फाइनलाइज' हो जाए और प्रेस में चली जाए। आपने भी सितम्बर में आने को लिखा था। मैं अस्वस्थ, परेशान व व्यस्त हूँ; नहीं तो खुद ही चला आता।

मैं यहाँ अभी I.D.A.S Flats में ही रह रहा हूँ। सी.डी.ए. के बड़े दफ़्तर जाएँगे तो वहाँ चौकीदार सब मदद करेगा। मुझे एक दिन पहले टेलीफ़ोन कर लें तो मैं बस स्टैण्ड पर खुद गाड़ी लेकर पहुँच जाऊँगा। अपने फ़ोन नम्बर फिर लिखता हूँ-ऑफ़िस-76453, निवास-74470। सपरिवार प्रसन्न होंगे।

आपका भाई
रवीन्द्रनाथ त्यागी

P.S. :

(1) आपके फ़ोन की उत्सुकता के साथ प्रतीक्षा करूँगा।

(2) जनप्रिय वालों ने किसी पत्र का उत्तर नहीं दिया। अभी उन्हें एक कड़ा पत्र लिखा है। आशा है अब रि-एक्ट करेंगे। मुझे ये ठीक आदमी नहीं लगते। 'लीचड़' हैं।

(3) आप जान कर प्रसन्न होंगे कि मध्यप्रदेश की 'व्यंग्यशती' मेरे ऊपर विशेषांक निकाल रही है। वे आपको भी सहायता के लिए लिखेंगे। पहला विशेषांक परसाईजी पर था।

(50)

मेरठ छावनी
23-9-86

प्रिय भाई गोयनका जी,

उपन्यास वाला खण्ड भेजता हूँ। एकदम ठीक कर दिया है।

श्रीकृष्ण जी को आज पत्र लिख दिया है। मैंने लिखा है कि "पाण्डुलिपि एकदम तैयार है और आप उसे डॉ. गोयनका से कभी भी ले सकते हैं। हम लोग सब जल्दी में हैं और चाहते हैं कि पुस्तक इस वर्ष अवश्य निकल जाए। अपनी प्रतिक्रिया लौटती डाक से लिखें।"

उनका उत्तर आने पर आपको तुरन्त लिखूँगा। यदि दस दिन तक कोई उत्तर नहीं आया तो आपको सूचित करूँगा ताकि आप उनसे मिल कर स्थिति का जायज़ा ले सकें और अन्तिम निर्णय ले सकें।

आपके साथ बीता समय मैं कभी भूल नहीं सकता। बच्चों को आशीष,

विनीत

रवीन्द्रनाथ त्यागी

पुनश्च

(1) पुस्तक में सीधे ब्रैकेट [ ] प्रयोग होंगे। गोल ( ) नहीं।

(2) अपनी भूमिका में से मेरा जो "अमरूद कम और जूते ज़्यादा" खाने का प्रसंग है, उसे निकाल दें। वह बड़ा ग्राम्य लगता है। अपने ऊपर मैंने बहुत चोट की है। कोई दूसरा प्रसंग ले लें। (यदि ज़रूरी ही हो तो)

(3) पुस्तक यदि दिसम्बर 1986/पहली जनवरी 1987 तक आती है तो पराग प्रकाशन को ही दें। यदि पुस्तक बाद ही में आती है तो किसी और ईमानदार प्रकाशक को दें ताकि मैं भी अपनी रॉयल्टी ले सकूँ।

पुस्तक 1987 में ज़रूर आनी है। प्रमुख शर्त यही है। इस शर्त के तहत आप जो भी करें, जो भी निर्णय लें, मुझे स्वीकार है। पुस्तक छपनी बढ़िया चाहिए। बाक़ी और सारे हित आपके हाथों में हैं और सुरक्षित हैं।

(4) शारदा आपकी पत्नी को पुस्तक भेजती है।

(5) कविता वाले खण्ड में 'सूखे और हरे पत्ते' से एक कविता ली गयी है (मुलाक़ात) उसे निकाल दें।

(6) जैसा कि मैंने आपसे कहा था, परिशिष्ट में उन्हीं चीज़ों का ज़िक्र करें जिनमें लेखक के नाम के साथ-साथ पुस्तक का नाम (या पत्र पत्रिका का नाम) वर्ष मालूम हो। बाक़ी सम्मतियाँ देना बड़ा असंगमत लगेगा।

(51)

मेरठ छावनी

1-10-86

प्रिय भाई गोयनका जी,

आज आपका 26/9 का कृपा-पत्र मिला। हार्दिक आभार। मेरे बताये सुझावों को ज़रूर ध्यान में रखें। यदि आपने उन्हें क्रियान्वित नहीं किया तो मुझे दुःख होगा। यह भी नोट कर लें कि 'आत्मलेख' नाम का निबन्ध 'गद्य हास्य-व्यंग्य' के अन्त में 'व्यक्तिगत' शीर्षक के भीतर जाएगा। अकरादिक्रम का वहाँ कोई सामंजस्य नहीं है।

मैंने 'पराग प्रकाशन' को 22/9 को ही पत्र लिख दिया था। अभी तक कोई उत्तर नहीं आया। आते ही आपको फ़ोन पर सूचित करूँगा। मेरी इच्छा तो बस यही है कि पुस्तक (मेरे सुझावों के अनुसार) 1987 में अवश्य आउट हो जाए। इस बारे में आप मुझे आश्वस्त कर सकें तो आभारी होऊँगा।

जनप्रिय प्रकाशन के शर्मा जी से फ़ोन पर बात करें (वहाँ, मेरी सौगन्ध है, आप

जाएँगे नहीं) कि वे पत्रों का उत्तर क्यों नहीं देते? यह भी निश्चित करके बताएँ कि दोनों बाल-पुस्तकें इसी वर्ष आउट हो जाएँगी।

नन्दन जी के दो पत्र आये मैंने उन्हें उसी दिन उत्तर दे दिया। रचनायें मैं उन्हें खुद देकर आऊँगा। अक्टूबर के अन्त तक अवश्य, अभी कोठी में शिफ़्ट करने में व्यस्त हूँ। वहाँ पुताई, दरवाज़ों की पेण्टिंग वग़ैरह चल रही है। लड़के की शादी का भी काम आ ही रहा है। आप उन्हें इण्टरव्यू और अपना एक चित्र दे दें। मैं भी एक चित्र उन्हें भेजूँगा, रचनाओं के साथ ही।

मैं आपके पत्र की प्रतीक्षा करूँगा पत्र में लिखें किः

1) "प्रतिनिधि रचनाएँ" 1987 में अवश्य आ जाएगी और आप मेरे सारे सुझावों को ध्यान में रखेंगे।

2) जनप्रिय प्रकाशन बच्चों की दोनों पुस्तकें इस वर्ष छाप देगा।

3) श्री नन्दन जी को आपने इण्टरव्यू भेज दिया है/भेज रहे हैं। अपने फ़ोटो के साथ।

आपके एक दिन आने से यहाँ रौनक आ गयी! अब सपरिवार 16/11 को शादी के रिसेप्शन में आएँगे। कार्ड तो अलग से जाएगा ही, सच्चा निमन्त्रण तो यहाँ ही दे रहा हूँ।

आपका भाई
रवीन्द्रनाथ त्यागी

(52)

मेरठ छावनी
28/3/87

प्रिय भाई गोयनका जी,

कल फ़ोन पर पूरी बात नहीं हो पायी। इसी कारण यह पत्र लिख रहा हूँ। कष्ट देने के लिए क्षमाप्रार्थी हूँ।

• पुस्तक छपते ही (प्रतिनिधि रचनाएँ) श्री कृष्ण जी 25 प्रतियाँ लेकर मेरे पास आ जाएँ। मैं बेहद फँसा हूँ, इस कारण नहीं आ सकूँगा। मेरे बहनोई को कैंसर हो गया है। मेरी सास दिल के दौरे से निकली हैं। सब लोग यहीं हैं। मेरा आना कठिन है। वाक़ई।

• श्रीकृष्ण जी जब आएँ तो दो ब्लैंक अनुबन्ध ले आएँ। एक व्यंग्य संग्रह का अनुबन्ध हो चुका है। दूसरे का होना है। यदि वे अनुबन्ध की दो प्रतियाँ लाएँगे तो एक प्रति दस्तख़त करके उन्हें दे दूँगा। दोनों पाण्डुलिपियाँ भी उन्हें दे दूँगा। (एक पुस्तक आपको व मुद्गल जी को समर्पित है। आपने जो मेरे लिए किया है, उसका एहसान

मैं सारी उम्र याद रखूँगा।) दोनों पाण्डुलिपियों के सन्दर्भ में श्रीकृष्ण जी को काफ़ी समझाना है। मैं उनका एक या दो घण्टे लूँगा। इसके लिए भी उनका आना ज़रूरी है।

- 'भाषा' में जब आपकी भूमिका छपे, तो अंक की एक प्रति मुझे भी भिजवा दें।
- जनप्रिय पुस्तकें कब तक आउट कर रहा है? पता लगा कर मुझे बताने को कृपा करें। अवश्य।
- इण्टरव्यू छपा मगर ठीक नहीं लगा। बहरहाल।
- श्रीकृष्ण जी पत्रों का उत्तर नहीं देते। "ऐसा भी क्या कह दिया मैंने!" (यह नागार्जुन जी की नयी-नयी किताब का नाम है) यदि जनप्रिय व श्रीकृष्ण जी उत्तर दें तो आपको क्यों तंग करूँ? आप मेरी स्थिति समझेंगे और जो कष्ट मैं आपको दे रहा हूँ/देता आया हूँ/देता रहूँगा (!) उनके लिए क्षमा करेंगे।

मैं फ़ोन पर चार-पाँच दिन बाद बात करूँगा। तब तक आप सूचना इकट्ठा कर लें।

आप सब प्वाइण्ट्स पर उत्तर भी लिख दें क्योंकि फ़ोन यहाँ ख़राब ही पड़े हैं।

भाभी जी को हम दोनों का करबद्ध प्रणाम। बच्चों को स्नेह व आशीष।

शुभकामनाओं के साथ

आपका भाई
रवीन्द्रनाथ त्यागी

(53)

मेरठ छावनी
3.4.87

प्रिय भाई गोयनका जी,

किताब पूरी देख गया। काफ़ी पढ़ भी ली। आपने मेरे प्रति काफ़ी 'पक्षपात' किया है। जितना अच्छा आपने बना दिया, उतना मैं था नहीं। बहरहाल आपकी पुस्तक पढ़कर मेरी (अपनी) क़ीमत मेरी (अपनी) निगाहों में काफ़ी बढ़ गयी है। इससे ज़्यादा और क्या चाहिए? पुस्तक शानदार है। किन शब्दों में आभार प्रकट करूँ?

अब जगदीश चतुर्वेदी पीछे छूट गये! ठीक भी था। वे 'विवादास्पद' हैं, मैं 'रचनाकार' हूँ! उनसे यह बात ज़रूर कह देना। पुस्तक की एक प्रति उन्हें रजिस्टर्ड डाक से भेज रहा हूँ। (भाई, किसी से कहना नहीं। एक प्रति दफ़्तर को बेच दी है—नब्बे रुपये में। बाक़ी पैसे पास से डालूँगा और सारे मित्रों को एक-एक प्रति रजिस्टर्ड डाक से अगले हफ़्ते भेजूँगा। भारतीजी व अमृतराय से लेकर धनंजय वर्मा तक)

पुस्तक में कुछ ग़लतियाँ रहनी स्वाभाविक थीं। फ़्लैप पर बताया है कि सारी

सामग्री पाँच और चार किताबों से ली है, जब कि किताबें 24 थीं। सबसे बड़ी बात है आपके इण्टरव्यू की। पता नहीं कैसे यह हो गया कि मैंने कह दिया (या आपने सुन लिया) कि मैं हास्य व्यंग्य प्रायः मनोरंजन के लिए लिखता हूँ।

(वैसे असलियत यही है पर दूसरों को बताने के लिए मैं हमेशा यही कहता हूँ कि मनोरंजन तो मात्र माध्यम है, लक्ष्य नहीं) अब जो हो गया वह हो गया। सत्यमेव जयते।

भाभी जी को हम दोनों का प्रणाम। बच्चों को स्नेहाशीष।

आपका भाई
रवीन्द्रनाथ त्यागी

(54)

मेरठ छावनी
25-4-86

प्रिय भाई गोयनका जी,

कल फ़ोन किया था; आप बाहर गये हुए थे। लौटने पर पत्र मिलेगा। श्रीकृष्ण जी से अब इधर आने को कहें। दोनों पाण्डुलिपियाँ ले जाएँ। मेरठ अब एकदम सामान्य है। किसी भी दिन आ सकते हैं। 2 या 3 मई को आएँगे तो आराम से बैठना मिल सकेगा। छुट्टी है।

यह पत्र मैं विशेष रूप से जनप्रिय प्रकाशन के बारे में लिख रहा हूँ। आपने काफ़ी अशिष्ट व लीचड़ व्यक्ति से सम्पर्क करा दिया। मुझसे एक माह पूर्व उन्होंने कहा था कि अब वे बच्चों की एक ही किताब छापेंगे और एप्रिल के अन्त तक पुस्तक आ जाएगी। अब यदि पुस्तक नहीं आती तो मैं उन्हें ताजीराते हिन्द व दीवानी दोनों मुक़दमों का नोटिस दूँगा। वकील से सलाह कर ली है– मुक़दमा मेरठ की अदालत ही में होगा। अब आप मुझे दोष नहीं देंगे। पाण्डुलिपि अगर खो गयी हो तो वे भयंकर परेशानी में पड़ेंगे। मेरे पास उन रचनाओं की कॉपी नहीं है। उत्तर की प्रतीक्षा करूँगा। अच्छा यही होगा कि अब उस किताब को छाप दें। भाभी जी को हम दोनों का प्रणाम, बच्चों को स्नेह,

आपका भाई
रवीन्द्रनाथ त्यागी

(55)

मेरठ छावनी
4/6

प्रिय भाई गोयनका जी,

मेरी दो पुस्तकें श्रीकृष्ण जी ने प्रकाशन के लिए स्वीकार की हैं। वे पाण्डुलिपियाँ भी ले गये हैं। एक पुस्तक का नाम है "प्रसंगवश"। उसमें मैंने एक भूमिका दी थी जो अब मैं निकाल देना चाहता हूँ। मैंने उन्हें लिखा भी है मगर उत्तर की प्रतीक्षा है। आप कृपा करके उनसे फ़ोन पर बात कर लें और भूमिका हटाने की पुष्टि कर दें। मैं 9/6 को जनप्रिय के बारे में फ़ोन करूँगा, तभी इस पुष्टि की सूचना भी आपसे ले लूँगा।

आपको फ़ोन करने की हिम्मत नहीं हुई। इसी कारण पत्र लिख रहा हूँ। सचमुच मैं आपको बेहद तंग करता हूँ।

बच्चों को प्यार

आपका भाई
रवीन्द्रनाथ त्यागी

(56)

मेरठ छावनी
14-6-87

प्रिय भाई गोयनका जी,

बार-बार फ़ोन करने पर लज्जा आती है; इसी कारण पत्र लिख रहा हूँ।

'जनप्रिय' ने किताब नहीं भेजी, न मेरे पत्र का उत्तर ही दिया। पता नहीं इस आदमी से रॉयल्टी वग़ैरह मिलेगी या नहीं। बहुत निर्लज्ज, धूर्त व अशिष्ट व्यक्ति है। पता नहीं मेरे क्या पाप थे कि मैं इसके चक्कर में पड़ गया और इधर केदारनाथ कोमल ने लिखा है कि उसका कविता संग्रह भी आपने जनप्रिय को दिखाया है। भगवान् रक्षा करे!

कृपा करके पुस्तक की दस प्रतियाँ मुझे उनसे लेकर भेज दें। रजिस्ट्री का ख़र्चा मैं मनीऑर्डर से आपको भेज दूँगा। यह सम्भव न हो तो लिखें कि मेरी पत्नी किस तारीख़ को किस समय शाहदरा जाए ताकि पुस्तक की 10 प्रतियाँ ला सके। अब मैं बेचैन होता जा रहा हूँ।

'जनप्रिय' वालों को बता दीजिए कि वह इस पुस्तक की प्रतियाँ पुरस्कार के लिए श्री पी. डी. चतुर्वेदी, हिन्दी संस्थान, लखनऊ को भेज दें। कितनी प्रतियाँ भेजनी हैं और बाक़ी प्रोसीजर और हिन्दी संस्थान का पूरा पता वे श्रीकृष्ण जी से पूछ लें। उन्होंने जब "मास्टर भोलाराम" छापी थी तो मुझे पुरस्कार मिला था। हो सकता है, ईश्वर फिर कृपा कर दें क्योंकि सीनियर लेखक बच्चों पर कुछ लिखते नहीं हैं। पुरस्कृत होने से जनप्रिय को लाभ ही होगा क्योंकि पुस्तक ज़्यादा बिकेगी।

भाभी जी को हम दोनों का प्रणाम। बच्चों को आशीष।

नये कविता संग्रह पर जुटा हूँ। तीन व्यंग्य ग्रन्थ प्रेस में हैं। एक तो आपको समर्पित है।

कष्ट के लिए क्षमा चाहता हूँ।

आपका भाई
रवीन्द्रनाथ त्यागी

(57)

मेरठ छावनी
26-1-88

प्रिय भाई गोयनका जी,

आपका कृपा-पत्र मिल गया था। आभार। उस दिन तो 'शशि' ने 'राहु' का पार्ट अदा किया। दुनिया में कैसे-कैसे मूर्ख लोग हैं। बकौल ग़ालिब के...की कमी नहीं ग़ालिब, एक ढूँढ़ो हज़ार मिलते हैं।

'पराजित पीढ़ी के नाम' आपको व आपकी पत्नी को कैसी लगी। कुछ छोटी-सी टिप्पणी मुझे लिख भेजें ताकि मैं किसी अगले व्यंग्य-संग्रह के फ़्लैप पर दे सकूँ।

आपकी पत्नी को हम दोनों का करबद्ध प्रणाम। बच्चों को स्नेहाशीष। शुभकामनाओं के साथ,

आपका भाई
रवीन्द्रनाथ त्यागी

(58)

रवीन्द्रनाथ त्यागी
शमशेर हाउस
1/1 गुरु तेग बहादुर रोड-2
देहरादून (यू.पी.)
248001

11/2/89

प्रिय भाई,

आपका हुक्म सर आँखों पर। एक टिप्पणी भेजता हूँ; स्वीकार करें। पत्र की प्राप्ति की सूचना ज़रूर दें और लिखें कि टिप्पणी आप को कैसी लगी। मैं आपके ख़त की प्रतीक्षा करूँगा।

आपकी-देखा-देखी मैंने भी अपनी रबर-स्टाम्प बना ली है जिसकी छटा पत्र के ऊपर से छा रही है!

पत्नी को प्रणाम। बच्चों को स्नेहाशीष।

सदा आपका
रवीन्द्रनाथ त्यागी

एक निश्छल व परिश्रमी प्राण : कमल किशोर गोयनका

कुछ लोग ऐसे होते हैं कि आप उन्हें कतई नहीं जानते पर पहली ही मुलाक़ात में कुछ ऐसा लगता है कि हम दोनों न जाने एक-दूसरे को कितने वर्षों से जानते हैं। डॉ. गोयनका इसी प्रकार के व्यक्ति हैं। मैं उनसे देहरादून में कोई सात वर्ष पहले पहली बार मिला था और उस एक भेंट में ही मैं उनका मुरीद हो गया, उनका भक्त हो गया। इतना सरल, निष्कपट, सात्त्विक और स्नेही बन्धु पाकर मैं वास्तव में भगवान् के प्रति हृदय से आभारी हूँ। इस 'दुर्घटना' के बाद वे मेरे यहाँ जम्मू आये और मेरी "प्रतिनिधि रचनाओं" के सम्पादन के सम्बन्ध में कोई सप्ताह भर रुके। तब मैंने उनका समीक्षक व शोध कर्म वाला व्यक्तित्व देखा जो मेरे लिए पहला अनुभव था। वे इतने "सिस्टैमैटिक" हैं, इतने परिश्रमी हैं और इतने पारखी हैं कि बड़े से बड़े प्रोजेक्ट को भी वे कम समय में समाप्त कर सकते हैं। उनके पास बैठ कर लगता है कि रामचन्द्र शुक्ल, हज़ारी प्रसाद द्विवेदी व बाबू श्यामसुन्दरदास किस प्रकार के व्यक्ति रहे होंगे। मैं अतिशयोक्ति कर रहा हूँ पर ज़्यादा नहीं।

डॉ. गोयनका ने मुंशी प्रेमचन्द पर काम किया और बड़ी निष्ठा व लगन के साथ किया। "प्रेमचन्द विश्वकोष" एक ऐसा विशद ग्रन्थ है कि उसके कारण गोयनका जी की प्रसिद्धि देश में ही नहीं वरन् विदेशों में भी हुई। उन्हें कई पुरस्कार भी मिले। उन्होंने प्रेमचन्द की ऐसी रचनाओं को भी ढूँढ़ा जिनका किसी को पता भी नहीं था। प्रेमचन्द के जीवन के ऐसे प्रसंगों और घटनाओं का विवरण भी तैयार किया जिन्हें कोई नहीं जानता था। हालाँकि इन प्रसंगों में कुछ ऐसे पहलू भी आये जिन्हें प्रेमचन्द के 'अन्धभक्तों' ने पसन्द नहीं किया। बात यह है कि तुलसीदास की भाँति प्रेमचन्द भी करोड़ों पाठकों के लिए मात्र लेखक ही नहीं हैं वरन् उनके परिवार के सदस्य हैं, उनके अपने हैं। ऐसे लोग ऐसी कोई बात नहीं जानना चाहते जो उस चित्र पर नया प्रकाश डाले जिसे वे वर्षों से अपने हृदय पर अंकित किये हुए हैं। मैं खुद इन अन्ध-भक्तों में से एक हूँ। मगर इस सबसे गोयनका जी के शोध-कार्य पर कोई अन्तर नहीं पड़ता।

प्रेमचन्द पर किये गये काम से जैसे ही कुछ अवकाश मिला, वैसे ही वे उन चर्चित साहित्यकारों की प्रतिनिधि रचनाओं के संकलन में लग गये जिन्होंने एक से ज़्यादा विधाओं में काम किया था। यह काम उन्होंने उसी निष्पक्षता, कुशलता और लगन के साथ किया जो उन्होंने प्रेमचन्द के सन्दर्भ में दिखायी थी। वे एक ऐसे

समीक्षक हैं जो भावुक तो हैं पर निष्पक्ष भी हैं, स्नेही तो हैं पर स्पष्ट वक्ता भी हैं, प्रशंसक तो हैं पर कमियों पर प्रकाश डाले बिना रह नहीं पाते।

गोयनका जी की निश्छलता कभी-कभी ऐसे कमाल दिखाती है कि आप परेशानी में पड़ सकते हैं। उन्होंने मेरी एक अच्छी ख़ासी किताब एक ऐसे प्रकाशक को दिलवा दी कि उसने मुझे अभी तक एक पैसा भी रॉयल्टी के रूप में नहीं दिया। यदि मेरा यह नुक़सान न हुआ होता तो मैं उनकी और ज़्यादा प्रशंसा करता!

(रवीन्द्रनाथ त्यागी)

(11/2/89)

(59)

21-1-91

प्रिय भाई गोयनका जी,

मेरे दो व्यंग्य-संग्रह अभी-अभी आये हैं। एक ज्ञानपीठ से और एक नेशनल से। एक पुस्तक (जिस पर आपकी बहुमूल्य सम्मति छपी है) आपकी सेवा में रजिस्टर्ड डाक से भेज रहा हूँ। कृपया प्राप्ति की सूचना एकदम दें।

पुस्तक में कुछ छपाई की ग़लतियाँ हैं, पर मुझे विश्वास है कि पोथी आपको पसन्द आएगी।

नव वर्ष की शुभकामनाओं के साथ,

आपका

रवीन्द्रनाथ त्यागी

(60)

31.1.91

प्रिय भाई गोयनका जी,

आपका 25/1 का पत्र मिला। आभार। पुस्तक पढ़कर लिखेंगे कि कैसी लगी।

आपने लिखा है कि 'व्यंग्य रचनावली' के बारे में सोचूँ। मैं कुछ समझ नहीं पाया। कृपा करके लिखें कि यह कौन-सा तिलस्म है। मैं एकदम जुट जाऊँगा। अब तो लिखने-पढ़ने, घूमने व भगवद् के अतिरिक्त और कोई नाम नहीं है। अगले कविता संग्रह पर जुटा हूँ।

जगदीश चतुर्वेदी को काफ़ी पुरस्कार मिल रहे हैं। बड़ी ही ख़ुशी होती है। आप जैसे जागरूक साहित्यकार-मित्रों के स्नेह को पाकर मैं कितना प्रफुल्ल होता हूँ, यह शब्दों में नहीं बताया जा सकता।

आजकल किस 'प्रोजेक्ट' पर लगे हैं?

अपनी प्रिय पत्नी को हम दोनों का प्रणाम कहें। बच्चों को अमित स्नेह। मेरे योग्य सेवा, उत्तर की प्रतीक्षा में,

सदा आपका
रवीन्द्रनाथ त्यागी

(61)

13.2.91

प्रिय भाई गोयनका जी,

आपका मनमोहक पत्र समय पर मिल गया था। यह मेरा सौभाग्य है कि आपने मुझे इस योग्य समझा कि मेरी 'रचनावली' छप जाए। मैंने इस विषय पर काफ़ी चिन्तन अनुचिन्तन किया और मेरी प्रतिक्रिया इस प्रकार है:

(अ) मेरी तुच्छ सम्मति में रचनावली छपनी तभी उपयुक्त है जब या तो लेखक मर जाए या फिर वह चुक जाए और लिखना बन्द कर दे। जहाँ तक मेरी दृष्टि जाती है, मेरे साथ इनमें से कोई भी शर्त पूरी नहीं होती। मेरी 33 कृतियाँ छपी हैं और तीन पुस्तकों की पाण्डुलिपि तैयार हैं। अगले कविता संग्रह पर भी जुटा हूँ, ऐसी स्थिति में रचनावली की योजना कुछ 'असामयिक' सी लगती है।

(ब) रचनावली जब भी छपेगी, वह आपके ही द्वारा सम्पादित होगी। यदि किसी कारण ऊपर लिखी शर्तों में से पहली शर्त जल्दी भी पूरी हुई (!) तो मेरी पत्नी सारी सामग्री आपको देगी।

(स) यदि आप मुझसे असहमत हैं तो आप जैसा कहेंगे, वैसा करूँगा, रचनावली के शेष खण्ड बाद में छप सकते हैं।

(द) यह मेरा सौभाग्य और गौरव है कि मैं आप जैसे जागरूक साहित्यकार के सम्पर्क में आया। सच्ची बात यही है कि मैं 'हीनभावना से ग्रस्त' नहीं हूँ, मैं तो वास्तव ही में 'हीन हूँ।'

व्यंग्य सम्राट् बनने की कोई इच्छा नहीं है। व्यंग्य-सेवक बना रहूँ, यही काफ़ी है। अपनी पत्नी को हम दोनों का प्रणाम कहिए। बच्चों को प्रेम और आशीष।

सदा आपका
रवीन्द्रनाथ त्यागी

(62)

18.11.91

प्रिय भाई गोयनका जी,

मैंने तटस्थ भाव से ग्रन्थावली की योजना पर विचार किया। मैं तैयार हूँ मगर

काम आराम से होना चाहिए—हड़बड़ाहट में नहीं। ठीक वही अकबर इलाहाबादी वाली बात-ग़म बहुत हैं लीडरों को मगर आराम के साथ। सारी योजना इस तरह रखना चाहता हूँ:

(1) फ़िलहाल मेरे पास तीन व्यंग्य संग्रह छपने के लिए तैयार पड़े हैं। रचनावली से पहले इनका छपना ज़रूरी है। एक संग्रह राजकमल प्रकाशन ले रहा है; बाक़ी दो संग्रहों के लिए मैं आपकी सहायता चाहूँगा। भारतीय ज्ञानपीठ व नेशनल—दोनों लेना चाहते हैं पर मैं देऊँगा नहीं। नेशनल एक डूबता हुआ जहाज़ है और ज्ञानपीठ में मेरे मित्र विशन टण्डन के चले जाने के बाद कोई आकर्षण नहीं रह गया है। आप "किताब घर" से बातें करें। वे लोग पुस्तकें भी आकर्षक गेट-अप के साथ निकालते हैं, बिक्री भी ठीक ही करते हैं और ईमानदार भी हैं। उनसे पूछिए कि क्या वे 1992 के भीतर मेरे दो व्यंग्य संकलनों को छापने का सौभाग्य (!) प्राप्त करना चाहेंगे या नहीं। प्रत्येक पुस्तक में "हाथ से साफ़-साफ़ एक तरफ़ लिखे 175 के लगभग फुलस्कैप पृष्ठ होंगे।" 'पुस्तकायन' वालों से इस बात की चर्चा नहीं करेंगे। मैंने 'किताबघर' के बारे में जो लिखा है— उससे आप सहमत हैं या नहीं?

(2) ऊपर लिखी पुस्तकों के छपने के बाद मेरे छह कविता संग्रह, इक्कीस व्यंग्य संग्रह, एक उपन्यास, बच्चों की दो हास्य-पुस्तकें ये 'उर्दू हिन्दी हास्य काव्य' नामक पोथी ग्रन्थावली के लिए तैयार होंगी। खण्ड पाँच तो ज़्यादा से होंगे।

(3) 1992 में हमलोग साथ बैठेंगे। सामग्री किस प्रकार विभाजित करनी है, यह तय करेंगे। किताबें फ़ोटोस्टेट की जाएँगी। एक खण्ड में प्रमुख साहित्कारों के पत्र, और फुटकर सामग्री जाएगी। चित्र भी होंगे। मेरे बारे में जो लेख, साक्षात्कार, मत व सम्मत होंगे, उन्हें भी आप लेना चाहेंगे।

(4) 1993 में सारा मैटर प्रेस में ग्रन्थावली के रूप में जाने को तैयार होगा। सम्पादक आप ही होंगे और कोई नहीं। ग्रन्थावली छपे या न छपे।

इस ख़त को सँभाल कर रखेंगे।

उत्तर की प्रतीक्षा रहेगी

मानसिक अवसाद तो चलता ही रहता है, पर पिछले 15 दिनों से मैं 'गॉल-ब्लैडर' से भयंकर रूप से पीड़ित हूँ। डॉक्टरों ने अब बीमारी पर काबू पा लिया है और सर्जरी से शायद बच जाऊँ। अगर भगवान् मुझे अपने समीप बुला कर अपना मनोरंजन करना चाहता है तो सारा काम आपको ही करना पड़ेगा।

अपनी प्रिय पत्नी को हम दोनों का प्रणाम। आप दोनों का एक शानदार चित्र मेरे पास है। बच्चों को स्नेहाशीष।

परमपिता परमात्मा की इच्छा रही तो ग्रन्थावली ज़रूर ज़रूर छपेगी।

सदा आपका
रवीन्द्रनाथ त्यागी

(63)

28.1.92
देहरादून

प्रिय भाई गोयनका जी,

आप की 15/1 की चिट्ठी कल मिली। तभी से मैं चिन्तित व व्यथित हूँ। आप दूर हैं और मेरा स्वास्थ्य साथ नहीं देता वरना इस समय मुझे आपके पास में होना चाहिए था।

कुछ बातें लिखता हूँ शायद कोई रास्ता, निकल सके।

1. कभी-कभी दाम्पत्य जीवन के दुख का कारण 'सेक्स' होता है। यह बहुत ही प्रायः कठिनाइयाँ हैं कि नवविवाहित लोग इस बारे में शारीरिक व मानसिक कारणों से एक-दूसरे से सन्तुष्ट नहीं होते। इसका इलाज तलाक़ नहीं होता वरन चिकित्सा है। वैसे मैं व्यक्तिगत रूप से जानता हूँ कि बिना सेक्स के भी पति-पत्नी एक-दूसरे के साथ खुशी से रहते हैं। मेरे पड़ोसी हैं जो हाई कोर्ट के जज थे उनकी पत्नी विदेशी है। जज साहब कभी भी अपनी शादी को The Consummate नहीं कर पाये पर दोनों खुश हैं। हालाँकि बिना सेक्स के विवाहित जीवन पूर्ण नहीं होता।

2. यदि मिज़ाज नहीं मिलता तो लड़का व बहू थोड़े दिनों अलग-अलग रह सकते हैं। इस अवधि में वे स्वयं Self introspection करेंगे और सम्भव है कि एक-दूसरे को क्षमा कर दें।

3. हर हालत में आप दोनों सारे मामले से तटस्थ रहिए, पुत्र या बहू के साथ पक्षपात न करें। अब दोनों ही आपके बच्चे हैं। तलाक़ अगर होना है तो वे करेंगे– 'आप चुप रहिए' सही सलाह दीजिए और तटस्थ रहिए। कोई न कोई कारण तो अदृश्य होता है, उसे जानने की कोशिश करें क्योंकि तभी उपचार सम्भव है। इस मामले में भावुक होना ठीक नहीं है। कारण जानने के लिए प्रायः आपकी पत्नी बहू से ज़्यादा खुलकर बात कर सकती हैं। लड़के से पूछताछ कर सकते हैं।

यदि सब कुछ करने के बाद भी साथ रहना कठिन है तो दुखी जीवन से तलाक़ लेना बेहतर है। अपनी नियति को स्वीकार करना पराजय नहीं होता।

मेरी तीसरी पुस्तक व रचनावली को भाड़ में फेंकिए, पहले बच्चों की समस्या को सुलझाएँ। यदि किसी भी एक ने कोई घातक क़दम उठा लिया तो क्या होगा? मुझे विस्तृत पत्र लिखिए। मैं प्रतीक्षा करूँगा। विवाह का आधार मात्र प्रेम है। संस्कार, शिक्षा व मर्यादा वग़ैरह सब झूठ हैं। अपनी पत्नी को हम दोनों का करबद्ध प्रणाम कहिए और भगवान पर भरोसा रखिए।

मैं पत्नी से भी कुछ नहीं छुपा सकता। उसे सब बता दिया है और वह भी दुखी है।

आपका भाई
रवीन्द्रनाथ त्यागी

(64)

2.7.94

प्रिय भाई गोयनका जी,

रचनावाली के सन्दर्भ में मेरा अन्तरिम पत्र मिला होगा। मैंने आँकड़े-इकट्ठे कर लिये हैं। अब तक मेरे छह कविता-संग्रह, बीस व्यंग्य-संग्रह, एक उपन्यास, एक सम्पादित पुस्तक और दो बच्चों की कथा-पुस्तकें छपी हैं। इनके आतिरिक्त एक कविता-संग्रह, दो नये व्यंग्य-संग्रह व एक बच्चों की पुस्तक प्रकाशकों के पास हैं जिन्होंने उन्हें इसी वर्ष छापने का पूरा वादा कर रखा है। इन सब की मुद्रित पृष्ठ संख्या 4000 से ऊपर होगी। पाँच इण्टरव्यू, बड़े लेखकों के अनेक पत्र, मुक्त विचार, समीक्षा विशिष्ट लेखकों के मत और सम्मत इत्यादि अलग हैं। मेरा अनुमान है 400 पृष्ठों वाले दस खण्ड छपने चाहिए। फ़ोटो अलग होंगे। यह सम्भव है कि सब खण्डों में पृष्ठ-संख्या एकदम बराबर न रहे।

एक खण्ड कविताओं का होगा। एक खण्ड में उपन्यास सम्पादित पुस्तक व बाल-पुस्तकें होंगी। शेष सात खण्डों में हास्य-व्यंग्य होगा, जिसे मैं विषय के अनुसार वर्गीकृत करना चाहूँगा (जैसे साहित्य व कला यात्रा व शिकार, इतिहास व सामाजिक समस्याएँ, व्यक्तिगत निबन्ध व संस्मरण, राजनीतिक व सामयिक सन्दर्भ तथा सरकारी व्यवस्था (जिसमें, दफ़्तर, पुलिस, व्यवस्थापिका व न्याय पालिका शामिल होगी) पत्रों का व साक्षात्कार, समीक्षा वग़ैरह-वग़ैरह का एक खण्ड अलग होगा। मत व सम्मत सम्बन्धित खण्डों में जाएँगे। फ़ोटो सब खण्डों में होंगे।

ऊपर जो रूपरेखा मैंने दी है वह एक 'मोटी गाइड लाइन' ही है। होगा वही जो आप बताएँगे। इस क्षेत्र में मेरा अनुभव ज़्यादा नहीं है। जो थोड़ा-बहुत अनुभव है वह और लेखकों की रचनावलियों के अध्ययन पर ही, आधारित है।

प्रकाशक मुझे निश्चित तिथि बताएँगे और उसके पूर्व वे मुझे खण्ड-वाइज़ पाण्डुलिपि तैयार करने के लिए छह महीने देंगे। मेरी राय में यदि अनुबन्ध इस वर्ष हो जाता है तो मैं सारे खण्डों की सारी सामग्री 30.6.95 तक दे दूँगा। चूँकि चार पुस्तकें इसी वर्ष आनी हैं, मैं इस वर्ष कोई ठोस काम नहीं कर पाऊँगा।

(जैसे तेईसवाँ व्यंग्य-संग्रह जो 1995 में आउट होगा) वह रचनावली में नहीं जाएगा।

अब आप उचित कार्रवाई करें। मुझसे यदि कोई और सूचना वग़ैरह चाहिए तो लिखें। व्यक्तिगत रूप से मैं किताबघर से इस सिरीज़ को छपाना चाहूँगा। उन्होंने कई रचनावलियाँ निकाली हैं और अच्छी निकाली हैं। इसके अतिरिक्त वे लोग कार्यतत्पर, शिष्ट व ईमानदार हैं।

4000 से ज़्यादा पृष्ठ मुझे फ़ोटोस्टैट करवाने हैं। फ़ोटो की प्रतियाँ भी बनेंगी। बिखरी सामग्री को नक़ल करने के लिए मैं कई महीनों के लिए एक साहित्यिक सहायक यहाँ रखूँगा जिसका वेतन मुझे देना होगा। मुझे छह महीनों की अवधि में काफ़ी व्यय व श्रम करना पड़ेगा। उतने दिनों शेष लिखना-पढ़ना भी प्रायः बन्द ही रहेगा।

शेष कृपा। इस पत्र की प्राप्ति की सूचना तुरन्त दें। बाक़ी ख़तो-किताबत तो चलती ही रहेगी। प्रत्येक खण्ड किसी विशिष्ट और प्रिय व्यक्ति को समर्पित होगा। चार सौ पृष्ठों के डिमाई साइज़ के सजिल्द प्रत्येक खण्ड का मूल्य क्या होगा—यह प्रकाशक और आपके बीच की बात होगी। आप के कष्ट का आभार तो कभी उतर ही नहीं पाएगा।

शारदा आपकी पत्नी को प्रणाम भेजती है। बच्चों को अमित स्नेह।

सदा आपका :

रवीन्द्रनाथ त्यागी

P.S. : त्यागीजी ने ग्रन्थावली की एक संक्षिप्त रूपरेखा अलग से लिख कर भी भेजी थी, वह भी यहाँ संलग्न है :

ग्रन्थावली : रूपरेखा

खण्ड एक : कविताएँ, मत और सम्मत, चित्र अज्ञेय के साथ, परिमल का चित्र, वग़ैरह) रांग्रा साहब का साक्षात्कार-भूमिका-गोयनका

खण्ड दो : हास्य-व्यंग्य- कहानियाँ (मत और सम्मत-बालेन्दुशेखर तिवारी का लेख (शीराज़ा) परसाई जी के साथ चित्र, प्रेम जनमेजय की पुस्तक-विमोचन का चित्र)

खण्ड तीन : हास्य-व्यंग्य- साहित्यिक निबन्ध (मत और सम्मत- डॉ. धनंजय वर्मा का लेख-शरद् जोशी के साथ चित्र-सुदर्शन नारंग का साक्षात्कार) शेरजंग गर्ग का लेख (व्यंग्य के मूलभूत प्रश्न)

खण्ड चार : हास्य-व्यंग्य- विविध (मत और सम्मत प्रेम जनमेजय का लेख-चित्र)

खण्ड पाँच : हास्य-व्यंग्य - संस्मरण- (मत और सम्मत-चित्र- डॉ. गोयनका का संशोधित साक्षात्कार) (वि.शे. शुक्ल का साक्ष्मत्कार)

खण्ड छह : उर्दू हिन्दी हास्यव्यंग्य-व्यक्तिगत-पत्र-चित्र, रचनाएँ कहाँ-कहाँ छपीं किन-किन अख़बारों में छपीं, बाक़ी सन्दर्भ 'प्रतिनिधि रचनाएँ' में से मुक्त विचार (संचेतना)- व्यंग्य के प्रतिमान रिव्यूज़ रजिस्टर से—

समीक्षा : गुलेरी रचनावली, रागदरबारी

(65)

10-8-94

प्रिय भाई गोयनका जी,

ग्रन्थावली की रूपरेखा मैंने भेजी थी। उस पर आपके पत्र का इन्तज़ार है।

मेरी हार्दिक इच्छा है, आप ही इस कार्य को करें। मैंने आप जैसा शोधार्थी नहीं देखा। आपने प्रेमचन्द पर कार्य करके जो यश प्राप्त किया है, उसे कोई दूसरा नहीं प्राप्त कर पाया। आपने सैकड़ों पृष्ठों की प्रेमचन्द की सामग्री खोजी और विशन टण्डन ने उसे भारतीय ज्ञानपीठ से प्रकाशित किया। हिन्दी में ऐसा अनोखा काम किसी ने नहीं किया। प्रेमचन्द आपके काम से अमर हो गये, अब आप मुझे अमर बनाना चाहते हैं, बन्दा हाज़िर है। आपकी स्कालरशिप ने मुझे बहुत प्रभावित किया है।

ग्रन्थावली का काम बड़ा है। मुझे और आपको बराबर काम करना होगा। यदि यह मेरे जीवन-काल में हो गया तो मुझे बड़ी प्रसन्नता होगी, लेकिन जब भी होगा तो यह काम आप को ही करना है।

आपकी पत्नी को हम दोनों का प्रणाम। बच्चों को स्नेह।

सदा आपका

रवीन्द्रनाथ त्यागी

(66)

30.4.1997

प्रिय भाई गोयनका जी,

एक कष्ट देता हूँ, क्षमा करना। पिछले छह महीने में मैं कई पत्र प्रिय भाई जगदीश चतुर्वेदी को लिख चुका हूँ। पता नहीं क्यों, उन्होंने किसी का उत्तर नहीं दिया। क्या मुझसे कोई ग़लती हो गयी है? जब भी समय मिले, आप उनका हाल मुझे लिखें। उनकी आँखें अब कैसी हैं?

मेरी बत्तीसवीं पुस्तक जो व्यंग्य संग्रह है, नेशनल से जून के अन्त तक प्रेस जाने वाली है। उसके फ़्लैप पर आपकी बहुमूल्य सम्मति छपी है। तेंतीसवीं पुस्तक इस माह प्रकाशक को चली जाएगी। यह व्यंग्य संग्रह ही है।

मैं रिटायर्ड लाइफ़ से बहुत प्रसन्न हूँ। ख़ूब पढ़ता-लिखता हूँ। आप मसूरी व हरिद्वार की यात्रा पर आइए और मेरे घर को पवित्र कीजिए।

आपकी पत्नी को हम दोनों का प्रणाम। बच्चों को अमित स्नेह।

सदा आपका

रवीन्द्रनाथ त्यागी

कैलाश मण्डलेकर के नाम

(1)

देहरादून (यू.पी.) 248001
14.10

प्रिय भाई,

आपका 3/10 का कृपा-पत्र समय पर मिल गया था। अपनी बीमारी के कारण उत्तर समय पर न दे सका। क्षमा माँगता हूँ। वैसे मन खण्डवा में ही था, किशोर कुमार व अशोक कुमार की जीवनियाँ अँग्रेज़ी में छपी हैं। उन्हें पढ़ता रहा...

'पूरब खिले पलाश' आपको अच्छी लगी, यह जानकर सुख हुआ। यह कहते हुए कष्ट होता है कि छत्तीस वर्ष निरन्तर लिखने के बाद भी यश के अलावा और कुछ नहीं मिला। अख़बार बन्द हो गया (जो हैं वे चेक नहीं भेजते) प्रकाशक रॉयल्टी झूठी देते हैं और पुरस्कार गुटबन्दी पर क़ायम है। अगर पेंशन न हो तो घर में चूल्हा भी न जले...

'अपूर्ण कथा' न पढ़िए। बहुत दुखान्त है और शिल्प उसमें है ही नहीं (हालाँकि नागार्जुन जी को यही उसमें अच्छा लगा)। मेरा नया कविता संग्रह पढ़िए (कृष्णपक्ष की पूर्णिमा- दाम 80/- किताबघर, 24 अंसारी रोड, दरियागंज, नयी दिल्ली- 110002) मैं मूलतः कवि हूँ और कुछ नहीं। नया व्यंग्य संग्रह तैयार हो रहा है।... खण्डवा में मेरे और भी मित्र हैं। नर्मदा प्रसाद उपाध्याय इन्दौर चले गये। क्या कभी हम दोनों की भेंट होगी या नहीं...

और क्या ठाठ हैं?

सदा आपका
रवीन्द्रनाथ त्यागी

(2)

16.9.

प्रिय भाई,

आपका 1/1 का कृपा पत्र। आभार।

"भाद्रपद की साँझ के बाद दो नये व्यंग्य संग्रह और आये। 'लाल पीले फूल' किताबघर से 1997 में छपा और अगला व्यंग्य संग्रह (बादलों का गाँव) इस वर्ष अभिरुचि प्रकाशन से छपा। चौबीस व्यंग्य संग्रह छप चुके। ऊपर लिखी प्रथम पुस्तक सौ रुपये की है और दूसरी पुस्तक 300/- की है। किसी लाइब्रेरी के लिए ख़रीदवा लें, खुद न ख़रीदें।

बीमार चल रहा हूँ। अगला नया व्यंग्य संग्रह शायद ही छपे।

आपकी रचना रोचक है। मैं होता तो इसे दुबारा लिखता। अन्यथा न लें। ठीक होंगे।

पुनश्च : मेरा आत्मकथात्मक उपन्यास अब प्राप्य नहीं है। शिल्प की दृष्टि से वह बहुत ही कमज़ोर था।

सदा आपका
रवीन्द्रनाथ त्यागी

(3)

कैलाश मण्डलेकर का व्यंग्य संग्रह (सर्किट हाउस पर लटका चाँद) मैं दो बार पढ़ गया। प्रीतिकर लगा। शरद जोशी की भाँति, कैलाश ने भी आम आदमी के जीवन को ही पकड़ा है और उनकी भाषा भी आम आदमी की ही भाषा है। उन्होंने चारों तरफ़ बिखरी विसंगतियों को कसकर पकड़ा है। उनकी रचनाओं में व्यंग्य ज़्यादा है, हास्य कम है। इसी प्रकार उन्होंने कथ्य पर ज़्यादा ध्यान दिया है, शिल्प पर कम। यह ठीक ही है क्योंकि कथ्य का स्थान शिल्प से ऊँचा है। परसाईजी की भाँति वे किसी विशिष्ट राजनीतिक विचारधारा से प्रतिबद्ध नहीं हैं और इस कारण उनका रचना क्षेत्र अनन्त है। मैं उनके अगले व्यंग्य-संग्रह की प्रतीक्षा करूँगा।

रवीन्द्रनाथ त्यागी

गिरिराज शरण अग्रवाल के नाम पत्र

(1)

मेरठ छावनी
21.11.76

प्रिय भाई,

पत्र मिला। पराग प्रकाशन, 3/114, कर्णगली, विश्वासनगर, शाहदरा, दिल्ली से छपी 'श्रेष्ठ व्यंग्य कथाएँ' मँगाएँ। उसमें व्यंग्यकारों के पते मिलेंगे।

मैंने निबन्ध आप 'फुटकर' (सम्भावना प्रकाशन, रेवतीकुंज, हापुड़) में से ले लें। 'एक ज़रूरी बयान', 'सुनो कैरा सुनो' व 'हिन्दी साहित्य में शोध' ठीक रहेंगे। कहानियाँ पराग प्रकाशन द्वारा छपीं, मेरी व्यंग्यकथाएँ में से ले लें। 'चन्द्रमा की सच्ची कथा', 'सिंहनाद की तीसरी यात्रा' व 'प्रेम यात्रा' ठीक रहेंगी। मैं रचनाओं की प्रतिलिपि कभी नहीं भेज पाऊँगा।

पुस्तक जब प्रेस में जाने के लिए तैयार हो रही हो, मुझे लिखिए, मैं परिचय व चित्र भेज दूँगा।

उचित समझें तो ख़तोकिताबत जारी रखें। मैं सुझाव दे सकता हूँ, मगर पते वग़ैरह भेजने की मुंशीगीरी नहीं कर सकता।

रवीन्द्रनाथ त्यागी

(2)

मेरठ छावनी
27.4.87

प्रिय भाई,

'1986 का हास्य-व्यंग्य' कल मिला। पूरा पढ़ गया। पिछले संकलनों से यह श्रेष्ठतर है।

गद्यखण्ड भी काफ़ी है। और कविताएँ भी मार्मिक हैं। गद्यखण्ड में श्रीलाल

शुक्ल, परसाईजी व शरद जोशी को क्यों नहीं लेते? कोई परेशानी हो तो मुझे लिखें।

मेरे तीन संग्रह आ रहे हैं इस वर्ष। पिछले दो साल से कुछ नहीं आया था।

डॉ. कमल किशोर गोयनका द्वारा सम्पादित 'रवीन्द्रनाथ : प्रतिनिधि रचनाएँ' आउट हो गयी। दाम ज़्यादा हैं सौ रुपये। पराग प्रकाशन /3/114 कर्ण गली, विश्वासनगर, शाहदरा, दिल्ली-110032 से छपी है। चाहें तो लाइब्रेरी के लिए मँगवाएँ। अपना पैसा ख़र्च करने लायक़ शायद नहीं है।

कभी आइए न। अब तो बिजनौर बहुत पास हो गया है।

रवीन्द्रनाथ त्यागी

(3)

देहरादून
10.10.90

प्रिय भाई,

आपका कृपापत्र कल मिला। मैं थोड़ा अस्वस्थ हूँ। बहरहाल, आपका पत्र तो अदालत का सम्मन ठहरा। पत्नी से नक़ल करवाई। यह लेख 1990 के मध्य में 'सण्डे साप्ताहिक मेल' दिल्ली में छपा था।

दूसरे साहित्यकारों की बात यह है कि आप मेरा सन्दर्भ देकर परसाईजी से रचना माँग सकते हैं। वैसे वे स्वस्थ नहीं हैं। शरद जोशी का पता मेरे पास नहीं है। लतीफ़ घोंघी को मेरा ज़िक्र करते हुए पत्र लिखें। वे रचना अवश्य भेजेंगे। उनका पता इस पत्र के पीछे लिखता हूँ।

एक प्रार्थना है, अस्वीकार मत करना। मुझे 'आदरणीय' या 'परमादरणीय' न लिखा करें। 'प्रिय भाई' काफ़ी है।

इस रचना की प्राप्ति की सूचना अवश्य देंगे। आज ही।

प्रसन्न होंगे : सपरिवार दीवाली की शुभकामनाएँ।

मेरे योग्य सेवा।

रवीन्द्रनाथ त्यागी

(4)

देहरादून
6.5.91

प्रिय भाई,

मैंने एप्रिल के आरम्भ में पत्र लिखा था कि हास्य-व्यंग्य 1990 की वार्षिकी यदि छप गयी हो तो एक प्रति रजिस्टर्ड डाक से भेज दें। यदि न छपी हो तो लिख

दें कि पुस्तक कब तक मिलेगी।

मुझे यह कहते हुए दुख होता है कि आपने पत्र का उत्तर तक नहीं दिया। क्या मैं इस लायक़ भी नहीं रहा कि अपने प्रियजनों से पत्र का उत्तर पा सकूँ?

अब तो उत्तर मिलेगा न?

आशा है आप सपरिवार स्वस्थ व प्रसन्न हैं।

रवीन्द्रनाथ त्यागी

(5)

देहरादून
10.5.91

प्रिय भाई,

आपका कृपापत्र व रजिस्टर्ड डाक से भेजी तीन श्रेष्ठ पुस्तकें प्राप्त हुईं। हार्दिक आभार। साधारण डाक से भेजी प्रति नहीं मिली।

व्यंग्य-वार्षिकी में काव्य भाग पिछले अंकों की अपेक्षा ज़्यादा बढ़िया हैं। गद्य भाग अभी नहीं पढ़ पाया। ठीक से होगा। श्री तिवारी जी का वार्षिक लेखा-जोखा सदा की भाँति जानकारी से भरा है।

एक निवेदन है। भविष्य में मेरे मित्र डॉ. मनोहरलालजी की गद्य रचना अवश्य छापा करें। उनके दो व्यंग्य संग्रह छप चुके हैं। मैं उन्हें लिख रहा हूँ कि इस वर्ष छपी कोई रचना (1991) की वार्षिकी के लिए तुरन्त आपको भेज दें।

प्रसन्न होंगे, सपरिवार।

रवीन्द्रनाथ त्यागी

(6)

देहरादून
23.11.91

प्रिय भाई,

दीवाली के अवसर पर आपकी भेजी शुभकामनाएँ मिलीं। आभार। मैं बुरी तरह बीमार था, अब कुछ बेहतर हूँ।

आप 'साहित्यिक व्यंग्य-संग्रह' छापने की योजना बना रहे हैं। मैं आपके आदेश के अनुसार एक ललित व्यंग्य रचना भेजता हूँ। प्राप्ति की सूचना आज ही दें। यह भी लिखें कि पोथी कब तक प्रकट होगी।

डॉ. मनोहरलाल यहाँ मुझसे मिलने आये हुए हैं। बहुत ही प्रतिभाशाली निबन्धकार हैं। उन्होंने आपको एक व्यंग्य रचना भेजी है। अभी-अभी। उसे वार्षिकी में ज़रूर

छापना। नहीं छापोगे तो मैं असहयोग आन्दोलन शुरू कर दूँगा।

पत्नी से हम दोनों का प्रणाम कहें। बच्चों को स्नेहाशीष।

बाकी कभी मिलने पर।

रवीन्द्रनाथ त्यागी

(7)

10.1.12

प्रिय भाई,

आपका 3/1 का पत्र मिला। आभार।

1991 की वार्षिकी जब छप जाए तो सबसे पहली प्रति मुझे भेजेंगे।

आदरणीय काका जी से मेरा करबद्ध प्रणाम कहें। यदि चले गये हों तो मेरा प्रणाम डाक से उन्हें भेज दें। मैं उनका पुराना फैन हूँ। अपनी पुस्तक पिछले वर्ष 'राजकमल पेपर बैक्स' में छपी है।

फिलहाल मैं अपने दो नये व्यंग्य-संग्रहों पर जुटा हूँ। एक तो राजकमल को गया, दूसरा जाना है। मई-जून तक आपके व्यंग्य-संग्रहों के लिए रचनाएँ अवश्य भेज दूँगा। मेरे ऊपर काफ़ी लोगों ने डॉक्टर की उपाधि प्राप्त कर ली है जबकि मैं अभी भी साहित्य का मरीज़ ही चल रहा हूँ। मेरे परिचय वग़ैरह के लिए डॉ. कमल किशोर गोयनका जी की 'रवीन्द्रनाथ त्यागी: प्रतिनिधि रचनाएँ' नामक पुस्तक काफ़ी जानकारी देती है। मेरे पास मात्र एक प्रति ही है। पराग प्रकाशन से छपी थी, दाम था सौ रुपये। शोधार्थी उसे देख सकते हैं। अब मेरी 'रचनावली' छपने जा रही है। छह खण्डों में।

रवीन्द्रनाथ त्यागी

(8)

देहरादून
1.2.92

प्रिय भाई,

आपका पत्र मिला। हार्दिक आभार।

मेरे अकेले के ऊपर एक शोध प्रबन्ध छपने वाला था। मैंने हैदराबाद को आज ही पत्र लिखा है। छप गया होगा तो विवरण आपको दूँगा।

और व्यंग्यकारों के साथ मेरी तुलना या चर्चा करते हुए अनेक ग्रन्थ छप चुके हैं। डॉ. बालेन्दुशेखर तिवारी, राँची की पुस्तक 'व्यंग्यालोचन' में उनकी चर्चा है।

इस वर्ष के अन्त तक दो नये व्यंग्य-संग्रह आ जाएँगे। इसके बाद रचनावली

पर लग जाऊँगा। सम्पादक डॉ. गोयनका ही रहेंगे। रचनाओं का वर्गीकरण करना, चित्र व रिव्यू इकट्ठे करना, वग़ैरह-वग़ैरह बहुत काम पड़ेंगे। आशा है कि छह खण्ड 1994 तक आ जाएँगे। वैसे ऐसी योजनाओं के बारे में 'कर्मण्येवाधिकारस्ते' वाली उक्ति ही लागू होती है, और कोई नहीं।

आपकी पत्नी को हम दोनों का करबद्ध प्रणाम। बच्चों को स्नेहाशीष।

रवीन्द्रनाथ त्यागी

(9)

देहरादून
12.8.93

प्रिय भाई,

काफ़ी दिनों से आपका कोई पत्र नहीं आया। आशा करता हूँ कि आप सपिरवार स्वस्थ व प्रसन्न हैं।

मेरा एक नया व्यंग्य संग्रह अभी-अभी आउट हुआ है। पुस्तक का नाम है 'इतिहास का शव' और प्रकाशक है राजकमल प्रकाशन। कुल छह प्रतियाँ लेखक को मिली हैं। मैं किताब नहीं भेज पाऊँगा। कहीं मिले तो ज़रूर पढ़िए। दिलचस्प है। पुस्तक में एक लम्बा निबन्ध है जिसमें 'हिन्दी की कुछ श्रेष्ठ व्यंग्य कविताएँ' दी गयी हैं। अब एक लम्बा निबन्ध मंच पर कविता-पाठ करने वालों की व्यंग्य कविताओं पर लिखा है। छपते ही भेजूँगा। इसी वर्ष शायद छप जाए। कल एक निबन्ध की समाप्ति आपकी एक ग़ज़ल से की है, जो 'सन्नाटे में गूँज' में संकलित है। उसे उद्धृत करते हुए आपकी याद आ गयी।

कृपा करके अपनी कुशलता का पत्र लिखें। आपकी प्रिय पत्नी को हम दोनों का प्रणाम। और कब आ रही हैं वे पुस्तकें जिनमें विभिन्न विषयों पर विभिन्न व्यंग्यकारों (जिनमें मैं भी शामिल हूँ) के निबन्ध संकलित हैं? इस बारे में भी कुछ लिखेंगे।

रवीन्द्रनाथ त्यागी

(10)

देहरादून
26.10.93

प्रिय भाई,

आपका 22.10 का पत्र कल मिला। मैं बहुत बीमार हूँ। मगर आपका पत्र तो मेरे लिए 'वारण्ट' है। रचना भेजता हूँ। नक़ल पत्नी ने की है। यह रचना इसी वर्ष 'नवभारत टाइम्स' के होली विशेषांक में छपी थी।

डॉ. मनोहरलाल अपनी रचना आपको भेज चुके हैं। उसे ज़रूर-ज़रूर छापना। बहुत प्रतिभाशाली लेखक हैं, उन्हें प्रोत्साहित करना हम दोनों का कर्तव्य है।

शरद जोशी पर बढ़िया रचना छापिए। वे एक बहुत बड़े कलाकार थे। मैं यदि बीमार न होता तो स्वयं उन पर लिखता। मगर मैं मजबूर हूँ।

अन्त में एक प्रार्थना करता हूँ। इस पत्र की प्राप्ति की सूचना अवश्य देना।

अपनी पत्नी से मेरा प्रणाम कहिए। बच्चों को स्नेहाशीष।

अपनी बीमारी के बारे में ज़्यादा कहकर आपको दुख नहीं पहुँचाना चाहता। बस यही कह सकता हूँ कि शायद अब मेरी उम्र हो गयी।

रवीन्द्रनाथ त्यागी

(11)

देहरादून
3.3.94

प्रिय भाई गिरिराज जी,

आपका व्यंग्य-संग्रह ध्यानपूर्वक पढ़ गया। बहुत-बहुत आनन्द आया। आपका हास्य और आपका व्यंग्य- दोनों काफ़ी तगड़े हैं। आपकी पुस्तक में कुछ अंश तो बार-बार पढ़ने पर भी ताज़े ही रहते हैं जैसे–

'श्यामबाबू इस रहस्य से परिचित हो गये थे कि सूखे वेतन का सूखी रोटी से ऐसा ही घनिष्ठ सम्बन्ध होता है जैसे कि निर्धन व्यक्ति का अपनी धर्मपत्नी से। क्योंकि ऐसे में वह पत्नी कम और धर्म अधिक हो जाती है' (पृष्ठ 44 पर)

'मुहावरों को अपनी आवश्यकता के अनुसार संशोधित करना भी एक कला है और यह कला मुहावरों की हद तक हमें ख़ूब आती है' (पृष्ठ 163 पर)

छोटे-छोटे वाक्य तो सैकड़ों हैं, जो रत्नों की भाँति यत्र-तत्र बिखरे पड़े हैं।

'दूसरा जन्मदिन', 'मुक़दमे की मान-मर्यादा' और 'गवाही व रिहाई' पुस्तक की उत्कृष्ट रचनाएँ हैं। रचनाएँ- जिनका क्रमांक 4, 8, 9, 18 और 23 है– श्रेष्ठ हैं। बाक़ी रचनाएँ ज़्यादातर पठनीय हैं। कुछ रचनाएँ बेहद कमज़ोर हैं।

मैं 32 वर्षों से कविता व व्यंग्य लिख रहा हूँ। जितना लिखा है उससे सैकड़ों गुना ज़्यादा पढ़ा है। आप हिन्दी के शीर्षस्थ गद्य लेखकों में आ सकते हैं बशर्ते कि आप नीचे लिखी हिदायतों को (!) ध्यान में रखें।

1. ज़्यादा पढ़िए। बुडहाउस, लीकाक, मार्क ट्वेन, हेनेश सिसील, रिचर्ड गार्डन, क्लीरेंसड व बैटी मैकडानल जैसे लेखकों को पढ़िए और पढ़ते रहिए। पार्किंजन व पीटर की सिर्फ़ नीचे लिखी पोथियाँ पढ़िए-

1. Parkinson's law (Parkinson)
2. Law of profits (Parkinson)

3. Inlaws and outlaws (Parkinson)

4. Peters Principle (Dr. Peter)

5. Petters Presciption (Dr. Peter)

2. लगातार लिखिए। इस यात्रा का कोई अन्त नहीं है। मेरे द्वारा सम्पादित उर्दू-हिन्दी हास्य-व्यंग्य अवश्य-अवश्य पढ़िए।

3. अपनी भाषा साहित्यिक रखिए, पत्रकारों

मेरे विशुद्ध साहित्यिक व्यंग्य-निबन्धों का एक संकलन अभी-अभी निकला है जैसे ही प्रतियाँ आएँगी, सबसे पहली प्रति तुम्हें ही भेजूँगा।

इण्डिया टुडे (हिन्दी) का मार्च का दूसरा अंक ज़रूर देखना। उसमें मेरी एक व्यंग्य रचना आनी है, जिसका समापन मैंने आपकी ग़ज़ल से किया है। आपका नाम पूरे फार्म में ईमानदारी के साथ दिया है।

4. अपने लेखन को सस्ता न बनाएँ। अब 'बाबू झोलानाथ' ही रखना था यदि मेरी किताब होती तो इसका नाम 'सवाल भौंकने की आज़ादी' का होता।

5. मेरे जैसे सीनियर लेखकों के सुझावों का व ग़लतियाँ निकालने का हर्गिज़ बुरा नहीं मानना।

अब आप इस पत्र को सँभालकर रखिए और मुझे लिखिए कि आपने मेरी किसी बात का 'बुरा माना/नहीं माना' है।

रवीन्द्रनाथ त्यागी

(12)

देहरादून

21.3

प्रिय भाई गिरिराज जी,

आपकी भेजी दोनों पुस्तकें पढ़ डालीं। बहुत सुख मिला। हिन्दी-ग़ज़ल-यात्रा मार्मिक है। कलापक्ष भी लाजबाव है। इतना सुन्दर आवरण और मुद्रण तो दिल्ली के शीर्षस्थ प्रकाशक भी नहीं दे पाते। चूँकि रचनाएँ विभिन्न कवियों की हैं, पुस्तक में एकरसता का आभास भी नहीं होता। बधाई, इस यात्रा के अगले खण्ड भी मुझे मिलेंगे। यह मेरा विश्वास है।

निबन्धकार हिन्दी में ज़्यादा कभी नहीं रहे। रामचन्द्र शुक्ल से पूर्व के लेखकों के भी लगभग सभी ग्रन्थ मेरे पास हैं। बालकृष्ण भट्ट के सम्पूर्ण निबन्ध, महावीर प्रसाद द्विवेदी का 'रसज्ञ रंजन' तथा पदुमलाल पुलालाल बख़्शी का कुछ मेरे पास है। उस युग के सबसे घटिया निबन्ध-लेखक रामचन्द्र शुक्ल स्वयं ही थे। 'कामायनी' की भाँति 'चिन्तामणि' भी सिरदर्द के अतिरिक्त और कुछ नहीं देती। शुक्लजी के बाद के निबन्धकारों का एक प्रतिनिधि संकलन हिन्दी साहित्य सम्मेलन ने अपनी 'उत्तमा' परीक्षा के लिए डॉ. विद्यानिवास

मिश्र से सम्पादित करवाके स्वयं ही प्रकाशित किया। पोथी का नाम है– 'आधुनिक निबन्धावली'। इस पुस्तक में सर्वश्री श्रीनारायण चतुर्वेदी, हजारी प्रसाद द्विवेदी, महादेवी, इन्द्रनाथ मदान, राजकुमार, रघुबीर सिंह, अज्ञेय, नगेन्द्र, रामवृक्ष बेनीपुरी, हरिशंकर परसाई, रघुवंश, विद्यानिवास मिश्र, नामवर सिंह, धर्मवीर भारती, श्रीलाल शुक्ल, निर्मल वर्मा, रवीन्द्रनाथ त्यागी, शरद जोशी और कुबेरनाथ राय को लिया गया। समय मिले तो अवश्य पढ़ें। हिन्दी के आज के शीर्षस्थ निबन्ध-लेखक विद्यानिवास मिश्र व कुबेरनाथ राय ही हैं। कुल हिन्दी-गद्य के सर्वोत्कृष्ट निबन्धकार अभी भी पदुमलाल पुन्नालाल बख़्शी ही हैं। उनका गद्य (गद्यं कविनां निकषं वदन्ते) विश्व साहित्य की कोटि में आता है।

ऊपर बतायी पृष्ठभूमि को ध्यान में रखते हुए, आपका निबन्ध-संग्रह पढ़ा। रोशनी की तलाश में सर्वश्रेष्ठ लगा। सबसे प्रथम व अन्त के तीन निबन्ध घटिया हैं। शेष निबन्ध साधारण हैं। आपके निबन्ध अति भावुकता से ग्रस्त हैं। विचार-निबन्ध और भाव निबन्ध को साथ-साथ निभाने की कोशिश करते हैं। शैली अनिश्चित व बिखरी हुई है। उसमें कथा व इतिहास के माध्यम से निबन्ध गढ़ने की कोशिश की गयी है, बेकार का फैलाव है। अंश ही श्रेष्ठ है– पूरा निबन्ध नहीं। भाषा एक जैसी नहीं है और रचनाओं में सम्पादन कहीं नहीं किया गया है। ये लेख 'निबन्ध' न होकर 'प्रबन्ध' की दिशा में जा सकते थे– पर आपने उन्हें उधर भी जाने नहीं दिया। निराला की 'प्रबन्ध-प्रतिभा' व रेणु जी के 'श्रुत-अश्रुत पूर्व' व 'वन तुलसी की गन्ध' नामक लेख-संग्रह कला के क्षेत्र में विशुद्ध निबन्ध न होते हुए भी मील के पत्थर हैं। पुस्तक में रत्नों जैसे अनेक वाक्य हैं, जो यत्र-तत्र (सर्वत्र) बिखरे पड़े हैं। प्रकृति का (विशेषतः सन्ध्या का) मनोरम परिप्रेक्ष्य है और किसी-किसी जगह तो आप सचमुच कवि हो उठते हैं। इतना लम्बा पत्र लिखने से ज़ाहिर होगा कि आप सचमुच एक श्रेष्ठ निबन्धकार बनने की 'आशंका' रखते हैं। कभी साथ बैठेंगे और एजी गार्डिनर, जैम्स थर्बर व फ्रैडरिक हैरिसन के निबन्धों की चर्चा करेंगे। मैं स्वयं पढ़कर बख़्शी जी का 'रामलाल पण्डित' आपको सुनाऊँगा।

बिटिया की शादी में व्यस्त होंगे। मगर एक पंक्ति का कार्ड आज ही डाल देना कि आपने मुझे ग़लत नहीं समझा। मैंने जो पत्थर फेंके हैं, वे चोट पहुँचाने के लिए हर्गिज़ नहीं फेंके हैं, वे मात्र इस कारण फेंके हैं कि आपके हृदय की विशाल झील में लहरें उठें और उठती रहें...।

मेरे विशुद्ध साहित्यिक व्यंग्य-लेखों का संग्रह (शुक्लपक्ष) जनवरी में विश्व-मेले के लिए (!) छपा था। अभी तक मेरी प्रतियाँ नहीं आयीं। बहरहाल गाड़ी पिछले स्टेशन से छूट चुकी है और यहाँ पहुँचते ही सबसे पहला डिब्बा आपकी ही सेवा में जाएगा।

ख़त आज ही लिखना है, नहीं तो मैं चिन्ता के मारे सो नहीं पाऊँगा।

सदा तुम्हारा
रवीन्द्रनाथ त्यागी

(13)

देहरादून
27.7.1994

प्रिय भाई गिरिराज जी,

मैंने 20.6 को एक पत्र आपकी सेवा में भेजा था। कृपा करके 'शुक्लपक्ष' पर अपनी प्रतिक्रिया भेजें। मैं प्रतीक्षा कर रहा हूँ।

काकाजी ने मिलने मसूरी बुलाया था। मगर कैमिल बैंक रोड पर दिन में कार ले जाना मना है। मैंने उन्हें लिख दिया है। इस बार जब बिजनौर आएँगे तो मुझे सूचित करना। मैं वैसे भी आपका गृह पवित्र करने को उत्सुक हूँ।

विश्वविद्यालय प्रकाशन, चौक, वाराणसी ने अन्नपूर्णानन्द रचनावली छापी है। दाम है 150/- श्री अमृतराय ने मुझे ख़बर दी। मैंने तुरन्त अपनी प्रति मँगवा ली। आप भी मँगवाइए। इस महान् हास्यकार का हिन्दी ने उचित मूल्यांकन नहीं किया। कभी आप हिन्दी हास्य-व्यंग्य का इतिहास लिखें तो इनके साथ न्याय करें।

ठीक होंगे, सपरिवार।

रवीन्द्रनाथ त्यागी

(14)

देहरादून
28.7.94

प्रिय भाई गिरिराज जी,

आपका 26.7 का पत्र आज मिला। आभार। यह जानकर प्रसन्नता हुई कि 'शुक्लपक्ष' आपको अच्छी लगी।

आपके अनुसार 'काकाजी बिजनौर सम्भवतः अगस्त में आएँगे।' कृपा करके उनके वहाँ पहुँचने पर मुझे सूचित कर दें ताकि मैं उनसे भेंट कर सकूँ। मेरे लिए काकाजी एक 'व्यक्ति' न होकर एक 'संस्था' हैं, जिन्होंने अन्नपूर्णानन्द (जिन्होंने महाकवि चच्चा के नाम से कुछ श्रेष्ठ कविताएँ भी लिखीं), बेढब बनारसी और शारदाप्रसाद भुशुण्डी की परम्परा को आगे बढ़ाया। उनके बाद शायद निश्छल विनोद की परम्परा ख़त्म हो जाएगी।

आपकी वार्षिकी के लिए रचना अवश्य भेजूँगा। अभी तो टाइम है। शायद अपने साथ ही लेता आऊँ।

शारदा आपकी पत्नी को प्रणाम कहती है। बच्चों को प्यार।

रवीन्द्रनाथ त्यागी

(15)

देहरादून
23.8.94

प्रिय भाई गिरिराज जी,

आपका 12.8 का कृपापत्र आज मिला। आभार। डाक-विभाग भी विचित्र है। कभी आपका पत्र तीसरे ही दिन मिल जाता है और इस बार ग्यारह दिन लग गये। डाक-विभाग पर कुछ लिखना चाहिए।

हास्य-व्यंग्य संकलनों के बारे में आपका कोई पत्र नहीं मिला। आपके पत्रों का उत्तर तो मैं यथासम्भव उसी दिन देता हूँ। वैसे भी पत्रों का उत्तर देने में मैं आचार्य महावीरप्रसाद द्विवेदी का अनुयायी हूँ, पं. प्रतापनारायण मिश्र का नहीं।

हास्य-व्यंग्य संकलनों की गति हो रही है, यह जानकार हर्ष हुआ। जिन संकलनों में रचनाएँ कम पड़ रही हैं उनके नाम (विषय- जैसे दफ़्तरी, ज़िन्दगी, पुलिस इत्यादि) तथा मेरी भेजी रचना का नाम मुझे लिख भेजिए। मैं कोशिश करूँगा कि अपेक्षित शेष सामग्री अपकी ही पुस्तकों या पाण्डुलिपियों से दे दूँ (ताकि अतिरिक्त मुद्राएँ मुझे ही प्राप्त हों।) और यदि यह सम्भव न हुआ तो बता सकूँ कि कहाँ से कौन-सी सामग्री आप लें। इस बारे में मेरे रहते आप कतई चिन्तित न हों। मैं आपके पत्र की प्रतीक्षा करूँगा। मेरी एक रचना आपके पास है।

एक बात और। टेपा-पुरस्कार जब मिला तो मैं श्री शिव शर्मा का स्नेह भाजन बना। उन्होंने डायमण्ड पेपर-बैक्स में छपी अपनी पुस्तक शिव शर्मा के 'चुने हुए व्यंग्य' मुझे भेजी, जो एक काफ़ी श्रेष्ठ कृति है। मैं चाहता हूँ कि एक ऐसा ही संग्रह डायमण्ड पेपर बैक्स में मेरा भी छपे। यदि आप निःसंकोच होकर इन प्रकाशक प्रवर को इस काम के लिए राज़ी कर सकें तो मैं आपका अनुग्रह मानूँगा। वे अनुबन्ध की दो प्रतियाँ दस्तख़त करके मुझे भेज दें। पाण्डुलिपि बनाने में मुझे दो माह का समय चाहिए। सारे लेख पुस्तकों में से छाँटने व फोटो-स्टेट करवाने पड़ेंगे। मुझे यह भी लिखें कि किस तरह के लेख छाँटूँ। ज़्यादा 'साहित्यक रचनाएँ' देने से आम पाठक शायद उतना सुखी नहीं होगा। पुस्तक छपाने के कारण स्पष्ट हैं, मुझे और नंगा करने की इच्छा आपको कभी नहीं हो सकती। और हाँ, यदि किसी भी कारण आप लिखना न चाहें या आपके लिखने के बावजूद प्रकाशक तैयार न हों, तो उसका मेरे व आपके सम्बन्धों पर कोई असर कभी नहीं पड़ेगा। समय ही बताएगा कि मैं इन मामलों में कितना निर्लिप्त व तटस्थ हूँ। पिछले 25 वर्षों से 'मानसिक अवसाद' (Maniac Depressive Psychosis) ने मुझे तोड़ा ज़रूर है, पर वह मुझे झुका नहीं पाया।

रवीन्द्रनाथ त्यागी

(16)

देहरादून
8.2.95

प्रिय भाई गिरिराज जी,

अरसे से कोई पत्र नहीं आया। क्या मेरी किसी ग़लती पर नाराज़ हो गये।

कुशलता का पत्र आज ही लिखो। वार्षिकी छपने पर सबसे पहले मुझे भेजना। बाक़ी 9 पुस्तकें कब तक छप रही हैं, यह भी लिखना।

कुछ भी सज़ा दे लो, नाराज़ मत होना। दोस्तों से बड़ी सम्पत्ति मुझ ग़रीब के पास क्या?

इस वर्ष एक नया कविता-संग्रह व नया व्यंग्य-संग्रह किताबघर से आ रहे हैं। एक नया व्यंग्य-संग्रह राजकमल के पास है। इस वर्ष या अगले वर्ष आएगा।

काकाजी ठीक होंगे। कहाँ हैं आजकल।

शारदा आपकी पत्नी को प्रणाम भेजती है।

रवीन्द्रनाथ त्यागी

(17)

देहरादून
16.2.95

प्रिय भाई,

आपका कृपापूर्ण उत्तर मिला। आपने यह नहीं लिखा कि व्यंग्य-वार्षिकी कब तक प्रकट होगी और बाक़ी 9 पुस्तकों का (जिनमें मेरी रचनाएँ शामिल हैं) क्या भविष्य है। कृपया लिखो।

शोध-दिशा का दूसरा अंक मिला। प्रथम अंक भी भिजवा दें और सम्भव हो तो इस पत्रिका को भविष्य में भी भेजते रहें। गीत-अंक भाई ठाकुरप्रसाद सिंह को ही समर्पित करें, जो नव-गीत के सच्चे प्रवर्तक हैं।

जितने भी थीसिस आधुनिक व्यंग्य पर निकले हैं, उन सबमें मेरी चर्चा, मेरा विवरण है। डॉ. शशि मिश्र ने पुस्तक के तीन खण्डों में से एक खण्ड मुझे व भाई श्रीलालजी को ही दिया है। श्री बा.शे. तिवारी के 'व्यंग्यालोचन' के अनुसार एक थीसिस 'परसाई, शरद जोशी व मेरी तुलनात्मक समीक्षा' पर निकली है। श्री वि.श. शुक्ल मुझ पर शायद किताब लिख रहे हैं और सुरेशकान्त ने किताब लिख ली है, जो प्रकाशक के पास है। मुझ अकेले पर काम तो कई लोग कर रहे थे पर उसकी परिणति मुझे ज्ञात नहीं। इतनी फुर्सत ही नहीं।

रवीन्द्रनाथ त्यागी

(18)

देहरादून
17.5.1995

प्रिय भाई,

आपका 15.2 का कृपापत्र। आभार।

'पिछले दशक की श्रेष्ठ हास्य-व्यंग्य कहानियाँ' के लिए एक कहानी भेजता हूँ।

ऐसी 9 पुस्तकें आपके पास पहले से ही पड़ी हैं, जिनकी कुशलता जानने के लिए मैंने आपको लिखा है। कृपया लिखें कि उनकी व हास्य-व्यंग्य वार्षिकी की क्या स्थिति है। आपका आदेश तो अदालती सम्मन है। रचना तुरन्त फोटो-स्टेट करायी और सब काम छोड़कर उसे भेजता हूँ।

पुस्तक छपने पर पुस्तक की एक प्रति व कम-से-कम 100/- का मनीऑर्डर या 130 रु. का चैक भेजेंगे। चैक पर 30 इनकम टैक्स जाएगा।

आपका प्रकाशन-साम्राज्य फैलता जा रहा है और उसमें से 'चौथ' मराठा साम्राज्य को भी मिलनी चाहिए। वार्षिकी की रचना की भी मज़दूरी मिलनी चाहिए। आपकी समृद्धि व मेरा अभाव दोनों को बाँटना उचित होगा। प्रसन्न होंगे। कार्ड भेजता हूँ। प्राप्ति सूचना देंगे।

रवीन्द्रनाथ त्यागी

(19)

देहरादून
24.6.95

प्रिय भाई गिरिराज जी,

मैंने मंच पर गद्यपाठ शुरू कर दिया है। अभी तीन ही प्रयोग किये पर दो बेहद कामयाब रहे। कभी कोई उचित जगह हो तो बताएँ। फर्स्टक्लास पर ए.सी.सी. का किराया, ठहरने का समुचित प्रबन्ध व एक हज़ार रुपया फीस।

आपकी भेजी पत्रिका व ग़ज़ल-संग्रह मिले। हार्दिक आभार। अब पिछले दशक की श्रेष्ठ हास्य-व्यंग्य कहानियाँ पुस्तक के रूप में छप गयी हैं। पुस्तक की एक प्रति व 100/- का चेक वापिसी रजिस्टर्ड डाक से भेजें।

आपके अनेक हास्य-व्यंग्य संग्रह विविध विषयों पर छपने थे। आपके प्रपत्र दिनांक 20.11.91 के अनुसार मैंने 9 लेख भेजे थे। वे पुस्तकें व मज़दूरी कब मिलेगी। यदि 'कार्यालय जीवन की कहानियाँ' उसी सिरीज़ में है तो पुस्तक व 100/- का चेक तुरन्त मिलना चाहिए। इस विषय पर एक पत्र पहले भी लिखा है।

आपकी सौ से ऊपर किताबें हो गयी हैं। गिनीज बुक ऑफ वर्ल्ड रिकॉर्ड में

आपका नाम आएगा। वैसे इतनी जल्दी ठीक नहीं। जल्दी का काम शैतान का होता है। पर तुम तो वैसे ही परम शैतान हो। तुम पर कहावत शायद नहीं लागू होगी। शायद।

इस पत्र पर एक्शन व पूछी गयी जिज्ञासा का उत्तर एकदम दें। जवाबी कार्ड भेजता हूँ। बच्चों को स्नेहाशीष।

रवीन्द्रनाथ त्यागी

(20)

देहरादून
3.7.96

आलीजाह की खिदमत में खादिम का सलाम मंज़ूर किया जाए। अर्ज़ यह है कि मैं एक निहायत बेखौफ बेबाक औंर सच्चा आदमी हूँ जिसे बाक़ी लोगों की तरह चालाकी नहीं आती। न्याय को सन्देह में डालने वाली कुछ बातें नीचे दर्ज़ करता हूँ।

आपने फरमाया है कि मुझे शोध-दिशा का स्पेशल नम्बर मिला या नहीं। मैं हुज़ूर की खिदमत में पहले ही लिख चुका था कि वह मुझे मिल गया है और चूँकि वह आपने किताब की शक्ल में छाप लिया है तो अब मैं किताब की एक कॉपी व सौ रुपयों का हक़दार हूँ। आपने निहायत ख़ूबसूरती के साथ इस सारे सवाल को एकदम टाल दिया है.. क्या यह वाजिब है?

डॉ. शिव शर्मा की सलाह पर मैंने डायमण्ड वालों से अपनी चुनी हुई रचनाएँ शाया करने की गुजारिश की थी। अपनी माली हालत के बारे में भी पहली बार कुछ इशारा किया था। आपने मुर्गी की साढ़े तीन टाँग बता दीं। जबकि सच्चे मायनों में आप ही डायमण्ड के मालिक हैं।

आप मेरे आका हैं। आप खुद सोचिए कि 'प्यार' को 'सन्देह' में कौन बदल रहा है?

मैं तो ता-उम्र हुज़ूर का ताबेदार ही रहूँगा। गल्तियों के लिए मुआफी दें और मेरे लायक़ खिदमत ख़ाकसार को हमेशा बताते रहें।

आपका गुलाम
रवीन्द्रनाथ त्यागी

(21)

देहरादून
5.4

प्रियवर,

वार्षिकी मिली। आभार। पुस्तक क्या है, ठहाकामार गुटका ही है। आपकी यह रचना दिलचस्प और मार्मिक है। बधाई!

मेरे योग्य सेवा... तुमने अपनी पुस्तक मुझे ऐसी समर्पित की कि उसके बाद एक के बाद एक सारे बड़े लेखक किताबें मुझे ही समर्पित कर रहे हैं। डॉ. मनोहरलाल, डॉ. प्रेम जनमेजय व लतीफ़ घोंघी के नाम प्रमुख हैं।

रवीन्द्रनाथ त्यागी

(22)

देहरादून
11.7.95

प्रिय भाई गिरिराज जी,

आपका 7.7 का कृपापत्र व चेक मिला। मुझे पता था कि मैं ग़लती कर गया हूँ। बहरहाल मेरे निवेदन इस प्रकार हैं।

(अ) यदि 'पिछले दशक की श्रेष्ठ हास्य व्यंग्य कहानियाँ' अभी पुस्तक रूप में नहीं छपी है तो चेक लेने का कोई प्रश्न ही नहीं उठता। मैं आपका चेक कैंसिल करके वापिस भेजता हूँ। पुस्तक छपने पर उसकी एक प्रति व चेक रजिस्टर्ड डाक से भेजेंगे। यदि पुस्तक नहीं छपी थी तो उसे यन्त्रस्थ या मुद्रणाधीन दिखाया जाना चाहिए था। मैं समझा कि पुस्तक छप चुकी है।

(ब) डायमण्ड वाले यदि 'शिव शर्मा का चुना हुआ व्यंग्य' छाप सकते हैं तो मेरा चुना हुआ व्यंग्य बेचने में उन्हें कोई हानि नहीं पहुँचनी चाहिए। आप इस काम के लिए अपने आत्मसम्मान व सिद्धान्तों के साथ कोई समझौता हर्गिज नहीं करेंगे। उनसे कहिए कि मेरा चुना हुआ व्यंग्य छापकर वे आप पर या मुझ पर कोई एहसान नहीं कर रहे हैं। यह काम दोनों पार्टियों के बराबर हित में होगा। यदि उन्हें हिन्दी-साहित्य का थोड़ा-सा भी ज्ञान है तो वे समझ भी जाएँगे।

(स) मैंने आपके साथ अभद्रता का व्यवहार किया, जिसके दो कारण हैं, जो इस प्रकार हैं :

1. जिन लोगों पर अपना स्नेहाधिकार होता है, उनके साथ नादानी के क्षणों में ग़ल्तियाँ भी हो जाती हैं। यह ग़लती इसी प्रकार की है।

2. मेरे बारे में शायद आपको पूरी जानकारी नहीं है। मैं 26 वर्ष से Maniac Depressive Psychosis नामक मानसिक रोग का रोगी हूँ। इसी कारण भारत सरकार का सचिव नहीं बन पाया। दो बार आत्महत्या की कोशिश कर चुका हूँ। बासठ बार बिजली के शॉक दिये जा चुके हैं। अब लगभग नार्मल हूँ। दवा भी कम ही लेनी पड़ती है। मैं आत्मलेख नामक लेख में अपनी इस बीमारी के बारे में विस्तार से लिख चुका हूँ। श्रीलाल शुक्ल से लेकर शरद जोशी तक और धर्मवीर भारती से

लेकर कमल किशोर गोयनका तक सब जानते हैं कि मुझे बेवकूफी के दौरे पड़ते हैं। उन्हीं की तरह आप भी मुझे एक मरीज़ ही समझेंगे, अपराधी या पापी नहीं। आपसे मुझे जितनी अनुरक्ति है, वह बता नहीं सकता।

जवाबी कार्ड भेजता हूँ। लिखें कि Cancelled चेक वापस मिल गया और आपने मुझे हृदय से क्षमा कर दिया। आपका पत्र पाने के बाद से मैंने अब तक भरपेट खाना नहीं खाया है। आज ही पत्र दें ताकि वह ब्राह्मण अपना पूरा राशन ग्रहण कर सके।

सदा तुम्हारा

रवीन्द्रनाथ त्यागी

(23)

देहरादून

10.9.95

प्रिय भाई गिरिराज जी,

आपका 31.8 का कृपा कार्ड मिला। आभार। इस बार न.भा. टाइम्स में छपे दो छोटे-छोटे व्यंग्य-लेखों की नक़ल भेजता हूँ। उत्तराखण्ड आन्दोलन के कारण प्राप्ति की सूचना, साथ लगे कार्ड पर, आज ही दें।

काकाजी कैसे हैं? अख़बार में उनकी बीमारी की चर्चा थी। मेरे चुने हुए व्यंग्य डायमण्ड छापेगा या नहीं? जो भी उनका निर्णय हो वह बतलाएँ। निःसंकोच। विश्व-पुस्तक मेला तो शायद गुज़र गया। आपकी वे महान् पुस्तकें कब आ रही हैं जिनमें मेरी रचनाएँ शामिल हैं?

शारदा आपकी पत्नी को प्रणाम कहती है। बच्चों को प्यार।

आपका स्नेहाधीन

रवीन्द्रनाथ त्यागी

(24)

देहरादून

18.3.95

प्रिय भाई गिरिराज जी,

आपका 13.3 का लम्बा पत्र। आभार। प्रभात प्रकाशन से पुस्तकें व चेक अभी नहीं मिले हैं। 30.4 तक नहीं आये तो आपको लिखूँगा।

'मारुति पर सवार बिल्लियाँ' का चेक आपने भेज दिया है, पुस्तक के साथ। अब प्रकाशक को न लिखिए।

'वार्षिकी' का पारिश्रमिक किसी को नहीं देना चाहिए। इस बार बालेन्दुशेखर

तिवारी की सालाना रिपोर्ट नहीं छपी। यह कमी महसूस हुई।

वार्षिकी के अतिरिक्त सब पुस्तकों के लिए लेखक की अनुमति पुस्तक की एक प्रति मानदेय भेजना एक नैतिक कर्तव्य है। डॉ. ज्ञान चतुर्वेदी का विशेष ध्यान रखिए। उन्होंने जो नाम लेकर आपके बारे में लिखा है– वह मुझे दुख दे गया। सारी बात यहीं से शुरू हुई। मैं आपको अपना छोटा भाई मानता हूँ। आपकी निन्दा मेरी ही निन्दा है। उन्हें (या किसी को भी) शिकायत का मौक़ा न दें। वे भी मेरे अत्यन्त प्रिय समानधर्मा हैं। महान् प्रतिभावान् व्यक्ति।

अपनी क्षणिक मूर्खता के लिए मुझे दुख है। यह जीवन है– भूल चूक लेनी-देनी पड़ती है। अपने बारे में पहले भी लिख चुका हूँ।

बच्चों को स्नेहाशीष। मेरा नया व्यंग्य-संग्रह (भाद्रपद की साँझ) राजकमल से छप गया है।

रवीन्द्रनाथ त्यागी

(25)

देहरादून
6.4.96

प्रिय भाई गिरिराज जी,

दिल्ली गया तो प्रभात प्रकाशन भी गया। उन्होंने दस पुस्तकों का पूरा सेट व 900/- का चेक मुझे दे दिया। बहुत ही बढ़िया इंसान हैं– श्यामसुन्दर दास जी।

पुस्तकें बढ़िया छपी हैं। भूमिकाएँ बहुत दिलचस्प हैं। रचनाएँ भी ज़्यादातर बढ़िया ही हैं। सुरेशकान्त की एक रचना दो पुस्तकों में रिपीट की गयी है।

न्याय-व्यवस्था वाले संकलन में श्रीलाल शुक्ल का एक मुक़दमा क्यों नहीं लिया? लाजबाव चीज़ है...

लेखकों के पते न देना बहुत ज़्यादा खला।

कुल मिलाकर सेट बढ़िया निकला। ज्ञान चतुर्वेदी को पुस्तकें व चेक भेजना न भूलना।

सदा तुम्हारा...
रवीन्द्रनाथ त्यागी

गोविन्द मिश्र के नाम

(1)

मेरठ छावनी
20 जुलाई

प्रिय भाई गोविन्द जी,

पत्र के लिए आभार। मैं खुद ही लिखने जा रहा था। बात यह रही कि मैंने रात ही आपका उपन्यास (अपना चेहरा) ख़त्म किया। बड़ी ख़ूबसूरत किताब लगी। उसमें आपका 'स्वाभाविक' और 'उन्मुक्त' व्यक्तित्व बेहद झलकता है। कथा और शिल्प में कसाव है। और उपमाएँ तो बेहद ताज़ी spontaneous और instinctive हैं। कहीं-कहीं तो कवि हो गये हैं जनाब।

कुछ पोर्शन तो बुरी तरह छू गये, वे हम सब की कथा कहते हैं :

"मैं अपने सामने ही बड़ा भारी दिखावी और धोखेबाज़ निकला था। और हर क़दम पर महसूस करते हुए भी उस धोखे में खुद को डालने का धोखा करता रहा... पृष्ठ 70

"वह या तो अपना दुख छिपाता है या फिर इसलिए हँसता है कि कुछ किया नहीं जा सकता। पृष्ठ 77

एक घोंचू क़िस्म का आदमी... सारा काम वही करता होगा। पृष्ठ 80 यह अन्तिम पोर्शन 'धूर्तजी' पर एकदम फिट बैठता है।

पुस्तक का अन्त अचानक हो गया। सच, बहुत उम्दा लगी। मैं इसे एक श्रेष्ठ व्यंग्य कृति के रूप में अपने एक लम्बे लेख में mention कर रहा हूँ।

हिन्दुस्तान टाइम्स में आपके बारे में पढ़ा था।

मकान अभी ऐसा ही मिला है। डिप्रेशन ज़रा ज़ोर पकड़ रहा है। कभी-कभी रो पड़ता हूँ। कितना अच्छा होता अगर मैं ज़िन्दगी से हार मान लेता।

बच्चों को प्यार। भाभी जी को प्रणाम। पिताजी को चरणस्पर्श। कभी-कभी लिखते रहना—देश में रहो चाहे विदेश में।

हमेशा हमेशा तुम्हारा
रवीन्द्रनाथ त्यागी

(2)

16/11

प्रिय भाई गोविन्द जी,

आपके आदेश के अनुसार आपके प्रकाशन के 'पाँच आँगनों वाला घर' भेज दिया था। आपका वर्तमान पता कल ही मिला। पत्र लिखने में देरी इसी कारण हुई।

आपकी यह पुस्तक सचमुच बहुत धार्मिक है। क्या कथ्य और क्या शिल्प-सभी दृष्टियों से यह आपकी सर्वश्रेष्ठ कृति है। सन्नी चाचा, कमला बाई, गोवर्धन तो नायक व नायिका से भी आगे निकल गये हैं। इस श्रेष्ठ पुस्तक का हिन्दी जगत् यथोचित स्वागत करेगा— यही मेरी प्रार्थना है।

एक से ज़्यादा पीढ़ियों पर और भी कुछ उपन्यास पढ़े हैं— जैसे मैक्सिम गोर्की का 'तीन पीढ़ियाँ', आशापूर्णा देवी के तीन मोटे उपन्यास- 'प्रथम प्रतिश्रुति', 'स्वर्णलता' व 'बकुल कथा' इत्यादि। सबसे अद्‌भुत पुस्तक है 'दी हंग्री हिल' जिसमें पाँच पीढ़ियों की अद्‌भुत कथा है। यह पुस्तक Daphne de-Maurier की सर्वश्रेष्ठ कथा-कृति है... आपकी पुस्तक पढ़कर इन सब की याद आ गयी। बधाई।

बाकी आपका पत्र आने पर। अपना फ़ोन नम्बर लिखेंगे। रिटायर होने पर क्या पता होगा— यह तो यथासमय बताएँगे ही। बच्चों को प्यार।

सदा आपका
रवीन्द्रनाथ त्यागी

(3)

26/11

प्रिय भाई मिश्र जी,

कमलेश्वर के ख़िलाफ़ मैं कुछ नहीं लिख सकता। यह मेरा बी.ए. का सहपाठी है। वह जहाँ भी रहा, उसने मुझे सदा छापा। हाँ उससे मैं साफ़ कहता रहता हूँ कि तुम एक उत्कृष्ट सम्पादक हो पर कथाकार के नाते कुछ भी नहीं"। वैसे आदमी वह बहुत ही बढ़िया है— बहुत ही बढ़िया।

मकान में बड़े स्केल पर मरम्मत/पुताई वग़ैरह चल रही है। 'मण्टो विशेषांक' ढूँढ़ना कठिन होगा। और वह मोटी ज़िन्द में होगा— फोटो स्टेट तो हो ही नहीं सकता।

'पाँच आँगनों वाला घर' पर (कम-से-कम) साहित्य-अकादमी एवार्ड तो मिलना ही चाहिए था मगर यह हिन्दी है। एवार्ड सिर्फ़ उसे मिलेंगे जिसे डॉ. नामवर सिंह

चाहेंगे। मगर इस सबके बावजूद, अपना कर्तव्य तो करना ही है। राग, विराग, यात्रा...।

भाभी जी को हम दोनों का करबद्ध प्रणाम।

सदा आपका
रवीन्द्रनाथ त्यागी

(4)

6/11/2000

प्रिय भाई गोविन्द जी,

आपका शानदार उपन्यास, कल रात ख़त्म किया। क्या कथ्य और क्या शिल्प- दोनों ही दृष्टि से पुस्तक अद्वितीय है। पुस्तक का अन्त तो बेहद कलात्मक और मार्मिक है। जब केन्द्रीय सरकार का यह हाल है तो राज्यों की सरकारों का क्या हाल होगा— इसका अन्दाज़ा पाठक खुद लगा सकता है। मुझे अंग्रेजी की दो पुस्तकों के नाम याद आते हैं, जो भिन्न पृष्ठभूमि में होते हुए भी, कुछ-कुछ ऐसा ही अनुभव कराते हैं। एक तो है Yes Boss और दूसरी है All Prime Minister's Men हिन्दी में तो ऐसी किताब लिखी ही नहीं गयी। मेरी हार्दिक बधाई स्वीकार करें...

पुस्तक का नाम ठीक नहीं है। मैं लेखक होता तो इसका नाम 'तिलस्म' रखता। यह भी सोचता हूँ कि क्या यह पुस्तक उन लोगों को पसन्द आएगी जो केन्द्रीय सचिवालय के गलियारों में नहीं घूमे हैं। 'पाँच आँगनों वाला घर' का वातावरण दूसरा है जो हर आदमी का दिल हिलाता है। इस पुस्तक में वह घरेलूपन नहीं है।

बहरहाल आपके हीरो (श्री महान्ती) मुझसे ज़्यादा भाग्यशाली निकले। मैं सुपरसीड भी हुआ और मुअत्तिल भी हुआ। पहली कृपा मेरे विभाग में ही हुई और दूसरी कृपा रक्षा मन्त्री चौ. बंसीलाल ने की। उन दिनों सचिव आई.सी.एस. होते थे जो कहीं ज़्यादा दबंग और न्यायशील होते थे। मन्त्री जी को अपना आदेश वापस लेना पड़ा।

फिलहाल इतना ही।

भाभी जी को हम दोनों का करबद्ध प्रणाम।

आपका भक्त अनुचर
रवीन्द्रनाथ त्यागी

जगदीश गुप्त के नाम

29.6

आदरणीय गुप्तजी सादर प्रणाम,

रात टी.वी. पर सुना कि आपको साहित्य सेवा के लिए एक लाख का पुरस्कार मिला है। इस शुभ अवसर पर मेरी हार्दिक बधाई स्वीकार करें। ईश्वर आपको सौ वर्ष की आयु दे और बाक़ी सम्मान भी आपको मिलते रहें।

मैं रिटायर होने के बाद यहीं बस गया हूँ। सिवा लिखने-पढ़ने के और कोई विशेष काम नहीं है। 34 पुस्तकें छप चुकी हैं और बाक़ी सात पुस्तकें 1993 के अन्त तक आने की आशा है। इनमें मेरा सातवाँ कविता संग्रह भी शामिल है। प्रसन्न होंगे, सपरिवार।

मेरे योग्य सेवा,

सदा आपका
रवीन्द्रनाथ त्यागी

जसवीर त्यागी के नाम पत्र

(1)

रवीन्द्रनाथ त्यागी
शमशेर हाउस
1/1, गुरु तेग बहादुर रोड-II
देहरादून (यू.पी.) 248001
27/3/95

प्रिय भाई,

आपका 18/3 का कृपा-पत्र। आभार। यह जान कर सुख मिला कि आपको मेरी रचनाएँ अच्छी लगीं। राजकमल-पेपरबैक्स में मेरे द्वारा सम्पादित। उर्दू-हिन्दी हास्य-व्यंग्य' नामक पुस्तक ज़रूर पढें। उसमें हिन्दी व उर्दू के 24 चुने हुए लेखकों की 24 चुनी हुई रचनाएँ हैं। आपको पूरा आनन्द आएगा।

कभी इधर आना हो तो बिना मिले न जाएँ।

शुभकामनाओं के साथ

आपका :
रवीन्द्रनाथ त्यागी

(2)

रवीन्द्रनाथ त्यागी
शमशेर हाउस
1/1 गुरु तेग बहादुर रोड-II
देहरादून (यू.पी.) 248001
16/10/96

प्रिय भाई जसवीर,

तुम्हारा 11/10 का कृपा-पत्र। आभार।

मैं 18/10 को दिल्ली जा रहा हूँ। 21/10 से 26/10 तक अपेक्षाकृत खाली रहूँगा। वहाँ मुझे 21/10 या उसके बाद फ़ोन पर सम्पर्क करना- नम्बर है "6463455"। साथ बैठ कर बातें करूँगा। बेफ़िक्र रहना, काफ़ी जानकारी दूँगा।

तुम बहुत सौभाग्यशाली हो जो डॉ. रामबिलास शर्मा जैसे महान् साहित्कार का स्नेह पा सके। मैंने तो उन्हें देखा और सुना भर है– वर्षों पहले 'विवेचना' की एक-बैठक में (प्रयाग में)।

ठीक होंगे।

सदा तुम्हारा :
रवीन्द्रनाथ त्यागी

धनंजय वर्मा के नाम पत्र

(1)

माल रोड
मेरठ छावनी
27.9.71

आदरणीय भाई,

बिन पूर्व परिचय के पत्र लिखने की धृष्टता को क्षमा करेंगे। मेरी नयी व्यंग्यकृति 'कृष्णवाहन की कथा' छप गयी है और एक प्रति आपके पास भेजी गयी है। मिली होगी। लिखें कैसी लगी। आपकी सम्मति जो फ़्लैप पर छपी है– मेरे लिए आशीर्वाद की तरह है। कोशिश करता रहूँगा कि आपकी नज़र से नीचे न गिरूँ।

सम्भव हो तो पत्र की व पुस्तक की प्राप्ति का पत्र दें।

ठीक होंगे।

विनीत
रवीन्द्रनाथ त्यागी

(2)

52, माल रोड, मेरठ छावनी
01.12.71

प्रिय भाई धनंजय जी,

आपका स्नेह भरा पत्र सितम्बर में ही मिल गया था। मैं इधर बेहद व्यस्त रहा। पश्चिमी कमान में ही सारी सैनिक उथल-पुथल है और इसी का मैं ज्वायण्ट कण्ट्रोलर हूँ। आप सोच लीजिए कि क्या हाल होगा। रात को दस बजे तक दफ़्तर से लौटता हूँ। दौरा रहा सो अलग। अगर लिखने-पढ़ने का दुर्व्यसन न हो तो शायद पागल ही हो जाऊँ (वैसे उसकी सम्भावना अभी भी है)।

आपको मेरी रचनाएँ अच्छी लगती हैं, यह मेरा सौभाग्य है। कितना अच्छा

होता कि परसाईजी या शरद जोशीजी मेरे पहले या मेरे बाद में पैदा हुए होते। उस स्थिति में मैं एकमात्र छत्रपति होता। मगर इन कम्बख़्तों को मेरा ही समकालीन होना था। ख़ैर...

हिन्दी निदेशालय (केन्द्रीय) आपको पुस्तकें भेजेंगे। हिन्दी कहानी पर आपको लम्बा लेख लिखना है शायद। उचित समझें तो उसमें मेरी पुस्तक ले लें।

खत लिखते हुए मुझे पता था कि आप मेरी ही उम्र के हैं पर मैंने विनम्रता का अपव्यय इसलिए किया था कि आप आलोचक हैं। आलोचक (किसी भी उम्र का) लेखक से (किसी भी उम्र के) हमेशा बड़ा होता है।

इधर जब ज़्यादा बोर हो गया तो कुछ अच्छा लिखा है। धीरे-धीरे छपेगा। अगला संग्रह शायद अगले वर्ष आए। 1973 में चौथा कविता-संकलन छपाना चाहता हूँ।

साक्षात्कार का अवसर कब मिलेगा? दिल्ली आएँ तो मेरठ दूर नहीं है। हाँ, अगर बग़ैर मिले सम्बन्ध ज़्यादा मधुर रहने की सम्भावना हो तो बात अलग है।

हमेशा आपका

रवीन्द्रनाथ त्यागी

(3)

11 जुलाई 77

आदरणीय भाई धनंजय जी,

पत्र लिखे अरसा हो गया। इस बीच बहुत परेशानियों में रहा और बेहद बीमार रहा। बीमार वैसे अभी भी चल ही रहा हूँ।

इस बीच कई किताबें छपीं। दो नयी किताबें भेजता हूँ। एक ताज़ा व्यंग्य-संग्रह है और दूसरे में कुछ चुनी हुई रचनाएँ संकलित हैं। आश्चर्य की बात यह है कि इस दूसरी पुस्तक की भूमिका आपने लिखी है। यह बात ठीक भी है क्योंकि यह भूमिका उस तमाम सामग्री में से बनायी गयी है तो आपने मेरे बारे में 'नयी कहानियाँ' गुस्ताख़ी के लिए माफ़ी चाहता हूँ। प्रकाशक, भूमिका चाहता था और इतना समय नहीं था कि मैं आपसे भूमिका के लिए कह सकता।

कृपा करके लिखेंगे कि आप मेरी इस गुस्ताखी से नाराज़ नहीं हैं। यह भी लिखेंगे कि किताबें कैसी लगीं। ख़त का जवाब बहुत जल्दी देना, मैं परेशान रहूँगा।

बाकी कभी फिर। आपसे भेंट करने की उत्कट इच्छा है। स्वस्थ व प्रसन्न होंगे।

फिर से क्षमायाचना के साथ

उत्तराकांक्षी आपका भाई

रवीन्द्रनाथ त्यागी

P.S. 11/7 का ख़त आज भेज रहा हूँ। आपका पता ही नहीं मिल पा रहा

था। पुस्तक मिलने की सूचना आज ही दें, बाक़ी प्रतिक्रिया में अपना पता लिखेंगे।

इस वर्ष दो किताबें और आ रही हैं, एक है नया कविता-संग्रह और दूसरा एक सम्पादित ग्रन्थ : उर्दू हिन्दी हास्य व्यंग्य।

(4)

22.12.77

आदरणीय भाई धनंजय जी,

आप उस दिन नहीं आये। मैं सारा दिन 'आये न बालम वादा करके' वाला गीत गुनगुनाता रहा। शायद आप दिल्ली में फँस गये। वह जगह ही ऐसी है। ख़ैर।

मैं बीमार हूँ और इस कारण दिल्ली नहीं जा सका। दो दिन पहले ही डॉक्टर से मिलने दिल्ली गया था। आशा है आप अन्यथा नहीं लेंगे।

मैं शायद दौरे पर भोपाल आऊँ। तब आप से मुलाक़ात होगी ही।

दो नयी किताबें आने वाली हैं जनवरी तक।

कृपया लिखें कि आप नाराज़ नहीं हुए।

विनीत

रवीन्द्रनाथ त्यागी

(5)

29.1.79

प्रिय भाई,

मैंने अपने नये व्यंग्य-संग्रह (ऋतु वर्णन) की एक प्रति भेजी थी। मिली होगी। कैसी लगी?

नया व्यंग्य-संग्रह (ग्यारहवाँ संग्रह) प्रेस में जा रहा है।

मेरा प्रोमोशन हो गया है और मैं वायुसेना का एकाउण्टेण्ट जनरल होकर यहाँ आ गया हूँ। नया पता लिखता हूँ। नोट कर लें!

नववर्ष की शुभकामनाएँ।

उत्तर की प्रतीक्षा में।

विनीत

रवीन्द्रनाथ त्यागी

(6)

107, राजापुर रोड, देहरादून

21.01.1981

प्रिय भाई धनंजय जी,

सादर प्रणाम

अरसे बाद आपका ख़त मिला। पढ़कर तबीयत ख़ुश हो गयी। आप सुखी रहें और आफ़ीसर आनव्हेरी स्पेशल ड्यूटी बनें।

मैं यहाँ कोठी बनवा रहा हूँ। ज़मीन अर्से से पड़ी हुई थी। सोचा अब इस काम को भी ख़त्म कर लूँ। गर्मियों में मसूरी आइए और मेरे पास ठहरिए।

इधर कई किताबें निकलीं। ताज़े व्यंग्य-संग्रह (भद्र पुरुष) की प्रति भेजी थी। नया कविता-संग्रह (आख़िरकार) नेशनल से छपा है। ज़रूर पढ़ें। इधर बारहवें व्यंग्य संग्रह की प्रेस कॉपी में जुटा है।

मेरे योग्य सेवा?

आपका भाई
रवीन्द्रनाथ त्यागी

(7)

107, Rajpur Road
Dehradun
14th Jan, 1982

R.N. Tyagi
Controller of Defence Accounts

My dear धनंजय जी,

I got your letter and I am thankful for it. I invited the Commandant of the Centre and he was Kind enough to come today. Due to rush of Candidates second call is not issued as a normal procedure. However, in the present case they will issue a second call and if there be any difficulty, delay then you can write to me again.

Regarding future prospects the Commandant told me that the officers reach the rank of Squadron Leader and some of them to the rank of wing Commander. The pay scale of the Squaadron Leader is 1500-1800 and the pay scale of wing Commander is 1600-1850. Allowances are payable in addition. From my angle, the Career prospects are fairely good.

I Will do all that is within my hands. Love to Children and Namaste to your dear wife.

Yours sincerely
R.N. Tyagi

P.S. Your Complaint about my writing is not verey valid. Two articles appeares recently in Dharmyug and Sarika. The newbook (Twelfith collection of Essays) is under printing and shall be sent to you the moment it comes out.

जल्दी के कारण पत्र अँग्रेज़ी में डिक्टेट करा दिया है, धृष्टता के लिए क्षमा करेंगे।

R.N. Tyagi

(8)

जम्मू छावनी

16.1.85

आदरणीय भाई वर्माजी,

भोपाल में जो कुछ हुआ उस सन्दर्भ में आपकी कुशल जानने के लिए तीन पत्र लिख चुका हूँ। कृपा करके लिखें कि आप और परिवार ठीक हैं। अपना पूरा पता भी लिखें। नव वर्ष की शुभकामनाएँ।

आपका भाई

रवीन्द्रनाथ त्यागी

सीडीए (उत्तरी कमान) जम्मू छावनी

(9)

जम्मू छावनी

05.03.85

रवीन्द्रनाथ त्यागी

कण्ट्रोलर : डिफेन्स एकाउण्ट्स

उत्तरी कमान

आरणीय भाई धनंजय जी,

आपका नया पता नोट कर लिया है। मैं अपनी नवीनतम पुस्तक (व्यंग्य) की एक प्रति भेजता हूँ। प्राप्ति की सूचना तुरन्त दें। अपनी प्रतिक्रिया बाद में भेजें। आशा है आप सपरिवार स्वस्थ व सानन्द होंगे।

शुभकामनाओं के साथ,

आपका भाई,

रवीन्द्रनाथ त्यागी।

इस वर्ष का चकल्लस पुरस्कार मुझे मिला है। बीस हज़ार रुपये और एक क़ीमती शाल। मैं बम्बई जाकर बटोर लाया हूँ।

रवीन्द्र नाथ त्यागी

(10)

मेरठ छावनी
13.04.87

प्रिय महोदय,

अपनी प्रतिनिधि रचनाओं की एक प्रति भेजता हूँ। स्वीकार करें। हालाँकि पुस्तक रजिस्टर्ड डाक से भेजी जा रही है फिर भी प्राप्ति की सूचना तुरन्त दें।

बाद में पुस्तक के बारे में अपनी प्रतिक्रिया लिखें। आपके सुझावों का अगले संस्करण के समय उपयोग करूँगा। समस्त आदर व स्नेह के साथ।

आपका रवीन्द्रनाथ त्यागी
कण्ट्रोलर डिफेंस एकाउण्ट्स
सीडीए (ट्रेनिंग) का दफ़्तर
मेरठ छावनी

(11)

मेरठ छावनी
2.5.87

प्रिय भाई वर्माजी,

मैंने अप्रिल के प्रथम सप्ताह में 'रवीन्द्रनाथ त्यागी : प्रतिनिधि रचनाएँ' नामक एक स्वस्थ पुस्तक की एक प्रति रजिस्टर्ड डाक से आपको भेजी थी। प्राप्ति की सूचना नहीं मिली। कृपया तुरन्त लिखें कि पुस्तक आपको मिल गयी है।

कष्ट के लिए क्षमा प्रार्थी हूँ।

स्नेहाधीन
रवीन्द्र नाथ त्यागी

(12)

शमशेर हाउस
1/1, गुरु तेग बहादुर रोड-II
देहरादून (यूपी)

आदरणीय भाई,

मेरा नया व्यंग्य-संग्रह छपकर आ गया है। पुस्तक आपको समर्पित है। कृपा करके लिखें कि पुस्तक रजिस्टर्ड डाक से किस पते पर भेजूँ। जो पता मेरे पास है–

पता नहीं ठीक है या नहीं।

कष्ट के लिए क्षमा करेंगे।

सदा आपका
रवीन्द्रनाथ त्यागी

(13)

23.6.92

प्रिय भाई वर्माजी,

आपका 16.06 का कृपा पत्र आज ही मिला। मैं प्रकाशक को लिख रहा हूँ कि एक प्रति आपको रजिस्टर्ड डाक से तुरन्त भेज दें। आपसे एक प्रार्थना है। कृपा करके पुस्तक मिलते ही प्राति की सूचना मुझे देंगे।

अपनी प्रतिक्रिया अलग से लिखेंगे। आराम के साथ। अपनी पत्नी को मेरा प्रणाम कहें।

मेरे योग्य सेवा।

विनीत
रवीन्द्रनाथ त्यागी

(14)

शमशेर हाउस,
1/1 गुरु तेग बहादुर रोड-II
देहरादून (यूपी)

आदरणीय भाई वर्माजी,

कलकत्ता के 'वागर्थ' के सम्पादक डॉ. प्रभाकर श्रोत्रिय ने 'कथा समय' नामक अपने एक सर्वश्रेष्ठ स्तम्भ के लिए मुझसे एक कहानी माँगी। कहानी का नाम है-- 'बादलों का गाँव'। शैली हास्य-व्यंग्य की ही है। आपको वे लिख रहे हैं, मुझ पर एक संक्षिप्त टिप्पणी के लिए जो मुनासिब समझें, लिखें। मैंने उनसे कहा है कि मेरी विचाराधीन कहानी भी वे आपको भेजें। मैं कह नहीं सकता कि वे क्या करेंगे।

आपने तीस वर्ष पूर्व मुझे जितनी विलक्षणता के साथ आँका था, उतना सही कोई नहीं आँक पाया। 'मेरी श्रेष्ठ व्यंग्य रचनाएँ' में मैंने वही भूमिका दी थी। अगले वर्ष भारतीय ज्ञानपीठ पाँच सौ पृष्ठों का मेरी चुनी हुई व्यंग्य रचनाओं का एक संग्रह छाप रहा हूँ और मैं फिर वही भूमिका दे रहा हूँ। यूँ अब तक कितने ही बड़े लोग मेरे बारे में बहुत कुछ लिख चुके हैं पर वह सब या तो अतिशयोक्ति है या फिर व्यक्तिगत प्रतिक्रिया है और कुछ नहीं। आप जैसा पारखी व्यक्ति मुझे दूसरा नहीं

मिला। मगर मैंने बिना किसी राजनीतिक प्रतिबद्धता के व्यंग्य लिखा और आपको इस दिशा में ग़लत साबित किया (या करने की कोशिश की)। प्रसन्न होंगे।

आपका भक्त अनुचर
रवीन्द्रनाथ त्यागी

(15)

11.07.96

आदरणीय भाई वर्माजी,

आपके स्नेहसिक्त पत्र का उत्तर दे चुका हूँ। मिल गया होगा। मेरा नया कविता-संग्रह छपकर आ गया है। आपकी प्रति रजिस्टर्ड डाक से आज ही भेजी है।

पुस्तक के भीतर जवाबी कार्ड रखा है। पुस्तक की प्राप्ति की सूचना आज ही देंगे। बाद में पोथी आराम से पढ़िए और अपनी निष्पक्ष प्रतिक्रिया भेजिए। आपके एक-एक शब्द की मेरे लिए जो क़ीमत है– वह आप नहीं जानते।

आशा है आप दोनों अब पहले से बेहतर हैं। मैं दूर हूँ (और बीमार रहता हूँ) नहीं तो कभी का आपके पास पहुँच गया होता।

आपका भक्त अनुचर
रवीन्द्रनाथ त्यागी

(16)

23.8.1996

आदरणीय भाई वर्माजी,

हिन्दी में आलोचक नहीं हैं। देवीशंकर अवस्थी नहीं रहे। नामवर जी पथभ्रष्ट हो गये और रामविलास शर्मा एक विशिष्ट राजनीतिक विचारधारा से प्रतिबद्ध हो गये। अब जो आशा है, वह मात्र आप से ही है। आलोचना स्वयं एक विशुद्ध साहित्यिक विधा है। हिन्दी में सभी क्षेत्रों में बढ़िया लिखा जा रहा है पर सही आलोचना के अभाव के कारण लोग ख़त्म हो रहे हैं।

आपका
रवीन्द्रनाथ त्यागी

प्रेम जनमेजय के नाम

(1)

रवीन्द्रनाथ त्यागी
शमशेर हाउस, गुरु तेग बहादुर रोड-II
देहरादून (यू.पी.) 248001

प्रिय भाई प्रेम,

'शरद जोशी : एक यात्रा' कल आयी। सबसे पहले तुम्हारा लेख ही पढ़ा। बहुत बेबाक और दिल को पकड़ने वाला है। नरेन्द्र कोहली का लेख भी शरद भाई के व्यक्तित्व का एक और आयाम सामने लाता है। नरेन्द्र कोहली ने बड़ी हिम्मत की जो ऐसा लेख छपाया। मैं उन्हें दाद देता हूँ।

यह एकदम सच है कि शरद जोशी हम लोगों की पीढ़ी में सर्वश्रेष्ठ था। और क्या लिख रहे हो?

मेरे पास तीन व्यंग्य-संग्रह हैं तुम्हारे। बाक़ी का नाम और प्रकाशकों के पते लिख दो। मैं मँगा लूँगा।

मेरा बीसवाँ व्यंग्य-संग्रह (इतिहास का शव) राजकमल प्रकाशन से आउट हो गया है। इक्कीसवें व्यंग्य-संग्रह की कम्पोजिंग चल रही है। अगले वर्ष सातवाँ कविता-संग्रह व बाईसवाँ व्यंग्य-संग्रह आउट होंगे।

हरीश नवल को प्रणाम कहना। पिताजी को भी प्रणाम कहना। बच्चों को प्यार। उत्तर की प्रतीक्षा करूँगा।

तुम्हारा
रवीन्द्रनाथ त्यागी

(2)

28.1

प्रिय प्रेम,

क्या रहा टी.वी. के सीरियल का? 'बहरहाल' की क्या स्थिति है? कृपया लिखें।

आपकी एक पुस्तक का रिव्यू धर्मयुग में पढ़ा था। बड़ी ख़ुशी हुई। मेरी एक पोथी (विषकन्या) पिछले वर्ष ज्ञानपीठ से छपी। एक और पुस्तक (गणतन्त्र दिवस की शोभायात्रा) 1991 में नेशनल में निकली है। दोनों पुस्तकें दिलचस्प हैं।

हरीश नवल से मेरा प्रणाम कहना। उत्तर की प्रतीक्षा में–

तुम्हारा भाई
रवीन्द्रनाथ त्यागी

(3)

9/3

प्रिय भाई प्रेम,

तुम्हारी भेजी पुस्तक आज मिली। आभार। श्री कृष्ण से बड़ा लीचड़ आदमी मैंने नहीं देखा।

पुस्तक बढ़िया छपी है। समर्पण के लिए आभार। 'बहरहाल' आपने मुझे भी अमर कर ही दिया। 'मेरे तो गिरधर गोपाल' नाम ज़्यादा आकर्षक रहता शायद।

ज्ञान चतुर्वेदी की भूमिका बड़ी चतुराई के साथ लिखी गयी है। 'नरक-यात्रा' लिखकर ये सज्जन भी ख़त्म हो गये। 'प्रेम का व्यंग्य-स्कूल भी खुल गया है', यह जानकर ख़ुशी हुई। मुझे दाखिला मिलेगा न?

कवर पर फोटो क्यों नहीं दिया? तुम तो एक सुदर्शन व्यक्ति हो। मेरी पुस्तक 'शुक्लपक्ष' की एक प्रति श्री कृष्ण जी से ज़बर्दस्ती ले लो। बहुत ही बढ़िया किताब है। ऐसे साहित्यिक व्यंग्य लेखों का एक मोटा संग्रह शायद किसी बड़े प्रकाशन से निकले।

हरीश नवल को नमस्कार कहना। यह सिर्फ़ पुस्तक प्राप्ति की सूचना है। पुस्तक पढ़कर इसी माह दूसरा पत्र लिखूँगा।

इस वर्ष मेरे दो नये व्यंग्य-संग्रह आएँगे। एक किताबघर से, दूसरा पुस्तकालय से। अगली किताब पर जुटा हूँ। बयालीस पुस्तकें तो इस वर्ष हो जाएँगी। सातवाँ कविता-संग्रह भी इसी वर्ष आएगा।

बच्चों को बहुत-बहुत प्यार। पत्नी को हम दोनों का प्रणाम।

सदा तुम्हारा
रवीन्द्रनाथ त्यागी

(4)

14.3.94

प्रिय प्रेम,

तुम्हारी पाँचवीं व्यंग्य-पुस्तक (आत्मा महाठगिनी) ध्यानपूर्वक पढ़ गया। नीचे बताता हूँ कि पुस्तक मुझे कैसी लगी।

आपकी शोषितों के प्रति जो करुणा है वह काफ़ी सच्ची है। काफ़ी विसंगतियों पर आपने निगाह डाली है। आपकी शैली जैसी भी है अपनी है। आप किसी 'स्कूल' में नहीं है। आपकी पुस्तक में अनेक नये मुहावरे हैं। जैसे– गालियाँ पट्ठा खाता है और मेवा जो है वह मामा खाता है। (पृष्ठ 27) पाँच सितारा होटलों में अँग्रेज़ी चलती है और ढाबों में हिन्दी (पृष्ठ 30) दो नावों पर पैर रखने वाला डूबता है और दो महानुभावों के चरण थामने वाला लात खाता है (पृष्ठ 89) इत्यादि। पुस्तक की सर्वश्रेष्ठ रचना है– आग लगन्ने झोंपड़ा (पुस्तक इसी नाम सें होती तो, ठीक रहती) आत्मा महाठगिनी, तेल की धार, कौन लहराएगा तिरंगा, नारायण जी ख़बर लाये हैं, देश प्रेम : खेलप्रेम तथा ये जो टेंशन है– रचनाएँ बढ़िया हैं।

अब कमियाँ गिनाता हूँ। अगर, अपनों से भी ईमानदारी नहीं बरतूँगा तो फिर किससे बरतूँगा?

यह पाँचवीं पोथी है पर श्रेष्ठतमत कृति अभी भी 'राजधानी में गँवार' ही है।

1. आप में हास्य की कमी है। बिना हास्य के शरद जोशी कैसे अमर बनता?

2. आप शिल्प की ओर ध्यान नहीं देते जो आपके ख़िलाफ़ जाएगा। आप में 'दृष्टि' है पर 'सृष्टि' नहीं।

3. रचनाएँ बेहद छोटी हैं। जैसे ही मज़ा आना शुरू होता है, वैसे ही रचना समाप्त हो जाती है। चार्ल्स लैम्ब ने आदर्श निबन्ध की लम्बाई छह पृष्ठ निश्चित की थी।

4. कहीं-कहीं आपकी भाषा सस्ती है और उपमाएँ तो सभी सस्ती हैं।

5. राधेलाल ज़रूरत से ज़्यादा स्थान पा गये हैं, हालाँकि उनका कोई खाका पाठक के सामने नहीं उभरता।

आप इन दोनों पक्षों पर (दृष्टि व सृष्टि) पर ध्यान दें और बड़े लोगों के देशी विदेशी व्यंग्यों को पढ़ें। फिलहाल तो आप 'जनमेजय का नागयज्ञ' करना चाहते हैं। हालाँकि वह काम हिन्दी के परम फूहड़ पद्यकार जयशंकर 'प्रसाद' का था।

ताज़गी देने वाली दो किताबें लिखता हूँ। ज़रूर-ज़रूर पढ़ें। एक है गुजराती के महान् व्यंग्यलेखक विनोद भट्ट की। 'भूल-चूक लेनी-देनी' और दूसरी है– महावीर चाचान की 'मार्क थ्री की ग़रीबी' पहली पोथी राजकमल पेपरबैक्स से अभी-अभी छपी है। विनोद भट्ट ने मुझे प्रति भेजी है। दूसरी का पता है– नटराज प्रकाशन, अशोक विहार, फेस- 1, दिल्ली- 110052

मैं जानता हूँ कि तुम बड़े भाई की तरह मानते हो। फिर भी आलोचना एक कटु चीज़ है। इस पत्र को पढ़कर मुझे एक कार्ड ज़रूर-ज़रूर लिखना कि तुम मेरे ख़त से दुःखी तो हुए पर मुझसे नाराज़ नहीं हुए। श्रीकृष्णजी से मेरी नयी कृति 'शुक्लपक्ष' की एक प्रति ले लो। बढ़िया पोथी है। श्रीकृष्णजी स्वयं कभी नहीं भेजेंगे। दो ख़त तो लिख भी चुका।

शारदा आपकी धर्मपत्नी को प्रणाम भेजती है। पिताजी को चरण स्पर्श। बच्चों को अमित स्नेह। पत्र की प्रतीक्षा में

सदा तुम्हारा : रवीन्द्रनाथ त्यागी

(5)

9.12.94

प्रिय प्रेम,

इस वर्ष के अट्टहास पुरस्कार का क्या रहा? किसे मिला? कृपा करके लिखो।

मेरे दो नये व्यंग्य संग्रह दो प्रकाशकों के पास हैं। एक इस वर्ष और दूसरा अगले वर्ष आएगा। इस वर्ष नया कविता संग्रह व एक बच्चों की पुस्तक भी आने की आशंका है। इन चारों पोथियों के छपने पर प्रकाशित पुस्तकों की संख्या 43 हो जाएगी। व्यंग्य-संग्रह (दोनों) स्तर के हैं। तुम क्या लिख रहे हो?

बच्चों को स्नेहाशीष। बाबूजी को प्रणाम। शारदा तुम्हारी पत्नी को नमस्कार भेजती है। हरीश नवल को मेरा प्रणाम कहना।

नववर्ष की शुभकामनाएँ।

सदा तुम्हारा
रवीन्द्रनाथ त्यागी

(6)

6.4.95

प्रिय भाई प्रेम,

तुम्हारा 1/4 का पत्र आज ही मिला।

यह जानकर मन उदास हुआ कि तुम कुछ अस्वस्थ हो और मन से भी कुछ उखड़े हुए हो। ऐसा क्यों?

कुछ नयी चीज़ लिखो, कोई नयी चीज़ पढ़ो। राजमोहन गाँधी की लिखी शानदार किताब 'Patel' पढ़ो। पेपरबैक में 80/- की ही है। चाहोगे तो मैं पता भेज दूँगा।

मेरी रचनाएँ तुम जैसे व्यक्ति को पसन्द आयी, यह जानकर सुख हुआ। इस वर्ष मेरा सातवाँ कविता-संग्रह आएगा। इस 'व्यंग्य' लेखन ने मेरे कवि को बहुत

क्षति पहुँचायी...

तुमने मेरी एक रचना की प्रहारात्मकता की प्रशंसा की है। कहीं मेरे इसी गुण के कारण तो मेरा अट्टहास पुरस्कार नहीं रुक गया? बहरहाल, मैं तो जैसा हूँ वैसा ही रहूँगा। दो नये व्यंग्य-संग्रह प्रेस में हैं।

मई में दिल्ली आऊँगा। पिछली बार गया तो तुम्हारा फ़ोन बजाता ही रहा, जनवरी में। क्या नम्बर बदल गया है?

मेरे पास चतुर्वेदी को पढ़ रहा हूँ 'प्रेतकथा' सचमुच एक बेजोड़ कृति है। इसके बाद 'नरक यात्रा' करूँगा, वह मुझे समर्पित जो है।

खत बराबर लिखो। चाहो तो मिलने आ जाओ, उत्तर आज ही देना। मैं चिन्तित रहूँगा।

सदा तुम्हारा
रवीन्द्रनाथ

(7)

20/9

प्रिय प्रेम,

'गगनांचला' से 200/- का चेक आज आ गया। यह सब कृपा तुम्हारी ही है। आभारी हूँ। सम्भव हो तो वर्ष में एक बार ऐसी कृपा कर दिया करो।

हिन्दी- लेखकों की आम हालत तुम्हें मालूम ही है। मैं उन्हीं में से एक हूँ।

अख़बारों की स्थिति व पुरस्कारों वग़ैरह का हाल तुम जानते ही हो। पत्नी की बीमारी के बाद मैं आर्थिक दृष्टि से चिन्तित ही रहता हूँ। प्रकाशकों के बारे में कुछ कहना बेकार ही है...

बाबू जी कैसे हैं? क्या लिख पढ़ रहे हो?

अक्टूबर में शायद मुलाकात हो।

भारतीय ज्ञानपीठ को चुनी हुई 100 रचनाओं की पाण्डुलिपि देने जाना है।

सारदा तुम्हारा
रवीन्द्रनाथ

(8)

22/4

प्रिय प्रेम,

मेरा 6/4 का पत्र मिला होगा। मैं आपका आभार मानूँगा यदि आप नीचे लिखी बातों पर प्रकाश डाल सकें-

1. 'व्यंग्य-संग्रह' की भाँति 'हास्य-संग्रह' मुझे कब तक मिलेगा?

2. नेशनल बुक ट्रस्ट से श्री श्रीलाल शुक्ल द्वारा सम्पादित व्यंग्य-संकलन छपा या नहीं? यदि नहीं छपा तो कब तक छपेगा और मुझे अपनी प्रति कब तक मिलेगी? आप चाहें तो श्री अरविन्द कुमार को फ़ोन कर सकते हैं।

3. 'व्यंग्य-शिल्पी लतीफ़ घोंघी' जैसा ग्रन्थ आप मेरे ऊपर सम्पादित कर पाएँगे या नहीं? प्रकाशक मैंने खोज लिया है। सामग्री मेरे पास काफ़ी है। आपको कुछ समय यहाँ गुज़ारना पड़ेगा मेरे साथ। काम अगले वर्ष ही होगा क्योंकि यह सारा वर्ष भारतीय ज्ञानपीठ को जाने वाली मेरी पुस्तक में गुज़र जाएगा। आप जो भी शर्तें रखेंगे, वे मुझे मंज़ूर होंगी।

4. बालेन्दु शेखर तिवारी व आप- दोनों ने नये रचनाकारों को अपने मोटे-मोटे ग्रन्थों में समेट लिया है। क्या हम लोगों के बाद की पीढ़ी के व्यंग्यकारों पर कोई और पुस्तक चल पाएगी? प्रकाशक की समस्या मैं हल कर लूँगा। मेरा अपना विचार है कि कुछ चुने हुए नये व्यंग्यकारों की श्रेष्ठ रचनाएँ एक विस्तृत भूमिका के साथ आनी चाहिए। लेखक व रचनाएँ– दोनों का चुनाव काफ़ी सख़्ती से होना है।

5. मेरी उस दिन की अशिष्टता को आपने क्षमा कर दिया या नहीं? आपका उत्तर न आने के कारण मैं बहुत चिन्तित हूँ। जैसा भी हूँ, निभा लो।

फिलहाल बा.शे. तिवारी की मोटी 'व्यंग्य-यात्रा' पढ़ रहा हूँ। इसके बाद आपका दिया व्यंग्य-संग्रह व आपकी 51 रचनाएँ शुरू करूँगा। डॉ. गिरिराज शरण की दस पुस्तकों में से आठ तो पढ़ डाली। दो बाक़ी हैं। व्यंग्य में 'ठगी' शुरू हो गयी। मेरा मानसिक रोग घट नहीं रहा। अब एक नयी दवा पर डाला है। दवा कुछ महँगी है– लगभग 35/- प्रतिदिन। भविष्य एकदम अनिश्चित है...। इधर पत्नी की चिन्ता अलग से आ गयी। पुरस्कार तो मात्र श्रीलाल शुक्ल को ही मिलने हैं और किसी को नहीं...।

उत्तर देना। राहत मिलेगी। बच्चों को प्यार। पत्नी को हम दोनों का प्रणाम। बाबूजी को मेरा करबद्ध प्रणाम।

सदा तुम्हारा
रवीन्द्रनाथ त्यागी

(9)

18/10

प्रिय भाई प्रेम,

तुम्हारा 6/10 का कृपा पत्र मिला।

युवा व्यंग्यकारों के रचना-संग्रह के लिए हम दोनों का मिलना ज़रूरी है। मैं

डॉ. शिव शर्मा, डॉ. गिरिजाशरण अग्रवाल को भी जोड़ना चाहूँगा। और भी कुछ हो सकते हैं। तुम अपने पत्र में लिखे लेखकों की पुस्तकें या दो-दो रचनाएँ लेकर दो-तीन दिन के लिए यहाँ चले आओ ताकि रूपरेखा बन सके। फाइनल पाण्डुलिपि बनने में छह माह तो लगेंगे ही। तुम कभी भी 1.11.95 से 15.11.95 तक या 20.11.95 के बाद कभी भी मुझे फ़ोन करके यहाँ चले आओ घर का नक्शा पीछे देता हूँ। किसी प्रकाशक को साउण्ड कर लिया या नहीं? मेरा फ़ोन नं. है 629133, बाक़ी मिलने पर।

अगली सिटिंग अगली जनवरी 1996 में मेरे दिल्ली आने पर होगी।

रवीन्द्रनाथ त्यागी

(10)

14/10

प्रिय भाई प्रेम,

तुम्हारी किताब मिल गयी। और काम छोड़कर उसी को पढ़ा। बहुत सुख मिला। यह तुम्हारी अब तक छपी सारी पुस्तकों से श्रेष्ठ है। मेरी आलोचना ने असर दिखा ही दिया। सभी रचनाएँ स्तरीय हैं (साँप व भैंसवाली रचनाएँ कमज़ोर हैं, पश्चिम विहार वाली रचना का अन्त बिगड़ गया है, बैंक की चर्चा काफ़ी थी, डॉक्टर ने मज़ा बिगाड़ दिया)।

तुम्हारी रचनाएँ सोद्‌देश्य हैं और विनोद वृत्ति स्वाभाविक है। भाषा लचीली और सरल है। बस ऐसा ही लिखा करो- चाहे गति कम ही रहे। 'मुलायम शेर' सर्वश्रेष्ठ रचना है। इतना बेबाक होना बहुत कठिन है। बाक़ी बातें मिलने पर होंगी।

बाबूजी अब बेहतर हैं, यह जानकर सन्तोष हुआ।

मैं काफ़ी बीमार हूँ। डायबिटीज व डिप्रेशन के साथ-साथ टाँगों में रक्त का संचालन सहसा कम हो गया है। चलते-चलते लड़खड़ाने लगता हूँ। सिगरेट बन्द कर दी। इन्हीं सब कारणों से लम्बा पत्र नहीं लिख पाया। ठीक होने में समय लगेगा। नवम्बर में शायद दिल्ली जाऊँ और तुमसे मिलने पश्चिम विहार आऊँ। काफ़ी दुःखी चल रहा हूँ। बहरहाल, इस शानदार किताब ने मुझे ख़ुशी दी। बधाई...

तुम्हारा भाई

रवीन्द्रनाथ त्यागी

(11)

17/2/96

प्रिय डॉ. जनमेजय जी सादर चरण स्पर्श

मैंने एक से ज़्यादा पत्रों में आपसे पूछा कि श्री क.ला. नन्दन का पता क्या

है ताकि मैं नया कविता संग्रह भेज सकूँ। आप अब इतने महान् हो गये हैं कि मैं उत्तर पाने का अधिकारी ही नहीं रहा। यदि पता आपको नहीं मालूम है या नन्दन भाई ने उसे गुप्त रखने को कहा है तो आप वही मुझे लिख देते। उत्तर न देने की अशिष्टता क्यों बरती?

हास्य-संकलन कब आएगा, क्या बताएँगे? श्रीकृष्ण जी को छापना था।

'गगनांचल' में रचना आको तभी भेजूँगा जब आप चाहेंगे। प्रकाशित

यदि आपका उत्तर नहीं आया तो यह मेरा अन्तिम पत्र है। बेफिक्र रहिए, मेरी ओर से वर्षों का स्नेह-सूत्र कभी नहीं टूटेगा।

नववर्ष की मंगलकामनाएँ।

आपका सेवक
रवीन्द्रनाथ त्यागी

(12)

6/4/96

प्रिय प्रेम,

लखनऊ का जश्न कैसा रहा?

आपने बीसवीं सदी का जो व्यंग्य-संकलन मुझे दिया, उसमें लेखकों में मुद्राराक्षस को कैसे भूल गये? आलोचकों में डॉ. धनंजय वर्मा को कैसे छोड़ दिया। हरीश नवल को कैसे बिसरा दिया? एक शानदार किताब में ऐसी कमियाँ बहुत खलती हैं। बीसवीं शताब्दी का हास्य संकलन कब आएगा?

व्यंग्य-शिल्पी लतीफ़ घोंघी, जैसी किताब मुझ पर छापना चाहोगे? सामग्री मेरे पास काफ़ी है। सोच-विचार कर लिखो। रूपरेखा इस वर्ष बना लो, बाक़ी अगले वर्ष। इस साल तो मैं बुरी तरह फँसा हूँ। उत्तर की प्रतीक्षा करूँगा।

उस दिन की गुस्ताख़ी को माफ़ कर दिया या नहीं।

सदा तुम्हारा
रवीन्द्रनाथ त्यागी

(13)

1/7/96

प्रिय भाई प्रेम,

लखनऊ का जश्न कैसा रहा?

'बीसवीं सदी का उत्कृष्ट व्यंग्य' पूरा पढ़ गया। मेरे विचार में अब नयी पीढ़ी

का एक और व्यंग्य-संग्रह निकालना ज़रूरी नहीं है—

तुम्हारी इक्वायन रचनाएँ पूरे मनोयागे से पढ़ डाली। साथ बैठेंगे तो बात करेंगे। कुल मिलाकर 26 रचनाएँ श्रेष्ठ लगीं। 'राजधानी में गँवार', 'सीता-अपहरण केस', 'युधिष्ठिर सत्य', 'ज़िन्दगी नींद है' व 'इन्द्रधनुष का जादू' सचमुच उत्कृष्ट है। डूबते सूरज का इश्क़ पुस्तक की सर्वश्रेष्ठ रचना है। बाक़ी रचनाओं पर परिश्रम नहीं किया गया हालाँकि उनमें भी मार्मिक अंश सूक्तियाँ हैं। राधेलाल का पल्ला इतना मत पकड़ो कि एकरसता या बोरियत होने लगे।

तुमने कहा था कि मेरी एक रचना किसी पत्रिका में छपी है जो विदेशों में भी बिकती है। कहीं आप 'गगनांचल' के विश्व हिन्दी अंक की बात तो नहीं कर रहे थे? बहरहाल, वह पत्रिका जो भी हो, यदि उसमें मेरी रचना छपी है तो उसका एक अंक रजिस्टर्ड डाक से तुरन्त भिजवा दो। यदि दक्षिणा की व्यवस्था है तो वह भी मिलनी चाहिए। जून गुज़र गया। बीसवीं सदी का उत्कृष्ट हास्य कब मिलेगा? बड़ी प्रतीक्षा है।

सार्थक प्रकाशक का कोई फ़ोन या पत्र नहीं आया। उनसे पूछा कि अगले वर्ष मेरे दो व्यंग्य-संग्रह छापेंगे या नहीं। मैं दोनों पाण्डुलिपियाँ अप्रैल के अन्त तक दे दूँगा। प्रूफ की ग़लतियाँ नहीं होंगी, बिक्री ठीक होगी और पुस्तकें पाण्डुलिपि देने की तिथि से छह महीने के भीतर छप जाएँगी। पुस्तक क्राउन साइज़ में बढ़िया गेट-अप के साथ छपेंगी। प्रत्येक पुस्तक की पृष्ठ संख्या 200 पृष्ठ या उससे कुछ कम ही होगी। रॉयल्टी वक़्त पर मिलनी चाहिए। यदि वे लोग उपर्युक्त बातों से सहमत हों तो उनसे कहिए कि दोनों पुस्तकों के अनुबन्ध की प्रतियाँ दस्तख़त करके मुझे भेज दें। प्रत्येक पुस्तक के लिए अनुबन्ध की दो-दो हस्ताक्षरित प्रतियाँ भेजें। एक-एक कॉपी में दस्तख़त करके उन्हें वापिस कर दूँगा। एक पुस्तक का नाम होगा 'राग विराग' व दूसरी का नाम होगा 'बादलों का गाँव'।

आज से ज्ञानपीठ वाली पुस्तक पर जुटूँगा। मेरे ऊपर मैटीरियल इकट्ठा करते रहो। काम उस पर अगले वर्ष ही होगा।

सारा पत्र स्वार्थ में ही निकल गया। तुम्हारा नैनीताल का ट्रिप कैसा रहा? क्या लिख-पढ़ रहे हो? बाबू जी कैसे हैं?

अपनी पत्नी से हम दोनों का प्रणाम कहें, बच्चों को बहुत-बहुत प्यार। उत्तर की प्रतीक्षा करूँगा। ठीक होंगे, सपरिवार।

सदा तुम्हारा
रवीन्द्रनाथ त्यागी

(14)

14/9/98

प्रिय भाई प्रेम,

आज शारदा दिल्ली से आयी तो पता चला कि तुम्हारे बाबूजी को एक दुर्घटना में काफ़ी चोटें आयीं। यह सब जानकर बहुत दुःख हुआ। मैं ईश्वर से प्रार्थना करता हूँ कि वे जल्दी ही ठीक हो जाएँ।

सदा तुम्हारा : रवीन्द्रनाथ त्यागी

(15)

5/5/2003

प्रिय भाई प्रेम,

आशा करता हूँ कि तुम सपिरवार स्वस्थ व प्रसन्न हो मेरे ग्रह इन दिनों कुछ ख़राब चल रहे हैं। पत्नी बीमार है, दिल्ली में पुत्र अस्वस्थ है। माबदौलत की हालत यह है कि पिछले महीने फिसल कर गिर गया और कलाई टूट गयी। प्लास्टर गले के नीचे स्लिंग पर लटका है। पता नहीं कि कब कटेगा। हाथ से छुट्टी मिलते ही प्रौस्टेट का ऑपरेशन करवाना है...

मेरे आपसे दो निवेदन हैं, जो इस प्रकार हैं :

1. मेरी ढाई पृष्ठ की एक व्यंग्य-रचना गगनांचल में छपने के लिए दफ़्तर में पड़ी है। उसकी कोई कॉपी, मेरे पास नहीं है। रचना का नाम है 'मेरी परेशानियाँ'। आज नन्दन जी से फ़ोन पर बात की। उन्होंने बताया कि रचना तो छपेगी मगर यह कहना कठिन है कि विशेषांक के कारण, वह कब छपेगी। आप मुझे लौटती डाक से सूचित करें कि रचना आपके दफ़्तर में सुरक्षित पड़ी है और आप उसे यथासम्भव जल्दी ही शिड्यूल करेंगे।

2. आप जो विशेषांक छाप रहे हैं उसमें गगनांचल में अब तक जो कुछ छपा है, उसका उत्कृष्टतम मैटर छपेगा। यह विशेषांक कब तक आउट होगा? मुझे एक प्रति ज़रूर मिलनी चाहिए। मैं Advance Payment तक करने को तैयार हूँ। मेरी एक उत्कृष्ट श्रेष्ठ रचना (खल्वाट-कथा) इस विशेषांक में जा सकती है। यह रचना गगनांचल के जनवरी-मार्च 1997 के अंक में छपी थी। उत्तर की प्रतीक्षा में।

सदा तुम्हारा
रवीन्द्रनाथ त्यागी

(16)

नयी दिल्ली
6/3

प्रिय भाई,

पत्र के लिए हार्दिक आभार। युवराज के विशेषांक में आप ही युवराज थे— बाक़ी तो मेरी तरह विदूषक ही थे। यह जानकर बड़ी ख़ुशी होती है कि नये लोग हम लोगों से आगे निकलने की शक्ति रखते हैं।

और क्या ठाठ हैं? मुलाक़ात कब होगी?

मेरा फ़ोन नम्बर है 3756091 घर का फ़ोन यूँ नहीं क्योंकि अभी तक घर ही नहीं मिला। मई तक परिवार आएगा। तब तक डब्ल्यू- 25, ग्रीन पार्क में अपने एक रिश्तेदार के यहाँ ठहरा हूँ।

(क्या सुनाऊँ मीर अपने घर का हाल
इसने कर दिया मुझे पागल)

आपका भाई
रवीन्द्रनाथ त्यागी

नर्मदा प्रसाद उपाध्याय के नाम

(1)

24.3.

प्रिय भाई उपाध्याय जी,

आपकी भेजी पुस्तक पूरी पढ़ गया। ऐसी पुस्तक विद्यानिवास मिश्र ही लिख सकते थे, और कोई नहीं....

आपके द्वारा दिये चित्रों ने पुस्तक की शोभा को सौ गुना बढ़ाया है। यह मेरा परम सौभाग्य है कि मैंने आपका स्नेह पाया...

एप्रिल में आपकी प्रतीक्षा रहेगी।

मेरे योग्य सेवा।

ठीक होंगे, सपरिवार

सदा आपका
रवीन्द्रनाथ त्यागी

(2)

31.8.

प्रिय भाई उपाध्याय जी,

आपका 20/8 का कृपा पत्र मिला। बहुत आभारी हूँ। मैं तो अखिल भारतीय सेवा में था। 46 मकान बदले।

उज्जैन बढ़िया जगह है। मैं टेपा पुरस्कार लेने गया था। 'सुमन' जी तो वहाँ की सबसे बड़ी विभूति हैं। आप मेरे परम मित्र डॉ. शिव शर्मा से मिलिए। टेपा-उत्सव के वे ही कर्त्ता-धर्ता हैं। वे एक श्रेष्ठ साहित्यकार व बढ़िया इंसान हैं। उनका पता तो कोई भी बता देगा।

आपका यह पत्र काफ़ी व्यंग्यात्मक है। आपके निबन्ध-संग्रह की आँखें खोल कर प्रतीक्षा करूँगा...

उज्जैन-एक्सप्रेस का फ़ायदा उठाओ और मेरे घर को पवित्र कीजिए।

ठीक होंगे, सपरिवार

सदा आपका
रवीन्द्रनाथ त्यागी

(3)

10/5

मान्य भाई उपाध्याय जी,

आपका 27/4 का स्नेह-सिक्त पत्र मिला। हृदय से आभारी हूँ। भाई श्री विद्यानिवास जी मुझ पर सदा कृपालु रहे हैं जो मेरा सौभाग्य है...

'मानसिक अवसाद' ब्रेन-सेल्स की बीमारी है जो मुझे विरासत में मिली। मैं तो यह बोझ पिछले तीस वर्षों से ढो रहा हूँ। सर विंस्टन चर्चिल, अब्राह्म लिंकन व डॉ. सैमुएल जानसन से लेकर मिथुन चक्रवर्ती व श्रीमती खुशवन्त सिंह तक इस रोग से बुरी तरह पीड़ित हैं।

मैं भी आपसे मिलने को बुरी तरह व्याकुल हूँ। देर या सबेर, भेट तो होनी ही है। आप जैसे कला प्रेमियों, साहित्यकारों व मित्रों के कारण ही तो जीवित हूँ।

आपकी चित्रकला के प्रति जो अनुरक्ति है, वही आपकी लेखन-शैली को लगातार परिष्कृत करती आ रही है।

दिल्ली जा रहा हूँ, दस दिन के लिए।

ठीक होंगे, सपरिवार।

मेरे योग्य सेवा।

सदा आपका
रवीन्द्रनाथ त्यागी

(4)

प्रिय भाई,

आपका पत्र व भाई माणिक वर्मा की पुस्तक आज ही मिली। मैं वर्माजी का पुराना प्रशंसक हूँ। और मैं उनके बारे में वहीं कहूँगा जो शरद जोशी ने पुस्तक में कहा है। वर्मा जी जनप्रिय भी रहे और उन्होंने अपना साहित्यिक स्तर भी बरकरार रखा। मेरी शुभकामनाएँ उनके साथ हमेशा रहेंगी। उनसे मेरा प्रणाम कहें।

ठीक होंगे, सपरिवार। आपकी अगली पुस्तक की प्रतीक्षा करूँगा।

सदा आपका
रवीन्द्रनाथ त्यागी

(5)

7.2.96

प्रिय भाई उपाध्याय जी,

पिछला कुछ समय अजीब गुज़रा। पत्नी को दिल्ली जाते हुए ट्रेन में ही हार्ट अटैक जैसा कुछ हुआ। स्टेशन से सीधे-अस्पताल। किसी तरह प्राण बचे, 14/1 को 95 वर्षीया माता का स्वर्गवास हो गया। दो सरकारों ने पुरस्कार दिया और सातवें कविता संग्रह के प्रूफ आ गये जो अभी भी देख रहा हूँ। इन्हीं हादसों की वजह से आपको पत्र लिखने में देरी हुई। इस बार क्षमा कर दें...

हिन्दी के निबन्धकार तीन प्रकार के हैं। एक हैं प्रसाद या रामचन्द्र शुक्ल जैसे जिनका लेखन मात्र एक बौद्धिक विलासिता है। दूर की कौड़ी पकड़ना, ज़बर्दस्ती चमत्कार पैदा करना और सब कुछ होते हुए भी पाठक के हृदय तक न पहुँच पाना। दूसरे लेखक हैं बालकृष्ण भट्ट्ट प्रताप नारायण मिश्र, म.प्र. द्विवेदी व बख़्शी जी जैसे।

हमेशा पाठक को सीने से लगाने वाले। सरल व सीधी सादी भाषा में बड़ी से बड़ी बात कह जाने वाले। तीसरे हैं हजारी प्रसाद द्विवेदी, विद्यानिवास मिश्र व कुबेरनाथ राय जैसे पक्के भोजपुरी। साहित्य बाद में, लालित्य पहले।

आप पर तीनों पीढ़ियों का प्रभाव है। लगता है कि भविष्य में आप भी कुछ ऐसा करेंगे जो इन का मिला-जुला होने के बावजूद इनसे एकदम अलग होगा। आपकी शैली अभी निश्चित होनी है। आपमें विभिन्न कलाओं के प्रति मोह है, सच्ची बात कहने का साहस है और आपके अन्दर शिल्प व कलात्मकता के प्रति आग्रह है। लगे रहिए। आप में वह सामर्थ्य है जो हिन्दी गद्य को एक ताज़गी दे सकती है।

आपने मेरे जैसे अत्यन्त साधारण साहित्यकार को इतना स्नेह दिया- यह ईश्वर की अनुकम्पा है। आपसे मिलने व आपके साथ 'बतियाने' का स्वप्न कभी ज़रूर सच होगा। आप जैसे परिष्कृत व जागरूक लेखक कितने हैं? पढ़ना न छोड़िए। ए.जी. गर्डिनर, जेम्स थर्बर, फैडरिक हैरिसन तथा चार्ल्स लैम्ब जैसे सिद्ध निबन्धकारों को सदा मेज़ पर रखिए और उचित समझें तो हिन्दी साहित्य सम्मेलन से प्रकाशित व विद्यानिवास मिश्र जी द्वारा सम्पादित आधुनिक हिन्दी निबन्धावली ज़रूर खरीदिए। बेहद सस्ती होगी।

पत्र देंगे कि इस प्रतिक्रिया के कारण आपने मुझे 'प्रतिक्रियावादी' तो नहीं मान लिये। मैं आपके पत्र की प्रतीक्षा करूँगा।

बच्चों को अमित स्नेह। मेरी पत्नी आपकी पत्नी को प्रणाम कहती है।

मेरे योग्य सेवा।

सदा आपका
रवीन्द्रनाथ त्यागी

(6)

25.4.2000

प्रिय भाई उपाध्याय जी,

पुस्तक मिलने की रसीद भेज चुका हूँ। मिली होगी।

पुस्तक दो बार पढ़ गया। बहुत सुख मिला। "भैया" एक मार्मिक श्रद्धांजलि है। खजुराहो वाला निबन्ध सचमुच 'इन्साईक्लोपीडिएक' है। 'काँवरिए व 'तीसरा पाँव' तो श्रेष्ठ व्यंग्य रचनाएँ हैं। यूँ तो सारे ही निबन्ध उत्कृष्ट हैं पर 'ड्राइंग रूम की कारा' मुझे सर्वश्रेष्ठ लगा। जो दोहरा जीवन हम सब जी रहे हैं, यह उसकी सच्ची व्यथा-कथा है।...

भगवान आपको लम्बा जीवन दे ताकि आप हिन्दी साहित्य को इसी प्रकार धनाढ्य करते रहें। आचार्य हजारी प्रसाद द्विवेदी व कुबेरनाथ राय के बाद श्री विद्यानिवास मिश्र और आपके अलावा विशुद्ध साहित्यिक निबन्धकार और कौन हैं?

आपकी पत्नी को हम दोनों का करबद्ध प्रणाम कहें। बच्चों को स्नेहाशीष। ठीक होंगे, सपरिवार।

मेरे योग्य सेवा,

सदा आपका
रवीन्द्रनाथ त्यागी

बालेन्दु शेखर तिवारी के नाम

(1)

देहरादून
7.3.94

प्रिय भाई तिवारी जी,

कल या परसों डॉ. गिरिजा शरण की 'व्यंग्य-वार्षिकी- 1993' पढ़ी। आपका वर्ष भर के आंकलन करने वाला निबन्ध पढ़ा। धन्यवाद। आप तो व्यंग्य साहित्य के विश्वकोष ही हो गये हैं। बधाई।

महावीर चाचान की व्यंग्य कृति (मार्क थ्री की ग़रीबी) शायद आपने नहीं पढ़ी। ज़रूर पढ़िए। मिलने का पता है–

नटराज प्रकाशन, ए- 98 अशोक विहार, फेज-I दिल्ली-110052

गुजराती के विशिष्टतम व्यंग्यकार श्री विनोद भट्ट की दो कृतियाँ अवश्य पढ़ें। दोनों राजकमल पेपरबैक्स में छपी हैं। एक का नाम है 'बैताल-छबीसी' और दूसरी का नाम है 'भूल चूक लेनी देनी'। अनुदित व्यंग्य पुस्तकों की चर्चा भी किया करें।

स्वस्थ व प्रसन्न होंगे, सपरिवार

सदा आपका
रवीन्द्रनाथ त्यागी

(2)

29.4.94

प्रिय भाई तिवारी जी,

अरसा गुज़र गया आपकी डाँट खाये। आशा है कि आप सपरिवार स्वस्थ व प्रसन्न हैं। मेरा एक चुने हुए लेखों का व्यंग्य-संग्रह आने वाला है। बाईसवाँ व्यंग्य-संग्रह भी जल्दी ही आएगा। मैं प्रति भेजूँगा। बेफिक्र रहें।

'मार्क थ्री की ग़रीबी' कैसी लगी। इधर मेरे चुने हुए कुछ साहित्यिक व्यंग्य लेखों का संग्रह 'शुक्लपक्ष' मुझे काफ़ी 'बदनाम' कर रहा है। मेरी इच्छा है कि आप उसे अवश्य पढ़ें। पराग प्रकाशन, 3/114 कर्ण गली, विश्वास नगर, शाहदरा, दिल्ली-110032 से छपा है। क़ीमत है 50/-, पढ़कर लिखें कि कैसा लगा? मेरी प्रतियाँ ख़त्म हो गयीं। इस वर्ष मेरा सातवाँ कविता-संग्रह आएगा। एक पोथी बच्चों के लिए भी छपेगी। फिलहाल 23वें व्यंग्य-संग्रह पर जुटा हूँ।

अमृतराय जी की पुस्तक 'जिनकी याद हमेशा हरी रहेगी' (हंस प्रकाशन, इलाहाबाद, पेपरबैक का दाम 10/-) में राधाकृष्ण पर एक श्रेष्ठ संस्मरण छपा है। 'व्यंग्य-विकास-यात्रा' तो इस वर्ष के मध्य तक आ ही जाएगी। उसके बाद राधाकृष्ण जी पर एक सुन्दर पुस्तक निकालिए। मैं रूपरेखा भी बता सकता हूँ और अपनी रचना भी भेज सकता हूँ। उनसे मेरा पत्र-व्यवहार रहा है। राँची के ही थे। समय मिले तो ख़त लिखें।

विनीत

र.ना. त्यागी

(3)

8.5.94

मान्य भाई तिवारी जी,

मैं बहुत व्यस्त रहा और चाहते हुए भी आपके पत्र का उत्तर नहीं दे सका। क्षमा करेंगे।

'अट्टहास-समारोह' में मेरा कौन-सा पत्र सार्वजनिक रूप से आपने पढ़ दिया? कृपया लिखें। मेरे पत्र मात्र आपके लिए ही होते हैं, सार्वजनिक उपयोग के लिए नहीं।

देख ली व्यंग्य-बिरादरी की स्थिति? बाक़ी ख़ुद सोच लें।

और हाँ, 'व्यंग्य विकास यात्रा' इसी जन्म में मिलेगी या अगले में? जितने पत्र इस पोथी के पीछे लिखे, उतने किसी और के लिए शायद कभी नहीं लिखे।

प्रसन्न होंगे, सपरिवार।

अपनी सलाना रिपोर्ट में आपने मेरे चुने हुए दो व्यंग्य-संकलनों की चर्चा नहीं की (शुक्लपक्ष व तैलचित्र) महावीर चाचान की उत्कृष्ट पुस्तक भी छोड़ दी। ज्ञान चतुर्वेदी की 'नरक-यात्रा' के बारे में आपकी प्रशंसा ठीक है। हम लोगों की पीढ़ी के बाद ज्ञान ही सबसे ज़्यादा शक्तिशाली हैं। उसका 'वीभत्स' होना मुझे अखरता है। उसे लिखा भी है। उत्तर देंगे।

सदा आपका

रवीन्द्रनाथ त्यागी

(4)

13/7/94

प्रिय भाई तिवारी जी,

आपका 25/6 का पत्र यथा समय मिल गया था। 'देश विदेश की कथा' पर आपकी प्रतिक्रिया अभी नहीं आयी। कहीं डाक में तो नहीं खो गयी। आपने लिखा था कि आप उसे कल ही भेजेंगे। आपके पास कॉपी तो होगी ही। आपके ही शब्दों में मैं 'लता की शीतल छाँह में लेटा हुआ भींगे नयनों से गाली प्रवाह' देखने की प्रतीक्षा में हूँ।

विश्वविद्यालय प्रकाशन वाराणसी ने 'अन्नपूर्णानन्द रचनावली' छापी है। दाम है 150/- अमृतराय जी ने मुझे सूचना दी तो मैंने एक प्रति तुरन्त मँगवा ली। आप भी यह पवित्र काम तुरन्त कर डालें। इस महान् हास्यकार का हिन्दी ने उचित मूल्यांकन नहीं किया। आशा है आप ने अपने 'व्यंग्य-विकास-यात्रा' में इनके साथ न्याय किया है। उस पुस्तक की मैं आँखें खोल कर प्रतीक्षा कर रहा हूँ। यदि आप चाहेंगे तो मैं उसकी समीक्षा भी लिखूँगा। जुलाई में पुस्तक मिल जाएगी, यह आशा है।

ठीक होंगे, सपरिवार।

सदा आपका
रवीन्द्रनाथ त्यागी

(5)

23.8.1994

प्रिय भाई तिवारी जी,

आपकी भेजी समीक्षा मिली। आपने बहुत सहृदयता से काम लिया है। अपनी कृतज्ञता प्रकट करने को मेरे पास शब्द नहीं हैं। एक प्रति तो भाई लतीफ़ घोघी को भेज रहा हूँ– 'अमृत सन्देश' में छपने के लिए। एक कॉपी 'व्यंग्य विविधा' में भेजूँगा और यदि विद्यानिवास मिश्र जी अमेरिका से आ गये तो यह न.भा. टाइम्स में भी छपेगी।

डॉ. शुकदेव सिंह 'शुक्लपक्ष' के प्रति कुछ 'भावुक' हो गये हैं। एक लम्बा पत्र आया है जिसमें श्री लाल शुक्ल व मेरे अलावा और किसी को व्यंग्यकार माना ही नहीं है। मैंने अपना विरोध पत्र इजलास में दाखिल कर दिया है।

अन्नपूर्णानन्द सचमुच हिन्दी के सर्वश्रेष्ठ हास्य-लेखक हैं। पुरानी पीढ़ी में सर्वश्रेष्ठ व्यंग्यकार विशम्भरनाथ शर्मा कौशिक ही थे–इसमें कोई शक नहीं। पं. श्रीनारायण चतुर्वेदी कहा करते थे कि विशुद्ध हास्य लिखना व्यंग्य लिखने की अपेक्षा कहीं ज़्यादा कठिन है।

'व्यंग्य-विकास-यात्रा' की प्रति रजिस्टर्ड डाक से छपते ही भिजवाएँगे। कृपया यह भी लिखें कि मेरे द्वारा सम्पादित 'उर्दू-हिन्दी हास्य-व्यंग्य' नामक पुस्तक आपके पास है या नहीं। राजकमल-पेपर बैक्स में सवा दो हज़ार का संस्करण एक वर्ष में बिक गया। नया संस्करण अब निकाला है। कष्ट के लिए फिर से आभार।

सदा आपका
रवीन्द्रनाथ त्यागी

(6)

31.8.94

प्रिय भाई तिवारी जी,

आपका 18/8 का पत्र 21 को मिला। यहाँ कई दिन से बन्द चल रहा था। ये प्रतिभा धारासूरकर कौन हैं, जिनकी किताब मुझ पर निकली है। मुझे अभी उसकी प्रति नहीं मिली। कृपा करके उनका पता मुझे भेज दें। हो सके तो उन्हें भी लिखिए कि पुस्तक की एक प्रति मुझे रजिस्टर्ड डाक से जल्दी भेजें।

मेरी मोटी किताब ज्ञानपीठ से अगले वर्ष के अन्त तक आएगी। उसकी रूपरेखा बन जाने पर आपको लिखूँगा। डॉ. शुकदेव सिंह का एक लम्बा पत्र है, वह भी भेजूँगा। भूमिका लिखने में सहायता करेगा। ज्ञानपीठ से भी बात कर लूँगा। वे भूमिका चाहते हैं या नहीं।

परसाईजी का चला जाना बहुत ही दुखद घटना है। बड़े लेखक तो और भी हैं पर वे एक बड़े इंसान भी थे। स्नेही और निर्भीक...

पत्र देंगे।

सदा आपका
रवीन्द्रनाथ त्यागी

P.S. : सुरेश कान्त ने भी एक पुस्तक मुझ पर लिखी है। मुद्रणाधीन है।

(7)

प्रिय भाई तिवारी जी,

'शीराजा' का व्यंग्य-विशेषांक आ गया। साधारण ही है। मेरे ऊपर आपका लिखा लेख ही शायद सर्वश्रेष्ठ रचना है। आपने ज़रूरत से ज़्यादा प्रशंसा करने के बाद, बाद में क्षमा क्यों माँगी? हाँ बहुत से मुद्दे ऐसे हैं कि मैं एक लम्बा पत्र लिखने की सोचता था पर इस वर्ष इतना काम है कि साँस लेने की फुर्सत नहीं है। 22वाँ व्यंग्य-संग्रह आने ही वाला है। भेजूँगा। अगले व्यंग्य-संग्रह पर जुटा हूँ।

इसके बाद नये कविता-संग्रह के व इस अगले व्यंग्य-संग्रह के प्रूफ आएँगे। ज्ञानपीठ के लिए मोटी पाण्डुलिपि पर काम शुरू कर दिया है। दिल्ली गया तो पत्नी को ट्रेन में ही हार्ट अटैक हो गया। अस्पताल की दिशा में भागे। किसी तरह प्राण बचे। मैं चला आया था। यहाँ 95 वर्षीया माता का 4/1 को स्वर्गवास हो गया। 14/1 को मृत्यु भोज है...

सोचता हूँ कि जब भी साथ बैठेंगे तो विस्तार में बातचीत करेंगे। बहरहाल यह तो स्पष्ट ही है कि रामचन्द्र शुक्ल, हजारी प्रसाद द्विवेदी, नलिनी विलोचन शर्मा व नन्ददुलारे वाजपेयी जैसे साहित्य-मर्मज्ञ व निष्पक्ष आलोचक इस समय हिन्दी में नहीं हैं। देवीशंकर अवस्थी की अकाल मृत्यु हो गयी और डॉ. नामवरसिंह पथभ्रष्ट हो गये। परसाई व मुक्तिबोध को जो मान्यता मिली उसमें राजनीतिक पृष्ठभूमि ने बहुत योगदान दिया नहीं तो ठाकुर प्रसाद सिंह व देवेन्द्र कुमार जैसे गीतकार, धूमिल व विनोदचन्द्र पाण्डेय (भूतपूर्व कैबिनेट सेक्रेटरी) जैसे कवि इस तरह उपेक्षित नहीं रहते...। पुरस्कारों की धाँधली और व्यंग्य के नये सौदागर मर्मान्तक सिग्नल दे रहे हैं। मुझे मध्य प्रदेश सरकार के बख़्शी पुरस्कार मिलने की बेहद ख़ुशी है क्योंकि वे सचमुच महान् थे। ... मेरा नया व्यंग्य संग्रह जो वर्षों पूर्व प्रेस को गया था, उन्हीं को समर्पित है। हिन्दी में तो निराला तक को उनका हक़ नहीं मिला।

नववर्ष की मंगलकामनाएँ सहित। पत्र देना।

सदा आपका

रवीन्द्रनाथ त्यागी

मधुसूदन पाटिल के नाम पत्र

(1)

देहरादून
14/7/93

प्रिय भाई पाटिल साहिब,

आज आपका तार मिला। मैं इधर कुछ ज़्यादा ही व्यस्त हो गया हूँ। मेरी पुत्र-वधू ने एक कन्या को जन्म दिया है और अब मैं "दादा" हो गया हूँ! वे लोग यहीं हैं और इस कारण मैं विशेषांक के लिए फ़िलहाल कुछ नहीं कर सकता।

मेरे विचार में श्रीमती आशा रावत का इण्टरव्यू छाप दें। मेरे ऊपर केन्द्रित अंक बाद में भी निकल सकता है। और न भी निकले तो क्या फ़र्क़ पड़ता है!

जो कुछ भी निश्चय लें, सूचित अवश्य कर दें।

क्षमा के साथ
आपका :
रवीन्द्रनाथ त्यागी

(2)

रवीन्द्रनाथ त्यागी
शमशेर हाउस
1/1, गुरु तेग बहादुर रोड-II
देहरादून (यू.पी.) 248001
29/7/93

प्रिय भाई मधुसूदन जी,

आपका तिथिहीन कार्ड कल मिला। चूँकि आपने मेरी 'दादागिरी' पर खुली चोट की है, मैं भी बदला लेने के लिए तैयारी कर रहा हूँ। रचनाएँ रात ही छाँट ली थीं। जैसे ही वर्षा रुकी, मैं मोटर लेकर फ़ोटो-स्टेट के लिए निकल जाऊँगा। एक

लेख है 'रचना-प्रक्रिया' पर। दूसरा है 'गर्दिश के दिन' जो कि आत्मलेख ही है। तीसरी चीज़ होगी—एक श्रेष्ठ रचना। अपना परिचय वग़ैरह भी आज ही लिखूँगा। अगले हफ़्ते सारा माल रजिस्टर्ड डाक से भेज दिया जाएगा। देश की कुछ स्त्रियाँ ज़रूर विधवा हो सकती हैं पर आपकी पत्रिका नहीं। फ़ोटो भेजने का वादा नहीं, कोशिश पूरी करूँगा।

बच्चों को स्नेहशीष।

विनीत

रवीन्द्रनाथ त्यागी

P.S. : पत्नी की फ़ोटो ज़रूर भेज सकता हूँ। नीचे लिख देना : "रवीन्द्रनाथ त्यागी" यौन परिवर्तन के बाद।

(3)

देहरादून (यू.पी.) 248001

13.4.1997

प्रिय भाई मधुसूदन पाटिल,

'व्यंग्य-विविधा' का 23 वाँ अंक मिला। पिछला अंक शायद डाक विभाग ने खो दिया...

यह दिन भी देखना बदा था कि जिस पत्र के अंक श्रीलाल शुक्ल व रवीन्द्रनाथ त्यागी पर निकाला करते थे, वह पत्र अब कुत्ते पर विशेषांक निकाल रहा है। और उसमें भी पतरस बुख़ारी का 'कुत्ते' सैयद मुजतवाअली की 'पादटीक' व रवीन्द्रनाथ त्यागी का 'उनका कुत्ता मर गया था...' नहीं शामिल किये जा रहे हैं...

डॉ. श्यामसुन्दर घोष की कृति 'व्यंग्य-विवेचन' पढ़ ली। आप चाहें तो समीक्षा लिख सकता हूँ। आपको भेजने के लिए मेरे पास दूसरी कोई नहीं है। आप जब निश्चय कर लेंगे, तभी अपनी प्रतिक्रिया लिखना शुरू कर दूँगा, पहले नहीं।

आपका 'व्यंग्य विधा व विविधा' नामक बहुमूल्य ग्रन्थ आउट हो गया है। क्या उसमें मेरी रचना 'हास्य व व्यंग्य की परिभाषा' शामिल है? यदि आपका कर्तव्य था—नैतिकता व कानून-दोनों की दृष्टि से। अब तुरन्त प्रायश्चित्त करें। लगता है आप भी डॉ. गिरिराज शरण अग्रवाल की भाँति प्रकाशन-साम्राज्य बढ़ा रहे हैं यदि लेखकों का ही शोषण करेंगे तो कम-से-कम मैं तो आपके साथ कोई सम्बन्ध नहीं रखना चाहूँगा।

उ.प्र.हि.सं. ने "पं. श्रीनारायण चतुर्वेदी पुरस्कार" दे दिया है। ग्यारह हज़ार रुपये।

पत्र देंगे। ठीक होंगे।

विनीत

रवीन्द्रनाथ त्यागी

(4)

रवीन्द्रनाथ त्यागी
शमशेर हाउस
1/1, गुरु तेग बहादुर रोड-II
देहरादून (यू.पी.) 248001
28/2/94

प्रिय भाई,

'व्यंग्य-विविधा' सौ वर्ष तक चलेगी। मैं आज ही याद कर रहा था और श्रीलाल शुक्ल-विशेषांक आज ही मिल गया।

एक निवेदन है। अंक 16 (जो मुझे ले कर निकला था) की दो प्रतियाँ मुझे और भेज दें। जो पाँच प्रतियाँ आपने भेजी थीं, वे सब चार लोग छीन कर ले गये। मेरे पास फ़िलहाल एक भी प्रति नहीं है। यदि और प्रतियाँ भेजने का नियम न हो तो एक प्रति वी.पी. से भेज दें।

श्रीलालजी को लेकर जो अंक निकला है, वह सन्तोषजनक है। आराम से पढ़ूँगा। सपरिवार स्वस्थ व प्रसन्न होंगे।

विनीत :
रवीन्द्रनाथ त्यागी

(5)

रवीन्द्रनाथ त्यागी
शमशेर हाउस
1/1, गुरु तेग बहादुर रोड-II
देहरादून (यू.पी.) 248001
11/4

प्रिय भाई मधुसूदन जी,

आपका ख़त। आभार। परसाई-अंक व 'व्यंग्य-विधा और विविधा' पर मेरी समीक्षा प्रकट करने वाले अंक की प्रतीक्षा रहेगी...

मुझ पर ज़्यादा पृष्ठों का विशेषांक निकालने की योजना आप बना रहे हैं, यह जानकर आपके प्रति सहानुभूति पैदा हुई! बहरहाल यदि ऐसा करना ही है तो दो बातों का ध्यान रखेंगे। श्री विनोदशंकर शुक्ल मेरे साथ हुआ अपना इण्टरव्यू भेजेंगे और मैं उसे छपने से पूर्व देखना चाहूँगा। दूसरे मुझसे जो सामग्री चाहेंगे, उसे भेजने के लिए मुझे एक माह का नोटिस देंगे। अपनी प्रकाशित पुस्तकों की अप-टू-डेट सूची वग़ैरह तो भेजूँगा ही।

ठीक होंगे, सपरिवार।

आपका
रवीन्द्रनाथ त्यागी

इस वर्ष मैं एक सचमुच बड़े प्रोजेक्ट पर लगा हूँ। विवरण बाद में दूँगा।

(6)

प्रिय भाई मधुसूदन जी,

अंक 30 मिला। पूरा पढ़ गया। यह अंक सचमुच शानदार है। श्री पालीवाल का लेख सर्वश्रेष्ठ है (अन्तिम पैरे में वे बहक गये हैं, कुबेरनाथ राय को भी व्यंग्य लेखक बताया है।) (श्रीलाल व शरद भाई को वे भूल गये।) मेरी समीक्षा आपने सचमुच अविकल छाप दी। मैं आपको दाद देता हूँ। एक तथाकथित व्यंग्यकार ने मेरी टाँग खींचने की कोशिश की है और वह भी कायरता के साथ। मेरा नाम तक देने की हिम्मत नहीं हुई। ऐसे मुर्दा थर्डरेटर पर मुझे तरस आता है....

मेरे ऊपर विशेषांक वैसे ही निकालेगा जैसा कि मैं लिख चुका हूँ। प्रेम जनमेजय यह काम नहीं कर सकेंगे, वे बहुत व्यस्त हैं। अगले वर्ष ही योजना बनाइए। इस वर्ष के अन्त तक मेरी चुनी हुई सौ व्यंग्य रचनाओं का संग्रह ज्ञानपीठ से आ जाएगा। उससे काफ़ी मदद मिलेगी। उसमें रचनाओं के अलावा और भी प्रचुर सामग्री है।

पत्र प्राप्ति की सूचना देंगे।

सदा आपका
रवीन्द्रनाथ त्यागी

(7)

1/7

प्रिय भाई मधुसूदन जी,

'परसाई' अंक मिला। ठीक है। इस अंक में आपने छापा है कि एक अंक मुझ पर भी निकलेगा। मैं चाहता हूँ कि मुख्य रचना आप ही लिखें और वैसा करने से पूर्व आप मेरे 22 व्यंग्य संग्रह, 7 कविता संग्रह व 1 उपन्यास ध्यानपूर्वक पढ़ लें।

मैं चाहता हूँ कि अंक मेरे सम्पूर्ण लेखन को ध्यान में रख कर छपे। छुटभैयों की एकांगी रचनाएँ छापने से कोई फ़ायदा नहीं।

'व्यग्य विधा और विविधा' यह मेरी लिखी बेबाक समीक्षा अगले अंक में आनी चाहिए।

उत्तर देंगे। ठीक होंगे।

आपका रवीन्द्रनाथ त्यागी

(8)

रवीन्द्रनाथ त्यागी
शमशेर हाउस
1/1, गुरु तेग बहादुर रोड-II
देहरादून (यू.पी.) 248001
11/8/92

प्रिय भाई,

मैं चाहता हूँ कि बालेन्दुशेखर तिवारी की लिखी व धर्मयुग से नक़ल करके मेरे द्वारा भेजी गयी मेरी दो व्यंग्य-संग्रहों की समीक्षाएँ अब छाप लें। देर करने से सब कुछ out-of-date हो जाएगा। इधर मेरा नवीनतम व्यंग्य-संग्रह "चम्पाकली" नाम से किताबघर से आउट हो गया है।

यदि आप बता सकें कि अंक (जिसमें ये समीक्षाएँ होंगी) कब तक आउट होगा तो मैं आभार मानूँगा।

उत्तर की प्रतीक्षा करूँगा।

मेरे योग्य सेवा,

आपका
रवीन्द्रनाथ त्यागी

(9)

रवीन्द्रनाथ त्यागी
शमशेर हाउस
1/1, गुरु तेग बहादुर रोड-II
देहरादून (यू.पी.) 248001
28/4/93

प्रिय भाई मधुसूदन जी,

आपका तिथिहीन लिफ़ाफ़ा कल मिला। आपने अपने बारे में जो कुछ लिखा है वह बेहद दिलचस्प लहजे में लिखा है। हिसार कुछ दूर है वरना आपको भेंट करने अवश्य आता...

श्रीमती आशा रावत के दिये गये प्रश्नों के उत्तर लिख लिये हैं। अब उन्हें आना चाहिए था। मेरा टेलीफ़ोन ख़राब हो गया है। अभी उसी के लिए उच्च अधिकारियों के पास गया था। श्रीमती रावत मुझे फ़ोन कर रही होंगी जो उन्हें मिल नहीं रहा है। कृपा करके उनका पता व फ़ोन नम्बर मुझे लिख भेजिए ताकि मैं उनसे सम्पर्क स्थापित कर सकूँ।

स्वस्थ व प्रसन्न होंगे, सपरिवार।

बच्चों को स्नेहाशीष।

विनीत :
रवीन्द्रनाथ त्यागी

(10)

रवीन्द्रनाथ त्यागी
शमशेर हाउस
1/1, गुरु तेग बहादुर रोड-II
देहरादून (यू.पी.) 248001
15/6

प्रिय भाई,

आपको यह जान कर सुख होगा कि "उत्तर-प्रदेश हिन्दी-संस्थान" ने इस वर्ष का "पं. श्रीनारायण चतुर्वेदी पुरस्कार" (ग्यारह हज़ार रुपये) मुझे देने की घोषणा की है।

और क्या ठाठ हैं? मेरे पास अंक 20-21 के बाद कोई व्यंग्य विविधा नहीं आयी। क्या कारण है? यह भी लिखें कि आपकी उस पुस्तक की एक प्रति रजिस्टर्ड डाक से मुझे कब मिलेगी जिसमें आपने मेरा एक लेख (हास्य-व्यंग्य की परिभाषा) शामिल किया है?

उत्तर की प्रतीक्षा करूँगा।

प्रसन्न होंगे

विनीत :
रवीन्द्रनाथ त्यागी

(11)

रवीन्द्रनाथ त्यागी
शमशेर हाउस
1/1, गुरु तेग बहादुर रोड-II
देहरादून (यू.पी.) 248001
14/7/95

प्रिय भाई मधुसूदन जी,

आपका पत्र व अंक 22 मिल गये थे। उत्तर में देरी के लिए क्षमा करेंगे।

आपकी पुस्तक की प्रतीक्षा रहेगी। डॉ. श्यामसुन्दर घोष की पुस्तक की समीक्षा नहीं करूँगा। कई कारण हैं। अभी तक छपी पुस्तकों में डॉ. शेरजंग गर्ग की 'व्यंग्य :

कुछ मूलभूत प्रश्न' ही सर्वश्रेष्ठ है। व्यंग्य के जो भी समीक्षक हैं, उनमें डॉ. धनंजय वर्मा ही सर्वश्रेष्ठ हैं।

मेरे पुरस्कार के बारे में यही लिख दीजिए कि 'व्यंग्य-विविधा' के पाठकों को यह जानकर हर्ष होगा कि 'उत्तर-प्रदेश हिन्दी-संस्थान' ने इस वर्ष का 'पं. श्रीनारायण चतुर्वेदी पुरस्कार' रवीन्द्रनाथ त्यागी को दिया है। यह पुरस्कार ग्यारह हज़ार रुपयों का है। पुरस्कार त्यागीजी को 14.9.1995 को लखनऊ के यशपाल-सभागार में आयोजित एक भव्य समारोह में दिया जाएगा। यह पुरस्कार त्यागीजी को 1993 में राजकमल प्रकाशन दिल्ली से छपे 'इतिहास का शव' नामक व्यंग्य-संग्रह पर दिया गया है।"

प्रसन्न होंगे।

आपका :
रवीन्द्रनाथ त्यागी

(12)

रवीन्द्रनाथ त्यागी
शमशेर हाउस
1/1, गुरु तेग बहादुर रोड-II
देहरादून (यू.पी.) 248001
14/7

प्रिय भाई मधुसूदन जी,

'व्यंग्य-विविधा' के अंक 20-21 में डॉ. सुरेश माहेश्वरी की 'स्वातन्त्र्योत्तर हिन्दी व्यंग्य का मूल्यांकन' नामक पुस्तक की समीक्षा छपी थी। क्या इस पोथी में मेरे लेखन पर विस्तार से लिखा गया है? क्या डॉ. बापूराव देसाई या किसी और सज्जन ने मुझ पर कुछ विस्तार से लिखा है? यदि हो तो मुझे पुस्तक का नाम, मूल्य व पता लिखें। शोधार्थी लोग बहुत तंग कर रहे हैं और उन्हीं के लिए यह सामग्री मैं चाहता हूँ। डॉ. शशि शर्मा व डॉ. प्रतिभा धारासूरकर की पुस्तकें मेरे पास हैं।

भाई श्रीलाल शुक्ल द्वारा सम्पादित 'हिन्दी हास्य-व्यंग्य संकलन' कैसा लगा? दाम सिर्फ़ 40/- है। पुस्तक नेशनल बुक ट्रस्ट से छपी है।

ठीक होंगे सपरिवार।

मेरे योग्य सेवा।

सदा आपका :
रवीन्द्रनाथ त्यागी

P.S. उत्तर की प्रतीक्षा करूँगा।

(13)

रवीन्द्रनाथ त्यागी
शमशेर हाउस
1/1, गुरु तेग बहादुर रोड-II
देहरादून (यू.पी.) 248001
27/2/98

प्रिय भाई मधुसूदन जी,

अपने बारे में दो समाचार भेजता हूँ। सम्भव हो तो 'व्यंग्य विविधा' के अगले अंक में इन्हें स्थान दें।

ठीक होंगे।

सदा आपका :
रवीन्द्रनाथ त्यागी

'भारतीय ज्ञानपीठ' ने रवीन्द्रनाथ त्यागी की चुनी हुई सौ व्यंग्य-रचनाओं का संकलन प्रकाशित किया है। पुस्तक का नाम है 'पूरब खिले पलाश'। विश्व-पुस्तक-मेले में 11 फ़रवरी 1998 को पुस्तक का विमोचन प्रसिद्ध साहित्यकार डॉ. गंगाप्रसाद विमल के हाथों सम्पन्न हुआ। ज्ञानपीठ के निदेशक श्री दिनेश मिश्र व सम्पादक श्री पद्मधर त्रिपाठी ने अतिथियों का स्वागत किया।

13 फ़रवरी 1998 को दिल्ली की 'पुरुषोत्तम-हिन्दी भवन-न्यास समिति' ने वयोवृद्ध हास्यकार श्री गोपाल प्रसाद व्यास की 85वीं वर्षगाँठ पर दिल्ली के 'हिन्दी-भवन' में एक शानदार उत्सव मनाया। श्री रवीन्द्रनाथ त्यागी को इस वर्ष का 'व्यंग्य श्री' पुरस्कार दिया गया। उन्हें ग्यारह हज़ार रुपये, एक कीमती शाल व स्मृतिचिह्न दिये गये। वरिष्ठ कथाकार कमलेश्वर ने आयोजन का सभापतित्व किया। उपस्थित साहित्यकारों में डॉ. विजयेन्द्र स्नातक, शेरजंग गर्ग व केदारनाथ कोमल उल्लेखनीय थे। बाल स्वरूप राही ने आयोजन को शानदार बताया। व्यास जी की एक बढ़िया पुस्तक भी इस उत्सव में विमोचित की गयी।

सदा आपका
रवीन्द्रनाथ त्यागी

(14)

रवीन्द्रनाथ त्यागी
शमशेर हाउस
1/1, गुरु तेग बहादुर रोड-II
देहरादून (यू.पी.) 248001

30/3/99

प्रिय भाई मधुसूदन जी,

इस वर्ष का (1998-99) 'राष्ट्रीय शरद् जोशी सम्मान पुरस्कार' मध्य-प्रदेश सरकार ने मुझे दिया। पाँच मार्च 1999 को भोपाल के रवीन्द्र-सभागर में हुए एक भव्य समारोह में प्रदेश के मुख्य-मन्त्री ने मुझे एक प्रशस्ति-पत्र व इक्यावन हज़ार रुपये का ड्राफ़्ट दिया। अब तक जिन व्यंग्यकारों को यह सम्मान दिया गया है, उनमें सर्वश्री हरिशंकर परसाई, श्रीलाल शुक्ल व मनोहर श्याम जोशी विशेष रूप से उल्लेखनीय हैं।

उपर्युक्त समाचार को 'व्यंग्य-विविधा' के अगले अंक में (ठीक कर के) छाप दें।

ठीक होंगे, सपरिवार।

मेरे योग्य सेवा।

सदा आपका :

रवीन्द्रनाथ त्यागी

(15)

रवीन्द्रनाथ त्यागी

शमशेर हाउस

1/1, गुरु तेग बहादुर रोड-II

देहरादून (यू.पी.) 248001

27/3

प्रिय भाई मधुसूदन जी,

इस बीच एक पत्र लिखा था : मिला होगा। आपका एक पत्र परसों मिला जिसमें आपने मेरे ऊपर एक विशेष अंक छापने की चर्चा चलायी है। उसमें श्री तिवारी की समीक्षा न छापिए। मैं डॉ. मनोहरलाल की समीक्षा भेजूँगा। 'आत्मलेख' व 'मेरी रचना प्रक्रिया' भी भेजूँगा। और लिखिए कि क्या करना चाहिए।

देहरादून में आप एक सज्जन को मेरा इण्टरव्यू लेने के लिए मनोनीत करना चाहते थे। अब उन्हें जल्दी ही लिखिए। लतीफ़ घोंघी पर अंक निकाल कर आप बहुत अच्छा कर रहे हैं। बधाई!

आपकी व साव की पुस्तकों की प्रतीक्षा में हूँ। पत्र का उत्तर जल्दी देना।

आपका :

रवीन्द्रनाथ त्यागी

(16)

रवीन्द्रनाथ त्यागी
शमशेर हाउस
1/1, गुरु तेग बहादुर रोड-II
देहरादून (यू.पी.) 248001
12/4

प्रिय भाई,

आपका एक पत्र व दो पुस्तकें मिलीं। आभार। आपकी पुस्तक शुरू कर रहा हूँ। आराम से पढ़कर अपनी प्रतिक्रिया लिखूँगा।

श्रीमति आशा रावत अभी तक नहीं आयी हैं। उन्हें मेरा फ़ोन नम्बर लिख दें। मेरा फ़ोन नम्बर है "29133" उनके इण्टरव्यू के बाद आपको सारी सामग्री भेजूँगा। सामग्री तो मेरे पास इतनी है कि आप और आपके पाठक बोर हो जाएँगे।

अट्टहास पुरस्कार के कर्ता-धर्ता कौन लोग हैं? मैंने पहले ही न जाने की पुष्टि कर दी थी। इस बार उन्होंने समझदारी बर्ती, निमन्त्रण ही नहीं भेजा!

अगले वर्ष मेरी रचनावली छपेगी– ऐसी आशा है। सात या आठ खण्ड तो होंगे ही।

प्रसन्न होंगे।

आपका :
रवीन्द्रनाथ त्यागी

(17)

रवीन्द्रनाथ त्यागी
शमशेर हाउस
1/1, गुरु तेग बहादुर रोड-II
देहरादून (यू.पी.) 248001
3/7

प्रिय भाई पाटिल जी,

आपका 27/6 का कृपा-पत्र कल मिला। हार्दिक आभार। साक्षात्कार के सन्दर्भ में श्रीमती रावल ने सचमुच बहुत परिश्रम किया। अब मैं नीचे लिखी सामग्री भेजूँगा:

(1) मेरी रचना-प्रक्रिया (व्यंग्य-लेख) यह रचना 'कहानीकार' में छपी है।

(2) अपना संक्षिप्त परिचय।

(3) मेरी एक सर्वप्रिय रचना (जो छप चुकी है)

(4) प्रकाशित पुस्तकों की सूची।

(5) सम्भव हुआ तो एक फ़ोटो। कृपा करके लिखें कि ऊपर लिखी सामग्री काफ़ी होगी और वह सामग्री आपको कब तक भेजूँ। आपका उत्तर आने पर ही काम शुरू करूँगा।

इन दिनों बेहद व्यस्त हूँ। एक व्यंग्य-संग्रह (इतिहास का शव) राजकमल से अभी-अभी छपा है। कई पुस्तकें प्रेस में जानी हैं।

बच्चों को स्नेहाशीष।

आपका :
रवीन्द्रनाथ त्यागी

(18)

रवीन्द्रनाथ त्यागी
शमशेर हाउस
1/1, गुरु तेग बहादुर रोड-II
देहरादून (यू.पी.) 248001
1/2

आदरणीय भाई,

'व्यंग्य-विविधा' का 'शरद् जोशी-अंक' मिला। अपने सीमित साधनों के बावजूद अंक अच्छा ही है।

शरद जोशी अत्यन्त प्रतिभावान् व्यंग्यकार थे। उनकी अनेक रचनाएँ ऐसी हैं जो सदा के लिए अमर हैं। उनकी अकाल-मृत्यु से हिन्दी की बहुत बड़ी हानि हुई है। इधर दिल्ली के "सण्डे साप्ता. मेल" में श्री कन्हैयालाल नन्दन ने जोशीजी के बारे में कुछ बहुत सुन्दर सम्पादकीय टिप्पणियाँ लिखी हैं। आप—यदि सम्भव हो तो—शरद् जोशी की 'मेरी श्रेष्ठ व्यंग्य रचनाएँ' नामक पुस्तक में जोशीजी द्वारा ही लिखी भूमिका अपने किसी अंक में प्रकाशित करें। बेहद बेबाक, दिलचस्प व मार्मिक रचना ही है वह-जिसे सारे व्यंग्यकार पढ़ना चाहेंगे। नये व्यंग्यकार उसका और भी स्वागत करेंगे— ऐसा मेरा विश्वास है।

मेरे योग्य सेवा

आपका :
रवीन्द्रनाथ त्यागी

मूलाराम जोशी के नाम पत्र

(1)

रवीन्द्रनाथ त्यागी
शमशेर हाउस
1/1, गुरु तेग बहादुर रोड-II
देहरादून (यू.पी.) 248001
24/4/97

आदरणीय भाई जोशीजी,

आपकी भेजी 'अक्षरों का आग्रह' पुस्तक मिली। एक ही सिटिंग में पढ़ गया। बहुत सुख मिला। इस कृपा के लिए हृदय से आभारी हूँ।

क्रमांक 11, 14, 15, 16, 18, 22, 26, 40 व 41 रचनाएँ साधरण लगीं। शेष रचनाएँ बढ़िया हैं। क्रमांक 4, 6, 24, 25, 33, 35 व 38 सचमुच उत्कृष्ट हैं। यह मेरी राय है, इससे आपका सहमत होना ज़रूरी नहीं।

आपकी भाषा सरल, लचीली व विट-सम्पन्न है और आपकी विनोदवृत्ति स्वाभाविक है। आपकी रचनाओं में हास्य, व्यंग्य तो है ही, कहीं कहीं कविता का आनन्द भी उनमें छिपा है। पुस्तक का नाम बहुत आकर्षक है। मैं आपके अगले संग्रह की प्रतीक्षा बेसब्री के साथ करूँगा...

पुस्तक में प्रूफ़ की गललियाँ हैं हालाँकि कम ही हैं। आपकी रचनाओं की सबसे बड़ी कमज़ोरी यह है कि वे बहुत छोटी हैं। जैसे ही आनन्द आना शुरू होता है, वैसे ही रचना समाप्त हो जाती है। कोशिश कीजिए कि रचनाएँ दो पृष्ठ की न हो कर पाँच या छह पृष्ठों की हों। फ्रांसिस बेकन की शैली के स्थान पर गोल्डस्मिथ, चार्ल्स लैम्ब व ए.जी. गार्डिनर की शैली अपनाइए। फ्रेडरिक हैरिसन की लम्बाई भी ठीक नहीं होगी। आप जैसे विद्वान् लेखक को सलाह देना मेरे लिए एक धृष्टता ही है। क्षमा कर देंगे।

सदा आपका :
रवीन्द्रनाथ त्यागी

(2)

रवीन्द्रनाथ त्यागी
शमशेर हाउस
1/1, गुरु तेग बहादुर रोड-II
देहरादून (यू.पी.) 248001
21.7.98

प्रिय भाई जोशीजी,

'आलेख व आईना' आज समाप्त की। बड़ा सुख मिला। सच। रचना क्रम संख्या 25 सर्वश्रेष्ठ लगी। क्रमांक 4, 11, 13, 16, 26 उत्कृष्ट हैं। क्रमांक 3, 7, 8, 9, 10, 12, 14, 15, 17, 20, 21, 22, 23, 24, 37, 38, 40 व 41 की रचनाएँ श्रेष्ठ हैं। बाक़ी रचनाएँ अपेक्षाकृत साधारण हैं हालाँकि उनमें भी कुछ अंश अत्यन्त मार्मिक हैं। इस शानदार लेखन के लिए मैं आपको प्रणाम करता हूँ।

पुस्तक का नाम ठीक नहीं है। भूमिका है और बेकार है। लेख बहुत छोटे हैं। छापे की ग़लतियाँ काफ़ी हैं।

ये रचनाएँ लालित्य-पूर्ण हास्य-व्यंग्य ही हैं, और कुछ नहीं। कहीं-कहीं तो आप एकदम कवि हो जाते हैं। सच।

मैं ओमप्रकाश यादव का जीवन भर ऋणी रहूँगा। उनके माध्यम से आप जैसे समर्थ साहित्कार से परिचय हुआ। कभी मुलाक़ात भी होगी ही। ओमप्रकाश ने बहुत काम किया है। भगवान् उसे सफलता दे।

पत्र लिखेंगे-यदा कदा।

अपका भक्त:
रवीन्द्रनाथ त्यागी

(3)

देहरादून
28/8/98

मान्य भाई जोशीजी,

आपका 20/8 का पत्र मिला। हृदय से आभारी हूँ।

ओमप्रकाश यादव यहाँ का काम पूरा कर गये। अब शायद इधर न आएँ। आप उन्हें लिख दें कि यदि आएँ तो आपसे मिल कर आएँ।

आप एक नयी पुस्तक लिख रहे हैं, यह जानकर खुशी हुई। 'आलेख और आईना' का नया संस्करण विकल्प चाहिए।

मेरा सातवाँ कविता-संग्रह 1996 में निकला था। तेईसवाँ व्यंग्य-संग्रह 1997

में छपा। दोनों ग्रन्थ 'किताबघर' से छपे। इस वर्ष 'भारतीय ज्ञानपीठ' ने मेरी चुनी हुई सौ व्यंग्य-रचनाओं का मोटा संग्रह छापा है जिसका नाम है 'पूरब खिले पलाश' (Rs. 175/-)

प्रूफ़ की ग़लतियाँ काफ़ी रह गयी हैं। दूसरा संस्करण इसी वर्ष आएगा। इस बार प्रूफ़ों का संशोधन मैंने स्वयं किया है। अगली गद्य-पुस्तक भी शायद इसी वर्ष आए। उसमें व्यंग्य हैं, संस्मरण हैं और कुछ नोट्स हैं। किताब मोटी होगी। कुल मिला कर यह मेरी छियालीसवीं पुस्तक होगी।

आशा है आप सपरिवार स्वस्थ व प्रसन्न हैं। मैं इधर कुछ अस्वस्थ चल रहा हूँ।

मेरे योग्य सेवा

सदा आपका

रवीन्द्रनाथ त्यागी

(4)

देहरादून

21/9/98

प्रिय भाई जोशीजी,

आपका पत्र यथासमय मिल गया था। मैं 'डायबिटीक् न्यूराइटिस' से पीड़ित हूँ। उत्तर में देरी मात्र इसी कारण हुई।

पुरस्कार के बारे में मैं किसी के लिए भी (जिनमें मैं ख़ुद भी शामिल हूँ) कुछ नहीं कर सकता। कर्मों पर थोड़ा-बहुत अधिकार है, फल पर बिल्कुल नहीं।

पुरस्कार पाने की कला भाई श्रीलाल शुक्ल को आती है। लाखों ले चुके, लाखों लेंगे। हानि लाभ जीवन मरण यश अपयश विधि हाथ। शुक्लजी से दीक्षा लें या फिर नामवरसिंह के दासानुदास बनें।

प्रकाशक के मामले में मैं कोशिश कर सकता हूँ। राजकमल, भारतीय ज्ञानपीठ, किताबघर-सभी मेरे परिचित हैं। नवम्बर में दिल्ली जाने की सोचता हूँ। वहाँ से लौट कर आपको सूचित करूँगा।

ठीक होंगे।

आपका :

रवीन्द्रनाथ त्यागी

वाचस्पति पाठक के नाम

(1)

मेरठ
11-3-70

आदरणीय पाठक जी,

एक पत्र और भी लिखा था। शायद मिला हो। कृपा करके लिखें कि भाई सुरेन्द्र पाल की क्या स्थिति है। मुझे अत्यधिक चिन्ता है। श्रीमती पाठक को मेरी व शारदा की नमस्ते। बच्चों की भी नमस्ते।

विनीत
रवीन्द्रनाथ त्यागी

(2)

मेरठ
25-8-70

मान्यवर,

नये 'साप्ताहिक हिन्दुस्तान' में आपका त्रिलोचन जी के बारे में लेख पढ़ा। धन्य हो गया। त्रिलोचन जी के सोनेट हिन्दी में अपना विशिष्ट स्थान रखते हैं। आपने यह लेख लिखकर हिन्दी पाठकों का बड़ा हित किया है। सुरेन्द्र पाल जी के बारे में कुछ लिखिए। श्रीमती पाठक को हम दोनों का करबद्ध प्रणाम।

विनीत
रवीन्द्रनाथ त्यागी

(3)

22.9.70

आदरणीय पाठक जी, सादर चरणस्पर्श।

सुरेन्द्र पाल की आत्महत्या की सूचना राजेन्द्र यादव ने मुझे फ़ोन पर दी। पाठक जी, मैं कितना अभागा हूँ कि ऐसा अमूल्य मित्र खो बैठा। उसे भयंकर मानसिक रोग था ज़िसका कि इलाज ठीक प्रकार नहीं हो पाया। यदि वह कभी भी मेरठ मुझसे आकर मिल लेता या ख़त ही लिख देता तो मैं दिल्ली जाकर सारा प्रबन्ध कर सकता था। उसका परिवार तो बीच नदी में है। एक पैसे का बीमा नहीं था।

हम लोगों के दिन यहाँ ठीक नहीं रहे। पत्नी की छाती में अचानक गाँठ पड़ गयी जिसके कारण डॉक्टर लोग चिन्तित हैं। आप चेक भिजवाने की व्यवस्था कर रहे हैं इसके लिए आभारी हूँ।

मैं यहाँ आकर कुछ परेशानियों में पड़ा। मकान महँगा था। कार का ख़र्चा दफ़्तर दूर होने से, काफ़ी बढ़ गया। दफ़्तर ख़राब था। इन सब कारणों से मैं उदास रहने लगा। ख़ैर मैं सचेत रहा और तुरन्त मानसिक रोगों के डॉक्टर से मिला। इलाज में हूँ। आशा है, ठीक हो जाएगा। दफ़्तर और मकान भी बदल लिये हैं। बड़ी बात यह है कि यहाँ कोई मित्र नहीं है। सरकारी नौकरी तो विवशता में कर रहा हूँ। वरना मैं इस पेशे के लिए बना नहीं था।

श्रीमती पाठक को सादर प्रणाम। आपकी बड़ी याद आती है।

विनीत
रवीन्द्रनाथ त्यागी

(4)

52, माल रोड
मेरठ छावनी
8-3-71

आदरणीय पाठक जी,

सादर चरण स्पर्श

आशा है, आप सपरिवार स्वस्थ व प्रसन्न होंगे। यहाँ सब ठीक है। मेरी बीमारी धीरे-धीरे कम हो रही है। लगता है कि कुछ महीनों में फिर सामान्य स्थिति पर आ जाऊँगा। लिखना-पढ़ना फिर शुरू कर दिया है। व्यंग्य-लेखों का नया संग्रह प्रेस में गया।

अपनी कुशलता का पत्र देंगे। शारदा व बच्चों की आप दोनों को करबद्ध नमस्ते।

आपका
रवीन्द्रनाथ त्यागी

(5)

नयी दिहली
2-8-72

आदरणीय पाठक जी,

सादर प्रणाम।

मैंने एक तो इतने दिनों से पत्र नहीं लिखा और आज लिख भी रहा हूँ तो स्वार्थवश। अपराध क्षम्य तो नहीं है, पर आप क्षमा अवश्य कर देंगे।

लोकभारती ने पिछले दो वर्षों से न हिसाब दिया, न चेक। दो वर्ष पहले जब आपको कष्ट दिया था तो 57 रुपये की महान् मुद्रा का चेक आया था। पता नहीं दिनेश जी को पैसा देना इतना क्यों अखरता है। अपना ही तो माँगता हूँ, कोई भिक्षा तो नहीं। उन्हें पाँच पत्र लिख चुका हूँ। जवाब मिलने का प्रश्न ही नहीं उठता। अन्त में चलकर फिर वही आपकी बाँहों का सहारा। कृपा करके उनसे कह दें कि चेक तुरन्त भिजवाएँ। मैं परेशानी में फँसा हूँ और रुपये की वाक़ई ज़रूरत है। कल नेशनल पब्लिशिंग हाउस से 500 रुपये का ऋण लाया।

आपको जानकर खुशी होगी कि मेरी दो पुस्तकें प्रेस में गयीं। एक है श्रेष्ठ हास्य-निबन्धों का संकलन और एक ताज़ा काव्य-ग्रन्थ।

प्रयाग दौरे पर आऊँगा, कुछ माह बाद। तब मिलूँगा। आपसे यह भी सलाह लेनी है कि लोक भारती के इस रवैये को देखकर बाक़ी स्टाक उठा हूँ और कहीं बिक्री के लिए रख दूँ। बच्चे बड़े हो रहे हैं। अशोक नौवें दर्जे में आ गया, इन्दु चौथे में। मेरी सेहत ठीक ही है। शारदा आपको व श्रीमती पाठक को प्रणाम कहती है।

कष्ट व धृष्टता के लिए वाक़ई क्षमा चाहता हूँ। और कोई चारा ही नहीं बचा था।

आज्ञाकारी
रवीन्द्रनाथ त्यागी

(6)

नयी दिहली
3-8-72

आदरणीय पाठक जी,

सादर चरण स्पर्श,

आज जैसे ही दफ़्तर गया वैसे ही उच्च अधिकारियों ने एक नितान्त आवश्यक मीटिंग के लिए बुला लिया। जब मैं लौटा तब फ़ोन करने पर पता लगा कि आप क्नाट प्लेस जा चुके हैं। मेरा दुर्भाग्य कि मिल न सका। आशा है, क्षमा करेंगे।

यहाँ सब ठीक है। आशा है, आप सपरिवार स्वस्थ व सानन्द होंगे।

मैं नये व्यंग्य-संग्रह व नये कविता संग्रह पर जुटा हूँ। अगले वर्ष ज़रूर दोनों आ जाएँगे। मेरे योग्य सेवा लिखते रहें। शारदा व मेरी श्रीमती पाठक को करबद्ध नमस्ते।

स्नेहाधीन
रवीन्द्रनाथ त्यागी

(7)

दफ़्तर, मेरठ छावनी
5-12-72

आदरणीय पाठक जी,

सादर प्रणाम। आपका पत्र और लीडर प्रेस का चेक मिला। हार्दिक हार्दिक आभार। लोक भारती वाले भी आपके होते चेक नहीं रोक पाएँगे। अभी आया नहीं है, शायद रास्ते में हो।

मैं इसी माह दिल्ली रक्षा मन्त्रालय में उप सचिव होकर जाऊँगा। ऑर्डर आ गये हैं।

पिताजी अब ठीक ही हैं। भगवान की बड़ी कृपा हुई कि आप बीमारी से निकल गये। दिल्ली से दौरा लेकर दर्शनों को आऊँगा।

(8)

नयी दिल्ली
20 फ़रवरी, 1973

आदरणीय पाठक जी,

सादर चरण स्पर्श

इतने दिनों से पत्र न लिख पाने के लिए क्षमाप्रार्थी हूँ। मेरा नया व्यंग्य-संग्रह (देवदार के पेड़) छपकर आ गया है। आपकी प्रति चली गयी है। मिलने पर बताइएगा कि कैसी लगी। अभी यहाँ अकेला ही हूँ। परिवार मई में बच्चों की परीक्षा के बाद ही आएगा। स्वस्थ होंगे। कुशलता का पत्र देंगे।

आपका आज्ञाकारी
रवीन्द्रनाथ त्यागी

P.C. नया पता पीछे लिखा है। रवीन्द्रनाथ त्यागी, डिपुटी सेक्रेटरी (पेंशन), रक्षा मन्त्रालय, भारत सरकार, नयी दिहली-22 फ़ोन (दफ़्तर) 375609

(9)

नयी दिहली
29-4-74

आदरणीय पाठक जी,

सादर चरण स्पर्श

काफ़ी दिनों से आपका कोई पत्र नहीं मिला। आशा है, आप सब लोग स्वस्थ व प्रसन्न होंगे। हम लोग ठीक हैं। मेरी दो पुस्तकें प्रेस में हैं। वर्ष के अन्त तक आ जाएँगी।

प्रयाग का लेखक-सम्मेलन तो शायद काफ़ी ठाठ का रहा। बच्चे नमस्ते कहते हैं। कुशलता का पत्र भेजेंगे। मेरे योग्य सेवा।

मार्च, 74 की 'सारिका' में मेरी रचना ज़रूर पढ़ें।

आपका

रवीन्द्रनाथ त्यागी

(10)

4/7 वैस्ट पटेल नगर

नयी दिहली

8-12-74

आदरणीय पाठक जी,

सादर नमस्कार

आपके दोनों कृपा-पत्र प्राप्त हुए। बहुत-बहुत धन्यवाद। टण्डन साहब को मैं यथाशक्ति मदद ज़रूर करूँगा। आप उनसे कह दीजिए कि जैसे ही मेरठ या प्रयाग के दफ़्तरों से कोई 'निमन्त्रण' प्राप्त हो वे तुरन्त आपका हवाला देते हुए मुझे लिख दें। प्रभात को मैं अलग से भी लिख रहा हूँ।

क्या रहा आपके मकान का? अब आप यहाँ किस तारीख़ को आ रहे हैं? आप जानते ही हैं कि हम लोग मिलने के लिए उत्सुक हैं।

टुन्नू मियाँ एकदम दुरुस्त हैं। वे और शारदा आजकल यहीं दिल्ली में मेरी ससुराल में हैं। इस हफ़्ते में लौट आएँगे। इस माह भी 'सारिका' में मेरा एक लेख आया है। 15 दिसम्बर के 'धर्मयुग' में एक व्यंग्य-लेख आएगा। सम्भव हो तो पढ़िएगा। 27 नवम्बर को बच्चन जी के जन्म-दिवस के अवसर पर अज्ञेय जी से भेंट हुई। उनके विदेश रहने के कारण मैं उन्हें 'सूखे और हरे पत्ते' की प्रति नहीं भेज सका था। यदि आप एक कॉपी उन्हें अब भिजवा दें तो बड़ी कृपा होगी। वे आजकल चाणक्यपुरी में हैं यहाँ। मकान नम्बर का मुझे सही ज्ञान नहीं है। शायद आपको वहाँ इसका पता लग सके। नहीं तो मैं पूछताछ कर लिखूँगा। आशा है, आप प्रसन्न हैं।

आपका

रवीन्द्रनाथ त्यागी

(11)

नयी दिल्ली
29/5/75

आदरणीय पाठक जी,

प्रणाम,

यह पत्र मैं काफ़ी संकोच के साथ लिख रहा हूँ। मैं कुछ परेशानियों में पड़ गया हूँ—दफ़्तर की जिनसे मुक्ति मिल रही है। ख़ैर, वह तो सब ठीक हो जाएगा, मगर इन सबसे मेरा मानसिक रोग फिर उभर आया है और स्थिति यह है कि मैं अस्पताल में भरती होने वाला हूँ। मुझे रुपये की ज़रूरत है। लोकभारती वालों ने 1973 में आपके कहने पर 55 रुपये भेजे थे, इसके बाद छुट्टी। दिनेश जवाब नहीं देते। इतनी अभद्रता और उपेक्षा की मुझे उनसे आशा नहीं थी।

आपसे प्रार्थना है कि मेरा जो कुछ उन पर निकलता है, वह तुरन्त भिजवायें। मैं मुक़दमेबाज़ी से जहाँ तक होगा, बचना चाहूँगा। प्रयाग आऊँगा तो बाक़ी स्टॉक उठा लाऊँगा, आपसे सलाह करने के बाद। उनके पास मेरी चार किताबें हैं। दूसरी प्रार्थना यह है कि आप इधर कब आ रहे हैं (?), क्योंकि मैं मिलना चाहता हूँ। प्रयाग आने की स्थिति अभी मेरी नहीं है। वैसे आना मुझे भी है—संगम पर हनुमान मन्दिर का प्रसाद सालों से अम्मा के सिर पर चढ़ा है। भगवान का उधार उतारना ठहरा!

नया व्यंग्य-संग्रह 'राजपाल एण्ड संस' से आ रहा है। छपते ही भेजूँगा।

रक्षा मन्त्रालय छोड़ दिया। फ़िलहाल छुट्टी पर हूँ। नये रक्षा-मन्त्री के आने से वातावरण बदल गया, मिलने पर बातें होंगी।

आप सपरिवार प्रसन्न होंगे। शारदा आप दोनों को प्रणाम कहती है। उत्तर के इन्तज़ार में,

आपका
रवीन्द्रनाथ त्यागी

(12)

8.6.76

आदरणीय पाठक जी सादर चरण स्पर्श,

पत्र आज मिला। हार्दिक आभार। लोकभारती का 129/- का चेक भी मिला। बाक़ी प्रकाशकों ने तो एडवांस भी दिया। दो महीने से जो तनख़्वाह रुकी थी, वह भी इस हफ़्ते मिल जाएगी, कोई 5000/- वाक़ई अचानक ऐसी स्थिति जो पहले

कभी नहीं आयी।

पता नहीं पिछले ख़त में सारी बातें लिखी भी थीं या नहीं। रक्षामन्त्री श्री बंशीलाल ने जो आतंक का वातावरण फैलाया उसका पहला शिकार मैं रहा। एक फ़ाइल आधा घण्टा देरी से पहुँचने पर (उसकी ज़िम्मेदारी भी एडीशनल सेक्रेटरी पर निकली) मुझे तुरन्त 'मोउत्तिल' किया गया। रक्षा सचिव (बहुत वरिष्ठ आई. सी.एस. अधिकारी) ने टाँग अड़ायी। मामला (ऊपर) तक पहुँचा। एक हफ़्ते बाद मैं बहाल किया गया। पूरी तनख़्वाह और सम्मान के साथ। पर प्रजातन्त्र में ऐसे व्यवहार से तब तक मैं टूट चुका था। छुट्टी ले ली, एक अगस्त तक। रक्षा मन्त्रालय छोड़ दिया। अब यहाँ गृह मन्त्रालय में, राज्य भाषा विभाग में कोशिश कर रहा हूँ तरक्की पर जाने की। श्री रमा प्रसन्न नायक आई.सी.एस. के हाथ में है। देखिए क्या होता है। कुछ न हो पाया तो अपने विभाग वापिस। इलाज के कारण दिल्ली के पास ही जाऊँगा—मेरठ। सेहत धीरे-धीरे पटरी पर आएगी। मीर तकी मीर के अनुसार 'रुकते-रुकते रुकेंगे आँसू, यह रोना है कुछ हँसी नहीं है।' सुधाकर पाण्डेय श्री नायक को जानते हैं पर उन्हें मैं नहीं जानता। प्रयाग छोड़ने तक 'सूखे और हरे पत्ते', 'कल्पवृक्ष', 'आदिमराग', 'खुली धूप में नाव पर', 'भित्तिचित्र' और 'मल्लिनाथ की परम्परा' छप चुकी थीं। यहाँ आने पर नेशनल पब्लिशिंग हाउस ने तीन नये व्यंग्य-संग्रह छापे—'कृष्णवाहन की कथा', 'देवदार के पेड़' और 'शोक-सभा'। प्रतियाँ मिली होंगी। 'शोक-सभा' में आपकी चर्चा थी। फ़िलहाल नया कार्यक्रम काफ़ी शानदार है। अगला व्यंग्य-संग्रह 'अतिथि कक्ष' राजपाल एण्ड संस छाप रहे हैं, 'अगला' कविता संग्रह नेशनल वाले। इन दो के अलावा तीन किताबें और आ रही हैं, वे नयी नहीं हैं, पुरानी रचनाओं में से कुछ विशिष्ट संकलन टाइप हैं। एक है 'मेरी श्रेष्ठ व्यंग्य रचनाएँ। नेशनल वाले इस सीरीज में सारे व्यंग्यकारों को ले रहे हैं। दूसरी है 'मेरी व्यंग्य कथाएँ' यानी कि अब तक लिखी गयी मेरी हास्य-व्यंग्य कहानियाँ। तीसरी है 'फुटकर' यह शानदार चीज़ होगी। आधी पोथी में मेरा गद्य होगा अब तक का चुना हुआ और आधी में अब तक की चुनी हुई कविताएँ। इंशा अल्लाह, इस साल आपकी खिदमत में पाँच नयी कृतियाँ पहुँचेगी। आप देखेंगे कि लिखना कम नहीं हुआ। आपका लगाया पौधा बढ़ता जा रहा है और बढ़ता रहेगा...

बच्चे बड़े हो रहे हैं। लड़का प्रतिभावान है। मुझसे लम्बा निकलेगा। 10वीं में आ गया। लड़की 5वीं में आ गयी। आप देखेंगे तो ख़ुश हो उठेंगे। मैं प्रयाग जा रहा हूँ, प्रसाद चढ़ाने। जुलाई के प्रारम्भ में तब मिलूँगा। आने से पहले सूचना दूँगा मेरा एक भतीजा वहाँ डी.एस.पी. है—उसके पास ठहरूँगा।

देहरादून में 1525 गज़ का प्लाट है। फैंसिंग करवा दी है। रिटायर होने के बाद शानदार काटेज बनेगा, अगर ज़िन्दा रहने दिया नये माहौल ने तो।

सरकारी बातों की चर्चा के कारण पत्र गोपनीय है। पढ़कर फाड़ दें। शारदा व बच्चे आप सबको प्रणाम कहते हैं। आपकी बच्ची व दामाद प्रयाग में ही होंगे। इस बार अश्क़ आये तो गवर्नर धर्मवीर जी की बड़ी इम्पाला में मगर थे बड़े दुखी। इतनी बड़ी नाव बाँध दी मगर ऐसे ठाँव बाँधी कि गाँव पूछता ही नहीं। एक गोष्ठी में बड़ी दयनीय स्थिति में आ गये। बाक़ी मिलने पर। ठीक होंगे।

आज्ञाकारी
रवीन्द्रनाथ त्यागी

विनोद भट्ट के नाम पत्र

(1)

देहरादून (यू.पी.) 248001
7.9.1994

प्रिय भाई विनोद जी,

आपकी भेजी अन्तोन चेखव व जार्ज बर्नार्ड शा मिल गयी। मैंने पढ़ना शुरू कर दिया और उसमें ऐसा खो गया कि आपको धन्यवाद का पत्र तक लिखना भूल गया...

जीवन चरित प्रायः नीरस होता है मगर आपकी लिखी ये पुस्तकें उपन्यास से भी ज़्यादा दिलचस्प होती हैं।

यह सचमुच मेरा सौभाग्य है कि आप जैसे शक्तिशाली लेखक को मैं जानता हूँ। इस वर्ष मेरा एक कविता-संग्रह व एक व्यंग्य-संकलन छपा। एक व्यंग्य संकलन 'भारतीय ज्ञानपीठ' अगले वर्ष छपेगी। दो और पुस्तकों के संग्रह पास में हैं। आपसे मिलने की बहुत इच्छा है। पता नहीं कब पूरी होगी...

आशा करता हूँ कि आप सपरिवार स्वस्थ व प्रसन्न होंगे।

मेरे योग्य सेवा।

सदा आपका भक्त-अनुचर
रवीन्द्रनाथ

(2)

31.5.2002

प्रिय भाई भट्ट जी,

आपकी आत्मकथा पढ़ गया। बढ़िया है, मगर उतनी बढ़िया नहीं है जितनी मैं आपसे उम्मीद करता था। यह पुस्तक आत्मकथा है ही नहीं, यह तो मात्र आपके संस्मरणों का संग्रह है। दोनों विधाओं का अन्तर जानने के लिए मैथ्यू आर्नोल्ड व

एमर्सन की Essays in criticism पढ़िए। बाक़ी बात मिलने पर होगी।

अन्यथा नहीं लेंगे। मैं आपका प्रशंसक हूँ, प्रतिद्वन्द्वी नहीं। यह तो मेरा सौभाग्य है कि आप जैसा प्रतिभावान लेखक मुझे मित्र के रूप में मिला...

कृपया लिखिए कि मेरी प्रतिक्रिया के कारण आप नाराज़ या दुःखी तो नहीं हुए। हर हालत में मैं आपसे क्षमा माँगता हूँ...

कुछ उत्कृष्ट आत्मा कथाओं के नाम नीचे देता हूँ:

My Boyhood DAY (रवीन्द्रनाथ ठाकुर), My Early Life (विंसटिन चर्चिल), How green my valley was (लेखक का नाम नहीं दे सकता) पुस्तक मेरे पास है मगर मिल नहीं रही। पुताई के कारण मेरी लाइब्रेरी अस्तव्यस्त हो गयी है।), The day were too short (यह एक फ्रेंच Cinemetografer की आत्मकथा है और इस एक पुस्तक के कारण ही वह अमर हो गया। इससे बढ़िया आत्मकथा मैंने अपने जीवन में नहीं पढ़ी) पुस्तक का संक्षिप्त अनुवाद मेरे पास है।

हिन्दी में आत्मकथा लिखने की परम्परा नहीं है। जो कुछ उपलब्ध है उसमें बच्चन की आत्मकथा ही सर्वश्रेष्ठ है। मैंने भी एक उपन्यास में अपनी आत्मकथा लिखी पर वह शिल्प की दृष्टि से एकदम लचर है। एकदम फूहड़...

उत्तर देंगे कि आपने मुझे क्षमा कर दिया।

सदा आपका
रवीन्द्रनाथ त्यागी

पुनश्च :

भारतीय ज्ञानपीठ ने मेरी सर्वश्रेष्ठ व्यंग्य रचनाओं का एक संग्रह छापा– शायद तीन वर्ष पूर्व। एक वर्ष के भीतर ही पूरा स्टॉक बिक गया। दूसरा संस्करण छापना पड़ा। पेपर बैक संस्करण भी छापा और एक वर्ष के भीतर ही वह भी बिक गया। कृपया लिखें कि पुस्तक आपको मिली या नहीं। यदि नहीं मिली तो लिखिए ताकि मैं उसकी साजिल्द प्रति आपको दुबारा भिजवा सकूँ।

विनोद शंकर शुक्ल के नाम

(1)

युग बीत गये पत्र मिले प्रिय भाई,
स्वीकार करो नव वर्ष की बधाई।
कब शुरू होगा बातों का सिलसिला,
तुम मकान बनवा रहे हो या कि किला?

रवीन्द्रनाथ त्यागी
1-1-87

(2)

मेरठ छावनी
23-7-1999

प्रिय भाई,

आपकी नयी पुस्तक कोरियर सर्विस द्वारा मिली। लगता है कि उम्र बढ़ने के साथ-साथ, तुम्हारी बुद्धि घटती जा रही है वरना इतनी शानदार किताब मुझ जैसे निकम्मे को क्यों समर्पित करते।

यह पुस्तक मिलने की रसीद मात्र है। पढ़कर (बाकी क्रिया व प्रतिक्रिया) लिखूँगा। ठीक होंगे।

आपका प्रतिक्रियावादी भाई,
रवीन्द्रनाथ त्यागी

(3)

26.7

प्रिय भाई विनोद जी,

पुस्तक ध्यानपूर्वक पढ़ डाली। अख़बारी कालम के लिए लिखी गयी ये तथाकथित

प्रारम्भिक रचनाएँ मुझे तो बेहद अच्छी लगीं। क्या भाषा क्या कथ्य और क्या शिल्प—सभी दृष्टि से ये रचनाएँ बेहद संवेदनशील हैं, प्रौढ़ हैं और मर्म को छूती हैं। काफ़ी किताब अण्डरलाइन हो गयी है। कहीं-कहीं आपने जो सूक्तियाँ बनायी हैं—वे बेजोड़ हैं। (कुछ लेख और कुछ लेखों के अंश अपेक्षाकृति कमज़ोर हैं।) पुस्तक मुझे समर्पित करने के लिए बहुत आभारी हूँ।

देश की स्थिति सचमुच ख़राब है। लगता है कि प्रजातन्त्र यहाँ फ़ेल हो गया। भविष्य क्या है– कहना कठिन है। मैं आशावादी या निराशावादी नहीं हूँ, मात्र यथार्थवादी हूँ। व्यंग्य लिखने को तबीयत ही नहीं करती। सोचता हूँ कि मात्र हास्य ही लिखूँ या फिर वही सौन्दर्यवादी कविताएँ।

पत्र की प्राप्ति की सूचना देंगे। कब और कहाँ भेंट होगी-यह भी लिखना।

सदा आपका

रवीन्द्रनाथ त्यागी

(4)

4-1-2000

प्रिय भाई शुक्लजी,

आपका 25/12 का विनोदपूर्ण पत्र व शेष सामग्री मिली। आनन्द आ गया. .. और क्या लिख पढ़ रहे हैं? मैं तो कुबरेनाथ राय के 'रस आखेटक' का शिकार कर रहा हूँ। यहाँ सर्दी काफ़ी है।

अश्विनी कुमार दुबे का ख़याल रखिए। वे बीमार रहते हैं। आपसे कब मिलना होता है। नववर्ष की शुभकामनाएँ!

सदा आपका

रवीन्द्रनाथ त्यागी

(5)

18/3/2004

प्रिय भाई शुक्लजी,

आपका रिमाइण्डर मिला। आँखों के बीमार होने के बाबजूद, आपकी पुस्तक पूरे मनोयोग के साथ पढ़ गया। "भारतीय रेलें" तथा अन्तिम रचना-बेहद उत्कृष्ट हैं। सारी किताब दिलचस्प है मगर ऊपर बतायी दो रचनाएँ अद्‌भुत हैं और इस सत्य की पुष्टि करती हैं कि हिन्दी व्यंग्य का भविष्य सचमुच उज्ज्वल है। ठीक होंगे।

सदा आपका

रवीन्द्रनाथ त्यागी

विनोद साव के नाम

(1)

देहरादून (उत्तर प्रदेश)
30-8-91

प्रिय भाई,

आपका पत्र व छपी हुई दो रचनाएँ मिलीं। हार्दिक आभार। रचनाएँ ठीक ही हैं। आपकी भाषा अच्छी है। निरन्तर लिखने से निखार आएगा। और हाँ, आपको बता दूँ कि गुलजारीलाल नन्दा यू.पी. के हर्गिज़ नहीं थे, वे या तो पंजाब से थे या काश्मीर से।

यह जानकर दुख हुआ कि आपके पास उर्दू-हिन्दी हास्य व्यंग्य की जो प्रति है उसके पृष्ठ ठीक नहीं है। जिल्द तोड़कर पृष्ठों का क्रम सही कीजिए और फिर पढ़िए। मेरे पास जो एक प्रति है, उसके पृष्ठों का क्रम तो ठीक है। यदि पृष्ठ ग़ायब हैं तो मुझे लिखिए। मैं उस प्रति के स्थान पर दूसरी प्रति भेजने के लिए राजकमल को लिखूँगा।

लतीफ़ मेरे पुराने मित्र हैं उन्होंने मेरी प्रशंसा ज़रूरत से ज़्यादा की होगी। उस पर पूरा विश्वास न करें। यह मेरा सौभाग्य है कि शरद जोशी, परसाईजी, श्रीलाल शुक्ल व लतीफ़ साहब मेरे घनिष्ठ मित्र हैं। पत्र लिखते रहिए।

सदा आपका
रवीन्द्रनाथ त्यागी

(2)

30-9-91

प्रिय भाई,

आपका 8/9 का पत्र मिला। आभार।

शरद जोशी एक बहुत प्रतिभावान व्यक्ति थे। उनके न रहने से जो कमी आयी

है, वह कभी पूरी नहीं होगी।

आप मुझे बुला रहे हैं– यह आपकी कृपा है। मैं कृतज्ञ हूँ, हालाँकि मैं आ नहीं पाऊँगा। मेरी सेहत कहीं जाने के लायक़ नहीं है।

आपका
रवीन्द्रनाथ त्यागी

(3)

28-8-93

प्रिय भाई,

आपका 25/8 का दिलचस्प ख़त मुझे आज ही मिला। आपकी भेजी पुस्तक की प्रति मुझे मिली थी। एक प्रति डॉ. पाटिल को भेज दी थी। फिर भी मुझे आपको 'पावती' तो भेजनी ही चाहिए थी। इस ग़लती के लिए क्षमा कर देना।

यह तुमने बड़ा दिलचस्प मुद्दा उठाया है कि नये व्यंग्यकारों के विकास के लिए पुरानी पीढ़ी के व्यंग्यकारों को या तो मर जाना चाहिए या लिखना बन्द कर देना चाहिए। मैं इसी थीम पर एक व्यंग्य रचना लिखूँगा और थाने में रिपोर्ट भी लिखवाऊँगा कि यदि मुझे कुछ होता है तो उसके लिए विनोद साव और उनके साथी ही ज़िम्मेदार हैं।

वैसे इस पहलू का एक दुखद अंग भी है। शरद भाई स्वर्गीय हो गये, परसाईजी ने लिखना बन्द कर दिया, श्रीलाल शराब बहुत ज़्यादा पीने लगे हैं और मेरा स्वास्थ्य तो वैसे ही संकट में रहता है। हम सब के चले जाने पर क्या तुम ख़ुश हो सकते हो? कभी नहीं।

बहरहाल।

सदा तुम्हारा
रवीन्द्रनाथ त्यागी

(4)

17-10-94

प्रियवर,

आपका पत्र व दैनिक भास्कर में छपी मेरी पोथी की समीक्षा मिली। हार्दिक आभार। सच।

अट्टहास-समारोह में तो तभी जाऊँगा जब पुरस्कार मुझे मिलेगा। बहुत सम्भव है कि शरद जोशी की भाँति पुरस्कार मरने के बाद ही मिले। तब मेरी विधवा पत्नी ही उसे लेने जाएगी। उसे बुरी नीयत से नहीं देखना। तुम लेखक लोगों का कुछ

भरोसा नहीं...

'किताबघर' एक आगे आते हुए बड़े प्रकाशक हैं। बिक्री में बढ़िया और हिसाब में निहायत ईमानदार। मेरे दो व्यंग्य-संग्रह वहाँ से छपे हैं। मगर मैं उनके मालिक से कभी मिला ही नहीं। इस बार दिल्ली जाऊँगा तो बात करके आऊँगा। आपकी पुस्तक कितने पृष्ठों की होगी? व्यंग्य उपन्यास होगी या व्यंग्य निबन्ध संग्रह? सारी बातें लिखेंगे। यह धारणा ग़लत है कि सभी प्रकाशक लेखकों को प्रोत्साहन देते हैं। मैंने तो अगला व्यंग्य संग्रह (बाईसवाँ) राजकमल-प्रकाशन को दिया है क्योंकि उन्होंने ख़ुद माँगा था। नया कविता संग्रह किताबघर से छपेगा। अगले वर्ष। हिन्दी प्रकाशन का हाल अच्छा नहीं है। बिक्री नहीं होती। हम लोग किताब ख़रीदने में विश्वास ही नहीं रखते।

शुभकामनाओं के साथ

सदा आपका
रवीन्द्रनाथ त्यागी

(5)

देहरादून
12-12-97

प्रिय भाई विनोद जी,

'चुनाव' पूरी तरह पढ़ गया। यह सचमुच एक श्रेष्ठ उपन्यास है। श्रीलालजी व ज्ञान चतुर्वेदी ने जो आशंका की है, वह कम है। कहीं तो पुस्तक सचमुच अद्‌भुत है...

अब आपकी भाषा छन गयी है और शैली निश्चित हो गयी है। लेखन में प्रौढ़ता आ गयी है और इसी कारण पुस्तक बेहद कसी हुई है। इतनी बढ़िया पुस्तक लिखने के लिए मैं आपको हृदय से बधाई देता हूँ...

पुस्तक का गेट-अप ठीक नहीं है। अपनी अगली पुस्तकें ज्ञानपीठ या राजकमल से छपाइए।

मैं भी चुनाव में बहुत वर्ष पहले प्रिसाइडिंग आफिसर व रिटर्निंग आफिसर रहा हूँ। आपकी पुस्तक पढ़ने पर वे दिन भी याद आ गये...

पत्र की प्राप्ति की सूचना देंगे।

ठीक होंगे।

सदा आपका
रवीन्द्रनाथ त्यागी

(6)

देहरादून
18-1-99

प्रिय भाई,

आपके भेजे फोटो व आलेख की छाया प्रति मिली। आभार।

क्या लिख-पढ़ रहे हैं?

मैं अब बाक़ायदा दादा बन गया हूँ। 16 दिसम्बर को पौत्र हुआ। अब जो 'दादागिरी करूँगा, वह ग़ैरकानूनी नहीं होगी।'

ठीक होंगे। बेटे अमिय को स्नेह। मेरे योग्य सेवा।

नववर्ष की मंगलकामनाओं के साथ

सदा आपका
रवीन्द्रनाथ त्यागी

विष्णु प्रभाकर के नाम

(1)

13/8

आदरणीय विष्णु जी, सादर चरण स्पर्श।

आपका 3/8 का पत्र यथासमय मिल गया था। मैं कुछ अस्वस्थ हो गया था जिसके कारण उत्तर तुरन्त न दे सका। आशा है आप क्षमा कर देंगे।

आप तो 87 वर्ष के युवा हैं। आपने बहुत काम किया। अब भी कर ही रहे हैं। मैं आपका नाम केदारनाथ अग्रवाल, रामविलास शर्मा व नागार्जुन के साथ लेता हूँ। सत्यार्थी जी को घण्टों ने 'फ्राड' कहा था जो सच ही था।

मैं बराबर लिख रहा हूँ और निरन्तर पढ़ रहा हूँ। 45 पुस्तकें छप चुकी हैं और एक आने वाली है। दर्शन-शास्त्र, इतिहास और साहित्य– मेरे प्रिय विषय हैं। अख़बार बन्द हो रहे हैं और जो हैं उनमें से काफ़ी चेक ही नहीं भेजते। प्रकाशक प्रायः बेईमान हैं। प्रूफ की ग़लतियाँ एक सामान्य बात हो गयी है। पुरस्कार हैं तो वे कुछ विशिष्ट लोगों के लिए ही बने हैं। मगर इस सबके बावजूद लिखना तो एक लत है। कोई भी 'लत' इस 'लत' को छुड़ा नहीं सकती...

आपका पत्र एक अमूल्य सम्पत्ति है। सँभाल कर रख रहा हूँ। जब दिल्ली आऊँगा तब भेंट करूँगा।

आपका भक्त अनुचर
रवीन्द्रनाथ त्यागी

(2)

18/11

मान्यवर,

मुक़दमे का क्या रहा? मैंने दिल्ली में 16/11 को कई बार फ़ोन किया पर किसी ने उठाया ही नहीं। बहरहाल, जब भी नये मकान में जाएँ तो उसका पता व फ़ोन नम्बर ज़रूर लिखें...

मेरा सातवाँ कविता-संग्रह आपको पसन्द आया, यह जानकर बड़ा सुख मिला।

मैंने पिछले चालीस वर्षों में हिन्दी को उत्कृष्ट काव्य व व्यंग्य दिया है मगर बदले में तथाकथित यश के अतिरिक्त कुछ भी तो नहीं मिला। सारे सम्मान व एवार्ड अशोक वाजपेयी, नामवर सिंह के समधी केदारनाथ सिंह व श्रीलाल शुक्ल को ही मिले। उन्हें ही मिलेंगे। हिन्दी का साहित्यकार होना एक बहुत बड़ा दुर्भाग्य है— और कुछ नहीं। निराला जी इसके उदाहरण हैं।

विनीत
रवीन्द्रनाथ त्यागी

(3)

14-1-2001

आदरणीय महोदय सादर चरण स्पर्श

आपका कृपा पत्र मिला। पढ़कर जो ख़ुशी हुई, वह शब्दों में व्यक्त नहीं की जा सकती। अब अपना जीवन अपने ही घर में काटिए। अब आपका लेखकीय जीवन पन्द्रह वर्ष और बढ़ गया...

आपके मकान के पास ही मेरे दो निकट सम्बन्धी रहते हैं। आपसे मिलने ज़रूर आऊँगा।

मेरे योग्य सेवा।

सदा आपका भक्त-अनुचर
रवीन्द्रनाथ त्यागी

शुकदेव सिंह के नाम

(1)

11-1-94

आदरणीय भाई,

आपका 17/12 का कृपा पत्र कल मिला। हार्दिक आभार। यह जानकर बेहद ख़ुशी हुई कि इन दिनों आप विदेशियों के साथ देश की खोज कर रहे हैं।

आपका पत्र पाकर मुझे अनायास ही बेहद ख़ुशी होती है। 'कहानीकार' में सबसे पहले आपको ही पढ़ता हूँ। अध्ययन, सुरुचि, निर्भीकता और तटस्थता के कारण आपकी 'प्रतिक्रियाएँ' बेहद मर्मस्पर्शी होती हैं। जब काफ़ी हो जाएँ तो 'कहानीकार' में छपी सारी टिप्पणियाँ पुस्तकाकार में अवश्य छपाइए।

पता नहीं मिलना कब होगा। आदरणीय भाई ठाकुरप्रसाद सिंह की मृत्यु से एक ऐसी जगह खाली हुई जो कभी पूरी नहीं होगी...

नववर्ष की मंगलकामनाएँ। बच्चों को स्नेहाशीष।

सदा आपका
रवीन्द्रनाथ त्यागी

(2)

4.4.94

आदरणीय भाई,

आपका 12/3 का कृपा पत्र मिल गया था। यदि आपके 'अधम' से 'अधम' टाइपराइटर पर अंकित कर दिया हो तो वह लम्बी प्रतिक्रिया मुझ 'अधम' को भी भेज दें। यह भी लिखें कि वह विशद प्रतिक्रिया किस 'अधम' पत्रिका में छप रहीं है।

स्वस्थ व प्रसन्न होंगे।

उत्तर की प्रतीक्षा में

आपका यह 'अधम' मित्र

रवीन्द्रनाथ त्यागी

P.S.

1. यह 'अधम' शब्द मैंने आपके 'अधम' पत्र से ही चोरी किया है।

2. आपकी इस अपेक्षित विशद प्रतिक्रिया में से कुछ अंश 1995 में छपने वाले अपने नये व्यंग्य-संग्रह के फ़्लैप पर दूँगा। फिर 'अशिव' भाग दृष्टिगोचर नहीं होगा।

(3)

18.4.94

आदरणीय भाई,

एक मामले में (जो कभी मैंने ही सेवानिवृत्त होने से पूर्व पकड़ा था) गवाही देने मेरठ गया था। आज ही लौटा तो आपका आत्मीयता से भरा निमन्त्रण मिला। आपका धन्यवाद देने के लिए मेरे पास शब्द नहीं हैं...

मुझे दुख है कि मैं आ पाऊँगा। अगली तारीख़ लगने वाली है।

आपकी नम्रता शब्दातीत है। अरे, आपको कौन नहीं जानता। मैं तो आपका पुराना मरीज़ हूँ और 'असाध्य' हूँ। प्राचीन साहित्य का आचार्य होने के बावजूद आपका 'समकालीन कहानी...' वाला कॉलम सबसे पहले पढ़ी जाने वाली रचना होती है।

बनारस तो देश का गौरव है। पिछले दौरे पर गया था तो भारतेन्दु भवन, प्रसाद जी की दुकान व असीघाट देखकर लौटा था। मुझे साहित्य में लाने वाले श्री वाचस्पति पाठक बनारस के ही थे। कमल गुप्तजी की कृपा तो वर्षों से मुझ पर निरन्तर रही है।

पत्र के लिए फिर से आभार।

विनीत

रवीन्द्रनाथ त्यागी

(4)

23.7.94

आदरणीय भाई,

'कहानीकार' का अंक 125 मिला। सबसे पहले आपका वक्तव्य ही पढ़ा। मज़ा आ गया। 'शुक्लपक्ष' की जो सराहना आपने की है, उसके लिए हृदय से कृतज्ञ हूँ। आपने जो लम्बी प्रतिक्रिया मुझे भेजी थी, उसके चुने हुए अंश मेरे तेईसवें व्यंग्य-संग्रह के फ़्लैप पर जाएँगे। पुस्तक राजकमल-प्रकाशन 1995 में छापेगा। सबसे पहली प्रति आपको ही भेजूँगा।

आपने इस अंक में जो अपूर्ण दोहे लिखे हैं, उनका पूर्ण रूप शायद इस प्रकार है:

1. लकड़ी जलि कोयला भई, कोयला जलि भई राख।
   मैं बिरहन ऐसी जली, कोयला भई न राख।।
2. कागा सब तन खाइयो, चुन चुन खैयो मास।
   दो नैना मत खाइयो, पिया मिलन की आस।।

दोनों दोहे ही मीराबाई के हैं।

प्रसन्न होंगे, सपरिवार।

मेरे योग्य सेवा

सदा आपका

रवीन्द्रनाथ त्यागी

(5)

20.6.95

आदरणीय भाई,

शिखर-विशेषांक (कहानीकार का) 16 को मिला। सबसे पहले आपका ही लेख पढ़ा। इस बार 'हंस' की चर्चा नहीं थी तो आपका लेख और भी ताज़ा लगा। आप में बड़ा जीवट है। सबको पढ़ते हैं और इतनी बेबाकी से सबकी निन्दा प्रशंसा करते हैं...। सूक्ष्म दृष्टि है और दबंग प्रतिक्रिया है।

मुझे तो आप अमर करने पर तुले हैं। पिछले जन्म में शायद मैं आपका सहोदर था...

आपको यह जानकर खुशी होगी कि उत्तर प्रदेश हिन्दी संस्थान ने मुझे 'पं. श्रीनारायण चतुर्वेदी पुरस्कार' दिया है। ग्यारह हजार रुपयों का है।

प्रसन्न होंगे, सपरिवार।

सदा आपका

रवीन्द्रनाथ त्यागी

आपने 'शुक्लपक्ष के बारे में विस्तृत प्रतिक्रिया दी थी उनमें से कुछ अंश मेरे बाईसवें व्यंग्य-संग्रह के फ़्लैप पर प्रकट होंगे। राजकमल प्रकाशन अगले वर्ष अवश्य ही छापेगा पुस्तक।'

(6)

20-5-96

आदरणीय भाई साहिब सादर प्रणाम,

आपका 6.5.96 का पत्र मिला। हृदय से आभारी हूँ। आशा करता हूँ कि आँखें

ठीक हो गयी हैं। चश्मा मिल गया होगा।

राजकमल प्रकाशन को लिख दिया है कि 'भाद्रपद की साँझ' की एक प्रति सुश्री सुदर्शना द्विवेदी, सहायक सम्पादक (धर्मयुग) को समीक्षा के लिए भेज दें।

कविता संग्रह आने ही वाला है। आपकी कॉपी सुरक्षित है। नया व्यंग्य-संग्रह भी इसी वर्ष आएगा। भेजूँगा।

डॉ. रामविलास शर्मा की कविताएँ इधर देखने को नहीं मिलीं। ख़ास कवि थे पर प्रगतिशीलता ने इस दिशा में प्रगति नहीं होने दी। प्रगतिशील होकर भी अत्यन्त श्रेष्ठ कवि तो मात्र केदारनाथ अग्रवाल ही बन सके और कोई नहीं...

नामवर सिंह एक प्रतिभाशाली लेखक हैं। दुख यही है कि वे पथभ्रष्ट हो गये। डॉ. विद्यानिवास मिश्र ने भी अपनी प्रसिद्ध पुस्तक में (आधुनिक निबन्धावली) हिन्दी साहित्य सम्मेलन (प्रयाग) डॉ. लोहिया, कमलापति त्रिपाठी व डॉ. नगेन्द्र को लिया है और बख़्शी जी को छोड़ दिया है। बड़ा बनने के लिए क्या नहीं करना पड़ता? न करो तो मेरी तरह उपेक्षित रहो। न बड़ा पुरस्कार, न बड़ा सम्मान।

प्रसन्न होंगे।

विनीत
रवीन्द्रनाथ त्यागी

(7)

19.4.94

आदरणीय भाई,

आपकी विस्तृत प्रतिक्रिया आज ही मिली। हार्दिक आभार। आपकी इस प्रतिक्रिया से यह साबित होता है कि आप सचमुच 'प्रतिक्रियावादी' हैं। सर्वश्री शिवप्रसाद सिंह, हरिशंकर परसाई और शरद जोशी सचमुच बढ़िया लेखक हैं। एमर्सन के शब्दों में " In literture, you can always have preferences but not extensions" आप जब नकारते हैं तो पूर्णरूप से नकारते ही चले जाते हैं। राजेन्द्र यादव के ख़िलाफ़ जो आपका मोर्चा है उसमें मैं शत-प्रतिशत आपके साथ हूँ। पर ऊपर गिनाये लोगों ने सब कुछ घटिया ही लिखा है, यह मैं नहीं मानता।

मुझे पता है कि 'त्यागी' लोग पूर्वी उत्तर प्रदेश व बिहार में 'भूमिहार' कहलाते हैं। जो दूसरों की भूमि का हरण करे- वह भूमिहार कहला सकता है। उप राष्ट्र कवि 'दिनकर' व बाबू राजेश्वर प्रसाद नारायण सिंह से मेरा परिचय रहा है। उन 'भूमिहारों' की अपेक्षा 'त्यागी' लोग प्रायः साधारण किसान ही होते हैं, जागीरदार नहीं।

'रात, चोर और चाँद' बलवन्त सिंह का लिखा एक श्रेष्ठ उर्दू-उपन्यास है। बलवन्त सिंह जी की मृत्यु हो गयी है। वे एक सशक्त लेखक व बेहद शान्त व

निश्छल व्यक्ति थे।

पुरस्कारों के बारे में आपने जो लिखा है, वह एकदम ठीक है। श्री लाल भाई का 'अंगद का पाँव' ही टिकेगा, बाक़ी सब निगेटिव, अश्लील पर उच्च कोटि का गद्य है। मैं उनका परम भक्त हूँ।

अपने तेईसवें व्यंग्य-संग्रह पर जुटा हूँ। अगले वर्ष आएगा। उसके फ़्लैप पर आपकी इस प्रतिक्रिया के अंश ज़रूर दूँगा। पुस्तक आपको अवश्य अवश्य पहुँचेगी।

मैं नवम्बर/दिसम्बर में बक्सर जाऊँगा। वहाँ मेरी पुत्री ब्याही है। तब आपके तथा डॉ. कुबेर नाथ राय के दर्शन करके आऊँगा– ऐसा सोचता हूँ। जाने से पहले आपको लिखूँगा।

'कहानीकार' का कोई अंक नहीं मिला– अंक 124 के बाद। 'होली अंक' व 'कथा-शिखर-विशेषांक' दोनों की बेहद प्रतीक्षा है पर 'कमल' भाई हैं कि रचना मिलते ही लेखक रूपी जल से सारा स्नेह 'गुप्त' कर लेते हैं। अब रिटायर हो गये हैं आशा है अब 'कहानीकार' और भी शानदार निकलेगा। यदि समय मिले तो उन्हें फ़ोन कर दीजिए कि अंक छपने पर तुरन्त भेजा करें।

पत्र के लिए फिर से आभार। आप जैसे बहुश्रुत और स्नेही लोगों की प्रशंसा के अतिरिक्त और मुझे किसी पुरस्कार की ज़रूरत नहीं है। न कोई मिलना ही है।

प्रसन्न होंगे, सपरिवार।

मेरे योग्य सेवा,

सदा आपका

रवीन्द्रनाथ त्यागी

P.S.

एक कष्ट और देता हूँ। लगता है कि आपकी मदद के बिना कुछ होगा नहीं। डॉ. उमेश प्रसाद सिंह श्री ठाकुर प्रसाद सिंह पर पिछले काफ़ी दिनों से एक पुस्तक प्रकाशित कर रहे हैं जिसकी प्रति पता नहीं मुझे मिलेगी या नहीं और मिलेगी तो कब मिलेगी। मेरी भी एक रचना उसमें है। भाई ठाकुर प्रसाद सिंह के बारे में विभिन्न लोगों के लेख पढ़ना चाहता हूँ। डॉ. उमेश जी ने इधर मेरे पत्रों का उत्तर देना भी बन्द दिया है। कृपा करके उनसे कहिए कि मुझे रजिस्टर्ड डाक से पुस्तक की प्रति अवश्य अवश्य भेज दें। कष्ट के लिए क्षमा करेंगे। यह कष्ट तो आपको करना ही होगा।

श्रवण कुमार उर्मलिया के नाम पत्र

(1)

11/1

प्रिय भाई,

आपका तीन जनवरी का पत्र आज मिला। हार्दिक आभार। यह जानकर खुशी हुई कि आपने इस बीच मेरी दो पुस्तकें पढ़ीं और आपको वे अच्छी लगीं। नया व्यंग्य संग्रह (इतिहास का शव) राजकमल प्रकाशन से हाल ही में निकला है। दाम ज़्यादा है और इस कारण लाइब्रेरी से ही लेकर पढ़ना। हाँ राजकमल पेपरबैक्स में छपी मेरी पुस्तक "प्रतिनिधि व्यंग्यः रवीन्द्रनाथ त्यागी" ज़रूर ख़रीदो और पढ़ो। दाम अठारह रुपये है।

आपकी पत्रिका मिली थी। सुरुचि के साथ छपी है। धीरे-धीरे कुछ साहित्यिक टच भी देना।

आपकी ग़ज़ल बहुत अच्छी है। इस बार यदि मिला तो तुम्हें एक शानदार लतीफ़ा सुनाऊँगा। व्यंग्य भी सुनूँगा। एक शेर अर्ज़ करता हूँ जो शायद पसन्द आए। कलाम जानी साहब का है, आवाज़ मेरी ही है।

यह बात और है कि तआरूफ़ न हो सका
हम ज़िन्दगी के साथ, बहुत दूर तक गये

नववर्ष की शुभकामनाएँ।

तुम्हारा
रवीन्द्रनाथ त्यागी

(2)

22.6.93

प्रिय भाई श्रवण कुमार,

तुम्हारा 15 जून का कृपा पत्र कल मिला। इस बीच मैं एक शरीफ़ आदमी के

स्थान पर 'दादा' बन गया। पुत्रवधू ने एक बहुत सुन्दर कन्या को जन्म दिया। इसी कारण पत्र लिखने में देरी हो गयी जिसके लिए मैं सममुच लज्जित हूँ। क्षमा करना।

पुस्तक अपने समस्त नाम के बावजूद बढ़िया है। दिलचस्प भी है और चारों दिशाओं की बखिया भी उधेड़ती हैं। आपकी दृष्टि पैनी है और आम आदमी के लिए आपके हृदय में करुणा है। आपका 'आत्मालाप' बहुत मार्मिक है।

रचनाओं के अनेक अंश ऐसे हैं जो कोटेशन बनने की शक्ति रखते हैं। जैसेः

1. जिस लोकतान्त्रिक व्यवस्था में...ऐसा लोकतन्त्र। पृष्ठ 19
2. या इंजिनियर....................निकाली जा सकती है पृष्ठ 20
3. भैंस काले रंग की होती है...अब तक पृष्ठ 27
4. मैनेजरनी ने इतना दूध पिया था कि बेटी गर्भ में ही जवान हो गयी थी।
5. असफल प्रेमी दो तरह.........देवदास बन जाता है पृष्ठ 85
6. आधुनिक काल में.................संशोधित संस्करण पृष्ठ 111

'ओ हरज़ाई मानसून' का 'एक अजीब आदमी' व 'वसन्त गाथा' मुझे सर्वश्रेष्ठ लगीं।

आपकी भाषा से मैं सन्तुष्ट नहीं हूँ। पत्रकारिता की भाषा कला की दृष्टि से तुलसीदास से सदा ऊपर रहे और रहेंगे। आपके पास जो दो पाण्डुलिपियाँ पड़ी हैं, उन्हें एक बार और देखिए-मात्र इसी दृष्टि से। मेरी स्पष्टवादिता का बुरा नहीं मानेंगे। मुझे ख़त लिखेंगे कि आपने मुझे माफ़ कर दिया। जवाब में मैं आपको एक प्रकाशक का पता लिखूँगा जो शायद आपकी मदद कर सके।

कई साल से रुका हुआ मेरा एक व्यंग्य-संग्रह (इतिहास का शव) राजकमल प्रकाशन से आउट हो गया है। ख़रीदना नहीं। कहीं से मिले तो पढ़ लेना। पुस्तक "बहुमूल्य" है।

सदा सदा तुम्हारा बड़ा भाई

रवीन्द्रनाथ त्यागी

(3)

रवीन्द्रनाथ त्यागी
शमशेर हाउस
1/1, गुरु तेग बहादुर रोड-II
देहरादून (यू.पी.) 248001
31/1/94

प्रिय भाई,

तुम्हारा 18/1 का पत्र मिला। हार्दिक आभार। मैं दिल्ली ही गया हुआ था और

इसी कारण पत्र का उत्तर पहले न दे सका।

'इतिहास का शव' ज़्यादा भारी नहीं महसूस हुआ होगा। हिन्दी की श्रेष्ठ व्यंग्य कविताओं को ले कर दो लेख और लिखे हैं। साही साहब को एक श्रेष्ठ कविता के साथ लिया है। मेरे तो वे मित्र भी थे।

'हंस' की प्रतियाँ यहाँ गिनी चुनी आती हैं। मुझे प्रति देखने को नहीं मिल पायी।

फ़िलहाल तीन पुस्तकें प्रेस में हैं। एक सचमुच श्रेष्ठ है। छपने पर लिखूँगा।

आपकी मन्त्री पत्रिका मिल गयी थी। स्वस्थ एवं प्रसन्न होंगे।

विनीत
रवीन्द्रनाथ त्यागी

(4)

रवीन्द्रनाथ त्यागी
शमशेर हाउस
1/1, गुरु तेग बहादुर रोड-II
देहरादून (यू.पी.) 248001
19/2/94

प्रिय भाई,

कल दिल्ली से लौटा तो आपकी दो पुस्तकें मिलीं। यह प्राप्ति की सूचना-मात्र है। पढ़कर अपनी प्रतिक्रिया लिखूँगा। बाक़ी पुस्तकों की प्रतीक्षा रहेगी। कविता-संग्रह प्रेस में देने से पहले मुझे दिखा देना।

मैं भी नौकरी के साथ ही लिखता रहा। चार्ल्स लैम्ब तो एक क्लर्क ही था, जिसकी बहिन पागल थी....

तुम्हारे मिलने की प्रतीक्षा करूँगा। मई के दूसरे पक्ष में शायद दिल्ली आऊँ।

मेरे योग्य सेवा

सदा तुम्हारा :
रवीन्द्रनाथ त्यागी

(5)

13.3.1994

प्रिय भाई,

आपका 11/3 का पत्र मिला। हार्दिक आभार। यह जानकर ख़ुशी हुई कि आपका नया व्यंग्य-संग्रह छपने वाला है।

मैं एक बेहद व्यस्त व्यक्ति हूँ। आपकी पाण्डुलिपि पढ़ना तथा उसकी भूमिका

लिखना मेरे बस की बात नहीं है। पुस्तक छपने पर एक प्रति मुझे रजिस्टर्ड डाक से भेंजे। मैं ध्यानपूर्वक पढ़कर उसका फ़्लैप मैटर लिखूँगा। डॉ. मधुसूदन पाटिल ने 'अमन प्रकाशन' से छपी एक और पुस्तक पर भी ऐसा ही किया है। उस पुस्तक का नाम था– "मेरा मध्यप्रदेशीय हृदय"। इससे ज़्यादा करना मेरे लिए सम्भव नहीं है। अन्यथा न लेंगे।

पुस्तक का नाम सस्ता नहीं रखेंगे।

प्रसन्न होंगे।

आपका

रवीन्द्रनाथ त्यागी

P.C. मेरे विशुद्ध साहित्यिक व्यंग्य लेखों का एक संग्रह (शुक्लपक्ष) पराग प्रकाशन, शाहदरा, दिल्ली से अभी-अभी छपा है। सूचनार्थ।

(6)

24.2.98

प्रिय भाई,

आपकी भेजी दोनों पुस्तकें ध्यानपूर्वक पढ़ लीं। 'राग बिलबिलावन' में मात्र तीन रचनाएँ अच्छी लगी थीं। (क्रम संख्या 10, 13, 18) जब कि 'सौन्दर्य बोध का विटामिन' में रचनाएँ अच्छी लगीं (11, 18, 24, 32, 38, 45, 64, 76, 87, 145) तीसरी पुस्तक में क्रम संख्या 2, 7, 15 व 19 को छोड़कर शेष सारी रचनाएँ स्तरीय लगीं।

आपका लेखन स्तर बराबर उठता जा रहा है। शैली प्रौढ़ हो रही है और भाषा छनती जा रही है। आप नये मुहावरे गढ़ने में समर्थ हैं (तोता-मैना के क़िस्से की तरह दिन बीतते गये, औरत से उम्र और बेटे से नम्बर पूछना अव्वल दर्जे की असभ्यता है दिमाग़ हल्दी घाटी बन जाता है– वग़ैरह वग़ैरह) विनोद-वृत्ति व आम आदमी के प्रति जो करुणा है, वह एकदम स्वाभाविक है। मैं आपका प्रशंसक बन ही गया।

कुछ सलाहें देने की अशिष्टता करूँगा। भाषा पत्रकार की है, इसे और साहित्यिक बनाइए। भूमिका/ अपनी बात वग़ैरह लिखना एकदम बन्द कर दें। किसी एक ही कवि के उदाहरण न दें चाहे वह कोई भी क्यों नहीं हो। जल्दबाज़ी न करें और चाचान विनोद भट्ट, परशुराम व सैयद मुजतबा अली को ध्यान से पढ़ें।

मई में दिल्ली आऊँगा। आपसे मिलने की इच्छा बहुत बल पकड़ रही है। इस पत्र की प्राप्ति की सूचना देना। कोई बात बुरी लगे तो माफ़ कर देना।

सदा आपका

रवीन्द्रनाथ त्यागी

(7)

07.06.1998

प्रियवर,

पुस्तक दो बार पढ़ गया। बहुत सुख मिला। बीसवीं रचना सर्वश्रेष्ठ लगी, क्रमांक 16, 17 व 23 वाली रचनाएँ बढ़िया हैं। बाक़ी रचनाएँ स्तरीय हैं (क्रमांक 1, 11, 13, 15, 21 व 26 को छोड़ कर– जो साधारण हैं) भूमिका लिखना बन्द कीजिए। पुस्तक का नाम 'कथा-व्यथा' ठीक रहता।

आप निरन्तर सतर्क व सावधान होते जा रहे हैं–यह देखकर सन्तोष हुआ। कहीं-कहीं आपकी विनोदवृत्ति व कटाक्ष इतने मार्मिक हैं कि कुछ कहा नहीं जा सकता। साहित्यिकता बढ़ती जा रही है। रचनाएँ प्रायः सोद्‌देश्य हैं हालाँकि वे ऊँचे दर्जे का मनोरंजन भी करती हैं। आप बराबर ऊँचे उठते जा रहे हैं...

आपने मुझ अकिंचन को जो स्नेह दिया है, उसके योग्य मैं नहीं था।

ठीक होंगे।

आपका
रवीन्द्रनाथ त्यागी

श्रीराम ठाकुर 'दादा' के नाम

रवीन्द्रनाथ त्यागी
शमशेर हाउस
1/1, गुरु तेग बहादुर रोड-II
देहरादून (यू.पी.) 248001
7/11/92

प्रिय भाई,

आपका लेख व पत्र (Dates nil) यथासमय मिले। मेरी दो पुस्तकें प्रेस में हैं और उन्हीं के कारण उत्तर में देरी हुई। क्षमा करेंगे।

लेख बहुत दिलचस्प है। पृष्ठ तीन पर प्रथम पैराग्राफ़ में आपने लिखा है कि मेरी प्रकाशित पुस्तकों की संख्या 27 है। 27 के स्थान पर अब 34 कर लें।

मैं देहरादून में रहते हुए रचना की छपाई में कोई मदद नहीं कर सकता। वैसे भी सारे अख़बार धीरे-धीरे बन्द होते जा रहे हैं। आप जबलपुर के ही किसी पत्र में (या लतीफ़ घोंघी की मदद से रायपुर के "अमृत सन्देश" में) इसे छपा लें। छपने पर कटिंग मुझे भी भेजें। परसाईजी की मदद से "साम्य" भी इसे छाप सकता है।

आपके शोध का विषय बेहद दिलचस्प रहा। साधुवाद! अच्छा हुआ, आप इससे "निवृत्त" हो गये.....

मैं आराम से हूँ। यहाँ बीस वर्ष पूर्व 1524 वर्ग गज़ का प्लाट लिया था। मात्र 15240/- देने पड़े थे। फ़िलहाल मात्र प्लाट की ही क़ीमत 14 लाख रुपया है। मकान 1981 में बनवाया था– पौने दो लाख में। अब इसकी क़ीमत छह लाख रुपये है! पूरी ईमानदारी के साथ रहते हुए भी भाग्य में लखपति होने का योग लिखा था जो पूरा हुआ। आधी ज़मीन पर बँगला है और आधे में लीची और आम का उपवन।

सुबह को पढ़ता हूँ और शाम को लिखता हूँ। नियमित रूप से। सात पाण्डुलिपियाँ प्रकाशकों के पास पड़ी हैं।

अक्टूबर में "इण्डिया टुडे" (हिन्दी) ने एक साहित्य वार्षिकी निकाली है। सब विधाओं में रचनाएँ हैं। व्यंग्य में मैं और श्रीलालजी हैं। पढ़िएगा। ख़रीदिए नहीं–

क़ीमत 20) रु. है।

आपकी पुस्तक मेरे संग्रह में है। "कन्या रचना एक समाना" एक मित्र-गोष्ठी में सुना चुका हूँ। बहुत पसन्द की गयी।

आपकी पत्नी को हम दोनों का करबद्ध प्रणाम। बच्चों को स्नेहाशीष।

बाकी अगले ख़त में।

सदा आपका
रवीन्द्रनाथ त्यागी

सुरेखा बाला साहेब शाहपुरे के नाम पत्र

(1)

रवीन्द्रनाथ त्यागी
शमशेर हाउस
1/1, गुरु तेग बहादुर रोड-II
देहरादून (यू.पी.) 248001
24.8.98

प्रिय बहिन,

आपका 15/8 का कृपापत्र। हार्दिक आभार।

गोयनका जी की पुस्तक अच्छी थी पर वह सब आउट-ऑफ़-डेट हो गयी है क्योंकि तब से अब तक मैं बहुत लिख चुका हूँ। सात कविता-संग्रहों में से चार उपलब्ध हैं। पता नीचे देता हूँ।

आख़िरकार (नेशनल पब्लिशिंग हाउस, 23 दरियागंज, नयी दिल्ली-110002) रु. 18/-

सलीब से नाव तक (अभिरुचि प्रकाशन, 3/114 कर्ण गली, विश्वासनगर, शाहदरा, दिल्ली-110032) रु. 20/-

अन्तिम वसन्त (अभिरुचि प्रकाशन, 3/114 कर्ण गली, विश्वासनगर, शाहदरा, दिल्ली-110032) रु. 35/-

कृष्णपक्ष की पूर्णिमा (किताबघर, 24 अंसारी रोड, दरियागंज, नयी दिल्ली-110002) रु. 80/-

बाकी तीन काव्यग्रन्थ आप यहाँ पढ़ लेंगी।

मेरे अब तक 23 व्यंग्य-संग्रह छपे हैं जिनमें से आपके पास आठ ही हैं। बाक़ी के लिए नेशनल पब्लिशिंग हाउस, किताब घर, अभिरुचि प्रकाशन को लिखें। पते ऊपर दिये हैं।

डॉ. हरिशंकर दुबे की पुस्तक वहीं से छपी है जहाँ से डॉ. बापूराव देसाई का ग्रन्थ

छपा है। उसे पढ़िए। (स्वातन्त्र्योत्तर हिन्दी गद्य का व्यंग्य-विकास प्रकाशन, कानपुर),

तीन पुस्तकें और ले लीजिए:

पूरब खिले पलाश (मेरे चुने हुए 100 व्यंग्य-लेख) रु. 175/-
भारतीय ज्ञानपीठ, 18 इंस्टीट्यूशनल एरिया, लोदी रोड,
नयी दिल्ली-110003

हिन्दी व्यंग्य संकलन (सम्पादक श्रीलाल शुक्ल) रु. 40/-
नेशनल बुक ट्रस्ट, इण्डिया, ए-5 ग्रीन पार्क,
नयी दिल्ली-110016

व्यंग्य के मूलभूत प्रश्न (डॉ. शेरजंग गर्ग) रु. 65/-
पुस्तकायन, 2/4240 अंसारी रोड,
दरियागंज, नयी दिल्ली-110002

बाकी पुस्तकें व अन्य सामग्री आप यहाँ मुझसे लेकर पढ़ सकेंगी। डॉ. आनन्द प्रकाश गौतम का ग्रन्थ साथ ले आएँ। सिर्फ़ देखूँगा। मेरे पास नहीं है।

मेरे पास अपनी पुस्तकों की एक-एक प्रति ही है। ज़्यादा होतीं तो मैं आपको स्वयं ही भेज देता।

आप यहाँ आएँगी, यह जान कर हर्ष हुआ। मुझसे जो भी प्रश्न पूछने हैं वे सब तैयार कर लीजिए। मेरे से सम्बन्धित कामों के लिए एक हफ़्ता काफ़ी होगा। इसमें मसूरी भी एक दिन के लिए शामिल है (मध्य-प्रदेश का एक शोधार्थी मेरे कारण एक माह यहाँ रहा—दो Spells में) यहाँ मीडियम श्रेणी का होटल आप दोनों के ठहरने व खाने का लगभग 600/- प्रतिदिन लेगा। आप का कोई मित्र या सम्बन्धी यहाँ हो तो उसे भी लिखिएगा। इन मामलों में मेरा अनुभव अत्यन्त सीमित है। मैं तीस अक्टूबर से 10 नवम्बर तक फ़्री हूँ। अक्टूबर में मैं लड़की के पास बक्सर जाऊँगा और नवम्बर में लड़के के पास दिल्ली जाऊँगा। आप स्वेटर व जर्सी लाएँगी। अगर ऊपर लिखी तिथियाँ आपको सूट न करें तो अगले वर्ष मई/एप्रिल का प्रोग्राम बनाइए। जल्दी है तो इसी वर्ष दिसम्बर में आइए-पूरे बचाव के साथ। ठण्ड काफ़ी पड़ सकती है।

मेरा फ़ोन नम्बर है “679133” इसके पूर्व देहरादून का कोड नम्बर (0135) जोड़ना पड़ेगा। एक होटल को फ़ोन किया था क्योंकि वह मेरे घर के पास ही है (लगभग दो किलोमीटर दूर) उसका नम्बर भी लिखता हूँ। वैसे मैं उन लोगों को जानता नहीं हूँ। एक मित्र ने बताया तो फ़ोन किया। होटल का फ़ोन नं. है “659486” । होटल का नाम है ‘होटल रीजेंट’ मेरी पत्नी आपको प्रणाम कहती है। अपने पतिदेव को मेरा नमस्कार कहें। बच्चों को स्नेहाशीष।

आपके पत्र की प्रतीक्षा रहेगी।

आपका बड़ा भाई
रवीन्द्रनाथ त्यागी

P.S. मेरा निश्चित मत है कि आप सब कुछ पढ़कर और मनन करने के बाद ही यहाँ आएँ। अगला वर्ष ही ठीक रहेगा।

(2)

रवीन्द्रनाथ त्यागी
शमशेर हाउस
1/1, गुरु तेग बहादुर रोड-II
देहरादून (यू.पी.) 248001
4.12.98

प्रिय बहिन सुरेखा जी,

आपका 24/11 का कृपा-पत्र। आभार।

आपने काफ़ी किताबें ख़रीद लीं, काफ़ी रह गयीं। जो रह गयीं उन्हें यहाँ पढ़ लीजिए और भी बहुत-सी सामग्री है, जो मैं आपको दूँगा। हाँ मेरे तीन काव्यग्रन्थ ज़रूर ख़रीद लें। नाम नीचे देता हूँ। प्रकाशकों के पते आपके पास हैं।

सलीब से नाव तक (अभिरुचि प्रकाशन)
अन्तिम वसन्त (अभिरुचि प्रकशन)
कृष्णपक्ष की पूर्णिमा (किताब घर)

पहली एप्रिल से मई के अन्त तक की अवधि में यहाँ आकर अपना काम पूरा कर लें। जो प्रश्न मुझसे पूछने हों, उनका प्रारूप आने से पहले तैयार कर लें। देहरादून में आवास के लिए मैंने एक पता भेजा था। कोई और परिचित व्यक्ति हों तो उन्हें भी लिखें। आने से पहले पत्र द्वारा (या फ़ोन पर) मुझे सूचित कर दें। दस दिन पहले। अपने पतिदेव से मेरा प्रणाम कहें;

आपका भाई
रवीन्द्रनाथ त्यागी

मेरा फ़ोन नम्बर "679133"

(3)

रवीन्द्रनाथ त्यागी
शमशेर हाउस
1/1, गुरु तेग बहादुर रोड-II
देहरादून (यू.पी.) 248001
28.9.99

प्रिय पुत्री सुरेखा,

हम दोनों दिल्ली गये हुए थे। परसों लौटने पर आपका 13/9 का कृपा-पत्र मिला। 'अपूर्ण कथा' अप्राप्य है। उसका एक भाग 'रवीन्द्रनाथ त्यागी : प्रतिनिधि रचनाएँ' में संकलित है। बाक़ी तुमने मुझे काफ़ी पढ़ लिया।

अपने उत्तर (प्रश्नों के साथ) मुझे भेज दो। मैं जल्दी से जल्दी उन्हें पढ़कर (ज़रूरी संशोधनों के साथ) वापिस भेज दूँगा। एक कॉपी अपने पास रखना।

तुम्हारी अम्मा के निधन का हम दोनों को बहुत दुख है। यह अच्छा ही रहा कि तुमने उन्हें इधर के पवित्र स्थान दिखला दिये।

'श्रीमान् जी' को हम दोनों का प्रणाम। पुत्री को स्नेहाशीष।

जब तुम्हें डॉक्टरेट मिलेगी तो हम दोनों तुम्हारा कनवोकेशन अटेण्ड करने आएँगे। पण्ढरपुर जाने की बड़ी इच्छा है।

सब ठीक होंगे।

सदा आपका
रवीन्द्रनाथ त्यागी

(4)

रवीन्द्रनाथ त्यागी
शमशेर हाउस
1/1, गुरु तेग बहादुर रोड-II
देहरादून (यू.पी.) 248001
25/10/99

प्रिय पुत्री सुरेखा,

मेरा अन्तरिम उत्तर मिल गया होगा। मैंने तुम्हारी प्रश्नावती ध्यानपूर्वक पढ़ ली। काफ़ी संशोधन करने पड़े। आशा है कि संशोधनों को समझने में तुम्हें कोई विशेष कठिनाई नहीं होगी। इस बात की पुष्टि करना और इस लिफ़ाफ़े की प्राप्ति की सूचना तुरन्त देना।

तुम्हारे गाइड जब यहाँ आएँ तो मुझसे मिले बग़ैर न जाएँ।

पृष्ठ 17 पर श्रीलाल शुक्ल की सम्मति में दो लाइनें जोड़ दी हैं। प्रेस की असावधानी से ये पंक्तियाँ 'बादलों का गाँव' के फ़्लैप पर छपने से रह गयी थीं।

बच्चों को हम दोनों का शुभाशीष। आपके पतिदेव को प्रणाम।

ठीक होंगी, सपरिवार।

सदा आपका
रवीन्द्रनाथ त्यागी

(5)

रवीन्द्रनाथ त्यागी
शमशेर हाउस
1/1, गुरु तेग बहादुर रोड-II
देहरादून (यू.पी.) 248001
1.3.2000

प्रिय पुत्री सुरेखा,

अपनी थीसिस में से मेरे साथ हुए साक्षात्कार की एक छाया-प्रति मुझे जल्दी ही भेज दो। मुझ पर एक पुस्तक छप रही है व मैं इसे उसमें शामिल करना चाहता हूँ।

अपने पतिदेव को मेरा प्रणाम कहना। बच्चे को हम दोनों का स्नेहाशीष। ठीक होंगी, सपरिवार।

सदा आपका :
रवीन्द्रनाथ त्यागी

(6)

रवीन्द्रनाथ त्यागी
शमशेर हाउस
1/1, गुरु तेग बहादुर रोड-II
देहरादून (यू.पी.) 248001
21/6/2000

प्रिय पुत्री सुरेखा जी,

आपके जाने के बाद कोई पत्र नहीं आया। यात्रा सुखद रही होगी। थीसिस पर काम शुरू कर दिया होगा। आप दोनों ने यहाँ बहुत काम किया।

कुशलता का पत्र लिखना। थीसिस के अध्यायों का नाम लिखना।

अपने पतिदेव को हम दोनों का प्रणाम व बच्चों को प्यार। उत्तर की प्रतीक्षा में

विनीत :
रवीन्द्रनाथ त्यागी

(7)

देहरादून
3.10.2002

प्रिय पुत्री सुरेखा,

तुम्हारा थीसिस आज मिला। मैं एहसान से (व थीसिस के भार से) बुरी तरह दब गया हूँ। यह पत्र मात्र थीसिस की प्राप्ति की सूचना है। थीसिस पढ़कर तुम्हें फिर लिखूँगा।

मैंने अपनी चुनी हुई कविताओं का संकलन (पीले पाल वाली बूढ़ी नाव) रजिस्टर्ड डाक से 27/9 को भेजा है। प्राप्ति की सूचना तुरन्त पत्र द्वारा भेजना। मैं तुम्हारे पत्र की प्रतीक्षा करूँगा। पुस्तक पढ़कर यह भी लिखना कि कविताएँ कैसी लगीं।

पतिदेव को प्रणाम कहना। बच्ची को प्यार। शारदा आज ही अपने गाँव गयी है। परसों लौटेगी।

सदा तुम्हारा
रवीन्द्रनाथ त्यागी

(8)

रवीन्द्रनाथ त्यागी
शमशेर हाउस
1/1, गुरु तेग बहादुर रोड-II
देहरादून (यू.पी.) 248001
23.10.2002

प्रिय पुत्री सुरेखा,

तुम्हारा थीसिस पूरा पढ़ गया। बहुत ही बढ़िया है। मैंने 27/9 को तुम्हें अपना काव्य-ग्रन्थ (पीले पाल वाली बूढ़ी नाव) रजिस्टर्ड डाक से भेजा था जो अब तक मिल गया होगा। अब तुम मेरी कविता पर शोधकार्य करो। 'कवि व व्यंग्यकार रवीन्द्रनाथ त्यागी' (डॉ. आशा रावत) तुम्हारी बहुत मदद करेगा। कृपया फ़ोन पर बताओ कि मेरा काव्यग्रन्थ तुम्हें मिल गया है। तुम्हारे थीसिस में मेरी कविता पर जो कुछ लिखा गया है वह बहुत मार्मिक है। मुझे बम्बई के एक साहित्यिक संस्थान ने एक लाख का पुरस्कार दिया है। जिसे लेने मैं और शारदा बम्बई जाएँगे। सम्मान समारोह 16 नवम्बर को है। यह पुरस्कार भी मेरे व्यंग्य-लेखन पर है, कविता पर नहीं। मैं मूलतः कवि ही हूँ पर व्यंग्य रचनाओं ने मेरे कवि को बुरी तरह ढक लिया है....

पतिदेव को प्रणाम। सौम्या को प्यार। तुम्हारे फ़ोन की प्रतीक्षा में—

रवीन्द्रनाथ त्यागी

सूर्यबाला के नाम

प्रिय बहिन,

'अजगर करे न चाकरी' पूरी पढ़ डाली। (पुस्तक की प्राप्ति की सूचना पहले ही भेजी जा चुकी थी। पुस्तक पर मेरी प्रतिक्रिया इस प्रकार है)

1. यूँ तो सारे ही निबन्ध दिलचस्प हैं पर निबन्ध क्रम संख्या 1, 5, 10, 11, 19, 21, 27, 29, 31, 32, 36 व 42 बहुत बढ़िया हैं। सर्वश्रेष्ठ निबन्ध इस प्रकार हैं—

काटना पागल कुत्ते का/क्रम संख्या 3

चली रे, चली रे अड़तालीस डाउन/12

एक अभूतपूर्व डिमोंसट्रेशन/17

चौरास्ते पर संवाद/26

सोफ़ानामा/28

आत्मकथा हिन्दी फ़िल्म पिताओं की/34

गधों के आयात के सवाल पर/35

बड़े बेआबरू होकर/37

नेपथ्य का चम्पू नाटक/38

बाकी लेख कुल मिलाकर साधारण लगे। यह मेरी व्यक्तिगत प्रतिक्रिया है, इसका शत-प्रतिशत ठीक होना ज़रूरी नहीं है। कुछ अंश ऐसे हैं कि मर्म को छूते हैं। उदाहरण:

'उन्होंने मान लिया और मामला इस तरह तय हुआ कि नायिका की उम्र पाँच साल घट गयी और कहानी की क़ीमत सात हज़ार बढ़ गयी।' (पृष्ठ 10)

'दरअसल उन दिनों इंग्लिश मीडियम न होने की वजह से हिन्दी पढ़ाने-समझाने में काफ़ी दिक्कतें पेश आया करती थीं' (पृष्ठ 21) पृष्ठ 24 का प्रथम पैरा।

'सन्तरी जितना कटखना होता है, आदमी उतना ही बड़ा माना जाता है।' (पृष्ठ 26)

'आप चखकर देखिएगा, तब समझिएगा कि खरीद कर मेवों में वो स्वाद और लज्जत कहाँ जो देश सेवा से प्राप्त मेवे में होती है।' (पृष्ठ 27)

पृष्ठ 29 तीसरे पैरे का अन्तिम अंश 'बाकी ज़िम्मेदारी...'

'ख़ून के अलावा और कौन-सा इंधन इस्तेमाल करते हैं आप लोग?' (पृष्ठ 31)

इन निबन्धों में कुछ खामियाँ भी नज़र आयीं। उदाहरण :

जहाँ भी आपने अपने को पुरुष मानकर उस ढंग से लिखा, वहाँ वह अस्वाभाविक व कृत्रिम लगा।

'निगोड़ी' शब्द से बचिए। यह शब्द 'कोठे' का है 'कोठी' का नहीं। 'चकाचक' (पृष्ठ 79) शब्द गोपालप्रसाद व्यास के लिए है, सूर्यबाला या शरद जोशी के लिए नहीं।

पृष्ठ 84 पर 'साला' छपा है। गालियाँ देना आपको शोभा नहीं देता। कहीं-कहीं सस्तापन आ गया है। सबके साथ ऐसा होता है, बचा जाए तो ठीक है।

क. कहीं-कहीं अँग्रेज़ी शब्दों का प्रयोग इतना है कि खटकता है।

ख. थूककर चाटना, मुँह पर मक्खियाँ भिनभिनाना—यह बीभत्स रस है, हास्य रस नहीं।

ग. इस पुस्तक का नाम मैं 'यक्ष-विलाप' या 'नेपथ्य का चम्पू नाटक' या 'कलावीथी से निराश' रखता। आपने जो नाम रखा है वह लतीफ़ घोंघी के लिए ठीक है। आपका दिया नाम पुस्तक के साथ अन्याय करता है।

4. आप में सशक्त व सार्थक व्यंग्य लिखने की सामर्थ्य ईश्वर ने दी है। इसका निरन्तर उपयोग आप करेंगी—इसी आशा से ख़ाकसार ने दिल लगाकर किताब पढ़ी और लम्बा ख़त लिखने का साहस किया। निष्कर्ष के तौर पर मैं यह कहूँगा:

आपकी विनोदवृत्ति एकदम स्वाभाविक है और आपने उसे शिष्ट व शालीन ही रखा है। आपकी दृष्टि मार्मिक है— वह अपने चारों तरफ़ फैले पूरे वातावरण को भेदती हुई देखती है। आम आदमी को आपने कहीं नहीं छोड़ा-सन्दर्भ कला व साहित्य का हो या राजनीति का, समाज का। भाषा आपकी अपनी है और शैली ऐसी है कि लगता है कि पाठक आपको पढ़ नहीं रहा, वरन् आपसे बातें कर रहा है। आपके अध्ययन ने रचनाओं को साहित्यिक 'टच' दिया। आपके अनेक वाक्य ऐसे हैं जो कहावत बनने की शक्ति रखते हैं। आपने जीवन के सारे क्षेत्र छुए और ईमानदारी से उनका सजीव चित्र पेश किया। मैं आपको एक श्रेष्ठ व्यंग्यकार स्वीकार करता हूँ। जिस लेखक को पढ़ने से आनन्द और उल्लास की प्राप्ति हो और आदमी एक बेहतर इंसान बनने की सोचे, उसके महत्त्व को कैसे नकारा जा सकता है।

5. आप मानेंगी कि पुस्तक मैंने बड़ी लगन से पढ़ी है। इस अहसास का बदला चुकाने के लिए लौटती डाक से लिखें कि यह पत्र आपको मिल गया है और आप मेरी प्रतिक्रिया से नाराज़ नहीं हैं। कृपया पत्र साफ़-साफ़ लिखें। जो पत्र आपका आया है, वह ऐसी सांकेतिक लिपि में है कि कोई 'भूतनाथ' या 'चन्द्रकान्ता' ही उसे पढ़ सकती है, मेरे जैसा साधारण व्यक्ति नहीं।

6. आपने लिखा है कि कभी बम्बई आएँ तो आपसे मिलूँ। मैं बुरी तरह

मानसिक अवसाद से पीड़ित हूँ। पिछले बीस वर्षों से मैं कैसे जी रहा हूँ और मेरी सगी पत्नी ही जानती है। अब ज़्यादा नहीं जी पाऊँगा। 'अकबर' कब तक, उनकी रूबाइयाँ कब तक?

अपने आदरणीय पतिदेव को मेरा करबद्ध प्रणाम कहें।

बच्चों को अमित स्नेह। उत्तर की प्रतीक्षा में,

आपका

रवीन्द्रनाथ त्यागी

हरि जोशी के नाम

16-11-96
रवीन्द्रनाथ त्यागी
देहरादून-248001

प्रिय भाई जोशीजी,

कुछ ही दिन पहले मैं 'भेड़ की नियति' पढ़ रहा था। पुस्तक मेरी लाइब्रेरी में है। मुझे पता नहीं था कि मेरी नियति में आपका 6/11 का दिलचस्प ख़त पाना भी लिखा है। पत्र के लिए सचमुच हृदय से आभारी हूँ।

मैं तो ख़ुद ही गुरु की खोज में हूँ। यदि आपको कभी मिले तो मेरा भी ख़याल रखिए। आपकी नीयत ख़राब हो तो गुरु आप रख लीजिए। उसकी पत्नी को मुझे दे दीजिए। मैं तो थोड़े में ही सन्तुष्ट हो जाने वाला व्यक्ति हूँ।

'महागुरु' की प्रतीक्षा रहेगी। भाई ज्ञान चतुर्वेदी 13/11 को एक दिन के लिए यहाँ आये थे। सोचता हूँ कि मैं कितना सौभाग्यशाली हूँ। मुझे अपने से सीनियर लोगों से सदा प्रोत्साहन मिला। साथ के लोगों ने सदा हिम्मत दी और अब नयी पीढ़ी भी उतना ही स्नेह दे रही है। जीवन सफल हो गया। लाख या दो लाख का पुरस्कार और मिल जाए, बस काफ़ी है। ज़्यादा भी हो तो चलेगा। 'नवनीत' के लिए फिर से आभार।

सदा आपका
रवीन्द्रनाथ त्यागी

ज्ञान चतुर्वेदी के नाम

(1)

देहरादून (यू.पी.) 248001
29-4-95

प्रिय भाई ज्ञान,

आपका पत्र मिल गया था, आदत के मुताबिक अन्तरिम उत्तर भी दे दिया था। मिला होगा। 'नरक-यात्रा' पूरे ध्यान के साथ पढ़ गया। आपका थीम (एक बड़ा सरकारी अस्पताल) छंगामल इण्टर कॉलिज की अपेक्षा कहीं ज़्यादा विस्तृत फलक रखता है। सब कुछ हो जाता है पर एक ग़रीब मुर्दे का पोस्टमार्टम नहीं हो पाता और एक निरीह रोगी को मेल-वार्ड का पता नहीं लगता। पुलिस को जो नंगा किया वह अलग। पुस्तक बेहद रोचक है। अतिशयोक्ति तो होनी ही थी– कार्टून में लम्बी नाक को और ज़्यादा दिखाया गया है। हास्य नहीं के बराबर है और जो वह हास्यास्पद स्थितियों के माध्यम से है (डॉक्टर का कुर्सी से बार-बार गिरना, एक-दूसरे डॉक्टर का अण्डे के बाद अण्डा खाना इत्यादि, इत्यादि) व्यंग्य की दृष्टि से यह 'राग दरबारी' से ज़्यादा सशक्त है और हास्य व भाषा के स्वाभाविक अन्दाज में यह 'राग दरबारी' से नीचे है।

मैं सरकारी-सेवा में आने के बाद व्ही.आई.पी. हो गया था और ज़्यादातर मिलिट्री अस्पतालों में ही रहा। सिविल अस्पतालों में आम आदमी का क्या अनुभव होता है, यह मैं नहीं जानता। आप स्वयं एक डॉक्टर हैं और जो कुछ आपने अंकित किया है वह सचमुच करुण है। एको रसः करुणमेव (भवभूति) पुस्तक शानदार है और मैं आपको हृदय से बधाई देता हूँ...

आपके डॉ. शर्मा अन्त में चलकर पोस्ट-मार्टम शायद कर ही देते हैं। यह एक बड़ी चीज़ है। मेरी पत्नी का परिवार जूरिस्टों का परिवार है। कोई हाईकोर्ट का जज रहा तो कई आत्मीय डिस्ट्रिक्ट जज रहे। जो जज नहीं बने वे वकील बने और बाक़ी लोग अपराधी रहे। इन लोगों की आम शिकायत रहती है कि दरअसल पोस्टमार्टम

डॉक्टर खुद नहीं करता। मुर्दाघर की दुर्गन्ध उन्हें भीतर नहीं जाने देती। डोम ही पोस्टमार्टम करता है और बड़ा डॉक्टर सिर्फ़ दस्तख़त करता है। ट्रायल कोर्ट में डॉक्टर क्रास एग्जामिनेशन में प्रायः उखड़ जाता है और पुलिस मुक़दमा हार जाती है। मैं रक्षा में ऐसी सीट पर कई वर्ष रहा जहाँ Medical Jurisprudence का पूरा अध्ययन करना पड़ता था। Poisoning के मुक़दमे तो डॉक्टर की रिपोर्ट से ही तय होते हैं। जब कभी अदालत जाएँ तो गवाही देते हुए बेहद सतर्क रहें।

यह एकदम स्वाभाविक लगा कि दो धूर्तों में से जीता एक धूर्त ही। सत्य की जीत नहीं हुई, उसका पोस्टमार्टम तक नहीं हो पाया...। जो भद्र व कायर डॉक्टर श्रीलाल भाई के लँगड़े से आगे निकल गया जिसका प्रमुख कारण यह कि वह लँगड़ा नहीं था...।

आपरेशन में मरीज़ के पेट में औज़ार छूटने की मज़ाक पढ़ी-पढ़ाई निकली। मैं तो सोच रहा था कि किसी रूपवती रमणी के गर्भाशय के आपरेशन के बाद खुद डॉक्टर ही ग़ायब मिलेगा। वह नहीं हुआ।

मैंने शायद एक फोटो भेजा था, मिला या नहीं? जैसा हूँ वैसा आपके साथ सामने हूँ। ठुकरा दो या प्यार करो।

पुरस्कार न मिलने का दुख तो दो दिन बाद ही चला गया था। अभी तो न जाने कितने पुरस्कार और नहीं मिलने हैं। यदि अपनी निराशा का स्टॉक अभी ख़त्म कर दूँगा तो तब क्या करूँगा? वैसे निराशा भी सत्य है, आशा भी राघैव धातुः (मेघदूत) पुस्तक समर्पित करने का क़र्ज़ चुका रहा हूँ। कुछ प्रतीक्षा तो करनी पड़ेगी ही। पत्र प्राप्ति की सूचना देंगे।

तुम्हारा भाई
रवीन्द्रनाथ त्यागी

(2)

5.5.95

प्रिय भाई ज्ञान,

'नरक-यात्रा' के बारे में 1/5 को एक अन्तर्देशीय पत्र भेजा है।... एक कष्ट देता हूँ। आज भोपाल से प्रकट होने वाली 'नयी दुनिया' से 150/- का चेक आया है जो शायद जाली नहीं है। साथ लगे पत्र के अनुसार मेरी कोई रचना इस पत्रिका के होली- अंक में छपी है कि कोई साहब कह रहे थे कि इस इस 'विशेषांक' का सम्पादक किसी ज्ञान चतुर्वेदी ने किया है? ये सज्जन कौन हैं? आप तो हो नहीं सकते क्योंकि आपने रचना भेजने को मुझे कभी नहीं लिखा। क्या ज्ञान चतुर्वेदी और भी हैं, ज्ञान चतुर्वेदी के सिवा? क्या भोपाल के लिए एक ज्ञान चतुर्वेदी कम पड़ता था?

अंक की व आपके पत्र की प्रतीक्षा में दोनों आँखें खुली रहेंगी। एक आँख अंक के लिए, दूसरी आँख आपके पत्र के लिए...

और क्या ठाठ हैं?

सदा आपका
रवीन्द्रनाथ त्यागी

(3)

5.9.95

प्रिय भाई ज्ञान,

तुम्हारा 21/8 का कृपा-कार्ड कल मिला। मैंने तुम्हारे गुलाबी लिफाफे का उत्तर एक विस्तृत पत्र में दिया था। शायद उत्तराखण्ड-आन्दोलन ने कुछ बाधा डाल दी। यहाँ तो कल ही से बन्द खुला है। तीन हफ़्ते बाद फिर हलचल शुरू होगी...। शायद वह पत्र अब तक मिल गया हो।

ढाँकने योग्य पुस्तक विमोचित हो गयी, यह जानकर विस्मय नहीं हुआ। हिन्दी में तो, 'कुछ करो इस चाँदनी में सब क्षमा है' वाला वातावरण है।

'बागर्थ' में तुम्हारी सर्दी वाली रचना पढ़ी थी। पिछले हफ़्ते न.भा. टाइम्स में वर्षा वाली रचना पढ़ी। बहुत बढ़िया है। तुम 'ऋतु-संहार' के साथ-साथ हम सब का भी 'संहार' करके छोड़ोगे।

तबीयत पहले से बेहतर है। परसाईजी जैसा वटवृक्ष गिर गया। बहुत दुख हुआ। बहुत स्नेही व निर्भीक व्यक्ति थे...

पत्र देते रहना।

सदा आपका
रवीन्द्रनाथ त्यागी

(4)

देहरादून (यू.पी.) 248001
5.1.96

प्रिय भाई ज्ञान,

तुम्हारा भेजा चेक परसों मिला। इस बार कष्ट के लिए मैं सदा आभारी रहूँगा। आपकी रचनाओं की 'धर्मयुग' व 'इण्डिया टुडे' में प्रतीक्षा रहेगी। मैंने भी इन दोनों को रचनाएँ भेजी हैं। लिखना नियमित होना चाहिए। जार्ज बर्नाड शा प्रतिदिन 5 पृष्ठ तो ज़रूर ही लिखता था। इस 'नित्य-कर्म' से निबट कर ही वह और कुछ करता था...

बच्चों को मेरी किताबें पसन्द आयीं– यह जानकर सुख मिला। पुरानी दो पुस्तकें बहुत बड़ी व बेहतर थीं। मैं उनकी प्रतियाँ मँगवाने की कोशिश करूँगा।

डिप्रेशन चलता ही है, कभी ज़्यादा कभी कम। 'ज़्यादातर' ज़्यादा ही रहता है। बड़ा वफादार मर्ज़ है। बासठ बार बिजली दी गयी और टनों दवाइयाँ खा गया पर डिप्रेशन है कि मेरे साथ रहना पसन्द करता है...

इधर परेशानियाँ भी चलती ही जा रही हैं। पहले पत्नी का हादसा और फिर अम्मा का देहान्त। मगर मैं बड़ा निर्लज्ज व्यक्ति हूँ। धीरे-धीरे फिर नार्मल हो जाऊँगा। पिछले छब्बीस वर्ष से इसी आशा पर जीवित हूँ।

मेरे प्रति भावुक न हो जाया करो। लम्बे ख़त की प्रतीक्षा करूँगा। यह तो मात्र चेक की रसीद है और कुछ नहीं। आयकर मुक्ति का पत्र भेजना नहीं भूलोगे। दुष्यन्त व नेहा को अमित प्यार... नव वर्ष की मंगल कामनाएँ।

सदा आपका

रवीन्द्रनाथ त्यागी

(5)

देहरादून (यू.पी.) 248001

20.2.96

प्रिय ज्ञान,

कृपा करके श्री ध्रुव शुक्ल (मध्यप्रदेश साहित्य परिषद) से उनके सरकारी लेटर-हैड पर यह पत्र भिजवा दो कि 'इतिहास के शव' पर मुझे मिला पुरस्कार आय-कर से मुक्त है। मुझे उसकी बहुत ज़्यादा चिन्ता है। तुम यह पत्र उनसे लेकर स्वयं ही भेज दो। एक फोटो स्टेट कॉपी अपने पास रख लेना। तुम्हारे अलावा भोपाल में मेरा और कोई नहीं है। लखनऊ से ऐसा पत्र भिजवाने में भाई श्रीलाल शुक्ल ने बहुत मदद की।

तुम्हारा नरेन्द्र कोहली पर लिखा लेख पढ़ा। तुम बड़े शरारती हो...

मेरा नया व्यंग्य-संग्रह राजकमल से इसी माह आउट होना है। एक और नया व्यंग्य-संग्रह इसी वर्ष किताबघर से आना है। सातवाँ कविता-संग्रह एप्रिल में आउट हो रहा है। तीनों पुस्तकें तुम्हें मिलेंगी। सबसे पहले।

बाकी फिर। डिप्रेशन बहुत ज़्यादा है। भविष्य की बड़ी ही चिन्ता है...

बच्चों को स्नेहाशीष। पत्र देना।

सदा आपका

रवीन्द्रनाथ त्यागी

(6)

देहरादून (यू.पी.) 248001
6.4.1996

प्रिय भाई ज्ञान,

आपने 10/3 को फ़ोन किया था। श्री ध्रुव शुक्ल का आयकर वाला पत्र नहीं आया। आएगा या नहीं?

(2) गिरिराज शरण अग्रवाल ने तुम्हारी कई रचनाएँ छापी हैं। मैंने लिखा है कि वे आपको पुस्तकों की प्रतियाँ व चेक भेज दें! मुझे प्रभात-प्रकाशन ने नौ पुस्तकें व 900/- का चेक भेज दिया है। चाहो तो उन्हें लिखो। कोई और डिटेल जानना चाहते हो तो मुझे लिखो।

(3) भाद्रपद की साँझ कैसी लगी?

(4) फ़रवरी के 'वागर्थ' में मेरी कविताएँ कैसी लगीं? नया कविता-संग्रह इस माह आउट होना है। यदि आयकर वाला पत्र रजिस्टर्ड डाक से नहीं भेजा तो मैं भी कविता-संग्रह नहीं भेजूँगा। चाहो तो मुझे ब्लैक-मेलर कह सकते हो...

(5) बच्चों को अमित स्नेह।

उत्तर की प्रतीक्षा में

P.S. गिरिराज शरण को आज फिर लिख दिया है कि तुम्हारी पुस्तकें व चेक तुम्हें भेजें।

सदा आपको
रवीन्द्रनाथ त्यागी

(7)

देहरादून (यू.पी.) 248001
21.4.96

प्रिय ज्ञान,

खत मिला होगा। यह कार्ड मात्र यह सूचित करने के लिए लिख रहा हूँ कि भोपाल से पुरस्कार के आयकर से मुक्त होने का पत्र श्री रथ ने भेज दिया है और वह आज की डाक से मुझे मिल गया है। कविता संग्रह जिल्द बँधने की प्रक्रिया में है। मई में ही मिलेगा।

लेटेस्ट मेडिकल बुलेटिन के अनुसार मैं अभी ज़िन्दा हूँ...

बच्चों को बहुत प्यार।

P.S. अपने पत्र के उत्तर की राह देखूँगा। ठीक होंगे।

सदा तुम्हारा
रवीन्द्रनाथ त्यागी

(8)

देहरादून (यू.पी.) 248001
22.7.1996

प्रिय भाई ज्ञान,

तुम्हारा 9/7 का पत्र व फ़्लैप मैटर मिला। तुमने तो कलम ही तोड़ दी। काश, मैं ऐसा होता...। ज्ञानपीठ से 'यथा सम्भव' नाम से विशुद्ध साहित्यिक व्यंग्य-लेखों का मोटा संग्रह निकलना है। साहू साहिब ने अपनी क्लीयरेंस दे दी है। अनुबन्ध वग़ैरह अभी होना है। उस पुस्तक के फ़्लैप पर मात्र यही आपकी सम्मति छपेगी। शायद एक पंक्ति जोड़ूँगा। एकदम निरीह। 'उत्तर प्रदेश हिन्दी संस्थान' ने इस वर्ष का 'पं. श्रीनारायण पुरस्कार' मुझे दे ही दिया। ग्यारह हज़ार रुपये। डॉ. रामविलास शर्मा ने एक लाख का पुरस्कार मिलने पर 'सम्मान' स्वीकार किया था और पुरस्कार लौटा दिया था। मैं सोचता हूँ कि 'पुरस्कार' रख लूँ और सम्मान लौटा दूँ...

जिस व्यक्ति की आपने इतनी प्रशंसा की है और जिसे श्रीलाल शुक्ल ने अपने भेजे लेटेस्ट पत्र में 'विशुद्ध साहित्य का उत्कृष्ट लेखक' बताया है, वह उपेक्षित नहीं कहा जा सकता। मुझे दुख है कि मेरी सचमुच शानदार कविताएँ इस व्यंग्य के कारण उपेक्षित रह गयीं। सातवाँ कविता संग्रह छपने वाला है। एक प्रति आपको दूँगा। फिर बात करेंगे।

'उर्दू-हिन्दी हास्य-व्यंग्य में प्रेमकथा' से एक रचना और ए. हमीद का 'क़िस्सा पहले दरवेश का' लूँगा। लाजवाब है। राजकमल को दो रचनाएँ बढ़ने पर कोई आपत्ति नहीं होगी, ऐसा सोचता हूँ। वैसे अभी तो श्रीमती शीला सन्धू वहाँ चेयरमैन हैं ही।

'बादल व तबादले का सम्बन्ध' ट्रेश है। मैं तो पढ़ ही नहीं सका। तुमने जो उसका फ़्लैप-मैटर लिखा है, उसका प्रथम पैराग्राफ ही काफ़ी है। 'निकृष्ट लेखन का उत्कृष्ट उदाहरण। मैंने लेखक को पुस्तक-प्राप्ति की सूचना दे दी थी। अब उन्हें कुछ नहीं लिखूँगा।

जैसा कि मैंने 'आत्म लेख' नामक व्यंग्य-लेख में खुलासा किया है, मैं नॉर्मल तो कभी नहीं था पर पिछले 26 वर्ष में Maniac Depressive Psychosis से बुरी तरह पीड़ित हूँ। न जाने कितने क्विंटल दवाइयाँ, मनोवैज्ञानिक के साथ सेशन व बासठ बार बिजली के शाक्स। दो बार आत्महत्या की पर 'कर्मण्येवाधिकारस्ते' के अनुसार फल नहीं मिला। आजकल उसका दौरा पड़ा हुआ है और मैं बेहद उखड़ा हुआ हूँ। समझ में ही नहीं आता कि क्या करूँ। मेरे ख़त सँभाल कर रखना। पता नहीं कौन-सा पत्र अन्तिम हो...

देवेन्द्र कुमार के गीत-संग्रह को पढ़ रहा हूँ। संग्रह का नाम है "एक पेड़ चाँदनी"। हिन्दी भी क्या भाषा है, जहाँ ठाकुर प्रसाद सिंह, देवेन्द्र कुमार, बख़्शी जी, निराला,

रांगेय राघव व अन्नपूर्णानन्द उपेक्षित रहते हैं और जहाँ डॉ. नगेन्द्र, नरेन्द्र कोहली और अशोक वाजपेयी को लाखों की रॉयल्टी या पुरस्कार मिलते हैं। प्रथम ज्ञानपीठ पुरस्कार 'दिनकर' को मिला था जब कि पन्त और निराला ज़िन्दा थे। जैनेन्द्र कुमार को नहीं मिला और महादेवी को ज्ञानपीठ मिल गया। पन्तजी को भी पहले यही तार आया था कि "पुरस्कार यदि आपको व फ़िराक़ साहिब को बाँट कर दिया जाए तो क्या आपको कोई आपत्ति होगी?" पन्तजी ने उत्तर दिया कि "पूरा पुरस्कार फ़िराक़ साहब को ही दे दीजिए, मैं इस लायक़ नहीं हूँ"। तब पन्तजी व अगली बार फ़िराक़ साहिब को पूरा-पूरा पुरस्कार दिया गया... सोचता हूँ कि बहुत से संस्मरण अब लिख ही डालूँ। पन्त और निराला दोनों मुझसे बहुत स्नेह करते थे। तब आतिश जवान ही मर गया। वह कभी वृद्ध नहीं हुआ...

पत्र देना। इन दिनों मुझे हिम्मत मिलनी चाहिए– चाहे वह नकली ही हो या उधार ही दी जाए।

सदा आपका
रवीन्द्रनाथ त्यागी

(9)

देहरादून (यू.पी.) 248001
30.10.1996

प्रिय भाई ज्ञान,

तुम्हारा 17/10 का कृपा पत्र आज ही मिला। डाक विभाग की हड़ताल के कारण देरी से आया। मेरा कविता संग्रह तुम्हें पसन्द आया, यह जानकर बेहद सन्तोष हुआ। तुम नवम्बर में ज़रूर आओ। जो भी तिथि चाहो, वही ठीक है। तुमसे मिलकर मुझे बेहद खुशी होगी...

तुम्हारी सुविधा के लिए घर के आने का मानचित्र बना देता हूँ...

बाकी मिलने पर।

सदा आपका
रवीन्द्रनाथ त्यागी

(10)

देहरादून (यू.पी.) 248001
28.11.1996

प्रिय ज्ञान,

तुम्हारा 6/11 का कृपा कार्ड मिल गया था। मैं 26/10 को लम्बा पत्र लिख

चुका हूँ। तुम्हारा लम्बा ख़त मिलने पर सारी बातों पर आराम से लिखूँगा। मेरा नया व्यंग्य संग्रह छप रहा है।

'वागर्थ' मिल रहा है– देर सबेर। बच्चों की पुस्तकें अभी प्रकाशक ने नहीं भेजी है।

औरंगाबाद की एक भूतपूर्व युवती ने "व्यंग्यकार रवीन्द्रनाथ त्यागी" नाम की पुस्तक विकास प्रकाशन, कानपुर से छपायी है। ठीक ही है... सुरेश कान्त व विनोद शंकर शुक्ल अपना बेकार वक़्त मुझ पर किताबें लिखने में गँवा रहे हैं... मैंने डॉ. गिरिराज शरण को लिखा और पुस्तक व एक सौ एक रुपये प्राप्त कर लिये। तुम भी यही करो। "चन्दा वसूल होता है, साहब दबाव से" (अकबर)। बच्चों को अमित स्नेह। लम्बे पत्र की प्रतीक्षा में...

P.S. इधर मैं बहुत बीमार रहा डिप्रेशन से। अब बेहतर हूँ।

सदा आपका
रवीन्द्रनाथ त्यागी

(11)

देहरादून (यू.पी.) 248001
18.12.1996

प्रिय ज्ञान,

तुम्हारे यहाँ से जाने के बाद एक पत्र लिखा था। मिला होगा। उत्तर नहीं आया। मैं आपका समुचित सत्कार नहीं कर पाया, यह मैं जानता हूँ। मगर इस बात से इतना नाराज़ मत होइए कि पत्र व्यवहार ही बन्द कर दो। लिखो कि तुमने मुझे माफ़ कर दिया...

शारदा व मेरी ओर से अपनी पत्नी को प्रणाम व बच्चों को प्यार कहना। इस क्रम को उल्टा नहीं कर देना।

नववर्ष की मंगलकामनाएँ।

क्या लिख पढ़ रहे हो?

'वागर्थ' गिरता जा रहा है। श्रोत्रियजी को लिखा है। होना कुछ नहीं।

'इण्डिया टुडे' की वार्षिकी नहीं आयी। मेरा एक दिलचस्प लेख आना था।

'कालनिर्णय' बम्बई की नयी वार्षिकी आ गयी। नारायण दत्त ने सम्पादित की है। मेरी रचना को छोड़कर शेष सामग्री काफ़ी अच्छी है...

उत्तर आज ही देना।

तुम्हारा बड़ा भाई
रवीन्द्रनाथ त्यागी

(12)

देहरादून (यू.पी.) 248001
21.12.1996

प्रिय ज्ञान,

तुम्हारा 2/11 का कृपा पत्र अब मिला है। डाक विभाग की हड़ताल ने काफ़ी गड़बड़ी की।

'मेरी इक्यावन व्यंग्य रचनाएँ' मिली थी और मैंने उस पर आपको पत्र भी लिखा था।

उपन्यास का नाम -खड़ाऊँ के स्थान पर 'पादुका पुराण' या 'पादुका परिकथा' कैसा रहेगा? कट्टरपन्थियों का ध्यान रखिए...

'साक्षात्कार' का चेक यथासमय ही आएगा। पत्रिकाओं का हाल आपने देख ही लिया। प्रकाशक रॉयल्टी नहीं देते, किताबें बिकती ही नहीं। पुस्तक भाग्य पर आधारित है। पेंशन न हो तो रायल्टी न मिले। मैं तो इतना विरक्त हो गया हूँ कि लिखना ही बन्द कर दिया...

शेष मिलने पर।

पत्नी को हम दोनों का प्रणाम। बच्चों को प्यार।

सदा तुम्हारा
रवीन्द्रनाथ त्यागी

❑

बाल-साहित्य

मास्टर भोलाराम
(1979)

मास्टर भोलाराम

अपने बचपन के अध्यापकों में से मैं मास्टर भोलाराम को कभी नहीं भूल सकता। ऐसा अनोखा और खुशदिल इंसान ज़िन्दगी में फिर कभी नहीं मिला।

मास्टर भोलाराम काफ़ी मोटे-ताजे थे। जब वे बैठे हुए होते, तो हाथी का बच्चा लगते थे, और जब वे चलते थे, तो एकदम हाथी लगते थे। उनके चौड़े मुख के बीचों-बीच मूँछें इस तरह हवा में उड़ती थीं, जैसे कि तहसील की इमारत पर सरकारी झण्डा लहराता है! उनके हाथ में डण्डा रहता था, जिसका साइज़ उनकी मूँछों से शायद कुछ कम था। वेश-भूषा के मामले में वे काफ़ी सतर्क थे, अकसर धोती पहनकर टाई लगा लेते थे, मोज़े अलग-अलग रंगों के होते थे और कोट पर स्याही की बूँदें लगी रहती थीं। ब्लैक-बोर्ड को वे अपनी टोपी से साफ़ किया करते थे, जिसकी वजह से वह टोपी हमेशा नयी रहती थी।

भोलारामजी के सारे गुणों का वर्णन एक लेख में नहीं हो सकता। ख़ैर, उनके तीन गुण ऐसे थे, जिनके सामने उनके शेष गुण फ़ीके पड़ जाते थे। एक गुण था उनका सोना और दूसरा था उनका भुलक्कड़पन। वे बेतहाशा सोते थे। घर पर सोते थे, स्कूल आते हुए रास्ते में चलते-चलते सोते थे और फिर क्लास में सोते थे। एक बार रेल में सोये तो इतना सोये कि जहाँ जाना था, वहाँ से कोई तीन सौ मील आगे पहुँच गये। तीसरा गुण था उनका खाना, जिसकी चर्चा आगे की जाएगी।

इम्तहान के दिनों में उनके सोने से नक़ल करने में काफ़ी सुभीता रहता था। सोते-सोते वे सपना भी देखते थे और अकसर चिल्ला पड़ते थे। एक बार रात को सोते-सोते उन्होंने अपनी पत्नी को पीटना शुरू कर दिया। असल में बात यह थी कि सपने में उन्होंने कोई चोर पकड़ लिया था!

एक बार जब डिप्टी साहब स्कूल के निरीक्षण पर आने वाले थे, तो हेडमास्टर ने उन्हें दफ़्तर में बुलाकर काफ़ी समझाया कि वे कम-से-कम मुआयने वाले दिन न सोयें। भोलारामजी पर इस बात का इतना असर पड़ा कि वे वहीं हेडमास्टर के दफ़्तर में ही सो गये!

उनकी भूलने की आदत भी बड़ी दिलचस्प थी। इतिहास की कक्षा में संस्कृत

पढ़ा आते और संस्कृत की कक्षा में रेखागणित समझाने लगते। लड़कों की हाज़िरी उन्होंने कभी नहीं ली, क्योंकि हाज़िरी का रजिस्टर रोज़ ही खोया रहता था। एक बार इम्तहान की कॉपियाँ ही खो गयीं, जिसकी वजह से हम सब के सब पास कर दिये गये।

इसी तरह एक बार उन्होंने अपने दोस्तों की दावत की और दावत वाले दिन नौटंकी देखने निकल गये। नौटंकी भी वे देख नहीं पाये, क्योंकि वहाँ जाने का रास्ता भी वे भूल चुके थे। वे शायद काँजी हाउस पहुँच गये, जहाँ का मुंशी उनका पुराना शागिर्द था। उसके यहाँ कसकर शतरंज जमी। उधर दोस्त दावत के इन्तज़ार में भूखे बैठे रहे।

अपनी इसी भूलने की आदत की वजह से उन्हें किसी लड़के का नाम कभी याद नहीं रहता; अगर शरारत रज्जू करता था तो शिकायत डब्बू की होती थी। अगर उन्होंने कभी किसी से सामान उधार ले लिया, तो उसका पैसा हमेशा किसी दूसरे दुकानदार को वापस किया। वैसे वे बड़े दयालु थे। एक बार बरसात के मौसम में उन्होंने अपना नया छाता एक ग़रीब आदमी को दे दिया। बाद में पता चला कि वह छाता उनका अपना नहीं बल्कि लाइब्रेरियन का था।

मास्टर भोलाराम खाने-पीने के बड़े शौक़ीन थे, दूध पीते थे, भंग पीते थे और कचौरियाँ खाते थे। खाना बनाना उन्हें अच्छी तरह आता था। अपनी भूलने की आदत की वजह से कभी-कभी वे आलू बजाय सब्ज़ी के किसी दाल में डाल दिया करते थे, जिससे पिकनिक में मज़ा आ जाता था।

खाने-पीने के अलावा वे पतंगबाज़ भी अच्छे थे और पतंग उड़ाते-उड़ाते अकसर पीछे किसी चीज़ से टकरा जाते थे। एक बार यह टक्कर इलाक़े के रायसाहब से हो गयी थी, जिसकी वजह से उन्हें काफ़ी दुःख हुआ था। दुःख रायसाहब को भी हुआ था, जिनकी नाक और चश्मा दोनों ही टूट गये थे।

मास्टर भोलाराम अपनी पत्नी से बड़ा प्रेम करते थे और इसी कारण प्रायः उसे डण्डे से पीटते रहते थे। इतवार को पत्नी की पिटाई कसकर की जाती थी। एक बार भुलक्कड़ होने की वजह से अपनी पत्नी की जगह मालिक मकान की पत्नी की मरम्मत कर दी थी, जिससे काफ़ी मज़ा आया था। पत्नी रोती-चिल्लाती, तो मास्टर साहब 'जय बजरंगबली' का नारा लगाते थे और डण्डा लेकर घूमने निकल पड़ते थे। घूमने का उन्हें बहुत शौक़ था, पर इस बारे में फिर कभी बताऊँगा।

मास्टर भोलाराम शिकार पर गये

मास्टर भोलाराम थे तो बेहद मोटे पर उनमें फुर्ती और हिम्मत ज़रूरत से कुछ ज़्यादा ही थी। एक दिन उन्होंने हमें बताया कि वे शिकार पर जाना चाहते हैं और जो विद्यार्थी उनके साथ चलना चाहें वे अपना नाम उन्हें बता दें। हम कुछ दोस्त जो मास्टर साहब के साथ घूमना चाहते थे, तैयार हो गये। शिकार की पार्टी में स्कूल का चौकीदार मातादीन भी शामिल कर लिया गया क्योंकि वह पुराना शिकारी था।

बाकी इन्तज़ाम हो जाने पर इस बात पर बहस शुरू हुई कि शिकार किया जाए तो किस जानवर का किया जाए। हमारे गाँव से पहाड़ जो थे, वे कोई पन्द्रह मील की दूरी पर थे और तराई में काफ़ी भेड़िये, तेंदुए और लकड़बग्घे पाये जाते थे। इसके अलावा रास्ते में कुछ नदियाँ भी थीं जिनमें कभी-कभी मगरमच्छ भी देखे गये थे। मास्टर साहब बोले कि छोटे-मोटे जानवर तो उन्हें देखते ही भाग जाएँगे और इस कारण शिकार या तो भैंसे का हो या गैंडे का। गैंडा तो ख़ैर, उधर होता ही नहीं था, इस कारण यही तय किया गया कि जंगली भैंसे या जंगली सूअर का ही शिकार किया जाए।

सारा इन्तज़ाम कर लेने के बाद एक दिन शिकार पार्टी पहाड़ों की तरफ़ रवाना हुई। मास्टर साहब और मातादीन के पास बन्दूकें थीं और हम लोगों के पास बाक़ी सामान—जैसे नक्शा, चाकू, मोमबत्ती, रस्सी और खाने-पीने की चीज़ें। पार्टी सुबह-सुबह ही निकल पड़ी।

रास्ते में एक नदी आयी। नाववाले ने मास्टर साहब के आकार को देखकर उन्हें नाव में बिठाने से मना कर दिया। बड़ी हुज्जत के बाद उसने दो फेरे किये; एक फेरे में अकेले भोलारामजी गये और दूसरे फेरे में बाक़ी सारी पार्टी।

'नाव में लेटकर मास्टर साहब को नींद आ गयी, जिसकी वजह से हमें कुछ देर हो गयी। नदी पार करने के बाद एक पहाड़ी पर हम लोगों ने खाने-पीने का इन्तज़ाम किया। भोलारामजी ने कहा कि शिकार पर जाते हुए हल्के पेट रहना ज़रूरी होता है और इतना कहने के बाद उन्होंने कोई पचीस पूरियाँ खायीं।

शाम होते-होते हम बढ़ापुर पहुँच गये। यही वह इलाका था जहाँ जंगली भैंसे

और सूअर शिकार के लिए पाये जाते थे। गाँववालों की मदद से पीपल के एक पेड़ पर मचानें बाँधी गयीं। एक मचान पर मातादीन बैठा और बाक़ी मचानों पर हम लोग। जैसी कि हमें उम्मीद थी, मास्टर साहब जैसे ही मचान पर पहुँचे वैसे ही उन्हें नींद आ गयी। रात के दो बजे तक कुछ नहीं हुआ। हम लोग जागते रहे और मास्टर साहब के खर्राटों की आवाज़ सुनते रहे। कोई तीन बजे झाड़ियों में से कुछ आवाज़ आयी और एक जंगली सूअर बाहर निकला। मातादीन ने लाठी के सहारे भोलाराम जी को जगाया और कहा कि गोली चलाएँ। पहले तो नींद के कारण भोलारामजी की समझ में ही कुछ नहीं आया और जब आया तो उन्हें पता लगा कि वे बन्दूक में गोलियाँ डालना भूल गये थे। जंगली सूअर मचान की तरफ़ ही बढ़ता चला आ रहा था। इस घबराहट में एक दुर्घटना और हो गयी। भोलारामजी के वज़न से मचान टूट गया।

भोलारामजी जैसे विशालकाय प्राणी को नीचे गिरता देख, सूअर जो था वह सहम गया। इतने में पीछे से मातादीन ने फ़ायर किया पर वह खाली गया। दूसरी बार जो फ़ायर किया वह ठीक निशाने पर बैठा और सूअर जो था वह वहीं ढेर हो गया। हम लोग खुशी-खुशी नीचे उतरे, भोलारामजी को पेड़ के नीचे से उठाया और उन्हें होश में लाये। होश में आने पर उन्होंने बताया कि सूअर तो उन्हें देखते ही मर गया होगा और गोली चलाने की कोई ज़रूरत ही नहीं थी।

धीरे-धीरे उजाला होना शुरू हुआ। शिकार पार्टी गाँव को वापस लौटी। रास्ते में सहसा हम लोगों ने देखा कि भोलारामजी बुरी तरह भाग रहे हैं और उनकी धोती खुलनेवाली है। जब हम लोगों ने उनसे इस तरह भागने का कारण पूछा तो पहले तो डर के कारण कुछ बता ही नहीं पाये, पर बाद में बोले कि उनके पीछे भेड़िया आ रहा था। हम लोगों ने पीछे जाकर देखा तो वहाँ सिर्फ़ एक कुत्ता था और वह भी मरियल-सा। सारी बात सुनकर भोलारामजी को अपने ऊपर बड़ी हँसी आयी और हँसते-हँसते वे पहाड़ी से फिसल भी गये। इस बार उनसे ज़रूर एक शिकार हो गया, एक पहाड़ी चूहा उनके नीचे आने के कारण मर गया था। मरे हुए चूहे को जब हम भोलारामजी के पास लाये तो वे बोले कि यह चूहा नहीं, बल्कि खरगोश का बच्चा है। उनकी इस बात पर मातादीन तक को हँसी आ गयी।

मास्टर भोलाराम अदालत गये

हम जिस मदरसे में पढ़ते थे, उसमें मास्टर भोलारामजी के अलावा कोई छह-सात मास्टर और थे। इन्हीं में से एक थे मास्टर रशीद। बड़े भले आदमी थे और बड़ी मेहनत से पढ़ाते थे। इन्हें बकरियाँ पालने का शौक़ था। इनकी बकरियाँ इनके साथ स्कूल आ जाती थीं और मैदान में घास चरती रहती थीं। कभी-कभी वे कक्षाओं के कमरों के भीतर भी आ जाती थीं और लड़कों की कॉपियाँ तथा किताबें भी चर जाती थीं। स्थिति यह थी कि जो कोई भी लड़का काम करके नहीं लाता था वह साफ़ यह कह देता था कि उसने तो काम किया था पर रशीद साहब की बकरी उसका भोजन कर गयी।

मास्टर भोलारामजी को इन बकरियों से बड़ा प्रेम था। वे उन्हें सहलाते, उन्हें अपने हाथ से घास-पात खिलाते और उनके साथ मैं-मैं करते। जब एक ओर से मास्टर साहब मैं-मैं करते थे और दूसरी ओर से बकरियाँ भी वैसी ही आवाज़ करती थीं तो समा बँध जाता था और देखने के लिए बाक़ी मास्टर और लड़के भी इकट्ठे हो जाया करते थे। भोलारामजी और बकरियों के बीच काफ़ी प्रेम था। भोलारामजी घायल बकरियों की मरहम-पट्टी भी किया करते थे और मास्टर रशीद के कहने पर कभी-कभी उनका दूध भी पिया करते थे।

एक दिन एक हादसा हो गया। मास्टर रशीद की एक बकरी चोरी हो गयी। मामला पुलिस में गया। पुलिसवालों ने बकरी ढूँढ़ निकाली। मगर अब उसकी अदालत में शिनाख़्त होनी थी। रशीद साहब ने बकरी पहचानने के लिए मास्टर भोलाराम का नाम लिखाया था। उचित समय पर उनके पास अदालत का समन भी आ गया और वे अदालत में गवाही देने के लिए शहर के सफ़र के लिए तैयार हुए। नये कपड़े सिलवाये गये और नया जूता ख़रीदा गया। ऐसा लगता था जैसे मास्टर साहब गवाही देने के बजाय किसी बारात में जा रहे हों। उन्होंने वकील से मिलकर यह भी मालूम कर लिया कि उन्हें क्या कहना था और गवाही कैसे देनी थी।

मास्टर रशीद और भोलारामजी वग़ैरह अदालत पहुँच गये। बकरियों वाला मामला तीसरे पहर पेश होना था। दोपहर को मास्टर साहब ने इतनी कचौरियाँ खायी कि

उनके पेट में तिल धरने को भी जगह नहीं रही। तीसरे पहर उनके नाम को जब ज़ोर से पुकारा गया, तब उनकी नींद खुली। वे जब अदालत में घुसे तब भी उन्हें नींद आ रही थी। अन्दर जाने पर वकील ने उनसे गवाहों के कटघरे में खड़े होने का अनुरोध किया। कटघरा हमारे मोटे मास्टर साहब के लिए छोटा पड़ता था। बड़ी खींचातानी के बाद किसी तरह वे उसके अन्दर गये और बाद में उन्होंने कसम भी खायी कि सच बोलूँगा, पूरा सच बोलूँगा और सच के सिवा और कुछ भी न बोलूँगा।

इसके बाद उनके सामने आठ-दस बकरियाँ पेश की गयी ताकि वे बता सकें कि उनमें मास्टर रशीद की बकरी कौन-सी है। मास्टर साहब चक्कर खा गये। इस समय उन्हें सारी बकरियाँ एक-सी ही लगती थीं। मदद के लिए उन्होंने मैं-मैं करना शुरू किया तो बाक़ी बकरियाँ भी मैं--मैं करने लगीं। अन्त में चलकर मास्टर साहब ने यूँ ही एक बकरी को रशीद साहब की बकरी बता दिया। उनका ख़याल था कि बकरी-बकरी सब बराबर। उनकी गवाही के आधार पर वह बकरी मास्टर रशीद को दे दी गयी। इस गवाही से मास्टर रशीद काफ़ी नाराज़ थे क्योंकि जिस जानवर को मास्टर भोलारामजी ने शिनाख़्त किया था वह बकरी नहीं बल्कि बकरा था। बकरा किसी काम का नहीं होता क्योंकि वह दूध नहीं देता। गवाही देने के बाद मास्टर साहब ने कटघरे से बाहर आने की कोशिश की पर उसमें बुरी तरह फँस गये। उनका चेहरा लाल हो गया और साँस फूलने लगी। दो-चार सिपाहियों ने धक्के मारकर किसी तरह उन्हें बाहर निकाला। इस हादसे में उनका कोट और कुर्त्ता भी फट गया। धोती जो खुली, सो अलग। उनकी हालत देखकर अदालत में हाकिम से लेकर चपरासी तक सभी हँसने लगे।

इस दुर्घटना के बाद मास्टर भोलाराम कभी अदालत नहीं गये। मास्टर रशीद से भी उनकी बोल-चाल कम हो गयी। उनकी बकरियों से अलबत्ता वे अभी भी उतना ही प्यार करते थे। उन्हें घास-पात खिलाते और उनके साथ मैं-मैं करते। एक बार जब वे सो रहे थे, एक बकरी ने उनका कान काट खाया। मगर मास्टर साहब ने बकरी को कुछ नहीं कहा। मास्टर रशीद को गालियाँ दीं और कसकर दीं। उनकी हरकत देखकर स्कूल के लड़के और मास्टर बहुत हँसे।

कुछ दिनों बाद किसी और आदमी ने मास्टर साहब को अदालत में गवाही देने के लिए कहा। मास्टर साहब ने उसके घर पर छककर पूरियाँ और लड्डू खाये और फिर वहीं सो गये। अदालत जाने को उन्होंने साफ़ मना कर दिया क्योंकि वहाँ कटघरा बहुत छोटा होता है और उतना मोटा आदमी या तो उसमें आता नहीं और आ जाता है तो फिर निकलता नहीं। उस आदमी ने उनकी बात सुनी और सिर पकड़कर बैठ गया।

मास्टर भोलाराम सरकस देखने गये

एक दिन क़स्बे में कहीं से एक सरकस आ गया। पोस्टरों से लगता था जैसे कि काफ़ी नामी-गिरामी सरकस था। स्कूल के लड़कों ने हेडमास्टर से कहा कि लड़कों को रियायती दर पर खेल दिखाने का प्रबन्ध करें। सरकस के मैनेजर से बात की गयी और यह तय किया गया कि सारा स्कूल ही सरकस देखने जाएगा और सरकस वाले हमारे लिए एक स्पेशल शो करेंगे। यह स्पेशल शो केवल स्कूलों के लिए ही होगा। हमारे हेडमास्टर ने मास्टर भोलराम को सारा इन्तज़ाम सौंप दिया।

मास्टर साहब इस ज़िम्मेदारी से काफ़ी परेशान रहे। टिकट मँगवाना, उन्हें लड़कों को देना, लड़कों से पैसे लेना और उस पैसे का हिसाब रखना उनके बूते की बात न थी। ख़ैर, इस काम के लिए चन्द होशियार और ईमानदार लड़कों की मदद ली गयी। सारा काम हो गया और निश्चित दिन शाम के सात बजे हम लोग सरकस देखने पहुँच गये।

सरकस का तम्बू भोलारामजी की तोंद की ही भाँति गोल था। जब यही बात किसी लड़के ने ज़रा ज़ोर से कह दी तो उसे सुनकर मास्टर साहब काफ़ी ख़ुश हुए। वे अपनी तोंद पर हाथ फेरते हुए बड़ी शान और अकड़ के साथ सरकस के तम्बू में दाखिल हुए। भीतर जाकर जैसे ही सरकस वालों ने उन्हें एक कुर्सी पर बिठाया वह कुर्सी टूट गयी। मास्टर साहब को बड़ा गुस्सा आया पर मैनेजर के माफ़ी माँगने पर वे शान्त हो गये। हम सब लोग बैठ गये और खेल देखने लगे। मास्टर साहब को इस बार सोफ़े पर बिठाया गया।

सरकस का तम्बू बहुत बड़ा था। उसमें जगह-जगह रोशनी जली थी। उसकी छत में कुछ कुन्दे टँगे थे। सबसे पहले चन्द लड़कियाँ आयीं जिन्होंने चमचमाते कपड़े पहन रखे थे। ये कम उम्र लड़कियाँ तम्बू की छत तक चढ़ गयीं और फिर तम्बू में लगी कीलों में अपने जूते उलझाकर नीचे को मुँह करके लटक गयीं और तरह-तरह के करतब दिखाने लगीं। कभी वे एक स्थान से दूसरे स्थान तक कूदतीं और कभी एक को पकड़कर दूसरी लड़की लटक जाती। भोलारामजी से यह सब नहीं देखा गया; उन्होंने आँखें बन्द कर लीं। जैसी कि उनकी आदत थी, आँखें बन्द करते ही उन्हें नींद आ गयी। यह नींद तब टूटी जब कि सारा हॉल लोगों की हँसी से गूँज

उठा। बात यह थी कि अब तक सरकस के जोकर भी बाहर आ गये थे। जोकर दो थे और दोनों बौने थे। दोनों के हाथ में फटा हुआ बाँस था जिसे वे एक-दूसरे की कमर के निचले हिस्से पर कसकर मारते थे। उनके चेहरे जो थे उन पर खड़िया मिट्टी पुती थी। जोकरों के कमाल देखकर भोलारामजी इतना हँसे, इतना हँसे कि पास के लोगों को उन्हें देखकर ही हँसी आने लगी।

थोड़ी देर बाद कुछ लड़कियों ने साइकिल चलानी शुरू की। साइकिल पर चढ़े-चढ़े वे न जाने क्या-क्या करतब दिखाती थीं। एक ने तो ऐसी साइकिल ले रखी थी जिसमें सिर्फ़ एक ही पहिया था। उसका साइकिल चलाना देखकर भोलारामजी बोले कि अगर साइकिल एक पहिये से भी चल सकती है तो लोग उसमें दूसरा पहिया क्यों लगाते हैं? यह फ़िजूलख़र्ची क्यों? उन्होंने यह भी कहा कि वे अपने लिए भी एक पहिये की साइकिल बनवाएँगे और उसी पर चढ़कर स्कूल जाया करेंगे। इतना कहने के बाद वे फिर सो गये।

थोड़ी देर बाद जानवर आने शुरू हुए। भालू तो एकदम भोलारामजी का छोटा भाई लगता था। अन्त में चलकर जब शेर आये तब कमाल हो गया। खुले हुए शेरों को देखकर मास्टर भोलारामजी की सारी हिम्मत जवाब दे गयी और वे सरकस से भागने की कोशिश करने लगे। वैसा करने में उनकी धोती कहीं उलझ गयी और वे गिर पड़े। जब वे गिरे तो तीन दुबले-पतले आदमियों के ऊपर गिरे, जिनका दम निकलने को हो गया। कोई बीस लड़कों ने मिलकर मास्टर साहब को खड़ा किया, उनकी धोती ठीक की और उन्हें बिठाने की कोशिश की। बड़ी मुश्किल से वे ऐसी सीट पर बैठे जो दरवाज़े के पास थी। ऐसा उन्होंने इसलिए किया ताकि भागने में आसानी रहे।

शेरों के चले जाने के बाद मास्टर साहब का काँपना कुछ कम हुआ। इसके बाद एक आइटम हुआ—मौत का कुआँ। इस आइटम में एक आदमी मोटर साइकिल पर चढ़कर लोहे के गोल पिंजरे के भीतर घूमता था। उसकी स्पीड काफ़ी तेज़ होती थी। इस आइटम को देखकर भोलारामजी बहुत हँसे। कहने लगे कि देखो कितना बेवकूफ़ आदमी है जो सड़क पर मोटर साइकिल चलाने के बजाय यहाँ चला रहा है। कितना भी चला ले, रहेगा तो यहीं ही। उनकी भोली बात सुनकर हम लोगों को हँसी आ गयी।

सरकस ख़त्म होने पर मास्टर साहब दोनों जोकरों से मिले। उन्हें स्कूल आने का निमन्त्रण दिया। इसके बाद यह दरयाफ़्त किया कि शेरों के पिंजरों से निकलकर शहर में आने का तो कोई डर नहीं है। वापस जाते हुए मास्टर साहब ने कहा कि उछल-कूद का काम तो वे भी कर सकते हैं। अगर शेर न होते तो मास्टर साहब सरकस में भरती हो जाते। उतने मोटे आदमी को देखकर तो पब्लिक यूँ ही हँसने लगती। मास्टर साहब ने हम लोगों को यह भी बताया कि बचपन में वे रामलीला में हनुमान का पार्ट अदा किया करते थे। लंका में उन्होंने ऐसी आग लगायी थी कि कथा कहने वाले पण्डितजी की दाढ़ी तक जल गयी थी।

मास्टर भोलाराम दिल्ली गये

बड़े दिन की छुट्टियों में मास्टर भोलारामजी के साथ दिल्ली जाने का प्रोग्राम बना। आधा ख़र्चा स्कूल को देना था और आधा ख़र्चा लड़कों को खुद सहन करना था। भोलारामजी को इस कारण चुना गया क्योंकि वे इस प्रकार के दौरे पर कभी नहीं गये थे और इसकी उन्हें शिकायत थी। और विषयों के साथ-साथ वे कभी-कभी इतिहास भी पढ़ा देते थे और इसी कारण यह तय किया गया कि दिल्ली चला जाए। भोलारामजी का कहना था कि दिल्ली में तो चारों ओर इतिहास ही इतिहास बिखरा पड़ा है, जितनी तबीयत हो उतना उठा लो।

हम पन्द्रह विद्यार्थी थे। किसी तरह राम-राम करके दिल्ली पहुँचे। भोलाराम जी को हाँकना रेल के इंजिन के हाँकने से कम मुश्किल काम नहीं था। ठहरने का प्रबन्ध स्कूल वालों ने पहले से ही कर दिया था और हम लोग शाम तक वहाँ पहुँच भी गये। पहुँचने पर पहला ऐतिहासिक काम यह रहा कि मास्टर साहब ने छककर खाना खाया और इसके बाद तुरन्त सो भी गये। हम लोग अलबत्ता जागते रहे और कुछ और लोगों की मदद से अगले दिनों का कार्यक्रम बनाते रहे। यह निश्चित किया गया कि लाल किला, जामा मस्जिद, पुराना किला, चिड़ियाघर, कुतुब मीनार, राष्ट्रपति भवन, पार्लियामेण्ट हाउस ज़रूर देखेंगे। चाँदनी चौक में तो हम ठहरे ही थे। कुछ लोगों ने बताया कि हो सके तो अजायबघर, तीन मूर्ति भवन और कनॉट प्लेस को भी ज़रूर देखना।

अगले दिन हमने अपना प्रोग्राम मास्टर साहब को बताया तो वे कुछ नहीं बोले। थोड़ी देर बाद कहने लगे कि वह हर जगह चलने को तैयार हैं, पर सवारी की इल्लत है। ताँगेवाला उतने मोटे इंसान को बिठाएगा नहीं और बस में उनका प्रवेश करना कठिन था। बात उनकी क़ाबिलेग़ौर थी। ख़ैर, और लोगों ने हमारी मदद की और ऐसी जगह बता दी जहाँ से बस जो थीं वे चलना शुरू करती थीं। मास्टर साहब वहाँ उनमें आराम से बैठ सकते थे और बैठ क्या, सो भी सकते थे।

अगले दिन सबसे पहले हम लालकिला देखने गये। क़िले के अन्दर जाकर मास्टर साहब ने उस तख़्त पर बैठकर देखा जिस पर कभी शहंशाह बैठते थे। उस

पर बैठकर उन्होंने अपनी लम्बी-लम्बी मूँछों को ऐंठना शुरू किया और बाक़ी लोगों से इस तरह बात करनी शुरू की जैसे कि वे उनकी प्रजा हों। दो-एक टूरिस्टों और गाइडों से तो उनका झगड़ा भी हो गया। यदि हम लोग साथ न होते तो उस दिन और झगड़ा भी ज़रूर हो जाता क्योंकि एक साहब ने मास्टर साहब की मूँछ को उनकी पूँछ कह दिया था। क़िला देखने के बाद हम लोग जामा मस्जिद गये। वहाँ हम सब ने भगवान की प्रार्थना की। वापसी के वक़्त मास्टर साहब काफ़ी आसानी से नीचे आ गये। बात यह हुई थी कि वह पहली ही सीढ़ी पर फिसल गये थे। नीचे आकर जिसके ऊपर जाकर गिरे होंगे वह तो बेचारा कमर पकड़कर बैठ गया होगा।

इसके बाद हम लोग सीधे कुतुबमीनार गये। मास्टर साहब ने बताया कि इस इमारत को नीचे लिटाकर बनाया गया था और बनाने के बाद सीधा खड़ा कर दिया गया। हम लोग मीनार के भीतर भी गये। मास्टर साहब के मोटापे के कारण जितनी देर वे अन्दर रहे, उतनी देर शायद बाक़ी आना-जाना बन्द रहा। थोड़ी दूर चढ़कर मास्टर साहब बैठ गये क्योंकि वे थक गये थे। उसके बाद उन्होंने फिर हिम्मत की और पहली मंज़िल तक पहुँच ही गये। वहाँ पहुँचकर उन्होंने जब नीचे की ओर देखा तो उन्हें डर लगने लगा और वे मूँछ ऐंठना भूल गये। हम लोग जल्दी ही वापस आ गये। रास्ते में उनकी मूँछें एक और व्यक्ति की मूँछों से उलझ गयीं और उन दोनों महान् आत्माओं को अलग करने में हमें काफ़ी देर लग गयी। कुतुब के सुन्दर लॉन पर हमने खाना खाया। वहाँ से हम लोग राष्ट्रपति भवन, पार्लियामेण्ट भवन और सुप्रीम कोर्ट बाहर से देखते हुए वापस हुए। पार्लियामेण्ट भवन मास्टर साहब को ख़ास पसन्द आया क्योंकि वह उन्हीं की तरह गोल-मटोल था। सरकार के और अनेक विशाल दफ़्तर भी हमने देखे। मास्टर साहब आकाशवाणी भवन को बड़े ध्यान से देखते रहे, क्योंकि उनके विचार में वह स्थान था जहाँ से परमपिता परमात्मा अब भी आकाश से वरदान देते थे। काफ़ी देर तक जब कोई आकाशवाणी नहीं हुई तो उन्हें बड़ी निराशा हुई।

अगले दिन हम लोग पुराना क़िला और चिड़ियाघर देखने निकले। पुराने क़िले की दीवारें काफ़ी चौड़ी हैं। मास्टर साहब ने बताया कि इन दीवारों पर शहंशाह बाबर दो आदमियों को बग़ल में दबाकर दौड़ा करता था। मास्टर साहब ने कहा कि चाहूँ तो मैं भी वैसा कर सकता हूँ, पर मैं करूँगा नहीं क्योंकि ये दीवारें अब काफ़ी पुरानी हो गयी हैं और अगर मैं इन पर चढ़ गया तो इनके बैठ जाने का ख़तरा है। एक लड़के ने कहा कि जिन आदमियों को बाबर बग़ल में दबाता होगा वे दुबले-पतले होते होंगे। अगर कहीं वे भी मास्टरजी की तरह मोटे होते तो बाबर उन्हें हरगिज़ नहीं दबा सकता था। यह बात मास्टर साहब को काफ़ी पसन्द आयी और उन्होंने उस लड़के के गाल पर प्यार का एक काफ़ी वज़नी झापड़ रसीद किया। झापड़ के कारण वह लड़का और एक और लड़का जो उससे सटकर खड़ा था, दोनों धराशायी

हो गये। चिड़ियाघर पुराने क़िले से एकदम लगा हुआ है। उसमें घूमने में हमें काफ़ी मज़ा आया। मास्टर साहब को गैंडा, भालू, हाथी जैसे जानवर विशेष पसन्द आये, क्योंकि वे शक्ल में उनसे मिलते-जुलते थे और हो सकता है कि पिछले जन्म में उनके छोटे भाई रहे हों। चिम्पांजी भी मास्टर साहब को पसन्द आया और उन्होंने उसे काफ़ी चने खिलाये। शेरों के पिंजरों के पास वे हरगिज़ नहीं गये क्योंकि उनकी छत खुली हुई थी और मास्टर साहब के ख़याल में वे वहाँ से कूद सकते थे। एक शेर जब दहाड़ने लगा तो मास्टरजी ऐसे भागे कि उनकी धोती फिर खुल गयी। उस हादसे के बाद वे हाँफते-हाँफते बोले कि इस ख़तरनाक जगह से एकदम चलो वरना कोई न कोई ज़रूर मर जाएगा।

दो दिन दिल्ली घूमकर हम लोग वापस लौट आये। वापस लौटने पर मास्टर साहब लोगों को बताते रहे कि शेर उन्हें देखकर कैसे डर गया था और माँद में छिप गया था।

मास्टर भोलाराम मेला देखने गये

हमारे मास्टर भोलाराम को घूमने का बेहद शौक़ था। छुट्टी के दिन वह अपनी छड़ी लेकर सुबह ही निकल पड़ते थे और फिर शाम होने पर ही घर लौट पाते थे। होता यह था कि घूमते-घूमते वह प्रायः लौटने का सही रास्ता भूल जाते थे। इस सिलसिले में उनका घूमना अकसर ज़रूरत से कुछ ज़्यादा ही हो जाता था।

एक बार की बात है कि हम कुछ लड़के उनके साथ मेला देखने गये। मेला एक दूसरे क़स्बे में एक पोखर के चारों तरफ़ लगता था। यह क़स्बा हमारे घर से क़रीब पाँच कोस दूर था। मेले में आसपास के देहाती लोग बड़ी संख्या में आते थे। होता यह था कि मेले में घुसना या उसमें से निकलना काफ़ी मुश्किल काम होता था।

रास्ते में मास्टर साहब हमें बताते रहे कि हम उनके साथ ही रहें ताकि मेले में खो न जाएँ। उन्होंने यह भी सलाह दी कि हम लोग अपनी जेबों पर पूरा-पूरा ध्यान रखें, क्योंकि मेलों में ठग और जेबकतरे अकसर आ जाते हैं। भोलारामजी ने कहा कि वह जेबकतरों को पहचानने में बहुत होशियार हैं और अकसर दूर से ही बता देते हैं कि फ़लाँ आपकी जेब काट सकता है या नहीं।

हम लोग खुशी-खुशी मेले में गये। सावन का महीना था और रास्ता गीला था। जहाँ कहीं कीचड़ आती थी, मास्टर साहब हम सबसे कहते थे कि होशियार रहना। और इतना कहने के बाद ठीक उसी जगह खुद फिसल जाते थे। भारी-भरकम आदमी थे और एक दफ़ा जो धरती पर गिरते थे, तो फिर काफ़ी देर तक वहीं पड़े रहते थे। होता यह था कि उनको उठाने के सिलसिले में हम लोगों में से भी एकाध फिसल जाता था।

उठने के बाद मास्टर भोलाराम एक तगड़ी जँभाई लेते थे और फिर हम लोगों से पूछते थे कि देखना, मेरी कोई हड्डी वग़ैरह तो नहीं टूटी। जब हम कहते कि वे एकदम साबुत हैं, तो मूँछों के झण्डे फहराते हुए वह फिर आगे बढ़ने लगते थे।

ख़ैर, किसी तरह हम लोग मेले में पहुँचे। वहाँ पहुँचकर पहला काम जो मास्टर साहब ने किया, वह था एक आदमी को जेबकतरा घोषित करना। उनका यह कहना था कि हम लोगों ने उसे घेर लिया। वह बूढ़ा आदमी काफ़ी देर तक हम लोगों से

घिरा हुआ हक्का-बक्का खड़ा रहा। हम लोग 'चोर-चोर' चिल्लाते रहे। पुलिस का सिपाही आ गया। उसने बताया कि यह तो पास वाली रियासत के दीवान हैं। यह सुनकर मास्टर भोलाराम ने इतना ज़्यादा झुककर क्षमा माँगी कि वह बेचारे उसी के ऊपर फिसल पड़े।

दीवान साहब की हालत वाक़ई देखने लायक़ थी। नीचे वह पड़े थे और मास्टर भोलाराम अपने तीन मन वज़न के साथ उन्हें दबाये हुए थे। बड़ी मुश्किल से दोनों को अलग-अलग किया गया। भोलारामजी तो दोबारा भी माँफी माँगना चाहते थे, पर दीवान साहब ने रोक दिया। ठीक भी था। यदि मास्टर साहब उनके ऊपर एक बार और गिर जाते तो दीवान साहब की तो छुट्टी हो जाती। मेले में जाकर हम लोग काफ़ी घूमे। आगे-आगे भोलारामजी रहते थे, जिनकी विशालकाय मूर्ति को देखकर भीड़ खुद ही छँटती जाती थी, और पीछे-पीछे हम लोग। कहीं हमने चाट खायी, तो कहीं शर्बत पिया। इसके बाद हलवाई की दुकान पर बैठकर कचौरियाँ खायी गयीं। मिठाई भी मिली। जब पैसे देने का वक़्त आया, तो पता लगा कि भोलारामजी की जेब किसी ने पहले ही काट ली है।

बड़ी मुश्किल जान फँसी। हम सब लोगों ने अपने-अपने पैसे इकट्ठे किये, पर वे पूरे न पड़े। इतने में एक दरोग़ाजी आ गये, जिनका लड़का हमारे ही स्कूल में पड़ता था। उन्होंने कुछ पैसा उधार दिया।

खाना खाने के बाद भोलारामजी काफ़ी प्रसन्न थे। वह बोले, "चलो झूले पर झूला जाए।"

हम तो चाहते ही यह थे। झूले में बैठा गया। काफ़ी देर के बाद जब झूला रोका गया, तो मास्टर साहब को उतारना मुश्किल हो गया। एक तो वे झूले में फँस चुके थे और दूसरी बात यह कि उन्हें नींद आ गयी थी, जो टूटनी मुश्किल थी।

काफ़ी देर तक शोर मचाने और ताक़त आज़माने के बाद वह झूले से बाहर आये और पोखर के किनारे बैठ गये। बैठने के बाद लेट गये। लेटने के बाद सो गये।

हम लोगों ने उनके बिना मेला देखा, नौटंकी देखी, मसखरे को देखा और जलेबियाँ खायीं।

काफ़ी देर घूमने के बाद हम लौटे, तो देखा कि भोलारामजी वहाँ नहीं हैं जहाँ हम उन्हें सोता छोड़ गये थे। हुआ यह कि वह सोते-सोते फिसल गये थे और पोखर में जा पड़े थे। वह तो पानी कम था, नहीं तो शायद डूब ही जाते। हमने उन्हें पास की एक दुकान से बटोरा, उन्हें खड़ा किया और घर लौटे।

मास्टर भोलाराम सिनेमा देखने गये

एक दफ़ा मास्टर भोलारामजी के साथ हम लोग सिनेमा गये। पुराने क़िस्म का सिनेमा था, कुछ लोग बेंचों पर बैठते थे और बाक़ी फ़र्श पर। फ़र्श पर फटी हुई दरी या बोरियाँ वग़ैरह बिछी रहती थीं। मास्टर साहब की इज़्ज़त को ध्यान में रखते हुए उनके लिए एक कुर्सी का प्रबन्ध किया गया था। सिनेमा के मालिक का लड़का भोलारामजी का शागिर्द था।

कुर्सी को देखकर मास्टर साहब अत्यन्त प्रसन्न हुए। सारे हॉल में एक वे ही थे जिनके पास कुर्सी थी। चारों ओर बड़े रोब से देखकर उन्होंने कुर्सी पर विराजना शुरू किया। मास्टर साहब थे बहुत मोटे और कुर्सी जो थी वह उनके सामने उनका बच्चा लगती थी। दो-चार शिष्यों की सहायता से उन्हें किसी प्रकार कुर्सी में फ़िट किया गया और पिक्चर जो थी वह शुरू हुई।

पिक्चर थी सावित्री-सत्यवान की। उसकी कथा हम सभी को मालूम ही थी। जैसा कि दस्तूर था, मास्टर साहब अँधेरे से बेहद घबराते थे। हाल की बत्ती जैसे ही गुल हुई उन्होंने हाथ-पैर मारना शुरू कर दिया और उसका नतीजा यह रहा कि मास्टर साहब की कुर्सी टूट गयी। मोटे होने के कारण वे उसी में फँसे रहे। बड़ी मुश्किल से हम लोगों ने और गेट-कीपरों ने उन्हें कुर्सी से अलग किया। अब वे आराम से दरी पर विराज गये।

पिक्चर चलती जा रही थी। सत्यवान कुल्हाड़ी लेकर धीरे-धीरे पेड़ काट रहा था। उसकी धीमी गति भोलारामजी को कतई पसन्द नहीं आयी। वे वहीं से चिल्लाने लगे कि अबे, ज़रा कसरत किया कर और कुल्हाड़ी पर धार रखवाकर आ। ऐसे भला दरख़्त कटते हैं कहीं? लानत है इस सिनेमावाले पर जो ऐसे-ऐसे फटीचर नौजवानों को सत्यवान का पार्ट देता है। जब हम लोगों ने बहुत चुप किया तब जाकर भोलारामजी शान्त हुए। सच्ची बात यह थी कि अब तक उन्हें नींद आ गयी थी। वह नींद उसी प्रकार चलती रहती यदि सोते-सोते वे पास में बेठे एक मरियल-से आदमी के ऊपर किसी दीवार की भाँति न गिर पड़ते। वह ग़रीब चिल्लाया और मास्टर साहब की आँखें खुल गयीं। यदि सत्यवान उन्हें नापसन्द था तो सावित्री बेहद पसन्द थी। जब

उसने गाना शुरू किया तो मास्टरजी भी ताली बजा-बजाकर उसके साथ गाने लगे। इसके बाद सत्यवान मर गया। पास बैठी एक बूढ़ी स्त्री रोने लगी तो भोलारामजी कहने लगे कि ओ बेवकूफ़ औरत, यह मरा थोड़े ही है, यह तो मकर गाँठ रहा है। इसकी यही आदत है और प्रत्येक शो में यह ऐसा ही करता है। वह वृद्धा कुछ कहने ही वाली थी कि मध्यान्तर हो गया।

इण्टरवल होते ही चाय और मूँगफली वाले भीतर आने लगे। भोलारामजी ने सिर्फ़ छह प्याले चाय के पिये और कोई आधा किलो मूँगफली खायीं। साथ वालों की खातिर भी की गयी। दरअसल उनका ख़याल था कि इन सब पदार्थों के पैसे भी टिकट में ही शामिल हैं और अब उन्हें कुछ और नहीं देना था। थोड़ी देर बाद जब लोगों ने अपने पैसे माँगने शुरू किये तो मास्टर साहब को गुस्सा आ गया। तीन-चार केतली और प्याले वीरगति को प्राप्त हो गये। वह मामला निपटा ही था कि बत्ती गुल हो गयी और किसी और तसवीर का ट्रेलर पर्दे पर दिखाया जाने लगा।

यह ट्रेलर किसी मारधाड़ की पिक्चर का था जो अगले सप्ताह आने वाली थी। थोड़ी देर तो भोलारामजी इसे सावित्री-सत्यवान ही समझकर देखते रहे मगर जब एक डाकगाड़ी ठीक सामने से भोलारामजी की दिशा में आती दिखाई दी तो मास्टर साहब की हिम्मत टूट गयी। वे हॉल से उठकर ऐसा ताबड़तोड़ भागे कि गेटकीपर का चश्मा भी टूट गया। कुछ लोग बाहर गये और समझा-बुझाकर उन्हें भीतर लाये। तब तक असली तस्वीर फिर शुरू हो चुकी थी।

यमराज अपने भैंसे पर बैठे थे और सत्यवान के प्राणों को टटोल रहे थे। यमराज की शक्ल मास्टर भोलाराम से काफ़ी मिलती थी और एक सज्जन तो शायद यह भी कह बैठे कि उनके भैंसे की शक्ल भी मास्टर साहब से मिलती थी। भोलारामजी चुपचाप बैठे रहे और बताते रहे कि भैंसा कमज़ोर है और यमराज और सत्यवान—इन दोनों का भार यह कभी नहीं सँभाल सकता। उन्होंने बताया कि भैंसे को खली, रातिब और बिनौले खिलाने चाहिए। सावित्री के ज़्यादा रोने पर उन्हें गुस्सा आ गया। कहने लगे कि अरी मूर्ख, यह तो अभी ज़िन्दा हो जाएगा; तू इतना क्यों रोती है? इतना उपदेश देने के बाद वे फिर सो गये।

पिक्चर ख़त्म होने तक फिर उनकी नींद नहीं टूटी। इसके बाद जब बत्तियाँ जल गयीं, तो उन्होंने चन्द अँगड़ाइयाँ लीं जिनसे आसपास बैठे लड़कों को काफ़ी चोट आयी। इसके बाद जब हम लोग बाहर निकले तो भोलारामजी बताने लगे कि सत्यवान जो था वह झूठा था। एक और सिनेमा में उन्होंने उसे डाकू का पार्ट अदा करते देखा था।

उसके बाद भोलारामजी के साथ सिनेमा देखने हम शायद कभी नहीं गये जिसका हमें काफ़ी अफ़सोस रहा।

मास्टर भोलाराम बारात में गये

मास्टर भोलाराम अपने शिष्यों को शादी करने की सलाह अकसर देते रहते थे। वे क्लास में पता लगाया करते थे कि कौन विवाहित है और कौन अविवाहित। अविवाहित लड़कों से वे हमेशा शादी करने को कहा करते थे। वे कहते थे कि विवाह के बिना जीवन जो है वह अधूरा है। असली बात कुछ और थी। भोलाराम जी लड़कों को शादी के लिए इस कारण उकसाया करते थे ताकि वे भी बारात में जा सकें और जी भरकर पूरी और लड्डू खा सकें। बारात में जो मज़ा उनकी वजह से रहता था, उसका भी वर्णन करना कठिन है। यहाँ मैं एक बारात का ज़िक्र करूँगा जिसमें उनके साथ मैं भी शामिल हुआ था।

देहाती बारात थी, ताँगे और रथों वाली। जिस गाँव में बारात जानी थी, वह काफ़ी दूर था। बारात को सुबह पाँच बजे के क़रीब रवाना होना था। यह ठीक वह समय था जबकि भोलारामजी को गहन निद्रा आती थी। बड़ी कोशिशें की गयीं मगर वे नहीं जागे। अन्त में चलकर कोई पन्द्रह व्यक्तियों की सहायता से उन्हें निद्रा की अवस्था में ही एक ताँगे मैं डाल दिया गया। उठाने की इस हरकत के दौरान भोलारामजी खिसक गये और नीचे गिर गये। उन्हें फिर उठाकर ऊपर रखा गया। नींद उनकी फिर भी नहीं खुली। धीरे-धीरे बारात जो थी, वह रवाना हुई।

कोई दस मील चलने पर दोपहर के खाने के बाद बारात एक बाग़ में रुकी। हम लोगों ने देखा कि मास्टर भोलाराम अभी भी सोये हुए थे। उनके चेहरे पर एक बाल्टी पानी डालकर उन्हें किसी तरह उठाया गया। आँख खुलते ही वे मुसकराये और भोजन पर जुट गये। कोई चालीस पूरी और दस लड्डू खाने के बाद उन्होंने दरयाफ़्त किया कि वे कहाँ जा रहे हैं और क्यों जा रहे हैं। उनकी इस वाणी को सुनकर हम लोगों को हँसी आ गयी। मास्टर जी ने हमें डाँटा, दो लड्डू और खाये, कसकर पानी पिया और फिर से अपने रथ में जाकर सो गये।

बारात के रास्ते में एक छोटी-सी नदी पड़ती थी। नदी में पानी ज़्यादा नहीं था। लोग-बाग ताँगों और रथों से नीचे उतर जाते थे और अपनी धोती ऊपर उठाकर नदी पार करते थे। ऐसा करने से सवारियाँ भी हल्की हो जाती थीं और नदी को सरलता से

पार कर लेती थीं। इस नदी के पास पहुँचकर यह परेशानी खड़ी हो गयी कि मास्टर साहब के साथ क्या किया जाए। उनके बैठे-बैठे रथ जो था वह नदी नहीं पार कर सकता था और मास्टर साहब जो थे वे इस प्रकार गहरी नींद में सोये थे जैसे कि वे कुम्भकर्ण के छोटे भाई हों। सब लोग काफ़ी चीख़े-चिल्लाये, पर मास्टर साहब पर असर कहाँ? अन्त में चलकर उन पर फिर पानी उल्टा गया और तब वे उठे। उठकर नीचे उतरे और बाक़ी लोगों की भाँति नदी में घुस गये। वहाँ उनकी धोती उन्हीं के पैर के नीचे आ गयी। धोती भी खुल गयी और वे गिर भी पड़े। बाक़ी बाराती और राहगीर बुरी तरह हँसने लगे। मास्टर साहब बड़ी शान्ति के साथ बोले कि वे फिसले थोड़े ही थे, वे तो स्नान कर रहे थे। स्नान करने के बाद उन्होंने जलपान माँगा और कोई पचीस पूरियाँ सब लोगों के देखते-देखते वीरगति को प्राप्त हो गयीं।

दिन छिपते-छिपते बारात वहाँ पहुँच गयी जहाँ कि उसे पहुँचना था। गाँव के स्कूल में बारात के ठहरने का इन्तज़ाम था और इन्तज़ाम के मालिक थे उस स्कूल के कोई अध्यापक। मास्टर भोलाराम को जैसे ही पता चला कि वह भी एक मास्टर हैं;वे लगे उससे प्रश्न के बाद प्रश्न पूछने और उसका इम्तहान लेने। थोड़ी देर तक तो वह ग़रीब उनकी डाँट खाता रहा पर उसके बाद ऐसा भागा कि फिर दिखाई ही नहीं दिया।

बारात चढ़ने की वेला आ गयी। आगे-आगे गैस के हण्डे लिये बच्चे, फिर बाजे वाले और फिर नाचते हुए हिजड़े और सबके बाद में नये कपड़े पहने बाराती। सारा कार्यक्रम ठीक चल रहा था कि पता नहीं कैसे भोलारामजी को भी नाचने का मूड आ गया। वे छड़ी घुमा-घुमाकर हिजड़ों के बीच ही नाचने लगे। उनकी छड़ी से एक गैस का हण्डा टूट गया और थोड़ी देर बाद नाचते-नाचते वे ऐसा गिरे कि दो-चार हण्डे वालों को भी अपने साथ ले बैठे। बड़ी मुश्किल से बारात लड़की के घर तक पहुँची।

शादी का इन्तज़ाम एकदम तैयार था। पण्डित लोग बैठे थे और फेरे फिरने वाले थे। भोलारामजी ने भी अपना आसन वहीं ग्रहण किया। पण्डित जी जो कोई भी मन्त्र बोलते, भोलारामजी उसे ग़लत बताते और फिर उसका सही उच्चारण उसे सिखाते। वह ग़रीब गँवई ब्राह्मण भोलारामजी के ज्ञान और शरीर के सामने निराश हो गया और रोने लगा। बड़ी मुश्किल से हमने भोलारामजी को वहाँ से हटाया। जैसे ही उनसे बताया कि बाकी बारात खाना खाने जा रही है, वे तुरन्त उठ खड़े हुए।

खाना खाने में आज उन्होंने वे कमाल दिखाये कि लोग ताज्जुब करने लगे। वे पहली पंगत के साथ बैठे थे और आख़िरी पंगत के साथ उठे। खाना खाने के बाद उन्हें किसी तरह उठाया गया। इतने में वर और वधू उनका आशीर्वाद लेने आ पहुँचे क्योंकि विवाह की क्रिया पूरी हो चुकी थी। वर और वधू दोनों ने उनके चरण छुए। मास्टर भोलारामजी उन्हें आशीर्वाद देने को जैसे ही झुके, वैसे ही फिसल गये। स्थिति यह थी कि वर-वधू नीचे थे और एक टन के भोलारामजी ऊपर बड़ी मुश्किल से वर और ख़ासकर वधू की जान बचायी गयी। मास्टर साहब हँसते हुए जनवासे को गये और जाते ही सो गये।

मास्टर भोलाराम तीर्थयात्रा को गये

मास्टर भोलाराम बड़े धार्मिक विचारों के व्यक्ति थे। यूँ तो उन्हें सभी देवी-देवताओं के प्रति बराबर श्रद्धा थी पर फिर भी जिस देवता से उन्हें विशेष प्रेम था वे थे हनुमानजी। वैसे भी देखने-भालने में वे बजरंगबली से काफ़ी मिलते-जुलते थे। सिवा पूँछ के, बाक़ी सब कुछ सामग्री हनुमानजी की ही याद दिलाती थी। सुबह उठकर मास्टर साहब 'हनुमान चालीसा' का पाठ किया करते थे, जिसकी आवाज़ हमारे घर तक पहुँचा करती थी। 'हनुमान चालीसा' मास्टर साहब को ज़ुबानी याद थी और उनको उसके पढ़ने के भी अनेक ढंग आते थे। अपनी बैठक पर वे उसे आराम से स्वर के साथ पढ़ते थे जिससे समाँ बँध जाता था। सारे भक्त लोग हाथ जोड़कर इकट्ठे हो जाते थे और उनकी आवाज़ में आवाज़ मिलाकर उसी तरह पढ़ने की कोशिश किया करते थे। एक दिन कुछ ऐसे ही बे-पढ़े भक्तों को मास्टर साहब ने मज़ाक़-मज़ाक़ में यह भी बताया था कि 'हनुमान-चालीसा' को लिखा भी उन्होंने ही था। मगर पटवारी हरस्वरूप के काले कुत्ते को देखकर जब वे 'हनुमान चालीसा' पढ़ते थे तो शैली एकदम दूसरी होती थी। आगे-आगे भागते मास्टर, पीछे-पीछे भागता वह बदमाश कुत्ता। ऐसे अवसरों पर मास्टर साहब बस एक ही चौपाई पढ़ा करते थे और वह होती थीं—भूत-पिशाच निकट नहीं आवै, महावीर जब नाम सुनावै। वे पटवारी हरस्वरूप को भूत और उनके उस कुत्ते को पिशाच समझते थे। इस प्रकार भागने में कभी-कभी मास्टर साहब गिर भी जाते थे या और कुछ नहीं तो उनकी धोती ही खुल जाती थी। ऐसे अवसरों पर आस-पास खड़े बच्चा-लोग तालियाँ बजाते थे। कुत्ते से छुटकारा प्राप्त होने के बाद मास्टर साहब को अपनी साँस ठीक करने में कोई एक घण्टा लगता था। इसके बाद वे नहाते थे, मूँछें धोते थे और कपड़े बदलते थे। इतना सब कुछ कर लेने के बाद प्राण बचने की ख़ुशी में वे हनुमान मन्दिर तक जाते थे। ऐसे धार्मिक क़िस्म के व्यक्ति के लिए स्वाभाविक ही था कि वह कभी-न-कभी तीर्थयात्रा जाने की सोचें। ठीक वही हुआ भी। एक दिन यह निश्चित किया गया कि मास्टर साहब पत्नी के साथ हरिद्वार जाएँ और वहाँ से गंगा नहाकर मथुरा जाएँ। मथुरा के बाद प्रयाग और प्रयाग के बाद वाराणसी। वाराणसी

से वापस लौट आएँ, क्योंकि प्रोग्राम काफ़ी लम्बा हो गया था। तारीख़ वग़ैरह तय करने के बाद तीर्थयात्रा की तैयारियाँ ज़ोर-शोर से शुरू हो गयीं।

मास्टरनी ने मास्टर साहब के लिए ढेर सारा नाश्ता बनाया। लड्डू बने, खस्ता कचौरियाँ बनीं, गुझिया बनीं और इनके अलावा बाक़ी सामान भी बना। जिस दिन सफ़र शुरू होना था, उस दिन हम लोग मास्टर साहब के घर गये। हमने देखा मास्टर साहब बिस्तरा बाँध रहे थे। चेहरा लाल था, साँस फूला जा रहा था, पर बेशरम बिस्तर था कि क़ब्ज़े में ही नहीं आ रहा था। हालत यह थी कि कभी वे बिस्तर के नीचे होते थे तो कभी बिस्तर के ऊपर। हम कुछ लड़कों ने मदद की, तब कहीं बिस्तर बँधा। बाक़ी सामान लगाया जा चुका था। ठीक वक़्त पर ताँगा मँगवाया गया और मय सामान के मास्टर साहब और मास्टरनीजी उसमें किसी तरह बैठे। रेल का स्टेशन हमारे यहाँ से कोई पाँच मील दूर पड़ता था।

किसी तरह ताँगा राम-राम करके स्टेशन तक पहुँचा। इसके बाद रेल पकड़ने में कोई ख़ास दिक्कत नहीं हुई। मास्टर साहब बिस्तर समेत रेल में घुसना चाहते थे पर यह नामुमकिन था। दोनों चीज़ें एक-एक करके भीतर पहुँचायी गयीं। भीड़ काफ़ी थी। मास्टरजी बिस्तर पर ही बैठ गये। गाड़ी चलने के बाद उसके झटकों से उन्हें ऐसी नींद आयी कि वे बिस्तर से फिसल भी गये पर इसका उन्हें कोई पता नहीं लगा। इसके बाद दया करके किसी ने उन्हें सीट पर जगह दे दी। वहाँ वे ऐसे सोये कि सीट के बाक़ी सारे लोगों को धीरे-धीरे जगह छोड़नी पड़ी। मास्टरजी ने आराम से टाँगें फैलायीं और गहरी छानी।

हरिद्वार पहुँचकर मास्टर साहब किसी तरह नींद से मुक्त हुए और एक धर्मशाला में पहुँचे। विश्राम करने के बाद गंगा-स्नान हुआ। गंगा में वे नहीं डूबे हालाँकि उनको बचाने में दो-तीन नौजवान ज़रूर डूबते-डूबते बचे। हरिद्वार के साथ-साथ मास्टर और मास्टरनीजी ऋषिकेश और लक्ष्मणझूला भी गये। लक्ष्मण झूले का पुल तो मास्टर साहब के प्रताप से इतना हिला, इतना हिला कि कुछ कहा ही नहीं जा सकता। डर के कारण मास्टर साहब भी गिर पड़े और उनकी मूँछें पुल की जाली में फँस गयीं।

हरिद्वार के उपरान्त वे लोग दिल्ली गये और वहाँ से मथुरा। मथुरा और वृन्दावन का भ्रमण किया, मन्दिर देखे और पेड़े खाये। स्नान-ध्यान भी ख़ूब किया। एक नाववाले से मास्टर साहब का अलबत्ता ज़रूर झगड़ा हो गया क्योंकि वह उन्हें नाव में बिठाने के तिगुने पैसे माँगता था। मास्टर साहब अपने को दो आदमियों के वज़न के बराबर तो मानने को तैयार थे पर तीन आदमियों के नहीं। एक दुबले से पण्डे ने झगड़ा चुकाने की कोशिश की तो वह मास्टरजी की धोती में ऐसा उलझा कि खुद भी गिरा और मास्टर साहब की ढीली-ढीली धोती भी खुल गयी। सारी पब्लिक जो थी, वह हँसने लगी।

मथुरा और वृन्दावन के बाद दोनों पति-पत्नी गोकुल गये। मास्टर साहब ने

सूरदास का पद गाया और जब एक अमीर लड़की ने उन्हें भिखारी समझकर एक रुपया दे दिया तो वे प्रसन्न हो उठे। वे समझे कि यह उनके संगीत का इनाम है। इसके बाद उन्होंने गला फाड़-फाड़कर और भी कई पद गाये।

मथुरा से चलते समय एक हादसा हो गया। भीड़ ज़्यादा होने के कारण मास्टरनीजी जनाने डिब्बे में बैठीं और मास्टर साहब मर्दाना डिब्बे में बैठने चले। इत्तफ़ाक से उस वक़्त प्लेटफ़ार्म पर दो गाड़ियाँ खड़ी हुई थीं और परिणाम यह हुआ कि मास्टर साहब ग़लती से दूसरी गाड़ी में बैठ गये। उनके बैठते ही गाड़ी जो थी, वह चल पड़ी। नतीजा यह हुआ कि मास्टर साहब तो पहुँच गये दिल्ली और मास्टरनीजी पहुँच गयी आगरा। दिल्ली पहुँचकर मास्टर साहब का दिमाग़ चकराने लगा। दिल्ली से तो गये ही थे, अब फिर दिल्ली कैसे आ पहुँचे? उन्होंने रेलवे पुलिस की मदद ली और तब कहीं उनकी पत्नी का पता लगा। किसी तरह दोनों पति-पत्नी लौटकर अपने घर आये। बाक़ी तीर्थ-यात्रा वहीं की वहीं रह गयी। जिस किसी ने भी उनकी कथा सुनी, वही हँसने लगा। मगर तारीफ़ की बात यह थी कि ग़लत रेल पकड़ने की ज़िम्मेदारी मास्टर साहब अपनी पत्नी पर ही डालते थे, अपने ऊपर नहीं।

मास्टर भोलाराम रिटायर हुए

धीरे-धीरे एक दिन वह भी आया जिस दिन मास्टर साहब साठ वर्ष के हो गये और उन्हें रिटायर होना पड़ा। उनके रिटायर होने की ख़बर जब उन तक पहुँचायी गयी तो वे बड़े अचम्भे में पड़ गये। भुलक्कड़ होने के कारण उन्हें रिटायर होने की बात याद ही नहीं रही थी।

उनके रिटायर होने से स्कूल के लड़के बड़े दुखी थे। इतना खुशदिल, मस्त, मोटा, भुलक्कड़ और सोने और खाने वाला इंसान उस इलाक़े में कोई नहीं था। वे ग़रीब लड़कों की मदद करते थे, अमीर लड़कों से कसकर दावतें लेते थे और हम लोगों को कहानियाँ सुनाते थे। उनके रिटायर होने की ख़बर से सारे स्कूल में उदासी-सी छा गयी। उन्होंने चालीस वर्ष तक उसी स्कूल में पढ़ाया था और इस कारण स्कूल से उन्हें भी काफ़ी मोह था। रिटायर होने की ख़बर सुनकर उनकी आँखों में भी आँसू आ गये।

हेडमास्टर साहब ने तय किया कि भोलारामजी को शानदार विदाई पार्टी दी जाए। चन्दा इकट्ठा किया गया, पण्डाल सजाया गया और लाउडस्पीकर का भी प्रबन्ध किया गया। मास्टर भोलारामजी को मालाएँ पहनायी गयीं और उनकी तारीफ़ में भाषण दिये गये। सब लोगों के बाद भोलारामजी को बोलना था मगर यहाँ दो परेशानियाँ आ गयीं। एक तो यह कि अब तक वे सो चुके थे और दूसरे यह कि उन्हें यह कतई याद नहीं रहा था कि उत्सव जो था वह किस उपलक्ष में था। वे तो खड़े हुए और पानीपत की तीसरी लड़ाई के कारण समझाने लगे। काफ़ी हँसी फैली। जब मास्टर साहब को पता चला कि यह विदाई की पार्टी है, तब उन्होंने रामायण की वे चौपाइयाँ गानी शुरू कर दीं जिनमें रामचन्द्रजी के वन जाने का वर्णन है। कुल मिलाकर पार्टी शानदार रही।

रिटायर होने के काफ़ी दिनों बाद तक ऐसा रहा कि भुलक्कड़ होने के कारण मास्टर साहब स्कूल आते रहे। जो भी क्लास खाली मिल जाती, उसी में घुस जाते और पढ़ाने लगते। धीरे-धीरे उनकी यह आदत छूट गयी। अब उन्होंने घर पर बागबानी शुरू कर दी। एक बार जब लगभग उन्हीं के आकार का लाल फूल का कद्दू यानी

काशीफल लगा तो उसे अपने सिर पर रखकर वे सारे मुहल्ले में दिखाने गये। बाद में दो-चार ग़रीब लड़कों को घर पर पढ़ाने लगे। पढ़ने के बाद लड़का लोग उनके बदन की मालिश करते या उनके पुट्ठे दबाते। कभी-कभी मास्टर साहब बारात वग़ैरह में तो जाते रहे पर शिकार और सरकस— इन दोनों के पास कभी नहीं गये। सारा दिन सोते रहते और बाक़ी वक़्त जो मिलता उसमें मास्टरनीजी की पिटाई करते।

मास्टर साहब के पुराने शिष्य उनसे मिलने जाते रहते। मास्टर साहब को नाम किसी का याद नहीं रहता था। गोपाल को कल्लू कहकर पुकारते और कल्लू को भालू कहकर पुकारते और दो-चार बातें करने के बाद सो जाते। एक शिष्य ने उन्हें एक बकरी दी, एक ने एक कुत्ता दिया और बाद में इन जानवरों ने काफ़ी बच्चे दिये। एक शरारती लड़का उन्हें एक तोता और एक बन्दर भी दे गया। कहने का मतलब यह कि कुछ दिनों बाद मास्टर साहब का मकान एक चिड़ियाघर का मज़ा देने लगा।

सारे कामों से जब भी फुर्सत मिलती तो मास्टर साहब हनुमान चालीसा पढ़ते, हनुमान मन्दिर जाते और प्रसाद बाँटते। एक बार वे गंगास्नान के मेले में भी गये पर वहाँ जाकर खो गये। पुलिस की मदद से किसी तरह वापस डेरे तक पहुँचे। जितनी देर तक थाने में रहे, उतनी देर सोते रहे। पुलिसवालों ने खाना खिलाया तो इन्होंने इतना खाया कि सारे काम-काज छोड़ उन लोगों ने सबसे पहले इन्हें इनके डेरे तक पहुँचाया।

❑

हमारे मास्टर साहब
(1987)

मास्टर भोलाराम के शौक़

ज़्यादा खाना, ज़्यादा सोना और किसी भी बात को तुरन्त भूल जाना– ये मास्टर भोलाराम के ऐसे शौक़ थे कि जिन्हें सब कोई जानता था। मगर इन तीन शौक़ों के अतिरिक्त कुछ और भी ऐसी चीज़ें थीं जिनमें वे गहरी दिलचस्पी रखते थे। उदाहरण के लिए उन्हें पशु-पक्षियों से बेहद प्यार था। वे तोता पालते थे, बकरी रखते थे और कुत्ता पालते थे। जब वे शाम को घूमने जाते थे तो उनकी एक तरफ़ बकरी चलती थी और दूसरी तरफ़ कुत्ता। मास्टर साहब ख़ुद भी कभी-कभी बकरी की बोली बोलते थे और कभी-कभी कुत्ते की तरह भौं-भौं भी करते थे। मास्टर साहब भैंसे की तरह मोटे और काले थे और इसी कारण वह अपनी पत्नी को भैंस कहकर पुकारा करते थे। इसी तरह वे अपने एक बच्चे को हिरन कहकर पुकारते थे तो दूसरे को साँड़। इस प्रकार उनका जो घर था वह पूरा चिड़ियाखाना था। जानवरों में सबसे ज़्यादा प्यार उन्हें गधे से था मगर पत्नी के विरोध के कारण वे गधा पाल नहीं सकते थे। जहाँ कहीं भी उन्हें कोई गधा दिखाई पड़ता था तो वे उसकी गर्दन और कमर की मालिश करते थे और कभी-कभी उसकी दुलत्ती भी खाते थे। मास्टर साहब को सिर्फ़ एक चीज़ से डर लगता था और वह चीज़ थी चूहा। चूहे को देखते ही वे भागने लगते थे और इस भाग-दौड़ में कभी-कभी उनकी धोती तक खुल जाती थी। एक बार किसी शरारती लड़के ने उनकी मेज़ पर एक मरा हुआ चूहा रख दिया था और मास्टर साहब ने जैसे ही उसे देखा वे क्लास के भीतर घुसते ही बाहर की तरफ़ ऐसे भागे कि हेडमास्टर साहब से टकरा गये। दोनों वहीं गिर गये। नीचे थे पतली कमानी का चश्मा लगाये हेडमास्टर और ऊपर थे हनुमान छाप मास्टर साहब। लड़कों ने बड़ी मुश्किल से दोनों प्राणियों को अलग-अलग किया।

मास्टर साहब को पिकनिक जाना, शिकार करना और मेलों वग़ैरह में जाने का भी बड़ा शौक़ था। कभी-कभी वे मन्दिर भी जाते थे और वहाँ से प्रसाद उठा लाते थे ताकि उसे मन्दिर की दीवार पर बैठकर खाया जा सके। सारे मन्दिरों में उनका आना-जाना था क्योंकि वहाँ फल वग़ैरह खाने को ख़ूब मिल जाते थे। बस एक मन्दिर वे कभी नहीं जाते थे क्योंकि उस मन्दिर के बाहर गणेशजी का और

चूहे का चित्र बना हुआ था। चूहे से वे इतना घबराते थे कि उसकी तस्वीर तक से उन्हें डर लगता था।

मास्टर साहब का सबसे बड़ा शौक़ था बच्चों से प्यार करना। वे प्रत्येक बच्चे को ख़ुश रखते थे और पीटते तो बहुत ही कम थे। एक बार कुछ बच्चों ने कहा कि अगर वे गधे पर बैठकर स्कूल आ जाएँ तो उन्हें भरपेट मिठाई खिलायी जाएगी। मास्टर साहब का क्या था—मान गये। अगले दिन लड़कों ने कहीं से एक मोटा ताज़ा गधा पकड़ा और मास्टर साहब को किसी तरह ऊपर बिठा दिया। वैसा करने के दौरान दो-चार दुलत्तियाँ लड़कों को भी खानी पड़ीं। अब सवारी स्कूल की तरफ़ बढ़ी। सारे रास्ते बच्चा लोग ताली बजाते रहे और मास्टर साहब गधे पर बैठे रहे और मिठाई की शर्त याद करते रहे। स्कूल पहुँचने पर गधा जो था वह इतना थक गया था कि वह बेचारा बजाय बैठने के एकदम गिर ही पड़ा। मास्टर साहब को किसी तरह उठाया गया और इस दौरान उनकी धोती काफ़ी से ज़्यादा खुल गयी। मास्टर साहब ने उठते ही भर पेट मिठाई खाने वाली शर्त की याद दिलायी जिसका इन्तज़ाम किया जा चुका था। मास्टर साहब ने तीन किलो जलेबियाँ खायीं और कोई दो किलो दूध पिया। इतना सब कुछ करने के बाद वे वहीं घास पर लेट गये और सो गये। मास्टर भोलाराम के कुछ शौक़ बदलते भी रहते थे। एक बार उन्होंने गिलहरियाँ पालनी शुरू कीं। धीरे-धीरे गिलहरियाँ उनकी दोस्त हो गयीं और उनके कोट की जेब में भी घुस कर बैठने लगीं। एक बार जब वे कहीं दावत में गये तो उनकी प्रिय गिलहरियाँ जेब से निकलकर उछलने कूदने लगीं। बड़ी मुश्किल से उन्हें पकड़ा गया और एक थैले में उन्हें बन्द किया गया। जब वे पढ़ाते थे, तो उनकी गिलहरियाँ क्लास रूम में उछल कूद किया करती थीं। इस शौक़ को बन्द किया गया क्योंकि एक बार ऐसा हुआ कि स्कूल के इन्स्पेक्टर जब स्कूल के निरीक्षण के लिए आये तो कोई पन्द्रह गिलहरियाँ उनके ऊपर चढ़ गयीं और लगीं अपनी उछल-कूद दिखाने। हेडमास्टर ने भोलारामजी को बेहद डाँटा।

मास्टर भोलाराम अस्पताल गये

जैसा कि पहले ही बता चुका हूँ, मास्टर भोलाराम जो थे वे ख़ूब खाते थे और कोई कसरत कभी नहीं करते थे। इन तमाम बातों का परिणाम यह था कि वे बेहद मोटे थे। मोटेपन के कारण उन्हें छोटी-मोटी कोई बीमारी हमेशा लगी रहती थी। कभी घुटने में दर्द है तो कभी कमर में। अपनी बीमारियों को भोलाराम जी बड़े अजीव ढंग से बताया करते थे। मान लो उनकी टाँग में दर्द था तो वे कहते थे कि घुटने का दिल टूट गया है या गला ख़राब है तो वे कहते गले को कैंसर हो गया है और वे चन्द दिनों के मेहमान हैं। उनके अनुसार कैंसर की बीमारी उन्हें जन्म से ही थी। वे कहा करते थे कि अब वे बीस तीस वर्ष से ज़्यादा ज़िन्दा नहीं रहेंगे और इसी कारण जो भी उनकी दावत करना चाहे वह जल्दी से जल्दी इस शुभ काम को कर ले। फिर न कहना कि ख़बर नहीं दी।

एक दिन मास्टर साहब के कोई पुराने छात्र उनसे मिले। वे कोई ऊँचे अफ़सर थे और जंगलात के महकमे में काम करते थे। उन्होंने कहा कि मास्टर साहब, मेरे साथ चलो और चाहे जितना शिकार करो। मास्टर भोलाराम शिकार का अनुभव रखते थे और इसी कारण बोले कि देखो भाई, शिकार वग़ैरह पर तो हम जाएँगे नहीं क्योंकि उसमें काफ़ी ख़तरा रहता है और अपनी पत्नी के अकेले पति होने के कारण उन्हें अपनी सुरक्षा का ध्यान रखना बेहद ज़रूरी है। हाँ, शिकार की जगह तुम हमें पेट भरकर रबड़ी खिला दो तो हम तुम्हें ऐसा आशीर्वाद देंगे कि हर वर्ष तुम्हें सन्तान का सुख प्राप्त होगा। उन्होंने कहा कि ऐसा आशीर्वाद उन्होंने एक छात्र को दिया था और उसके तेरह लड़कियाँ थीं। भोलाराम जी कहने लगे कि छात्र के जब तक लड़का नहीं होगा, तब तक यही क्रम चलता रहेगा।

मास्टर साहब की ये बातें सुनकर वह पुराना छात्र कहने लगा कि मैं पेट भरकर आपको रबड़ी खिला सकता हूँ मगर कृपा करके ऐसा आशीर्वाद न दीजिए कि मेरे और बच्चे हों। मास्टर साहब उनकी शर्त मान गये और मलाई खाने उनके साथ चल पड़े। दुकान पर पहुँचकर जितनी भी रबड़ी दुकान पर थी, वे सबकी सब सफाचट कर गये। आसपास बैठे लोग उनकी ओर आश्चर्य से देखने लगे। भरपेट रबड़ी खाने

के बाद भोलाराम जी वहीं कहीं लेट गये और सो गये। कोई दो घण्टे की ठोस नींद लेने के बाद वे अपने घर आ गये और फिर सो गये।

अगली सुबह हम सब लड़कों को पता लगा कि मास्टर साहब के पेट में कुछ गड़बड़ है। घर पहुँचकर देखा तो सारा का सारा परिवार रो रहा था। पूछने पर मास्टरनीजी ने कहा कि इनके पेट में दर्द है और ये कह रहे हैं कि या तो मुझे खस्ता कचौरी खिलाओ वरना मैं हैजे से मर जाऊँगा। हम लोगों को उनकी रबड़ी खाने का पता था और इसी कारण हमने तुरन्त यह तय किया कि उन्हें सरकारी अस्पताल ले चलें। एक ताँगे में किसी तरह उनका लदान किया गया और हम लोग अस्पताल पहुँचे।

अस्पताल में उनकी जाँच की गयी और डॉक्टर ने कहा कि उन्हें अस्पताल में भरती कर लिया जाए। इसके बाद कई फ़ार्म वग़ैरह भरे गये और उनमें से एक में मास्टर भोलाराम की जगह 'मास्टर भालाराम' लिखा गया। मास्टर साहब को बड़ा गुस्सा आ गया और वे चीख़ने-चिल्लाने लगे। शान्ति स्थापित करने सबसे बड़ा डॉक्टर आया और पूछने लगा कि बात क्या है। ग़लती से इस बड़े डॉक्टर ने मास्टर भोलाराम जी को मास्टर भालूराम कह दिया। यह होना था कि भोलाराम जी बिस्तर से कूदकर उठे और अस्पताल के बाहर भागने लगे। इस दौड़ में उनकी धोती कहीं उलझ गयी जिसके कारण उन्हें थोड़ी देर वहीं रुकना पड़ा। धोती कसकर बाँध लेने के बाद वे फिर भागने लगे। हम लोगों ने किसी तरह उन्हें पकड़ा और समझाया कि उनका इलाज होना ज़रूरी है। मास्टर साहब बोले कि दर्द जो था रबड़ी खाने से हुआ था। दूसरे शब्दों में दर्द का एकमात्र कारण था मीठी चीज़ खाना। अब अगर नमकीन चीज़ खायी जाए तो दर्द अपने आप ठीक हो जाएगा। हमारे बराबर रोकने पर भी मास्टर साहब ने सामने की शानदार दुकान से खस्ता कचौरियाँ मँगवायीं और खानी शुरू कर दीं।

हम लोग सड़क पर खड़े होकर तालियाँ बजाने लगे। तालियाँ सुनकर मास्टर साहब बेहद खुश हुए और उन्होंने अपनी धोती पकड़कर नाचना शुरू कर दिया। पेट के दर्द को तो वे कभी का भूल चुके थे। बहरहाल मास्टर साहब ख़ूब नाचे और उसके बाद गहरी नींद में सो गये। सोते-सोते उनकी धोती खुल गयी जिसका पता उन्हें कभी नहीं लगा।

मास्टर भोलाराम ने दावत दी

मास्टर भोलाराम को दावत खाने की बड़ी आदत थी। जब भी मौक़ा लगता तभी ऐसा हाथ साफ़ करते कि कुछ कहा नहीं जा सकता। एक जगह तो उन्होंने पचास कचौरियाँ खायी थीं और मिठाई वग़ैरह जो थी वह अलग।

एक बार हम कुछ शरारती लड़कों ने मास्टर साहब से कहा कि कभी वे भी अपने विद्यार्थियों की दावत करें। मास्टर भोलाराम जी ने तुरन्त हाँ कर ली और अपनी छड़ी को ऐसा घुमाया कि वह उनकी धोती में ही उलझ गयी। एक लड़के ने छड़ी की मूठ को लेकर ऐसा खींचा कि छड़ी के साथ-साथ मास्टर साहब की धोती भी खिंचती चली आयी। स्थिति यह हो गयी कि बेचारे मास्टर साहब एकदम नंगे हो गये। लड़कों ने उनकी धोती उन्हें लाकर दी तो वे बड़े प्रसन्न हुए। धोती उनकी अक्सर खुलती रहती थी और इसी कारण उन्होंने किसी को कुछ नहीं कहा।

स्कूल के लॉन पर बैठ कर हमने मास्टर साहब से पूछा कि वे दावत कब दे रहे हैं। मास्टर साहब ने इतवार का नाम लिया तो हम उछल पड़े। बात करने के बाद हम लोग ख़ुशी-ख़ुशी घर चले आये और इतवार की प्रतीक्षा में लग गये। पूरे चार दिन बाक़ी थे। मास्टर साहब ने रूमाल में एक गाँठ बाँध ली ताकि वे दावत की बात को भूल न जाएँ। मगर वही हुआ जो होना था। एक या दो रोज़ के बाद वे इस बात को भूल गये कि गाँठ बाँधी थी तो क्यों बाँधी थी।

हम लोग इतवार के दिन इकट्ठे हुए और दिन के ग्यारह बजे मास्टर साहब के मकान की ओर चले। मास्टर साहब घर पर नहीं थे और घर में किसी को पता नहीं था कि आज कोई दावत दी गयी है। सबके सब लोग अपने काम धन्धों में लगे थे। दावत का कोई निशान दूर-दूर तक नहीं दिखाई पड़ता था। हम लोगों ने सोचा कि हो सकता है कि मास्टर साहब हमारी दावत घर पर न करके शायद बाज़ार में ही करें। इस बात को सब लोग मान गये और हम लोग बाज़ार की दिशा में चले।

काफ़ी पूछताछ के बाद किसी ने बताया कि मास्टर साहब जो हैं वे अपने एक मित्र के यहाँ भंग पिये पड़े हैं। बात यह थी कि मास्टरनी जी ने मास्टर जी को कुछ सामान ख़रीदने बाज़ार भेजा था मगर बाज़ार पहुँचते-पहुँचते वे सब कुछ भूल गये

और अपने दोस्त हलवाई के यहाँ भंग के लड्डू और भंग की कचौड़ियाँ खाकर ऐसा सोये, ऐसा सोये, कि तीसरा पहर हो गया मगर मास्टर साहब का नशा नहीं उतरा। भंग जो है वह एक नशीली चीज़ है और बच्चों को कभी छूनी भी नहीं चाहिए।

जब मास्टर साहब कुछ होश में आये तो हम लोगों ने पूछा कि मास्टर साहब हमारी दावत कब और कहाँ होगी। मास्टर साहब की याददाश्त ने उनका कोई साथ नहीं दिया और वे पूछते रहे किसकी दावत क्यों और कहाँ होने जा रही है? बहुत ज़ोर देने पर वे बोले कि अगले इतवार को दावत ज़रूर होगी मगर लड़कों को उचित होगा कि वे उन्हें शनिवार तक बराबर याद दिलाते रहें। हम लोगों ने उनकी आज्ञा का पालन किया मगर बात कुछ ऐसी रही कि इतवार को मास्टर साहब दावत के बारे में फिर भूल गये।

हम लोगों ने मास्टर साहब को चारों ओर से घेर लिया और कहा कि इस बार बिना दावत खाये हम हर्गिज़ नहीं जाएँगे। मास्टरनी जी को सारी बात का पता लगा तो ख़ूब हँसीं और थोड़ी इन्तज़ार के बाद आलू और पूड़ियों की दावत खिलायी।

मास्टर भोलाराम ने छाता ख़रीदा

मास्टर भोलाराम को छाता लेकर चलने का बड़ा शौक़ था। वे जहाँ भी जाते थे, प्रायः छाता लेकर ही जाते थे। छाते के सहारे वे चलते-चलते भी थोड़ा-बहुत सो लिया करते थे। खुले छाते की जगह उन्हें बन्द छाते से ही ज़्यादा प्यार था। बात यह थी कि छाते के खोलने और बन्द करने में उनकी मूँछें जो थीं वे छाते में कहीं न कहीं ज़रूर फँस जाती थीं। छाते को मूँछों से अलग करने में काफ़ी दिक्कत पड़ती थी। एक बार तो मूँछें ऐसी फँसी कि थोड़ी-सी मूँछ काटनी पड़ी। जब मूँछ एक तरफ़ से काटी गयी तो बराबरी रखने के लिए दूसरी तरफ़ से भी उसे काटना पड़ा। उस दिन मास्टर साहब को बड़ा गुस्सा आया और उन्होंने अपनी मूँछों को छाते से ख़ूब पीटा। हालाँकि चोट उन्हीं को लग रही थी मगर मास्टर साहब ने मूँछों से पूरा बदला लिया। उस घटना के बाद काफ़ी दिनों तक स्थिति यह हो गयी कि बारिश पड़ने पर भी मास्टर साहब भीगते रहते थे पर हाथ पर टँगी हुई छतरी को कभी नहीं खोलते थे। एक बार लोगों के कहने पर उन्होंने छाता खोला तो वह आँधी और तूफ़ान के कारण ऐसी तेज़ी से उड़ा कि उसको पकड़े-पकड़े मास्टर साहब अपने आप ही भागने लगे। ज़्यादा हवा के कारण छाता उल्टा हो गया और भागते-भागते मास्टर साहब की धोती खुल गयी। इतिहास की कक्षा में मास्टर साहब कहा करते थे कि शिवाजी भी छाते के शौक़ीन थे और इसी कारण उन्हें अभी तक छत्रपति कहकर पुकारा जाता था।

मास्टर भोलाराम अव्वल दर्जे के भुलक्कड़ थे। वे जहाँ कहीं भी जाते, हमेशा किसी दूसरे का छाता उठा लाते। कभी-कभी ऐसा भी होता कि घर से नंगे हाथ गये मगर आये तो छाता साथ लेकर आये। उनकी इसी आदत के कारण घर में तीन-चार छाते फालतू रहते थे। कभी-कभी वे अपना छाता खो भी आते थे। अपने मोटेपन के कारण एक बार उन्होंने दो छाते एक साथ लगाये और कुछ दूर तक काफ़ी शान से चले। एक साइकिल वाला जो आया वह उनकी छातागिरी में ऐसा फँसा कि वहीं गिर पड़ा। मास्टर साहब क्या करते, वे भी दोनों खुले छातों को सँभाले हुए साइकिल के ऊपर गिर गये। अब स्थिति यह हो गयी कि साइकिल

सवार सबसे नीचे हो गया, उसकी साइकिल उसके ऊपर आ गयी और दोनों खुले छातों को लेकर मास्टर भोलाराम जी उसके ऊपर हो गये। वह ग़रीब तो ऊपर पड़े बोझ से मर जाता मगर अच्छी बात यह रही कि आसपास के सड़क चलते लोगों ने मास्टर साहब को खींच कर किसी तरह उठाया। बात यह थी कि नीचे गिरते ही मास्टर साहब को नींद आ गयी थी।

एक दिन ऐसा हुआ कि मास्टर साहब किसी पुराने छाते को लेकर किसी काम से बाज़ार गये। बाज़ार से क्या ख़रीदना था—यह बात तो वे पहले ही भूल चुके थे। बहरहाल जब वे छाते की दुकान के सामने से निकले तो उन्होंने सोचा कि आज एक नया छाता ख़रीदा जाए। वे दुकानदार से छाते दिखाने को कहकर वहीं पड़ी एक मरियल-सी पुरानी कुर्सी पर बैठ गये। मास्टर साहब बेहद मोटे थे और इसी कारण कुर्सी जो थी वह उनके बैठते ही टूट गयी। मास्टर साहब फ़र्श पर गिर गये और कोई आठ-दस आदमियों की मदद से खड़े हुए। उनके गिरने के कारण छतरी वाले की शीशे की आलमारी भी टूट गयी। वह मास्टर साहब से पैसे माँगने लगा और मास्टर साहब कहने लगे कि वह ऐसी पुरानी कुर्सी क्यों रखता है जिस पर बैठने के कारण उनकी कमर की हड्डी के टुकड़े-टुकड़े हो गये। स्कूल के लड़कों की भीड़ जमा हो गयी क्योंकि स्कूल पास ही में था और वहाँ मास्टर साहब के साथ हुई वारदात की ख़बर किसी तरह पहुँच गयी थी। इतने सारे लड़कों को देखकर, दुकानदार घबरा गया। अन्त में चलकर इस शर्त पर समझौता हुआ कि दुकानदार जो है वह मास्टर साहब को ताज़ी कचौड़ियाँ खिलाए। अब क्या था, मास्टर साहब लगे हाथ की सफ़ाई दिखाने। कोई तीस कचौरियाँ और एक किलो मिठाई के बाद वे वहीं लेट गये और खर्राटे भरने लगे। दुकानदार बेचारा हाथ मलता रहा और अपने नुक़सान का हिसाब लगाता रहा।

मास्टर भोलाराम को चोट लगी

हमारे मास्टर भोलाराम जी को बीमार पड़ने का काफ़ी शौक़ था। कभी खाँसी हो रही है तो कभी पेट में दर्द। कभी हल्का बुख़ार चल रहा है तो कभी ज़ुकाम। मास्टर साहब की यह आदत थी कि जब भी वे बीमार पड़ते थे तभी सोचने लगते थे कि अब वे हर्गिज़ नहीं बचेंगे। अगर खाँसी हो गयी तो समझते थे उन्हें तपेदिक हो गयी है और कभी पेट में दर्द हो गया तो समझते थे कि अब हैजा होने वाला है जिसमें उनकी मृत्यु होनी निश्चित है। बीमारी से वे इतना घबराते थे कि चारपाई पर लेटते ही सब बीवी बच्चों को इकट्ठा करते और बताने लगते कि उनके मरने के बाद उन लोगों को क्या-क्या करना है। उनकी इस आदत को उनकी बीवी बच्चे ख़ूब जानते थे और इसी कारण उनके ऐसे व्यवहार से घबराते नहीं थे। वे इलाज करवाते और चुप रहते।

एक दिन ऐसा हुआ कि मास्टर साहब छत पर सोये हुए थे और पता नहीं कैसे वे छत से नीचे गिर गये। जहाँ वे गिरे वहाँ उनकी पत्नी सोयी हुई थीं और भगवान् ने यह अच्छा ही किया कि वे उनकी चारपाई से थोड़ा बच कर गिरे। यदि इत्तफ़ाक से पत्नी वाली चारपाई पर गिरते तो बेचारी पत्नी तो वहीं दम तोड़ देती। गिरे हुए मास्टर साहब को सब लोगों ने उठाया और एक पलँग पर लिटा दिया। मास्टर साहब ने कुछ भी नहीं कहा क्योंकि छत से गिरने के बावजूद वह गहरी नींद में डूबे हुए थे और उन्हें पता ही नहीं था कि उनके साथ क्या हादसा हुआ है। थोड़ी देर के बाद जब उनकी नींद टूटी तो वे सबसे कहने लगे कि उन्होंने सपना देखा है जिसमें वे छत से नीचे गिर गये हैं। जब लोगों ने बताया कि वे सपने में नहीं वरन् वास्तव में गिरे हैं तो वे सहसा परेशान हो गये और रोने लगे।

मास्टर साहब ने अपने शरीर का परीक्षण किया और पाया कि उन्हें बहुत चोट लगी है और वह चोट ऐसी है कि यदि तुरन्त इलाज नहीं करवाया गया तो जान जाने का ख़तरा है। हम लोगों ने तय किया कि उन्हें तुरन्त अस्पताल ले जाएँ। अस्पताल जाने के अलावा और कोई चारा भी नहीं था क्योंकि इलाज के बाक़ी रास्ते उनके लिए बन्द हो चुके थे। पड़ोस में जो होम्योपैथ डॉक्टर थे वे मास्टर साहब का

इलाज नहीं करते थे क्योंकि मास्टर साहब उनकी मीठी गोलियों की शीशी एक ही बार में ख़त्म कर देते थे। दवाई की गोलियों को खाने में उन्हें इतना आनन्द आता था जितना कि बच्चों को टाफी खाने में आता है। इस तरह खाने से भला दवा क्या असर करती? मोहल्ले में जो वैद्य थे, उनसे इलाज करवाने का प्रश्न ही नहीं उठता था क्योंकि उनकी दवा बेहद कड़वी होती थी। सारी बातें ध्यान में रखकर हम उन्हें सरकारी अस्पताल में ले गये। अस्पताल ले जाने के लिए एक गाड़ी का प्रबन्ध किया गया जिसमें दो बैल जुते थे। किसी तरह उन्हें उस गाड़ी में लिटाया गया। ऐसा लगता था कि गाड़ी में किसी इंसान को नहीं बल्कि सड़क कूटने के इंजन को लिटाया जा रहा था। मास्टर साहब वाक़ई बड़े मोटे और बड़े काले थे।

अस्पताल में जाकर दो अदद हादसे और हो गये। पहला हादसा तो यह कि अस्पताल के बरामदे में एक बहुत पुरानी बेंच पड़ी थी। जैसे ही मास्टर साहब उस पर पल्थी मार कर बिराजे, वैसे ही उनके वज़न से वह पुरानी बेंच टूट गयी। जितनी चोट मास्टर साहब को आयी, उससे कहीं ज़्यादा चोट बेंच को लगी। बेंच पर जो और मरीज़ बैठे थे, उनकी भी हालत खस्ता हो गयी। दूसरा हादसा यह हुआ कि डॉक्टर ने मास्टर साहब का नाम 'भोलाराम' की जगह कुछ और लिख डाला। जैसे ही मास्टर साहब को 'आलूराम' कहकर पुकारा गया, वैसे ही वह ताव में आ गये और डॉक्टर से कुश्ती लड़ने को तैयार हो गये। डॉक्टर की मेज़ को उल्टा कर दिया गया और यह सारी हरकतें देखकर डॉक्टर जो था वह बेचारा खिड़की में से बाहर कूद गया।

बहरहाल मास्टर साहब प्राकृतिक चिकित्सा द्वारा ही ठीक हुए। बीवी उनके पुट्ठों पर मालिश करती और वे उसे गालियाँ सुनाते। कई महीनों बाद में कहीं ठीक हुए। बीवी को गालियाँ इस कारण दी जाती थीं कि वे बेचारी उन पुट्ठों पर तेल लगाती थीं जहाँ चोट आयी थी। ऐसा करने से दर्द होता था। मास्टर साहब चाहते थे कि उन स्थानों पर तेल लगे जहाँ कि चोट नहीं आयी थी।

मास्टर भोलाराम ने बकरी ख़रीदी

मास्टर भोलाराम जी को दूध से बहुत प्रेम था। इसी प्रेम के कारण वे गाय या भैंस ज़रूर पाला करते थे। एक दिन उनसे किसी ने कह दिया कि महात्मा गाँधी जो थे वे बकरी का दूध पिया करते थे। बस इतना सुनना था कि मास्टर साहब ने तय कर लिया कि वे भी एक बकरी ख़रीदेंगे। गाँव के पास हर इतवार को जो पैठ लगती थी, उसमें बकरियाँ भी बिकने आया करती थीं। पैठ के दिन मास्टर साहब वहाँ गये और एक अदद बकरी ख़रीद लाये। घर आने पर किसी ने बताया कि बकरी के बजाय वे एक बकरा ख़रीद कर ले आये हैं। यह सुनकर मास्टर साहब को बड़ा गुस्सा आया और वे पैठ वापस गये और तीन-चार लोगों से सलाह करके एक बकरी ख़रीद कर लाये। बकरी के साथ उसके बच्चे भी आये। मास्टर साहब की जो तबीयत थी वह ख़ुश हो गयी।

बकरी और उसके बच्चों से मास्टर साहब को बेहद प्यार हो गया। वे सुबह-शाम उन्हें घुमा कर लाते थे और पेड़ों के पत्ते तोड़-तोड़ कर उन्हें खिलाते थे। बकरी जब मैं-मैं करती थी तो मास्टर साहब भी वैसा ही करते थे। वे अक्सर फ़र्श पर लेट जाते थे और बकरी जो थी वह उनकी कमर पर चढ़ कर उनकी कमर खुजाया करती थी। एक दिन ऐसा हुआ कि बकरी की टाँग मास्टर साहब की धोती में उलझ गयी और मास्टर साहब जो थे वे नंगे हो गये। देखने वालों ने ख़ूब तालियाँ बजायीं और मास्टर साहब की बहुत मज़ाक़ उड़ायी। मगर इस सब का मास्टर साहब पर कोई प्रभाव नहीं पड़ा। वे बकरी से सच्ची दोस्ती रखते थे। मास्टर साहब को बकरी का दूध भी बहुत अच्छा लगता था।

सुबह-शाम तो मास्टर साहब बकरी के साथ खेला करते मगर जब वे स्कूल जाते थे तो बकरी को बाँध जाया करते थे। एक दिन क्या हुआ कि बकरी ने रस्सी दाँतों से काट ली और घर के बाहर निकल गयी और गाँव की दूसरी पट्टी में चली गयी। शाम को जब मास्टर साहब लौटे तो घर के लोगों ने उनको बकरी के खोने की ख़बर दी। बेचारे बड़े दुखी हुए और हाथ में रस्सी और डण्डा लेकर बकरी की खोज में निकल गये। वे चलते जाते थे और मैं-मैं की आवाज़ लगाते जाते थे।

उनका ख़याल था कि उस आवाज़ को सुनकर बकरी उनके पास अपने आप चली आएगी। उनकी यह तरकीब काम कर गयी। शाम के झुटपुटे में वे बकरी तो पकड़ लाये पर वह कोई दूसरी बकरी थी।

थोड़ी देर बाद वह आदमी भी आ गया जिसकी बकरी मास्टर साहब ग़लती से पकड़ लाये थे। मास्टर साहब ने कहा कि तुम मेरी बकरी ढूँढ़ कर लाओ वरना मैं तुम्हारी बकरी वापस नहीं करूँगा। बकरी को लेकर काफ़ी देर झगड़ा चला। इसी दौरान किसी ने बताया कि मास्टर साहब की बकरी काँजी हाउस में बन्द है। मास्टर साहब बड़े खुश हुए और काँजी हाउस जाकर बकरी ले आये। बकरी के पाये जाने की खुशी में मास्टर साहब ने कथा कहलवायी और उस दिन इतना खाना खाया कि रसोई में ही सो गये।

सारा काम ठीक चल रहा था मगर एक दिन कुछ ऐसी वारदात हुई कि सारा मामला ही बदल गया। हुआ यह कि जब मास्टर साहब बकरी को घुमाने खेतों में गये हुए थे तो वहाँ उन्होंने एक गधा देखा जिस पर धोबी बैठा था। मास्टर साहब ने सोचा कि यदि गधे पर बैठा जा सकता है तो बकरी पर क्यों नहीं बैठा जा सकता? दोनों जानवारों की चार टाँगें हैं और कमर भी लगभग एक सी ही है। बस इतना सोचना था कि मास्टर साहब ने बकरी के ऊपर आसन जमा लिया। बकरी बेचारी क्या करती। उसने काफ़ी शोर किया और फिर वह एक गड्ढे में गिर गयी। मास्टर साहब की धोती बकरी की टाँग में फँस गयी और पूरी तरह खुल गयी। सब देखने वाले हँसने लगे मगर मास्टर साहब ने किसी की बात पर कोई ध्यान नहीं दिया। उन्होंने बकरी की रस्सी अपने हाथ में बाँध ली और वहीं खेत में सो गये। थोड़ी देर बाद बकरी जो थी वह भी सो गयी।

नींद खुलने पर मास्टर साहब ने धोती सँभाली और बकरी को अपनी कमर पर बिठाकर घर आये। घर आकर उन्होंने पन्द्रह पराँठे खाये और फिर बकरी को लेकर ही खाट पर सो गये। वे यह नहीं चाहते थे कि बकरी फिर से खो जाए।

मास्टर भोलाराम पहाड़ पर गये

मास्टर भोलाराम को पहाड़ों से बड़ा प्रेम था। भूगोल की पोथी पढ़ाते समय जब वे पहाड़ों की चर्चा करते थे तो वे इतना ज़्यादा प्रसन्न होते थे जैसे कि वे स्वर्ग की चर्चा कर रहे हों। क़स्बे के बाहर जो छोटी-सी नदी थी उसके पुल पर से पहाड़ों को दिखाते हुए वे हमें बताया करते थे कि पहाड़ों पर बड़ा अच्छा मौसम होता है, वहाँ बड़े पेड़ उगते हैं और वहाँ के वनों में बड़े-बड़े ख़तरनाक जानवर पाये जाते हैं। एक दिन यह तय किया गया कि हम लोग हरिद्वार पिकनिक मनाने जाएँ और वहाँ से पहाड़ों पर कुछ थोड़ी-बहुत चढ़ाई भी करें। इस पिकनिक के बारे में जानकर मास्टर भोलाराम को इतनी ख़ुशी हुई कि उन्होंने रात का खाना दो बार खाया और इसके बाद उन्होंने अपना बिस्तर बाँधना शुरू किया। सचाई यह थी कि मास्टर साहब ने कभी पहाड़ पास से नहीं देखे थे और इसी कारण पहाड़ों पर जाने की बात सुनकर वे बच्चों से भी ज़्यादा ख़ुश थे। वे बिस्तर बाँधने के बाद उस पर बैठ गये और हमें बताने लगे कि पहाड़ों पर चढ़ाई करते वक़्त कितना मज़ा आएगा। बात समझाने के लिए उन्होंने अपने हाथ जो फैलाये तो वे बिस्तर के नीचे गिर पड़े और उनकी धोती जो थी वह खुल गयी। इस सीन को देखकर मास्टरनी साहब तक को हँसी आ गयी। मास्टर साहब ने बताया कि बिस्तर पर चढ़ने-उतरने से वे पहाड़ों पर चढ़ने और उतरने का अभ्यास कर रहे थे।

हम लोग हरिद्वार गये जहाँ मास्टर साहब ने इतना ज़्यादा स्नान किया कि उन्हें ठण्ड के मारे छींक आने लगी। मास्टर साहब बेहद मोटे थे और इसी कारण जब वे हाथ फैलाकर छींकते थे तो आसपास खड़े दो-चार आदमी तो वैसे ही पानी में गिर जाते थे। नहाने के बाद जब वे नदी से बाहर निकले तो उन्हें सहसा महसूस हुआ कि स्नान करते समय उनकी छींक के प्रताप से उनकी धोती खुलकर नदी में बह चुकी थी। बड़ा मज़ा आया। उन्हें दूसरी धोती दी गयी और तब वे नदी से बाहर आये। बाहर आकर उन्होंने गठरी खोली, घर से लायी हुई कचौरियों पर हाथ साफ़ किया और फिर हनुमान चालीसा पढ़नी प्रारम्भ कर दी। इसके बाद वहीं घाट पर ही सो गये।

हरिद्वार के बाद हम लोगों ने लक्ष्मण झूला जाने की तैयारी की। कई ताँगे किराये पर लिये। एक ताँगे पर तो मास्टर साहब अकेले ही बैठे और बाक़ी ताँगों पर हम सब बच्चे बैठे। थोड़ी दूर चलने के बाद मास्टर साहब ने साईस को एक तरफ़ बिठा दिया और खुद ताँगा हाँकने लगे। उनके कोड़े के प्रताप से घोड़ा बजाय दुलकी चलने के, सटपट भागने लगा। सामने से कुछ साधु संन्यासी लोगों का एक जुलूस आ रहा था। घोड़े की दौड़ की वजह से सारी भीड़ तितर-बितर हो गयी। एक पुलिस का सिपाही भी कहीं से आकर खड़ा हो गया। बड़ी मुश्किल से जान बची। ताँगे वाले को बिना बात डाँट पड़ी। मास्टर साहब ने पुलिस वाले को खुश करने के लिए उसके सामने दण्डवत करने की सोची और इस सिलसिले में मास्टर साहब और पुलिस वाला— दोनों धरती पर चौपट हो गये। पुलिस वाला शरीफ़ आदमी था। वह भी भोलाराम जी के डीलडौल को देखकर हँसने लगा। मास्टर साहब ने उसे बताया कि यदि वह भी अपनी मूँछें उनकी तरह लम्बी कर ले तो सरकार रातों रात उसे कप्तान बना देगी।

लक्ष्मण झूले के पास ही ऋषिकेश है। वहाँ से मोटर बोट चलती है जो यात्रियों को मुफ़्त ही इधर से उधर पहुँचा देती है। मास्टर साहब ने उन नावों में बैठने की बहुत इच्छा की मगर उनके मोटापे को देखकर किसी ने भी उन्हें बैठने की इजाज़त नहीं दी। हम लोग लक्ष्मण झूले के पुल पर गये ताकि गंगा के उस पार जाया जा सके। लक्ष्मण झूले का पुल चलने पर बहुत ज़्यादा हिलता है। मास्टर साहब तो दो क़दम बाद ही बैठ गये और सरक-सरक कर पुल पार करने लगे। एक बार पुल के तारों में उनकी मूँछें ही अटक गयीं और आगे चलकर उनकी धोती का भी यही हाल रहा। गंगाजी के उस पार जाकर मास्टर साहब ने एक दुकान पर ख़ूब छककर खाना खाया, हमें भी खिलाया और इसके बाद वे भक्त वीर की बतायी धर्मशाला में गये और सो गये। हलवाई उनके पीछे ही दौड़ता रहा क्योंकि भरपेट खाने के बाद मास्टर साहब को नींद की झपकी आने लगी थी और हलवाई के पैसे देना भूल गये थे। हम सब लोगों ने खुशी-खुशी पैसे दिये और भक्तवीर ने मास्टर साहब का बिल चुकाया। जब मास्टर सोकर उठे तो उन्होंने कहा कि कल वे पहाड़ पर चढ़ेंगे, ताज़ा-ताज़ा बर्फ़ खाएँगे और ऐसे कमाल दिखाएँगे कि लोग तेनसिंह का नाम भी भूल जाएँ। भक्तवीर पहाड़ का आदमी था और उसने सलाह दी कि नीलकण्ठ पहाड़ के रास्ते हिमालय के भीतर चला जाए। हम सब लोग मान गये।

अगले दिन हम लोग चढ़ाई पर निकल पड़े। बतौर तैयारी के मास्टर साहब ने मूँछों पर तेल लगाया और कोई पच्चीस कचौरियाँ खायीं। भक्तवीर उनके लिए एक छड़ी भी ले आया। मास्टर साहब ने छड़ी को घुमाया और उसका नतीजा यह रहा कि उनके चश्मे का फ्रेम टूटते-टूटते बचा। कोई आधा मील जंगलों में चलने के बाद चढ़ाई आ गयी। मास्टर साहब का साँस फूलने लगा और कोई घण्टा भर

बाद उनकी टाँगों ने जवाब दे दिया। उनके वज़न से छड़ी जो थी वह भी टूट गयी। इसके बाद वे एक वृक्ष की छाया में बैठ गये और फिर सो गये। हम लोगों ने उन्हें उठाने की बहुत कोशिश की मगर सब बेकार गयी। आख़िरकार भक्तवीर ने उनके कान में कहा कि बघेरा आने वाला है, जल्दी उठो। इस बात को सुनते ही मास्टर साहब जाग गये और बेतहाशा भागने लगे। भागते-भागते वह चढ़ाई ख़त्म कर गये और ढलान पर फिसलने लगे। इसके बाद मास्टर साहब ने अपने जूते निकाल लिये और बताया कि अब उनका वज़न कम हो गया है और अब वे आसानी से चढ़ाई कर सकते हैं। उनकी बातें सुनकर हम लोग ज़ोर-ज़ोर से हँसने लगे। पैरों से उतरकर जूते हाथ में आ गये थे पर मास्टर साहब कहते थे कि कुल मिलाकर उनका वज़न अब कम हो गया है। पहाड़ी रास्ते पर वह खड्ड की तरफ़ कभी नहीं देखते थे और लंगूर भी रास्ते पर आ जाता था तो वे हनुमान चालीसा पढ़ने लगते थे। थोड़ी देर बाद उन्होंने कोई कव्वाली गानी शुरू की और दोनों जूतों को एक दूसरे से बजाना शुरू कर दिया।

रास्ता इसी तरह मज़े से कटा। कहीं उनकी मूँछें अटकीं तो कहीं उनकी धोती खुली। अगली चढ़ाई में तो हम लोगों ने उनकी कमर के पीछे जुट कर काफ़ी रास्ता तय किया जिससे हम लोगों की साँस फूलने लगी। ढलान पर वे कहीं नहीं चले। जहाँ कहीं भी ढलान आया वहीं उन्होंने फिसलना शुरू कर दिया। किसी तरह हम नीलकण्ठ के मन्दिर शाम तक पहुँचे। सारे दिन में सिर्फ़ छः-सात मील ही चले।

नीलकण्ठ का मन्दिर बहुत सुन्दर है। वहाँ पास में ही नेपाल महाराज की एक कोठी है। नहाने के लिए कुआँ है और हलवाई की एक दुकान भी है। मास्टर साहब ख़ूब नहाये और फिर कचौरियाँ खाने बैठ गये। वापसी की यात्रा भी काफ़ी दिलचस्प रही। बड़ी बात तो यह रही कि मास्टर साहब के जूते कहीं खो गये। मास्टर साहब बड़े ख़ुशदिल इंसान थे। उन्होंने जूतों की कोई चिन्ता नहीं दिखायी। बस इतना ज़रूर कहा कि दीवाली की छुट्टियों में वे नंगे पाँव ही एवरेस्ट की चढ़ाई करेंगे।

मास्टर भोलाराम ने दीवाली मनायी

हमारे मास्टर भोलाराम दीवाली के अवसर पर खुश भी होते थे और उदास भी होते थे। ख़ुश तो इस कारण होते थे कि दीवाली के दिन भरपेट कचौड़ियाँ और मिठाई खाने को मिलती थीं और उदास इस कारण होते थे कि उन्हें आतिशबाज़ी से बेहद डर लगता था। बच्चे लोग जब पटाखे छोड़ते थे और फुलझड़ियाँ जलाते थे तो हमारे परम वीर मास्टर साहब हनुमान चालीसा का पाठ करते हुए कमरे में घुस जाते थे और फिर तभी बाहर निकलते थे जबकि उन्हें फिर से भूख सताने लगती थी। जैसा कि मैं पहले ही बता चुका हूँ, मास्टर साहब इतना मोटा होते हुए भी खाने के बेहद शौक़ीन थे। उनका पेट भी शायद लोहे का बना था क्योंकि वह 'लक्कड़ हजम, पत्थर हजम' की क़िस्म का था। मास्टर साहब कोई भी चीज़ कितनी ही मात्रा में खा लेते थे और उनका पेट उन्हें कभी धोखा नहीं देता था। इसी कारण मास्टर साहब बारातों में जाने के और त्योहार मनाने के बेहद शौक़ीन थे क्योंकि उस दिन उन्हें अपना प्रिय भोजन ख़ूब खाने को मिलता था।

पिछली दीवाली को बड़ा मज़ा आया क्योंकि उस बार मास्टर साहब ने पता नहीं कैसे, आतिशबाज़ी में भी थोड़ा-बहुत हिस्सा लिया। वे बाज़ार गये और बच्चों के लिए मिठाई, खील-बताशे और आतिशबाज़ी का सामान ख़रीदकर लाये। स्वभाव से वे इतने सरल थे कि आतिशबाज़ी ख़रीदते समय वे दुकानदार से कहने लगे कि इन अनार और फुलझड़ियों को जलाकर दिखाओ ताकि पता चल सके कि वे असली हैं या नकली। उनकी बातें सुनकर दुकानदार हँसने लगा और कहने लगा कि यदि आप अपनी आतिशबाज़ी अभी जलाकर देखेंगे तो ये दुबारा नहीं जलेंगी। लोगों के समझाने-बुझाने पर वे सारा सामान बग़ैर परीक्षा किये ही ख़रीद लाये।

घर आकर मास्टर साहब ने कण्डील बनाया। काफ़ी अच्छा कण्डील था—ठीक मास्टर साहब की तरह गोल मटोल और बड़ा। कण्डील तो बन गया पर मास्टर साहब की मूँछें उसमें कई बार फँस गयीं। हालत यह हो गयी कि वे जितना कण्डील बनाते थे, मूँछों के अलग करने में वह उतना ही फटता जाता था। ख़ैर, बच्चे लोगों की मदद से कण्डील किसी तरह पूरा हुआ। दीवाली के दिन मास्टर साहब ने उस

भारी भरकम कण्डील में चिराग़ नहीं जलाया बल्कि उसके भीतर समूची लालटेन ही रख दी। उनकी सूझबूझ पर हम लोग ख़ूब हँसे। कण्डील में लालटेन रखने के सिलसिले में उनकी मूँछें तो कण्डील में उलझ गयीं और धोती कुर्सी में। काफ़ी मुश्किल से दोनों चीज़ें अलग-अलग हुईं। कुर्सी से उतरते समय वे मास्टरनी जी के ऊपर ऐसे गिरे कि वे बेचारी तो चित हो गयीं। वे बेचारी तो मास्टर साहब की कुर्सी पकड़ने को पीछे खड़ी थीं। उन्हें क्या पता था कि उनका हनुमान छाप पति उन्हीं के ऊपर आकर धराशायी होगा। कोई दस तगड़े लड़कों ने मास्टर साहब को हटाया और तब कहीं मास्टरनी साहब की जान बची। इस सिलसिले में मास्टर साहब की धोती फिर खुल गयी।

रोशनी करने के बाद मास्टर साहब ने भरपेट खाना खाया। कोई तीस कचौड़ियाँ और दस लड्डुओं को पेट में पहुँचाने के बाद मास्टर साहब ने मुहल्ले के लड़कों से कहा कि अपनी आतिशबाज़ी शुरू करो, हम भी देखेंगे। इतना कहने के बाद लड़कों ने तो आतिशबाज़ी शुरू की और मास्टर साहब दीवार का सहारा लेकर खर्राटे लेने लगे। जैसा कि मैं कभी पहले बता चुका हूँ, मास्टर साहब का एक शौक़ तो खाना खाना था और दूसरा था कहीं भी किसी वक़्त गहरी नींद सो जाना। इस बार उनकी नींद तब टूटी जबकि एक बम छोड़ा गया और काफ़ी धमाका हुआ। मास्टर साहब घबराकर उठे और लड़कों को डाँटने लगे। इसके बाद उन्होंने भी एक फूलझड़ी जलायी जिसके कारण उनकी मूँछों में आग लग गयी। वे घबराकर कुएँ की तरफ़ भागे कि इतनी देर में किसी ने एक अनार छोड़ दिया। मास्टर साहब गिर गये और उनकी धोती फिर खुल गयी। जिस जगह वे गिरे वहाँ एक पटाखा रखा था। जैसे ही मास्टर साहब गिरे, पटाखा जो था वह फट गया। लड़के लोग मास्टर साहब की हालत देखकर हँसने लगे और तालियाँ बजाने लगे।

इसके बाद मास्टर साहब ने कुछ नहीं किया। वे भी हँसने लगे और मन्दिर की दीवार पर बैठकर आतिशबाज़ी देखने लगे। बच्चों ने ख़ूब रोशनी की और डटकर आतिशबाज़ी की। सारा काम ख़त्म हो जाने के बाद मास्टर साहब ने दस कचौड़ियाँ खायीं और फिर वहीं रसोई की दीवार के सहारे सो गये।

मास्टर भोलाराम ने होली खेली

मास्टर भोलाराम जी बड़े मोटे आदमी थे और दूर से देखने पर एकदम हाथी का बच्चा लगते थे। उनके मुख पर लम्बी-लम्बी मूँछें रहती थीं और हाथ में एक छोटा-सा डण्डा रहता था। कुछ मिलाकर स्थिति यह थी कि मूँछें और डण्डा, दोनों चीज़ों का साइज़ लगभग एक ही रहता था। मेले-ठेले और भीड़ वग़ैरह में अकसर उनकी मूँछें कहीं-न-कहीं ज़रूर फँस जाया करती थीं, जिसके कारण कभी-कभी काफ़ी मज़ा आ जाता था। प्रायः ऐसी स्थिति में डण्डा मारकर ही उनकी मूँछों को अलग किया जाता था।

मास्टर भोलाराम जी के सिर्फ़ तीन शौक़ थे। उनका पहला शौक़ था खाना, दूसरा शौक़ था सोना, और तीसरा शौक़ था भूलना। उनके साथ अक्सर यह होता था कि वे पचीस पूरियाँ खाते थे और फिर सो जाते थे। खाना वे प्रायः चारपाई पर ही खाते थे, ताकि सोने में कोई बाधा न हो। नींद से उठकर वे फिर पूरियाँ खाने लगते थे, क्योंकि उन्हें याद ही नहीं रहता था कि खाना खाया था, या नहीं! उनका पेट क्या था, एक तालाब था। एक बार वे गवाही देने अदालत गये, तो नाश्ते में पाँच सेर जलेबियाँ खा गये। गवाही वे नहीं दे पाये, क्योंकि एक तो उन्हें नींद बेहद आ रही थी और दूसरे अदालत का जो कटघरा था, वह उनके लिए छोटा पड़ता था। खाने और सोने से जो समय बचता था, उसे वे मास्टरनी जी से डाँट-डपट और मार-पीट में व्यतीत करते थे। भुलक्कड़ होने के कारण कभी-कभी मास्टरनी जी के स्थान पर किसी दूसरी स्त्री को भी डाँट दिया करते थे, जिसका उन्हें बाद में काफ़ी अफ़सोस होता था।

होली का दिन मास्टर भोलाराम जी को बेहद पसन्द था। उस दिन वे गाँव वालों के साथ होली गाते थे, नाचते थे, भंग पीते थे और दबाकर कचौरियाँ खाते थे। एक बार हम लोगों ने उन्हें कसकर भंग पिलायी। जब उन्हें नशा हो गया, तो सोचा कि उन्हें किसी गधे पर बिठा दें, पर हमें ऐसा कोई गधा ही नहीं मिला, जो उनका बोझ सँभाल सके। अन्त में उन्हें एक भैंस पर बिठाया गया और थोड़ी-सी भंग भैंस को भी पिलायी गयी। मास्टरजी के मुँह पर कोलतार की पुताई की गयी और फिर सारे क़स्बे में उनका जुलूस निकाला गया।। भैंस पर बैठे-बैठे मास्टर साहब को नींद आ

गयी और वे नीचे खिसक गये। जब वे नीचे गिरे, तो उनकी धोती भैंस की पूँछ में अटक कर खुल गयी। लोग-बाग तालियाँ बजाने लगे। मास्टर साहब बहुत ख़ुशदिल इंसान थे, उन्होंने किसी को कुछ नहीं कहा। वे घर गये, स्नान किया, तीस कचौरियों पर हाथ साफ़ किया और फिर वहीं रसोई के फ़र्श पर चारों खाने चित हो गये।

शाम के वक़्त होली गायी जाती थी और लोग एक-दूसरे से गले मिलते थे। जलती हुई होली के चारों ओर नाचा भी जाता था। मास्टर जी ने भी ख़ूब गाना गाया और नाच भी नाचा। नाचने के दौरान उनकी मूँछें होली की लपटों से जलते-जलते बचीं। नाचने के बाद जब गले मिलने का वक़्त आया, तो हालत यह हो गयी कि कई लोगों की तो जान ही ख़तरे में पड़ गयी। हुआ यह कि गले मिलते-मिलते मास्टर साहब कई बार फिसले और कुछ दुबले आदमियों के ऊपर इस तरह गिरे, जैसे कोई पहाड़ का टुकड़ा या रेल का इंजन गिर गया हो। मास्टर साहब को फिर से सीधा खड़ा करने की कोशिश में दो-चार आदमी और फिसल गये।

मास्टरजी कभी-कभी कविता भी करते थे। होली के अवसर पर एक लड़के ने—जिसे उन्होंने फ़ेल कर दिया था—यह दोहा पढ़ा कि 'हमारी तो क़िस्मत तेरे पास थी, अगर पास करता तो क्या बात थी'। भोलाराम जी ने भंग के नशे में दोहे का जवाब दोहे से ही दिया और फ़रमाया, 'किताबों की कुंजी तेरे पास थी, अगर याद करता, तो क्या बात थी।'

उनकी हाज़िर जवाबी देखकर हम लोग दंग रह गये। हम लोग उन्हें बधाई दे ही रहे थे कि कहीं से एक काला कुत्ता आ गया, जिससे मास्टर साहब बेहद डरते थे। बस उन्होंने आव देखा न ताव, वे 'हनुमान चालीसा' का जाप करते हुए मन्दिर की दिशा में भाग उठे।

मास्टर भोलाराम ने साइकिल ख़रीदी

मास्टर भोलाराम जी की बड़ी इच्छा थी कि कोई सवारी ख़रीदी जाए। मोटर और घोड़ा गाड़ी ख़रीदने के लिए उनके पास पैसा नहीं था और वैसे भी वे ऐसी सवारी चाहते थे जिसके चलाने के लिए उन्हें कोई ड्राइवर या साईस न रखना पड़े। कुछ लड़कों ने मास्टर साहब से कहा कि वे एक गधा ख़रीद लें पर मास्टर साहब इस बात को राज़ी नहीं हुए। पहली बात तो यह थी कि कोई भी गधा उनका बोझ नहीं सँभाल सकता था। प्रिंसिपल ने कहा कि वे कोई हाथी ख़रीद लें जिसे सुनकर मास्टर साहब इतने हँसे कि उनकी ऐनक की कमानी ही टूट गयी। मास्टरनीजी ने कहा कि एक भैंस क्यों नहीं ख़रीद लेते? सुबह-शाम दूध निकालना और बाक़ी वक़्त में उसकी सवारी करना। यमराज भी तो आख़िर अपने आने-जाने के लिए एक भैंसा ही पालते थे?

ख़ैर हालत यह रही कि कुछ दिनों बाद मास्टर साहब ने कबाड़ी की दुकान से एक पुरानी साइकिल ख़रीद ली। काफ़ी मेहनत के बाद उस साइकिल को इस क़ाबिल बनाया गया कि उस पर कोई इंसान सवारी कर सके। साइकिल से मास्टर साहब बेहद ख़ुश थे हालाँकि वे यह कतई नहीं जानते थे कि उस पर चढ़ा कैसे जाता है और उतरा कैसे जाता है। आख़िरकार एक इतवार के दिन उन्होंने अपनी फटीचर साइकिल सँभाली और स्कूल के मैदान में उसके चलाने का अभ्यास शुरू किया। पहली बार चढ़े तो उनके वज़न से सीट ही बैठ गयी और दुबारा बैठे तो स्थिति यह रही कि उनकी धोती साइकिल की चेन में फँस गयी और मास्टर साहब नंगे हो गये। स्कूल के प्रिंसिपल से लेकर चपरासी तक सब बेहद हँसे। मगर इस सब हादसे के बावजूद भोलाराम जी ने हिम्मत नहीं छोड़ी। कुछ लड़कों की मदद से वे साइकिल पर बैठ ही गये और पैडल मारने लगे। थोड़ी देर बाद उनके वज़न के कारण साइकिल के पुराने टायर में पंचर हो गया। मास्टर साहब साइकिल के साथ धरती पर गिर गये। वे नीचे थे और साइकिल ऊपर। इस स्थिति के बाद मास्टर साहब ने साइकिल पर सिर्फ़ चढ़ना ही सीखा, उतरने के लिए वे हमेशा गिर जाया करते थे और कोई न कोई शरीफ़ आदमी उन्हें हमेशा उठा ही लिया करता था।

वे साइकिल के नीचे पड़े रहते और रबर का भोंपू बजाते रहते। भोंपू बजाने का उन्हें वैसे भी काफ़ी शौक़ था। सड़क पर कोई हो या न हो, वे भोंपू बराबर बजाते रहते थे। वैसे भी उनकी अपनी आवाज़ में और भोंपू की आवाज़ में कोई विशेष अन्तर नहीं था।

बहरहाल किसी न किसी तरह मास्टर भोलाराम ने साइकिल चलाना सीख ही लिया। वे किसी ऊँची जगह की मदद से साइकिल पर बैठते थे और फिर पीछे से बच्चे लोग उन्हें धक्का देते थे। ऐसा करने से साइकिल चल पड़ती थी, हाँ अलबत्ता इस सिलसिले में दो-चार बच्चे ज़रूर ज़मीन पर गिर जाते थे। साइकिल चलाते समय मास्टर भोंपू बराबर बजाते रहते थे जिससे कि सारे मुहल्ले को पता लग जाता था कि मास्टर भोलाराम अपनी साइकिल पर बैठे कहीं सफ़र पर जा रहे हैं और ऐसी हालत में उनसे जितना भी दूर रहा जाए, उतना ही अच्छा है। पटवारी जी के काले कुत्ते को देखकर मास्टर साहब ज़रूर घबरा जाते थे और प्रायः किसी बिजली के खम्भे वग़ैरह से टकरा जाते थे। साइकिल की मरम्मत दुकान पर होती थी और मास्टर साहब की मरहमपट्टी लड़का लोग करते थे या फिर मास्टरनी जी ही उन्हें सँभालती थीं। कोई छः महीने में ही यह स्थिति आ गयी कि जितने रुपयों की साइकिल आयी थी, उससे ज़्यादा रुपये उसकी मरम्मत पर ख़र्च हो गये। मास्टर साहब की साइकिल इतनी फटीचर कि उसे सब पहचानते थे और इसके अलावा उसकी चोरी भी कोई नहीं करता था। इतवार के दिन मास्टर साहब अपने ज़िस्म के साथ-साथ साइकिल पर भी कडुवे तेल की मालिश करते थे और फिर उसे बाक़ायदा स्नान कराते थे। साइकिल चलाते-चलाते वे कभी-कभी भोंपू की आवाज़ के साथ-साथ कोई लोकगीत भी गुनगुना लिया करते थे जिसका नतीजा यह होता था कि लोग घरों के दरवाज़े बन्द कर लिया करते थे। बात यह थी कि उनकी अपनी आवाज़ भोंपू की आवाज़ से भी ज़्यादा बुलन्द थी और उनके गाने को सुनकर सब लोगों की तबीयत यही होती थी कि कानों में उँगली रख ली जाए। शाम को मास्टर साहब साइकिल के हैण्डल में झोले लटका कर सब्ज़ी वग़ैरा लाते थे और इतवार के दिन साइकिल के पीछे कनस्तर रखकर आटा भी पिसवा लाते थे। साइकिल अब वाक़ई उनके जीवन का एक ज़रूरी हिस्सा बन गयी थी।

एक दिन पता नहीं कैसे, मास्टर भोलाराम ने साइकिल की मदद से सपरिवार पिकनिक मनाने की सोची। कचौड़ियाँ बनायी गयीं और उन्हें सब्ज़ियों के साथ साइकिल के सामने लगी कण्डी में रखा गया। साइकिल के डण्डे पर दो बच्चे बैठे और एक बच्चे को गोद में सँभालकर मास्टरनी जी पीछे कैरियर पर विराजमान हो गयीं। मोटापे में वे मास्टर साहब से कुछ ही कम थीं, ज़्यादा नहीं। यदि देखने-भालने में भोलाराम रेल का इंजन लगते थे तो उनकी पत्नी रेल का डिब्बा लगती थीं। सब पब्लिक के बैठ जाने के बाद मास्टर भोलाराम जी ने किसी प्रकार अपना स्थान

ग्रहण किया जिसमें उन्हें कुछ कष्ट इस कारण भी हुआ क्योंकि पिकनिक जाने की ख़ुशी में उन्होंने कोई पन्द्रह कचौरियों पर हाथ पहले ही साफ़ कर दिया था। सब लोगों के बैठ जाने के बाद, साइकिल भोंपू बजाती हुई आगे बढ़ी। सारे मुहल्ले के लोगों ने साइकिल पर जमी टीम को देखकर तालियाँ बजायीं।

मास्टर साहब और उनके बच्चों ने तय किया था कि पिकनिक जो होगा वह नदी के तट पर होगा। क़स्बे से नदी कोई एक मील दूर थी। मास्टर साहब भोंपू बजाते गये और मार्च करते गये। बाद में भोंपू बजाने का काम उन्होंने डण्डे पर बैठे बड़े लड़के को सौंप दिया और ख़ुद सिर्फ़ पैडल मारने पर ही लग गये। कोई आधा मील तक तो सब कुछ ठीक चला पर इसके बाद एक हादसा हो गया। बात यह हुई कि कचौरियाँ खाने के कारण मास्टर भोलाराम जी को नींद आने लगी। कभी वे सड़क के नीचे उतर जाते तो कभी रेल की पटरी की दिशा में चलने लगते। अगर उनका बच्चा लगातार भोंपू न बजाता रहता तो पता नहीं वे कहाँ के कहाँ पहुँच जाते। बदक़िस्मती से उस बच्चे को भी नींद आ गयी और भोंपू का बजना बन्द हो गया। भोंपू के बन्द होने के कुछ ही समय बाद मास्टर साहब ने खर्राटे भरने शुरू कर दिये और साइकिल जो थी वह ढलान से नीचे की ओर भागने लगी। ढलान के ठीक नीचे नदी थी।

मास्टरनी जी ने सारी स्थिति देखी तो घबरा गयीं। उन्होंने मास्टर साहब को जगाने की बेहद कोशिश की मगर कुछ नहीं हुआ। आख़िरकार वे चलती साइकिल से कूद पड़ीं और साइकिल को धक्का देकर गिरा दिया। साइकिल के गिरने से बच्चे तो जाग गये मगर मास्टर साहब अभी भी उसी तरह सोते रहे। काफ़ी देर बाद उनकी नींद तब खुली जब कि बच्चों ने नदी का पानी उनके गोल-मटोल चेहरे पर काफ़ी मात्रा में डाला।

जागने के बाद मास्टर साहब ने पूछा कि वे कहाँ हैं और क्या कर रहे हैं? बच्चों ने बताया कि वे पिकनिक मनाने आये हैं और नदी के किनारे पर हैं। यह सूचना पाकर मास्टर साहब बेहद ख़ुश हुए। वे नदी में जी भरकर नहाये और अपनी प्यारी साइकिल को भी स्नान करवाया। इसके बाद उन्होंने हनुमान जी की पूजा की और फिर पचीस कचौरियों और दस मोतीचूर के लड्डुओं पर हाथ साफ़ किया। इतना कार्यक्रम सम्पन्न करने के बाद वे वहीं घास पर लुंगी तान कर सो गये। नहाना, भरपेट भोजन करना और सोना– इससे ज़्यादा पिकनिक उनके लिए और क्या हो सकता था?

मगर उनके बच्चे लॉन पर खेले, उन्होंने बया के खाली घोंसले इकट्ठे किये, नदी में काग़ज़ की नावें छोड़ीं और अपनी माता से कहानियाँ सुनीं। मास्टर साहब जो थे, वे बराबर सोते ही रहे।

❑

खेल गाँव
(1991)

भूमिका

यह एक बड़े खेद की बात है कि हिन्दी में बाल-साहित्य काफ़ी उपेक्षित रहा है। जहाँ बंग्ला में स्थिति यह रही है कि बच्चों की प्राइमर तक (वर्ण-परिचय) ईश्वरचन्द्र विद्यासागर जैसे महान् पुरुष ने स्वयं ही लिखी और बच्चों की सर्वप्रथम पत्रिका गुरुदेव रवीन्द्रनाथ ठाकुर ने निकाली, वहाँ हिन्दी में स्थिति यह है कि किसी भी महान् लेखक ने बच्चों के लिए प्रायः कुछ नहीं लिखा। हिन्दी में बाल-साहित्य की दिशा में निरंकारदेव सेवक ने सचमुच बहुत काम किया। मनहर चौहान व हरिकृष्ण देवसरे इत्यादि जैसे कुछ लोगों ने भी बच्चों के लिए काफ़ी कुछ लिखा। एक अँग्रेज़ी अधिकारी ने उन्नीसवीं शताब्दी में 'फ़ोकटेल्स ऑफ़ हिन्दोस्तान' नामक ग्रन्थ में हमारी लोककथाओं का अँग्रेज़ी में अनुवाद प्रस्तुत किया जो बेहद लोकप्रिय साबित हुआ। आज़ादी के बाद पण्डित नेहरू से प्रेरणा पाकर भारत-सरकार के प्रकाशन-विभाग ने बहुत कम दाम पर हमारे विभिन्न प्रदेशों की लोककथाओं के अनेक संग्रह निकाले। कई प्रकाशकों ने दूसरी भाषाओं के अमर ग्रन्थों का हिन्दी में अनुवाद छापा जिसके लिए वे अभिनन्दन के पात्र बने।

मैंने 'मास्टर भोलाराम' व 'हमारे मास्टर साहब' नाम के हास्य कथाओं के दो संग्रह बच्चों के लिए लिखे जिनमें से एक को उत्तर-प्रदेश सरकार ने पुरस्कृत किया। इस नयी पुस्तक में मैंने अपनी उन रचनाओं का संग्रह किया है जो पिछले तीस वर्षों में मैंने 'पराग', 'बालभारती', 'नन्दन', 'साप्ताहिक हिन्दुस्तान', 'धर्मयुग' इत्यादि पत्र-पत्रिकाओं में बच्चों के लिए लिखी हैं। मैं आशा करता हूँ कि विभिन्न आयु के बच्चे इन्हें पसन्द करेंगे। एक लेखक के नाते मेरी सबसे बड़ी इच्छा मात्र यही है कि मैं बच्चों के लिए कोई ऐसी दिलचस्प पुस्तक लिखूँ जो सचमुच उन्हें प्रिय रहे और जिससे उनमें मानवीय गुणों का विकास हो। राबर्ट लुई स्टीवेंसन और मार्क ट्वेन जैसे विश्वप्रसिद्ध लेखक मूलतः अपनी उन्हीं पुस्तकों के कारण अमर हैं जो उन्होंने बच्चों के लिए लिखी थीं। मैं उन महान् लेखकों के समकक्ष बैठने की कोई आशा नहीं करता पर फिर भी मैं बच्चों के लिए एक बढ़िया किताब लिखने की बात ज़रूर सोचता हूँ। शायद भगवान् मेरी यह इच्छा कभी पूरी करें।

देहरादून

रवीन्द्रनाथ त्यागी

जूतों वाली बिल्ली

एक गाँव में एक किसान रहता था। उसके तीन पुत्र थे। मरते समय उसने बड़े लड़के को घर-बार दे दिया, मँझले लड़के को गाय-भैंस दे दीं और छोटे लड़के को बिल्ली दे दी। इसके बाद वह मर गया।

किसान का छोटा लड़का बहुत सुन्दर जवान था। उसने पिता की दी हुई बिल्ली को बड़े प्यार से पाला। बड़ी होने पर वह बिल्ली इंसानों की तरह बोलने लगी। उसने किसान के लड़के से कहा, "यदि तुम मुझे काले जूते ला दो, तो मैं तुम्हारी क़िस्मत बदल दूँगी।" लड़के ने उसे बढ़िया काले जूते ला दिये।

जूते पहन कर बिल्ली ने जंगल से कुछ खरगोशों को मारा और पास के एक जागीरदार के पास जाकर बोली, "यह तोहफ़ा आपके लिए मधुसूदनपुर के राजा ने भेजा है।" जागीरदार बहुत ख़ुश हुआ। थोड़े दिनों बाद वह होशियार बिल्ली कुछ बढ़िया फल उसे भेंट करके आयी। कुछ ही दिनों में उसने जागीरदार पर मधुसूदनपुर के राजा का रोब बिठा दिया।

एक दिन जागीरदार अपनी सुन्दर लड़की के साथ बग्घी में बैठकर कहीं जा रहा था। बिल्ली भागी-भागी आयी और किसान के लड़के से बोली, "तुम कपड़े उतार कर नदी में घुस जाओ।" उसने वैसा ही किया।

जब जागीरदार की गाड़ी उधर से गुज़री, तो बिल्ली ने सलाम ठोंककर अर्ज़ किया कि कुछ डाकुओं ने मधुसूदनपुर के राजा साहब के कपड़े छीन लिये हैं और वे बेचारे नदी में घुसे हैं। जागीरदार ने फ़ौरन क़ीमती कपड़े भिजवाये और फिर उस सजीले किसान के लड़के को बग्घी में बिठा लिया। जागीरदार की लड़की से उसकी दोस्ती हो गयी।

बिल्ली आगे भाग गयी और खेतों में काम करते किसानों से कहने लगी, "राजा साहब आ रहे हैं। अगर जान बचाना चाहते हो, तो यही कहना कि ये सारे खेत मधुसूदनपुर के राजा के ही हैं।" उन्होंने ऐसा ही किया। जागीरदार ने जिससे भी पूछा, उसने यही कहा कि यह सारा इलाका मधुसूदनपुर के राजा का है। जागीरदार पर राजा साहब का रोब पूरी तरह पड़ गया।

आगे पहाड़ी पर एक शानदार क़िला था। उसमें एक राक्षस रहता था, जो जादू जानता था। बिल्ली अपने जूते खट-खट करती वहाँ पहुँच गयी और कहने लगी, "ओ राक्षस महाराज, तुम नकली जादूगर हो। अगर तुम्हें वाक़ई असली जादू आता है तो ज़रा चूहा बनकर दिखाओ।" राक्षस जैसे ही चूहा बना, बिल्ली ने उसे मार दिया। जब जागीरदार ऊपर पहुँचे, तो बिल्ली ने कहा, "मधुसूदनपुर के क़िले में आपका स्वागत है।" जागीरदार बड़ा खुश हुआ। उसने अपनी लड़की की शादी किसान के लड़के से कर दी। वह अब वाक़ई राजा हो गया था। वह होशियार बिल्ली उसकी वज़ीर थी, जो राज्य का काम-धाम देखती थी। इसके बाद उसने शायद चूहे खाना भी छोड़ दिया।

दाढ़ी की क़ीमत

एक बार अकबर ने बीरबल से पूछा, "किस जाति के लोग ज़्यादा होशियार होते हैं और किस जाति के लोग सबसे सीधे होते हैं?" बीरबल ने उत्तर दिया, "हुज़ूर, बनिया सबसे ज़्यादा होशियार होता है और ठाकुर जो होता है, वह सबसे ज़्यादा सीधा होता है।" अकबर ने कहा कि तुम अपनी बात साबित करके दिखाओ। बीरबल बोला, "यदि आप कुछ रक़म ख़र्च करें और मेरे काम में दख़ल न दें, तो मैं आपके सामने अपनी बात साबित कर सकता हूँ।" बादशाह ने बीरबल की शर्त मान ली। बीरबल ने ठाकुरों के गाँव के चौधरी को बुलवाया और अपने पास बिठाकर कहा, "हमारे बादशाह को आपकी दाढ़ी की ज़रूरत है। इसके लिए यदि आप कोई इनाम चाहो, तो वह भी आपको दिया जाएगा।" चौधरी ने बीरबल की बात सुनी और चुप हो गया। पहले तो उसने सोचा कि दाढ़ी तो मेरी इज़्ज़त की निशानी है, अतः यह किसी को कैसे दी जा सकती है? मगर इसके बाद उसने सोचा कि जब खुद बादशाह को इसकी ज़रूरत है, तो उसका दे देना ही उचित है। आख़िर हमने आज तक बादशाह का ही नमक खाया है। वैसे भी अगर बादशाह चाहें तो जबरदस्ती दाढ़ी कटवा सकते हैं। ठाकुर ने यह भी सोचा कि अगर दाढ़ी कट भी गयी, तो थोड़े दिनों बाद फिर से उग आएगी; जबकि इनाम पाने का ऐसा अवसर फिर नहीं आएगा। उसने बीरबल से कहा, "आप मुझे पच्चीस रुपये दिलवा दीजिए और मैं दाढ़ी कटाने को तैयार हूँ।" उसे पच्चीस रुपये दे दिये गये और शाही हज़्ज़ाम ने उसकी दाढ़ी साफ़ कर दी। ठाकुर ने भगवान को धन्यवाद दिया और अपने घर की राह ली।

अगले दिन बीरबल ने नगर के सबसे मशहूर बनिये को दरबार में बुलवाया और उससे कहा, "बादशाह सलामत को तुम्हारी दाढ़ी की ज़रूरत है और इसके बदले तुम जो चाहोगे, वही इनाम तुमको मिलेगा।"

बनिये ने हाथ जोड़कर कहा, "हुज़ूर मालिक हैं, जो चाहें सो करें, मगर इस बात का ध्यान रखें कि प्रजा के साथ अन्याय नहीं होना चाहिए।" बीरबल के 'हाँ' कहने पर बनिया बोला, "हुज़ूर, जब मेरे बाप मरे थे, तो मैंने इसी दाढ़ी को मुँडाने और उनके क्रिया-कर्म में पाँच हज़ार रुपये ख़र्च किये थे। फिर जब मेरी माताजी मरी,

तब दुबारा फिर पाँच हज़ार रुपये उसी तरह ख़र्च किये। इसके बाद माता-पिता का श्राद्ध कराया और ब्राह्मणों को भोजन कराया, तो पन्द्रह हज़ार रुपये इन सब कामों में और ख़र्च हो गये।" बनिये ने यह भी कहा, "सरकार, इस दाढ़ी की बदौलत बाज़ार में इज़्ज़त है और बिरादरी में धाक है। इस बात को भी ध्यान में रखना चाहिए।" इसके बाद बनिया बीरबल के सामने हाथ जोड़कर खड़ा हो गया।

बीरबल बोला, "तुम्हारे बयान को सुनकर यदि पच्चीस हज़ार रुपये दे दिये जाएँ, तो क्या तुम दाढ़ी कटवा लोगे?"

बनिये ने दस हज़ार रुपये अपनी इज़्ज़त के और माँगे और इस तरह पैंतीस हज़ार रुपये पर सौदा तय हो गया। बनिये ने पैंतीस हज़ार रुपये अपनी अण्टी में बाँधे और दाढ़ी मुँड़वाने बैठ गया।

शाही नाई ने बनिये की दाढ़ी पर साबुन और पानी वग़ैरह लगाना शुरू किया। इत्तफ़ाक से उसकी उँगलियाँ दाढ़ी में कहीं उलझ गयीं। बस, इतना होना था कि बनिये को गुस्सा आ गया। उसने नाई के मुँह पर दनादन थप्पड़ मारे और कहा, "हज़्ज़ाम के बच्चे, तू गुस्ताख़ी करता है! क्या तूने इसे किसी बनिये की दाढ़ी समझ रखा है? क्या तुझे पता नहीं कि यह दाढ़ी अब बादशाह सलामत की हो गयी है?"

बनिये के इस बर्ताव से बादशाह को गुस्सा आ गया और उन्हें अपमान का अनुभव हुआ। उन्होंने चोबदार से कहा, "इस बनिये को तुरन्त बाहर निकाल दो।" आज्ञा मिलते ही नौकरों ने बनिये को दरबार से बाहर निकाल दिया।

जब बादशाह का गुस्सा शान्त हुआ तो बीरबल ने कहा, "हुज़ूर, अब तो आपने ख़ुद ही देख लिया। एक बेचारा ठाकुर था, जो पच्चीस रुपये में दाढ़ी कटवा गया और एक यह बनिया था, जो पैंतीस हज़ार रुपये भी ले गया और अपनी दाढ़ी भी बचा ली।"

अकबर बादशाह ने बीरबल की बात मान ली और ख़ुश होकर बीरबल को बहुत-सा इनाम दिया।

चालाक सेठ और धूर्त नौकर

एक सेठजी थे, जो बहुत चालाक थे। वे जब भी कोई नौकर रखते थे, तो इस शर्त पर रखते थे कि अगर नौकर अपनी मर्ज़ी से नौकरी छोड़ेगा, तो सेठजी उसकी नाक काट लेंगे और अगर सेठजी नौकर को निकालना चाहेंगे, तो नौकर को हक़ होगा कि वह सेठजी की नाक काट ले। होता यह था कि सेठजी नौकर से हमेशा इतना काम लेते थे कि वह बेचारा खुद ही नाक कटवाकर भाग जाता था।

एक गाँव में दो ग़रीब भाई रहते थे। एक का नाम था काले और दूसरे का नाम था भूरे। भूरे शरीफ़ था और काले अव्वल दर्जे का हरामी था। एक बार फ़सल ख़राब हो गयी, तो दोनों भाई नौकरी खोजने शहर की ओर चले। भूरे उन्हीं चालाक सेठजी के यहाँ नौकर हो गया। पहले ही दिन सेठजी ने कहा, "शाम तक तुम्हें दस बीघे का खेत जोतना है, उसके चारों ओर बाड़ भरनी है, रात में खाने के लिए ईंधन लाना है और पकाने के लिए किसी जानवर का शिकार करना है।" भूरे से कोई भी काम शाम तक पूरा नहीं हुआ। सेठजी ने उसकी नाक काट ली और वह अपने गाँव लौट आया।

जब काले को इस बात का पता लगा, तो वह आग-बबूला हो गया। अगले दिन वह सेठजी के पास गया। सेठजी ने शर्त बतायी और उसने स्वीकार कर ली। सेठजी ने उसे वही काम बता दिया, जो उसके भाई को बताया था। खेत का रास्ता बताने के लिए सेठजी ने अपना प्यारा कुत्ता साथ कर दिया। काले ने सारे दिन बीड़ी पी और तीसरे पहर खेत में चारों ओर एक-एक हल चला दिया। खेत के चार कोनों पर सरकण्डे गाड़ दिये। हल तोड़कर ईंधन बना लिया और कुत्ते को मारकर शिकार का प्रबन्ध कर दिया। सेठजी ने जब सारी स्थिति देखी, तो आँखों के आगे अँधेरा आ गया। मगर वे कर क्या सकते थे? अगर निकालते तो नाक कटवानी पड़ती। उन्होंने उसे खेत के बजाय हवेली में लगा दिया।

एक-दो दिन बाद सेठानीजी ने काले से कहा कि जा, सेठजी से दुकान पर जाकर बता दे कि आधे पैसे का नमक, आधे पैसे का धनिया और चार पैसे की सब्ज़ी आनी है। नौकर गया और उसने सेठजी को वही सन्देश सुना दिया। सेठजी

उस समय कुछ बड़े लोगों के सामने अपनी शेख़ी बघार रहे थे। आधे पैसे का नमक और आधे पैसे के धनिये की बात सुनकर उन पर घड़ों पानी पड़ गया। ख़ैर, वे चुप रहे। बाद में काले से बोले कि घर की कोई भी बात वह दुकान पर तभी बताये, जब सेठजी अकेले हों। बाक़ी लोगों के सामने वह चुप रहे।

दो-चार दिन बाद सेठानीजी छत पर से गिर गयीं। काले भागा-भागा दुकान पर गया, पर वहाँ काफ़ी लोग बैठे थे। इस कारण वह चुपचाप एक तरफ़ बैठ गया। कोई दो घण्टे बाद जब सेठजी अकेले हुए, तब उसने बताया कि सेठानी जी छत से गिर गयी हैं। सेठजी ने अपना सिर पीट लिया और आख़िरकार अपनी नाक कटाकर नौकर से छुट्टी पायी।

ठगों को ठगने वाला ठग

एक समय की बात है, एक गाँव में रतिलाल नामक एक ठग रहता था। वह ठगों को ठगता था। रतिलाल किसी साधारण व्यक्ति पर कभी हाथ नहीं डालता था। उसे जब ज़रूरत होती, वह ठगों को धोखा देता और काम चलाता।

एक दिन रतिलाल के घर में खाने-पीने का सामान ख़त्म हो गया। उसकी पत्नी ने जब उसे यह बताया तो रतिलाल फ़ौरन घर से निकल पड़ा। घर से बाहर आकर उसने ठगों के गाँव की राह पकड़ी। रास्ते में एक जगह मेला लगा हुआ था। रतिलाल ने मेले में दो काम किये। एक तो अपनी अँगूठी बेचकर एक बूढ़ा और कमज़ोर घोड़ा ख़रीदा और दूसरे बाक़ी रुपयों के पैसे भुना लिये। इतना करने के बाद वह आगे बढ़ा।

कुछ दूर चलने के बाद वह ठगों के गाँव पहुँचा। गाँव के बाहर एक जगह रुककर उसने वे फुटकर पैसे दाने में मिलाकर घोड़े को खिला दिये। इसके बाद वह ठगों के गाँव के अन्दर गया। वहाँ उसकी बहुत आवभगत हुई। ठग उसे ख़ूब जानते थे और चतुर जानकर उसका आदर भी करते थे। खाने के बाद जब सोने का समय हुआ तो रतिलाल ने कहा– “मेरा घोड़ा रात को मेरी ही खाट से बाँधा जाएगा।” ठगों ने वैसा ही किया, जैसा कि रतिलाल ने कहा था।

रतिलाल सो गया तो ठगों ने घोड़े को ध्यान से देखना शुरू किया। ध्यान से देखने पर पता चला कि घोड़े की लीद में छोटे-छोटे सिक्के छिपे हुए हैं। ये वे ही सिक्के थे, जो रतिलाल ने घोड़े को दाने के साथ खिला दिये थे, पर ठगों को उसकी इस चालाकी का पता नहीं था। उन्होंने समझा कि इस घोड़े के अन्दर तो ख़ज़ाना छिपा है। वे उसे ख़रीदने का विचार करने लगे।

सुबह हुई। रतिलाल चलने लगा, तो ठगों ने उससे घोड़ा बेचने को कहा। पहले तो रतिलाल ने बहुत मना किया, मगर काफ़ी ज़ोर देने के बाद उसने वह घोड़ा पाँच हज़ार रुपयों में बेच दिया। ठगों ने खुशी-खुशी घोड़े की ख़ूब खातिर की। उसकी मालिश की, खरहरा किया और उसे ख़ूब दाना-पानी दिया। अब वे लोग प्रतीक्षा करने लगे कि कब सुबह हो और घोड़े की लीद में से ख़ज़ाना निकालें। किसी तरह

सुबह हुई। ठग अस्तबल में गये तो उन्होंने देखा कि घोड़ा मरा पड़ा है। बात यह हुई थी कि घोड़ा कमज़ोर और बूढ़ा था और ज़्यादा खाने से उसका पेट फूल गया था। ठगों ने जब यह हालत देखी तो उन्हें बड़ा दुख हुआ। फिर सब-के-सब लाठी लेकर रतिलाल के गाँव की ओर चल पड़े।

रतिलाल बहुत समझदार आदमी था। वह जानता था कि ठग उससे झगड़ा करने ज़रूर आएँगे। उसने इसका प्रबन्ध भी कर लिया था। उसके गाँव के पास एक नदी बहती थी। वह उसी नदी के किनारे बैठ गया। बैठने से पहले उसने एक काम और भी किया। मुहल्ले में एक कुतिया ने पिल्ले दिये थे, जिनमें दो पिल्ले तो बिलकुल एक-से थे। उसने वे दोनों पिल्ले उठा लिये। उनमें से एक पिल्ला घर छोड़ा और एक पिल्ले को नदी पर साथ ले गया। जाते-जाते उसने अपनी घरवाली से यह भी कहा– "आज कुछ मेहमान आएँगे और तुम उर्द की दाल चावल, रायता और इमली की चटनी बना लेना।"

ठगों ने रतिलाल को नदी के किनारे बैठे देखा तो वहाँ रुक गये। उन्होंने उससे कहा– "हमारा रुपया वापस करो।" रतिलाल ने कहा– "रुपयों की क्या बात है? थोड़ा तम्बाकू तो पियो।" इतना कहकर उसने अपना हुक़्क़ा उनकी ओर बढ़ा दिया। जब ठग हुक़्क़ा पीने लगे तो रतिलाल ने कुत्ते के पिल्ले को उठाया और कहा– "देख, तू घर जा और मालकिन से कहना कि कुछ मेहमान आये हैं। सो उनके लिए उर्द की दाल, चावल, रायता और इमली की चटनी बनाकर तैयार रखे।" इसके बाद उसने पिल्ला नदी में फेंक दिया। पिल्ला बह गया। ठगों ने जब यह देखा तो उन्होंने दाँतों तले अँगुली दबा ली।

थोड़ी देर के बाद वे रतिलाल के घर गये। वहाँ उन्हें ठीक वही खाना खाने को मिला, जो पिल्ले को बताया गया था। ठीक उसी तरह का पिल्ला भी वहाँ मौजूद था। ठग यह देखकर बहुत ख़ुश हुए। फिर उन्होंने दस हज़ार रुपयों में वह कुत्ता ख़रीद लिया।

कुत्ता ले लेने के बाद ठग ख़ुशी-ख़ुशी वापस चले। वे आपस में कहने लगे– "हमने कितने काम की चीज़ ले ली है। अब हम कहीं से भी अपने घर सन्देश भेज सकते हैं।" थोड़ी दूर जाकर उन्होंने कुत्ते को नदी में डाल दिया और उससे कह दिया कि वह घर जाकर खाना पकाने को कह दे। उसके बाद धीरे-धीरे चलकर वे तीसरे पहर तक अपने घर पहुँचे। वहाँ जाकर उन्होंने खाना माँगा। पर खाना तैयार ही नहीं था। ठगों को शीघ्र ही पता लग गया कि रतिलाल ने उन्हें दुबारा धोखा दिया है। वे आगबबूला हो गये और उससे बदला लेने वापस चल पड़े।

रतिलाल इस हालत के लिए पहले से ही तैयार था। उसने एक मरा हुआ चूहा लिया और रुमाल में बाँधकर अपनी पत्नी के गले में बाँध दिया। उसने अपनी पत्नी से यह भी कहा कि जब ठग आएँ तो वह उससे झगड़ा कर ले। ऐसा ही हुआ।

जैसे ही ठग लोग आये और रतिलाल को पीटने की तैयारी करने लगे, उसने फ़ौरन ही पत्नी से कहा कि वह मेहमानों के लिए दूध लाए। उसने ठगों से कहा कि "मैं सारा पैसा अभी वापस करने को तैयार हूँ पर आप लोग नाश्ता ज़रूर कर लें। आप बहुत भूखे दिखाई दे रहे हैं।" दूध लाने में रतिलाल की घरवाली को कुछ देर हुई और रतिलाल ने इस बात पर उससे झगड़ा किया। झगड़े के दौरान रतिलाल ने अपनी पत्नी की गरदन पर तलवार से वार किया। इससे उसकी गरदन थोड़ी-सी कट गयी और वह इस तरह नीचे गिर गयी, जैसे मर गयी हो। ठग रतिलाल को बुरा-भला कहने लगे कि उसने ज़रा-सी बात पर इतनी अच्छी पत्नी को मार दिया।

रतिलाल बोला कि वह इतना बेवकूफ़ नहीं है जो ऐसा काम करे। उसके पास उसके परदादा का दिया हुआ एक ऐसा तिलिस्मी डण्डा है, जो मरे हुए व्यक्ति को फ़ौरन ज़िन्दा कर देता है। इसके बाद रतिलाल तख़्त के नीचे से लकड़ी का एक पुराना डण्डा निकालकर लाया। उसने इस डण्डे को पत्नी के ऊपर चार बार घुमाया। ऐसा करते ही उसकी पत्नी राम-राम कहकर उठ बैठी। यह देखकर ठगों की तो आँखें अचरज से फट गयीं। पर सचाई कुछ और थी। रतिलाल बहुत चालाक था। उसकी तलवार के वार से पत्नी के गले में बँधा सिर्फ़ चूहा कटा था और उसकी पत्नी को कोई चोट नहीं पहुँची थी। वह तो झूठ-मूठ ही नीचे गिर गयी थी।

ठगों ने जब चमत्कारी डण्डा देखा तो वे अपना सारा क्रोध भूल गये और रतिलाल से बोले– "जो हुआ सो हुआ, यह डण्डा तुम हमें दे दो।" रतिलाल ने साफ़ मना कर दिया, पर ठगों ने बहुत प्रार्थना की और किसी तरह अन्त में पन्द्रह हज़ार रुपयों में सौदा तय हुआ। ठग खुशी-खुशी डण्डा लेकर अपने घर चल दिये।

उनके जाने के बाद रतिलाल ने अपनी पत्नी से कहा– "इस बार ठग मुझे जीता न छोड़ेंगे। अतः उनके आने के पहले ही हमें गाँव छोड़ देना चाहिए।" मगर इस बार भाग्य ने उसका साथ न दिया। बात यों हुई कि ठगों ने घर जाकर सबसे पहले अपने बीवी-बच्चों को मार दिया। ऐसा करने के बाद जब उन्होंने जादू के डण्डे का प्रयोग किया तो एक भी ज़िन्दा नहीं हुआ। इस दुर्घटना से ठग बहुत ही दुखी हुए। उन्होंने तय किया कि वे रतिलाल को मारकर ही दम लेंगे।

ठग रतिलाल के घर पहुँचे तो दिन छिपने वाला था। रतिलाल भी अपना सामान बाँध चुका था। वह खाट पर बैठा हुक़्क़ा पी रहा था। ठगों ने उसे खाट से उठने नहीं दिया। खाट पर बैठे-बैठे ही उसे रस्सी से बाँध दिया और खाट को उठाकर जंगल की ओर ले गये। उन्होंने निश्चय किया कि ऐसे बदमाश को हम जला-जलाकर मारेंगे। जंगल में पहुँचते-पहुँचते रात हो गयी और आँधी-पानी आ गया। खाट पर बँधे रतिलाल को छोड़कर ठग लोग सूखी लकड़ियाँ इकट्ठी करने जंगल में चले गये।

इत्तफ़ाक से एक आदमी बहुत सारी भेड़-बकरियों के साथ उधर से गुज़रा और उसने खाट से बँधे रतिलाल को देखा। उसके पूछने पर रतिलाल ने उससे कहा,

"भाई, क्या करूँ, मेरी तीन शादियाँ तो हो चुकी हैं पर ये कुछ दोस्त हैं जो मेरी एक शादी और करना चाहते हैं। मैंने मना कर दिया तो मेरे साथ ज़बर्दस्ती कर रहे हैं। अब तुम्हीं सलाह दो कि क्या करूँ?" गड़रिए ने कहा, 'मेरी तो अभी तक एक शादी भी नहीं हुई है। क्या कुछ ऐसा नहीं हो सकता कि तुम्हारे स्थान पर मेरी शादी हो जाए?" रतिलाल ने उससे कहा, 'यह तो बहुत आसान है। तुम मुझे खोल दो और मेरी जगह खाट पर बँध जाओ तो तुम्हारी शादी सरलता के साथ हो सकती है। जब तक तुम अपनी बहू के साथ लौटकर आओगे, मैं तुम्हारी भेड़-बकरियों की देखभाल करता रहूँगा।" बेवकूफ़ गड़रिया उसकी चाल में फँस गया और उसने रतिलाल को खाट से मुक्त किया और उसकी जगह वह खुद बँध गया।

ठगों को सूखी लकड़ियाँ नहीं मिलीं और हारकर उन्होंने खाट से बँधे आदमी को पास की नदी में ही फेंक दिया। इसके कुछ घण्टे बाद दिन निकल आया और ठग लोग जंगल से बाहर निकले। यकायक उन्होंने देखा कि रतिलाल तो ज़िन्दा है और बहुत सारी भेड़-बकरियों के साथ है। ठगों ने उससे पूछा, "तुम्हें तो हम नदी में डुबो आये थे; तुम ज़िन्दा कैसे बच गये और ये जो जानवर हैं, ये तुम्हें कैसे मिले?" रतिलाल ने जवाब दिया, "तुमने जहाँ मुझे नदी में फेंका था, वह तो काली माता का घाट है। देवी मुझसे प्रसन्न हो गयी और उसी ने मुझे ये भेड़-बकरियाँ भी दीं। जो भी उस घाट पर नदी में डूबता है, उसके साथ यही होता है।"

उसकी बात सुनकर सारे ठग उस घाट पर गये और डूब गये। रतिलाल भेड़-बकरियों के साथ घर लौट आया और मज़े से रहने लगा।

एक शिक्षाप्रद कथा

बचपन में सब बच्चों की तरह मुझे भी कहानी सुनने का बेहद शौक़ था। हमारे पड़ोस में एक वृद्ध सज्जन रहा करते थे। उन्होंने हमें इतनी कहानियाँ सुनायी थीं कि गिनना मुश्किल है। एक कहानी, जो अभी तक याद है, इस प्रकार है:

एक गाँव में दो व्यक्ति रहा करते थे। दोनों शिव के भक्त थे, मगर एक-दूसरे के बहुत बड़े दुश्मन थे। एक का सुख दूसरे को कभी सहन नहीं होता था।

एक दिन शिव प्रसन्न हो गये और बोले, “बताओ, क्या वरदान माँगते हो?”

अब ये दोनों बड़े असमंजस में पड़ गये, क्योंकि यह कोई नहीं चाहता था कि दूसरा आदमी कुछ ज़्यादा माँग ले। इसी बात को ध्यान में रखते हुए एक ने कहा कि जितना भी आप दूसरे को दें, उसका दुगुना मुझे दें। शिव ने कहा, ‘तथास्तु!’

दूसरे भक्त ने ईर्ष्यावश भगवान से कहा, “भगवान, मुझे काना कर दो!”

वह काना हो गया और अपनी प्रार्थना के कारण दूसरा भक्त अन्धा हो गया।

इस कहानी को हँसी में मत टाल देना। इसमें एक बहुत बड़ी शिक्षा छिपी है। जो आदमी दूसरे का बुरा चाहता है, वह स्वयं भी कभी सुख से नहीं रहता। मैं अब भी इस कहानी को याद करता हूँ, उन दोनों मूर्खों पर हँसता हूँ और कहानी के अन्दर छिपी इस शिक्षा को ग्रहण करने की फिर से कोशिश करता हूँ।

ब्रूस की बादशाही

बहुत पुराने ज़माने की बात है, स्कॉटलैण्ड की गद्दी के लिए वहाँ युद्ध छिड़ा हुआ था। यह युद्ध वर्षों तक चलता रहा। राबर्ट ब्रूस गद्दी के सच्चे अधिकारी थे लेकिन उनके विरोधी भी कम बहादुर न थे। विरोधियों का पलड़ा कुछ भारी पड़ा। मजबूर होकर राबर्ट ब्रूस को जान बचाने के लिए जंगलों में छिपना पड़ा।

उनके साथ उनका धाय-भाई था, जो उनका दोस्त भी था। एक दिन उन्हें जंगल में तीन आदमी मिले। उनमें से एक ने एक मरी हुई भेड़ अपनी कमर पर लाद रखी थी। जंगल में रहते-रहते राबर्ट ब्रूस की दाढ़ी वग़ैरह बढ़ गयी थी। कपड़े भी गन्दे थे। ऐसी हालत में उनको पहचानना बड़ा मुश्किल था। लेकिन ब्रूस तो फूँक-फूँककर क़दम रख रहे थे। उन आदमियों को देखते ही उनका माथा ठनका। उनमें एक आदमी बड़ा कुटिल और तेज़ आँखों वाला था। उसे देखते ही राबर्ट ब्रूस समझ गये कि ये लोग उन्हीं का पीछा कर रहे हैं और असलियत भी यही थी।

ब्रूस ने इशारे से अपने साथी को भी सावधान कर दिया। इसके बाद पाँचों आदमी आगे बढ़ते गये। रात होने पर एक वृक्ष के नीचे पाँचों ने विश्राम करने की सोची। सूखी लकड़ियाँ इकट्ठी कीं। उस मरी भेड़ को भूना। उन तीनों आदमियों के पास एक मशक में शराब भी थी। सबने डटकर खाना खाया और शराब पी। ब्रूस और उनके साथी ने भी थोड़ी शराब पी, ताकि उन्हें कोई सन्देह न हो।

खाना खाने के बाद घास के बिस्तरे लगाये गये। ब्रूस ने अपने साथी से कहा कि एक-एक करके सोना उचित होगा। साथी बोला, "ठीक है, पहले तुम सो जाओ। मैं जागता रहूँगा। इसके बाद तुम जागना।" ब्रूस निश्चिन्त होकर सो गये। उनका साथी भी जागता हुआ लेट गया। मगर दुर्भाग्य की बात कि थकावट के कारण उसे भी थोड़ी देर बाद नींद आ गयी।

वे तीनों दुश्मन बराबर इस घात में लगे थे कि वे कब सोएँ और कब उनकी हत्या की जाए। मौक़ा देखकर उनके सरदार ने तलवार निकालकर ब्रूस के साथी पर वार किया। आहट होते ही ब्रूस की नींद टूट गयी। ब्रूस ने भी तलवार खींच ली। मगर वह अपने साथी की कोई सहायता नहीं कर सका। दुश्मन लोग तब तक

उसका काम तमाम कर चुके थे। इसके बाद अकेले ब्रूस ने उन तीनों से युद्ध किया। युद्ध बहुत भयंकर था लेकिन जीत ब्रूस की ही हुई। दो दुश्मन मारे गये। एक घायल होकर भाग गया। फिर ब्रूस ने दोस्त की लाश को एक ऐसी जगह दफ़नाया, जिसे बाद में पहचाना जा सके।

इसके बाद थके-माँदे राबर्ट ब्रूस ने नदी में कपड़े धोये, स्नान किया। फिर विश्राम के लिए कोई सुरक्षित स्थान ढूँढ़ते हुए अँधेरे में आगे बड़े। काफ़ी दूर जाने पर उन्हें एक छोटी-सी झोंपड़ी दिखाई दी। उसमें दीया टिमटिमा रहा था। वे झोंपड़ी के पास गये और दरवाज़ा खटखटाया।

झोंपड़ी में एक बूढ़ा और उसकी पत्नी रहते थे। वे लोग किसान थे। ब्रूस ने अपना नाम वग़ैरह कुछ नहीं बताया। उनसे सिर्फ़ यह पूछा, "क्या मैं बाक़ी रात के लिए अँगीठी के पास आराम कर सकता हूँ?" उन दोनों ने कहा– "अपने असली बादशाह राबर्ट ब्रूस के नाम पर हम तुम्हारा स्वागत करते हैं।" ब्रूस को अपनी लोकप्रियता का पता तो था, मगर इतना नहीं। वह अन्दर जाकर सो गये।

सुबह उन्होंने जंगल छोड़ा। अपने साथियों को इकट्ठा करना शुरू किया। कुछ ही दिनों बाद गद्दी के लिए अन्तिम युद्ध लड़ा गया। राबर्ट ब्रूस को अपनी राजगद्दी वापस मिली। वे स्कॉटलैण्ड के बादशाह बने। उन्होंने अपने साथी की लाश को जंगल से उठवाकर शाही क़ब्रिस्तान में दफ़न करवाया। इसके बाद घोड़ा लेकर वे उसी झोंपड़ी में फिर गये, जहाँ उन्होंने रात गुज़ारी थी। राबर्ट ब्रूस ने अपना पूरा परिचय दिया और उस रात की याद दिलायी, जब उन लोगों ने उन्हें शरण दी थी। सारी बात सुनकर वे दोनों बूढ़े पति-पत्नी इतने खुश हुए कि उनकी आँखों से आँसू निकलने लगे। खुशी के उन आँसुओं को बादशाह ने खुद पोंछा और वह उन दोनों को अपने साथ एडिनबरा ले गये।

बादशाहों के साथ मज़ाक़

बच्चो, तुम शायद सोचते होंगे कि बादशाह लोग कभी हँसते नहीं थे। किसी हद तक तुम्हारा सोचना ठीक भी है। बलबन जैसे कुछ सुलतान ऐसे भी थे, जिनके दरबार में कोई हँसने की हिम्मत कर ही नहीं सकता था। लेकिन कितने ही बादशाह ऐसे भी हुए, जो हँसते-हँसाते तो थे ही, दरबार में विदूषक भी रखते थे, जो उन्हें अक्सर हँसाया करते थे।

तैमूरलंग का नाम तुमने सुना ही होगा। वह लँगड़ा था। एक बार जंगल में शिकार खेलते-खेलते रास्ता भूल गया। एक झोंपड़ी में उसे एक बुढ़िया मिली, जो निपट अन्धी थी। बादशाह ने उसका नाम पूछा, तो उसने अपना नाम दौलत बताया। सुलतान हँस पड़ा और बोला, "क्या दौलत भी अन्धी होती है?" बूढ़ी हँसकर बोली, "अगर वह अन्धी न होती, तो क्या लंगड़े तैमूर के पास ही जाती?" बादशाह ने बात सुनी, दाद दी और उस अन्धी को इनाम भी दिया।

•

महमूद गज़नवी को दूसरे देशों पर हमले करने और उन्हें जीतने का बड़ा शौक़ था। लड़ाई के कारण गाँव के गाँव उजड़ जाते थे। एक बार वह और उसका वज़ीर रात को जंगल में एक पेड़ के नीचे रुक गये। रात को पेड़ पर उल्लुओं ने बातचीत करनी शुरू की। वज़ीर पक्षियों की बोली समझता था। बादशाह ने कहा, "बताओ, ये चिड़ियाँ क्या बतिया रही हैं?" वज़ीर ने हाथ जोड़कर माफ़ी माँगी और कहा, "हुज़ूर, यह प्रश्न न पूछें तो ठीक रहे।" बादशाह ने कहा, "तुम निडर होकर बोलो, मैं तुम्हें कोई सज़ा नहीं दूँगा।"

वज़ीर बोला, "सरकार, इनमें से एक उल्लू एक लड़की का बाप है और वह उसकी सगाई करने यहाँ आया है। लड़के का जो बाप है, वह दहेज़ में दस उजड़े हुए गाँव माँग रहा है। लड़की का पिता कह रहा है कि यह तो कुछ भी नहीं, अगर महमूद गज़नवी ज़िन्दा रहा, तो मैं तुम्हें दस क्या, पचास उजड़े गाँव दे दूँगा।" इस पर बादशाह ने शर्म से गर्दन नीची कर ली और गाँव उजाड़ने बन्द कर दिये।

•

अकबर और बीरबल के लतीफ़े तो तुमने सुन ही रखे होंगे। उनका दोहराना बेकार है। फिर भी कुछ मज़ाक़ ज़रूर ऐसी हैं, जिन्हें तुम बार-बार सुनना चाहोगे।

एक बार अकबर ने एक आदमी को जागीर देने का वादा किया, मगर जब देने का वक़्त आया तो गर्दन टेढ़ी कर ली। बीरबल देखता रहा और चुप रहा। कुछ दिनों बाद जब शहंशाह और बीरबल साथ-साथ कहीं जा रहे थे, तो उन्हें एक ऊँट दिखाई दिया। अकबर ने पूछा, "बीरबल, ऊँट की गर्दन टेढ़ी क्यों होती है?" बीरबल बोला, "अन्नदाता, लगता है कि शायद इसने भी किसी को जागीर देने का वादा कर रखा है।" बादशाह हँस पड़े और अगले ही दिन उन्होंने उस आदमी को बुलाकर जागीर दे दी।

इसी तरह एक बार बादशाह के दरबार में घोड़ों का एक सौदागर आया। बादशाह ने एक ख़ास नस्ल का घोड़ा लाने का हुक्म दिया और एक लाख रुपया भी सौदागर को पेशगी दे दिया। इस घटना के कुछ महीने बाद बादशाह ने बीरबल से कहा, "तुम मेरे शहर के बेवकूफ़ों की एक सूची तैयार करो।" बीरबल ने सूची बना ली और बादशाह को दे दी। अकबर ने देखा कि मूर्खों की लिस्ट में उसका नाम सबसे ऊपर है। वह गुस्से में आकर बीरबल से बोला, "मैंने क्या बेवकूफ़ी की है, जो मेरा नाम चोटी पर है?" बीरबल बोला, "अन्नदाता, आपने उस अपरिचित सौदागर को एक लाख रुपये दे दिये, जिसके लिए कोई ज़मानत भी नहीं है। यह बेवकूफ़ी नहीं तो और क्या है?" बादशाह ने कुछ सोचा और फिर कहा, "अगर वह घोड़ा ले आया, तो क्या करोगे?" बीरबल बोला, "हुज़ूर, अगर वह घोड़ा ले आया, तो आपका नाम काटकर वहाँ उसका नाम लिख दूँगा।" बादशाह बात समझ गये और हँस पड़े।

•

राजा रणजीत सिंह एक बार दौरे पर कहीं जा रहे थे। तम्बू के बाहर वे सरकारी काग़ज़ देख रहे थे और थोड़ी ही दूर पर एक क़ैदी उन्हें देख-देखकर सिर हिला रहा था। रणजीत सिंह ने पहले तो उसे देखा, पर कोई ध्यान नहीं दिया, मगर बाद में भी जब वह वही हरकत लगातार करता रहा तो राजा ने उसे बुलाया और पूछा, "तुमने इतना बड़ा जुर्म किया और अब तुम मेरी तरफ़ देख-देखकर सिर हिला रहे हो। क्या मतलब है इस बदतमीज़ी का?" क़ैदी ने माफ़ी माँगी और वापस चला गया। थोड़ी देर बाद उसने फिर सिर हिलाना शुरू कर दिया। बादशाह ने क़ैदी को फिर बुलाया और कहा, "माजरा क्या है?" बहुत कुरेदने पर क़ैदी बोला, "सरकार, बचपन में मुझसे एक ज्योतिषी ने कहा था कि तुम्हारी मौत एक बेवकूफ़ के हाथों से होगी। मैं बराबर आपको देखता हूँ और अन्दाज़ा लगाने की कोशिश करता हूँ कि आप बेवकूफ़ हो सकते हैं या नहीं। बस, इसी सोच-विचार में गर्दन हिलती जा रही है।"

यह सुनकर रणजीत सिंह हँसने लगे और क़ैदी को रिहा कर दिया गया।

छोटे हक़ीम साहब

पुराने ज़माने की बात है, एक गाँव में एक हक़ीम साहब रहते थे। काफ़ी मशहूर और होशियार हक़ीम थे।

हक़ीम साहब के औलाद सिर्फ़ एक थी और वह था एक निहायत बेवकूफ़ और आलसी लड़का। ये साहबज़ादे सारे दिन पतंग उड़ाते रहते थे या मेंढक पकड़ते रहते थे। जब कभी मदरसे जाते थे तो मेंढकों को अपने उस्ताद की पगड़ी में या उनकी सुराही में बन्द कर आते थे जिसकी वजह से उन्हें काफ़ी मार पड़ती थी। हक़ीम साहब ने हज़ार कोशिश की, मगर ये पहली किताब से आगे नहीं बड़े।

हक़ीम साहब धीरे-धीरे बूढ़े हो गये और फिर एक दिन मर गये। अब यह लड़का बड़े विश्वास के साथ हक़ीम साहब की गद्दी पर बैठ गया और मरीज़ों का इन्तज़ार करने लगा। मरीज़ तो एक-दो आये मगर लड़के के साथ इल्लत यह थी कि इसे सिवा 'जमालगोटे' के और किसी दवा क़ा नाम ही नहीं आता था। हालत यह थी कि मर्ज़ कोई भी हो, ये हमेशा जमालगोटा ही देते थे। जमालगोटा एक तरह का हल्का ज़हर होता है जिससे दस्त आते हैं।

एक बार गाँव की धोबिन का गधा खो गया। वह हक़ीम साहब के लड़के के पास आयी। इनका क्या था, दे दिया एक तोला जमालगोटा। धोबिन बेचारी रातभर पेट पकड़े पोखर जाती रही। तड़के जो गयी तो क्या देखती है कि उसका गधा भी पोखर पर पानी पी रहा है। वह बड़ी खुश हुई और उसने हक़ीम साहब को सवा रुपया दिया।

कुछ ही कोस दूर एक राजा रहता था। उसकी छोटी रानी बड़ी ही सुन्दर थी मगर बाक़ी रानियों ने यह झूठी ख़बर फैला' दी थी कि यदि राजा उसे देखेगा तो अन्धा हो जाएगा। रानी बेचारी दुख में दुबली होती जाती थी। एक दिन धोबिन जो कपड़े लेकर गयी तो कहने लगी कि यदि तुम हमारे छोटे हक़ीम की एक खुराक दवाई पी लो तो राजा तुमसे प्यार करने लगे! रानी ने चोरी से हक़ीम को बुलाया। उन्होंने निहायत इत्मीनान के साथ दो तोला जमालगोटा रानी को पकड़ा दिया। रानी ने जो उसे खाया तो बुरी हालत हो गयी। उसने राजा के पास समाचार भिजवाया कि अन्त

समय में आपसे मिलना चाहती हूँ। राजा बेचारा भागा-भागा आया। आया तो रानी के रूप और स्वभाव को देखकर चकित रह गया। वह समझ गया कि उसके साथ चालाकी की गयी थी। उसने राजवैद्य बुलवाया। रानी ठीक हो गयी और राजा की चहेती हो गयी। इस पर छोटे हक़ीम साहब को बहुत बड़ी जागीर इनाम में मिली।

हक़ीम जी के अच्छे दिन कटने लगे कि तभी अचानक एक परेशानी आ गयी। एक दिन किसी और राजा ने इस राजा पर हमला कर दिया। उसकी फ़ौज नदी के उस पार पड़ाव डालकर जम गयी। राजा घबराया। रानी के कहने पर उसने छोटे हक़ीम साहब से सलाह-मशविरा किया। इनका क्या था—फ़ौरन एक मन जमालगोटा पिसवाकर फ़ौज को खिलवा दिया। अब हालत यह हो गयी कि हर सिपाही हर पाँच मिनट बाद दिशाकर्म के लिए जाने लगा। इतने सिपाहियों को देखकर दुश्मन की फ़ौज की हिम्मत टूट गयी और वह वापस लौट गयी। दुश्मन राजा को क्या पता था कि इधर के सिपाही ज़्यादा नहीं हैं, मगर जमालगोटे के असर के कारण वही लोग बार-बार तम्बुओं से प्रकट हो रहे हैं! इधर के राजा का राज्य बिना युद्ध किये ही बच गया।

छोटे हक़ीम साहब की तक़दीर देखिए कि केवल एक ही दवा के बल पर सारी उम्र ऐश-आराम और इज़्ज़त से रहते रहे। हाँ, हर बीमारी का इलाज वे बाद में भी करते जमालगोटे से ही रहे।

दो क़िस्से भूतों के

एक गाँव में एक ब्राह्मण रहता था। उसके घर के आँगन में नीम का एक पेड़ था। पेड़ पर एक भूत रहता था। ब्राह्मण की स्त्री बहुत कर्कशा थी और उसकी गालियों से ब्राह्मण और भूत—दोनों ही बेहद घबराते थे। आख़िर एक दिन तंग आकर ब्राह्मण ने घर ही छोड़ दिया। ब्राह्मण को जाते देखकर भूत भी उसके साथ हो गया। घने जंगलों को पार करके वे दोनों एक नगर में पहुँचे। भूख के मारे दोनों का बुरा हाल था। आख़िरकार ब्राह्मण और भूत ने आपस में तय किया कि भूत किसी अमीर आदमी को चिपट जाया करेगा और ब्राह्मण के जाने पर वह अपने शिकार को छोड़ देगा। ब्राह्मण को इनाम में जो कुछ मिलेगा, उसी से दोनों गुज़ारा कर लेंगे।

एक दिन की बात है कि नगर के राजा की सवारी बाज़ार में से निकल रही थी। राजा के साथ रानी भी थी, जो बहुत सुन्दर थी। रानी को देखकर भूत का मन चंचल हो गया और वह महल में घुस गया। भूत के कारण रानी का खाना-पीना सब छूट गया। वज़ीर ने राजा को बताया कि नगर में एक ब्राह्मण रहता है जो भूत-प्रेतों को भगाने की विद्या जानता है, उसे बुला लिया जाए।

राजा ने ब्राह्मण को बुलवाया और भूत उतारने को कहा। ब्राह्मण ने भूत को बहुत समझाया-बुझाया मगर वह महल के आराम को छोड़कर हर्गिज़ नहीं जाना चाहता था। अब ब्राह्मण परेशान हो गया कि करे तो क्या करे! आख़िर उसे एक उपाय सूझा। उसने भूत के कान में कहा कि उनके पीछे-पीछे उसकी कर्कशा पत्नी भी शहर में आ गयी है और उन्हें ढूँढ़ते हुए महल में पहुँचने ही वाली है।

भूत ने जैसे ही कर्कशा ब्राह्मणी का नाम सुना, वह महल छोड़कर भाग गया। रानी ठीक हो गयी और राजा ने ब्राह्मण को ढेर सारा इनाम दिया।

•

एक गाँव में एक नाई रहता था जो बड़ा ग़रीब था। एक दिन वह जंगल में एक पेड़ के नीचे विश्राम कर रहा था। तभी एक भूत उसके सामने प्रकट हुआ और उसे डराने लगा। नाई बड़ा चालाक और बहादुर था। उसने अपने थैले में से शीशा निकाला और भूत को दिखाया। नाई बोला कि वह तो भूत पकड़ने का ही धन्धा

करता है और एक भूत तो उसके शीशे में पहले से ही क़ैद है। शीशा देखकर भूत बुरी तरह डर गया। उसने पेड़ की जड़ में से हज़ारों अशर्फियाँ निकालीं और नाई को दे दीं। नाई ख़ुशी-ख़ुशी अपने घर चला गया।

•

कहानी सुनाने के बाद मैं बच्चों से कहता हूँ कि भूत-प्रेत जैसी कोई चीज़ नहीं होती। हमारा अपना जो भय होता है, वही भूत-प्रेतों को जन्म देता है, और कुछ नहीं।

❑

सुन्दरवन
(1995)

समझदार क़ाज़ी

किसी गाँव में दो भाई रहते थे। एक भाई अमीर था और दूसरा ग़रीब। एक दिन ऐसा हुआ कि ग़रीब भाई के यहाँ ईंधन ख़त्म हो गया। वह अपने अमीर भाई के पास गया और बोला, "तुम अपना घोड़ा दे दो तो मैं जंगल से कुछ लकड़ियाँ उस पर लाद लाऊँ।" अमीर भाई ने बड़ी ख़ुशामद के बाद घोड़ा दे दिया।

ग़रीब भाई ने वन में जाकर लकड़ियाँ काटीं और घोड़े पर लाद लीं। लौटते समय काँटेदार झाड़ियों में अटकने से घोड़े की पूँछ कट गयी। अमीर भाई ने जब देखा कि घोड़े की दुम ग़ायब है, तो उसने गुस्से में आकर अपने भाई पर मुक़दमा दायर कर दिया।

मुक़दमे की तारीख़ लगने पर दोनों भाई काज़ी की अदालत की ओर चले। रास्ते में एक नदी पड़ती थी। जब वे पुल के ऊपर से जा रहे थे, ठीक उसी समय एक व्यापारी अपने बीमार बाप को नाव में बिठाकर हक़ीम के पास ले जा रहा था। बदक़िस्मती की बात कि ग़रीब भाई का पैर फिसल गया और वह पुल पर से नीचे जाती नाव में लेटे बीमार सौदागर के ऊपर जा गिरा। बीमार सौदागर वहीं मर गया। उसके लड़के ने उस अभागे ग़रीब भाई को पकड़ लिया और अदालत को ले चला। बेचारा ग़रीब क्या करता!

अदालत में दोनों मुक़दमे पेश हुए। काज़ी ने तीनों की पूरी-पूरी बात सुनी। वह समझ गया कि ग़रीब बेकसूर है। उसे बेबात सताया जा रहा है। उसने फ़ैसला दिया, "ग़रीब भाई घोड़े की दुम काटने का अपराधी है। उसे पूरी दुम सहित ही घोड़ा वापस लौटाना चाहिए। इसलिए जब तक वह दुम दुबारा उगे, तब तक घोड़ा ग़रीब भाई के पास ही रहेगा।"

दूसरे मुक़दमे में काज़ी साहब ने फ़ैसला दिया, "व्यापारी को बदला लेने का पूरा हक़ है और इसलिए ग़रीब भाई को यह सज़ा दी जाती है कि वह नाव में बैठे और उसी पुल के नीचे से गुज़रे। व्यापारी उसके ऊपर उसी तरह गिरे, जैसे वह ग़रीब भाई व्यापारी के बाप पर गिरा था।"

फ़ैसले का सुनना था कि वे दोनों घबरा गये। अमीर भाई कहने लगा कि वह

दुम-कटा घोड़ा लेने को तैयार है। व्यापारी का लड़का बोला किए वह पुल से फिसलने में डरता है। काज़ी ने कहा कि अगर तुम लोग अदालत का हुक़्म नहीं मानना चाहते तो तुम्हें दो-दो सौ सोने की मोहरें बतौर जुर्माने के देनी होंगी।

वे मोहरें समझदार काज़ी ने उस ग़रीब भाई को दे दीं और कहा कि वह किसी दूसरे गाँव में जाकर रहे और कुछ धन्धा करे।

क़िस्से अफ़ीमचियों के

अफ़ीम एक तरह का नशा होता है। इसके खाने की लत जब पड़ जाती है, तो काफ़ी मुश्किल से छूटती है। इससे बचकर ही रहना चाहिए। अफ़ीम खाकर अफ़ीमची लोग काफ़ी बेहूदा क़िस्म की हरक़तें करते हैं, जिन्हें देखकर हमें कभी-कभी इतनी हँसी आती है कि रोके नहीं रुकती।

शायद तुमने उस अफ़ीमची की कहानी सुनी हो जिसकी एक बार रात को चवन्नी खो गयी थी। चवन्नी खो गयी थी गली में और वह उसे ढूँढ़ रहा था चौराहे पर। जब किसी ने पूछा कि यहाँ क्यों ढूँढ़ रहे हो तो अफ़ीमची ने तपाक से जवाब दिया, "जहाँ चवन्नी गिरी थी वहाँ अँधेरा है। वहाँ ढूँढ़ने से क्या फ़ायदा है? यहाँ चौराहे पर बिजली की रोशनी है इसलिए उसे यहाँ ढूँढ़ रहा हूँ।"

एक और अफ़ीमची थे। उनकी बीवी ने उन्हें दूध लेने बाज़ार भेजा और कहा, "खीर पकानी है, ज़रा जल्दी आना।" अफ़ीमची मियाँ ने शेरवानी पहनी, टोपी लगायी, जूते पहने और दूध का बर्तन लेकर निकल पड़े। रास्ते में पड़ती थी अफ़ीम की दुकान। दुकान देखी, रुका न गया। अफ़ीम खा ही ली।

अफ़ीम के नशे से उन्हें नींद आ गयी और वे वहीं सो गये। जब आँख खुली, तो देखा कि रात हो गयी है। दूध का बर्तन देखा तो याद आयी कि घर पर खीर पकनी थी। बस, फिर क्या था; एकदम वहाँ से ऐसे भागे कि जल्दी में जूते पहनना भी भूल गये। दूध लेकर जब वापस आ रहे थे, तो कहीं हवा से उनकी टोपी भी गिर गयी। भागे-भागे घर पहुँचे और लगे झूठे बहाने बनाने।

बीवी चुप रही बेचारी। दूध छानते-छानते उसे दूध में कुछ दिखाई पड़ा। वह बोली, "दूध में क्या है यह कपड़ा-सा?"

मियाँ जी बोले, "बढ़िया दूध लाया हूँ। इसमें कपड़ा नहीं, मलाई होगी।"

बीवी ने कहा, "यह मलाई नहीं है, बल्कि तुम्हारी टोपी है।"

मियाँ ने यह बात सुनी, तो ख़ुश होकर बोले, "बेग़म, इस दूध को एक बार फिर छान लो। शायद इस बार मेरे जूते भी इसी में से निकल आएँ।"

•

एक और कहानी सुनाता हूँ जो सच्ची होने के साथ-साथ मज़ेदार भी काफ़ी है। दो अफ़ीमची दोस्त थे। एक रात उन्होंने कसकर अफ़ीम खायी। अफ़ीम खाने के बाद उन्होंने सोचा कि कलाकन्द खाया जाए। बस, फिर क्या था, पहुँच गये हलवाई की दुकान पर। दस रुपये का कलाकन्द खाया। पैसे देने के वक़्त पता लगा कि जेब में सिर्फ़ एक नोट है, वह भी सौ रुपये का। हलवाई ने कहा कि लौटाने को उसके पास नब्बे रुपये नहीं हैं। अफ़ीमची बोले, “ठीक है, तुम सौ रुपये का नोट रख लो। हम कल आकर बाक़ी रुपये ले लेंगे।”

हलवाई मान गया। थोड़ी दूर जाने पर अफ़ीमचियों ने सोचा कि दुकान की कुछ, शिनाख़्त रख लेनी चाहिए, ताकि कल रुपये वसूल करने में परेशानी न पड़े। एक अफ़ीमची बोला, “ठीक है, इस दुकान के सामने एक साँड़ बैठा है और यह काफ़ी बड़ी पहचान है।” दोनों ख़ुशी-ख़ुशी अपने घर चले गये।

अगले दिन शाम को अफ़ीम खाकर दोनों दोस्त हलवाई की दुकान तलाश करने निकले। जहाँ साँड़ बैठा हुआ था, वहाँ रुक गये। संयोग की बात कि आज साँड़ एक दर्ज़ी की दुकान के सामने बैठा था। दर्ज़ी मियाँ की काफ़ी लम्बी दाढ़ी थी और वे बेचारे अपने काम में लगे थे। अफ़ीमची उसे काफ़ी देर देखते रहे और फिर हँसने लगे। दर्ज़ी ने उनसे हँसने का कारण पूछा। अफ़ीमची बोले, “मियाँ, तुमने हमारे नब्बे रुपये वापस न करने के लिए रातोंरात पेशा बदल लिया, हलवाई से दर्ज़ी बन गये। ख़ैर, यह तो समझ में आता है मगर मेरे दोस्त, यह तो बताओ कि रात ही रात में तुमने इतनी बड़ी दाढ़ी कैसे उगा ली?”

दर्ज़ी बेचारा हैरत में आकर उन्हें देखता रहा। वह बेचारा क्या जवाब देता?

आधा झूठ

बहुत पुरानी बात है। उन दिनों अरब देश में दास प्रथा प्रचलित थी। दासों को बेचने के लिए मण्डियाँ लगती थीं। वहाँ बड़े-बड़े धनी लोग इकट्ठा होकर दासों का क्रय-विक्रय करते थे।

उन्हीं दिनों की बात है, एक व्यापारी मिस्र के एक बाज़ार में से गुज़र रहा था। वहाँ एक दास बिक्री के लिए बैठा हुआ था। व्यापारी ने दास के स्वामी से पूछा, "इस दास का क्या मूल्य है?"

दास के स्वामी ने उत्तर दिया, "इसका मूल्य तो केवल छह सौ रुपये है, लेकिन इसमें एक अवगुण है।"

"क्या अवगुण है?" व्यापारी ने पूछा।

"यह साल में एक झूठ बोलता है।" दास के स्वामी ने कहा।

व्यापारी ने हँसकर कहा, "बस? यह तो मामूली-सा अवगुण है। मेरे पास तो ऐसे-ऐसे दास आये हैं, जो वर्ष में सैकड़ों झूठ बोलते हैं। मैं इसका यह अवगुण सहन कर लूँगा। मुझे आपका सौदा स्वीकार है।" यह कहकर उसने जेब से छह सौ रुपये निकाले और उस दास को ख़रीदकर अपने साथ ले चला। उस दास का नाम था अब्दुल। वह बहुत आज्ञाकारी था और कठोर से कठोर परिश्रम कर सकता था। व्यापारी उससे बहुत प्रसन्न हुआ।

अब्दुल को नये मालिक के पास रहते एक वर्ष बीत गया। नया वर्ष आया। व्यापारी नया वर्ष मनाने के लिए अपने मित्रों के साथ नगर के बाहर गया। वे लोग एक बाग़ में जाकर रुके। वहाँ व्यापारी ने अपने मित्रों के साथ जश्न मनाने का निश्चय किया था। व्यापारी अपने साथ खाने-पीने का बहुत-सा सामान ले गया था। अब्दुल भी उसके साथ था।

दोपहर तक खाना-पीना चलता रहा। दोपहर के समय व्यापारी ने अब्दुल से कहा, "तुम नगर में जाओ और मेरी पत्नी से कुछ अखरोट, बादाम और किशमिश ले आओ।"

अब्दुल ने व्यापारी के आदेश का पालन किया। वह नगर की ओर चल दिया।

जब वह व्यापारी के घर के निकट पहुँचा, तो उसने अपने कपड़े फाड़ डाले और ऊँची आवाज़ में रोने-चिल्लाने लगा– 'हाय, मेरे मालिक! तुम मुझे अकेला छोड़कर क्यों चले गये? अब हमारा क्या बनेगा?"

लोगों ने उसकी चीख़-पुकार और रोना सुना, तो उसके इर्द-गिर्द एकत्र हो गये। वे उसके साथ व्यापारी के मकान तक गये। जब व्यापारी की पत्नी ने अब्दुल का रोना सुना, तो वह दौड़कर दरवाज़े तक आयी।

व्यापारी की पत्नी को देखकर अब्दुल और ज़ोर से दहाढ़ें मार-मारकर रोने लगा। वह रोते हुए बोला, "हाय, हमारा मालिक हमें छोड़कर सदा के लिए चला गया। मालिक और उसके मित्र बाग़ की दीवार की छाया में बैठे हुए थे कि सहसा दीवार उनके ऊपर गिर पड़ी और वे सभी मर गये।"

यह सुनकर व्यापारी की पत्नी भी रोने-चिल्लाने लगी। उसने शोक में अपने कपड़े फाड़ डाले। उसकी बेटियों और अन्य स्त्रियों ने भी ऐसा ही किया। रुदन और चीत्कार सुनकर मोहल्ले की स्त्रियाँ उन्हें सान्त्वना देने के लिए दौड़ी आयीं।

व्यापारी की पत्नी दुख से मकान के भीतर एक कमरे से दूसरे कमरे में भाग रही थी। वह शोक को प्रकट करने के लिए घर की हर चीज़ को तोड़ने-फोड़ने लगी। वहाँ शोक प्रकट करने का यही ढंग था। उसने खिड़कियों के शीशे तोड़ डाले। बरतनों को चकनाचूर कर दिया। उसके सामने जो भी वस्तु आयी, उसने उसे ही तोड़-फोड़ डाला।

उसने रोते हुए अब्दुल से कहा– "अब्दुल, इधर आओ! मुझे शोक प्रकट करने में सहायता करो।" अब अब्दुल भी व्यापारी की पत्नी के साथ घर की वस्तुओं को तोड़ने-फोड़ने लगा। उन्होंने अलमारियाँ तोड़ डालीं। मूल्यवान कपड़े फाड़ डाले। दरवाज़ों और खिड़कियों के परदे फाड़ डाले। अब्दुल तोड़-फोड़ करते हुए साथ-ही-साथ रोता भी जाता था।

कुछ देर बाद व्यापारी का सारा मकान ऐसे दिखाई देने लगा, जैसे वहाँ भूकम्प आया हो। हर कमरे में गिरे हुए मकान का मलबा पड़ा या। चारों ओर टूटी-फूटी चीज़ें बिखरी हुई थीं।

कुछ देर बाद व्यापारी की पत्नी ने कहा, "अब्दुल, आओ! अब हम चलकर मालिक का शव बाग़ से ले आएँ।" इतना कहकर वह बाहर दौड़ पड़ी। उसके पीछे अन्य सभी स्त्रियाँ और दास-दासियाँ भी दौड़ पड़े। वे सभी नगर की सड़कों पर भागते जा रहे थे। ज्यों-ज्यों व्यापारी की मौत का समाचार फैलता गया, और लोग भी उनके साथ शामिल होते गये। जब नगरपालिका के अधिकारियों ने यह दुखद समाचार सुना, तो उन्होंने तुरन्त कुछ मज़दूरों को टोकरियाँ और फावड़े देकर भेजा, ताकि मलबा साफ़ करके व्यापारी और उसके मित्रों के शव बाहर निकाल सकें।

व्यापारी की मौत से दुखी रोती-चिल्लाती भीड़ का जुलूस नगर से बाहर बाग़

की ओर दौड़ा जा रहा था। अब्दुल उन सबसे आगे था।

जल्दी ही वह व्यापारी की पत्नी और अन्य लोगों को पीछे छोड़कर बाग़ में पहुँच गया। बाग़ में पहुँचते ही वह ज़ोर-ज़ोर से रोते हुए चिल्लाने लगा, "हाय, मालिक! मालकिन चल बसी! अब मेरी देखभाल कौन करेगा। हाय! अब मुझे खाना कौन खिलाएगा?"

व्यापारी यह रुदन सुनकर चौंक पड़ा। उसने घबराकर पूछा, "सच-सच बताओ, क्या बात हो गयी?"

अब्दुल ने कहा, 'मालिक, जब मैं घर पहुँचा तो देखा कि मकान गिरा हुआ है और सब मर चुके हैं।"

"मेरी पत्नी और मेरे बच्चे भी?" व्यापारी ने चिन्ता से पूछा।

"वे सब मर गये हैं।" अब्दुल ने कहा।

"सब मर गये! हाय, मेरे टट्टू मेरी बकरियाँ, कुत्ते, बिल्लियाँ सब मर गये! हाय, मैं लुट गया! मैं बरबाद हो गया!" यह कहकर व्यापारी अपनी छाती पीटने लगा। उसने भी अपने मूल्यवान कपड़े फाड़ डाले। उसके मित्रों ने जब यह सुना, तो उन्होंने भी शोक से अपने कपड़े फाड़ डाले। वे सभी रोते-चिल्लाते नगर की ओर दौड़ पड़े।

अभी वे बाग़ से कुछ दूर ही गये थे कि उन्हें व्यापारी की पत्नी और लोग रोते-चिल्लाते हुए मिले। व्यापारी अपनी पत्नी को जीवित पाकर और इतने जनसमूह को साथ देखकर विस्मित रह गया।

व्यापारी की पत्नी ने चिल्लाकर कहा, "आप जीवित हैं!"

"और तुमने अपना क्या हाल बना रखा है?" व्यापारी ने पत्नी से पूछा।

"तुम सब जीवित हो! लेकिन अब्दुल तो रोता हुआ मेरे पास आया था। उसके कपड़े फटे हुए थे और उसने बाग़ की दीवार तुम्हारे ऊपर गिरने की बात बतायी थी।" पत्नी ने कहा।

"यह झूठ है। कुछ देर पहले ही अब्दुल मेरे पास रोता हुआ आया था। उसके कपड़े फटे हुए थे। उसके सिर पर धूल थी। उसने हमें बताया कि मकान गिर पड़ा है और तुम सब लोग मर गये हो।" व्यापारी ने कहा।

दोनों ने अब्दुल की ओर मुड़कर देखा। वह अभी तक रो और चिल्ला रहा था और अपनी छाती पीट रहा था।

व्यापारी क्रोध से तिलमिला उठा। उसने अब्दुल से कहा, "अरे दुष्ट! तूने यह क्या किया? घर चल, वहीं मैं तेरी मरम्मत करूँगा।"

अब्दुल ने बड़ी विनम्रता से कहा, "नहीं, मालिक! आपने मुझे बहुत सस्ते दामों में ख़रीदा था। आपको याद है न, मुझमें एक अवगुण था। मैं वर्ष में एक झूठ बोलता हूँ और आपने इस झूठ को माफ़ करने का वचन दिया था। अभी तो मैंने केवल आधा झूठ बोला है। वर्ष के अन्त में शेष आधा झूठ फिर बोलूँगा।"

व्यापारी बहुत क्रोधित था, किन्तु वह बात याद करके वह चुप रह गया। जब वह घर पहुँचा तो घर की दुर्दशा देखकर रो पड़ा। तभी उसे यह बात भी याद आयी कि अब्दुल ने अभी तो आधा झूठ ही बोला है।

उसने व्यग्र होकर अब्दुल से कहा, "तुम इसे आधा झूठ कहते हो?"

"हाँ, मालिक!" अब्दुल ने फिर विनम्रता से कहा।

"यदि आधे झूठ से मेरा घर बरबाद हो गया है, तो तेरे सारे झूठ से तो सारा नगर बरबाद हो जाएगा। भाग यहाँ से! मुझे नहीं चाहिए ऐसा दास!" यह कहकर व्यापारी ने अब्दुल को घर से निकल दिया। मगर अब्दुल प्रसन्न था। उसने दासता से मुक्ति पा ली थी।

मिर्ज़ा ग़ालिब की खुशमिज़ाजी

बादशाह बहादुरशाह मिर्ज़ा ग़ालिब से बहुत स्नेह करते थे। शाही बावर्चीखाने में जब भी कोई उम्दा चीज़ बनती थी, ग़ालिब साहब के यहाँ ज़रूर भेजी जाती थी।

एक दिन बादशाह ने चोबदार के हाथों उन्हें बेसन की रोटियाँ भेजीं। ग़ालिब के एक शागिर्द ने पूछा कि मिर्ज़ा साहब, चने की रोटी में ऐसी क्या ख़ासियत है कि बादशाह ने उसे आपके पास भेजा। मिर्ज़ा बोले, "ऐ बेवकूफ़! चना वह चीज़ है जिसने एक बार खुदा से प्रार्थना की थी कि हुज़ूर! मुझे बचाइए। मुझ पर बड़ा ज़ुल्म किया जा रहा है। कोई मुझे दलता है, कोई पीसता है, कोई भूनता है, कोई पकाता है और इस तरह मुझे सैकड़ों तरह से खाया जाता है। जैसा अत्याचार मुझ पर होता है, उतना और किसी अन्न पर नहीं। खुदा ने सारी बात सुनकर हुक्म दिया कि ऐ चने! तेरी ख़ैर इसी में है कि तू यहाँ से चला जा, वरना मेरा भी जी यही चाहता है कि तुझे खा जाऊँ।"

इसी तरह एक बार का ज़िक्र है कि आमों का मौसम था, बादशाह सलामत मिर्ज़ा ग़ालिब के साथ महताब बाग़ की सैर कर रहे थे। फ़सल अच्छी थी और आम बढ़िया थे। मिर्ज़ा ग़ालिब हर पेड़ के सामने रुकते थे और आमों को बड़े ग़ौर से देखते थे। बादशाह ने पूछा, "मिर्ज़ा, क्या देख रहे हो?"

ग़ालिब बोले, "अन्नदाता! बुज़ुर्गों से सुना है कि दाने-दाने पर मुहर होती है। मैं यह देख रहा हूँ कि किसी आम पर मेरा नाम भी लिखा है या नहीं।"

बादशाह को हँसी आ गयी और आमों के पिटारे मिर्ज़ा साहब के घर पहुँचा दिये गये।

एक दिन ग़ालिब साहब के एक दोस्त उनसे मिलने आये। वापस जाते-जाते रात हो गयी। मिर्ज़ा ग़ालिब खुद चिराग़ लेकर फ़र्श तक आये, ताकि उनका दोस्त अपना जूता रोशनी में पहन सके। दोस्त ने कहा, 'मिर्ज़ा साहब! इतनी तकलीफ़ करने की क्या ज़रूरत थी?"

मिर्ज़ा साहब ने तपाक से जवाब दिया, "यार! मैं तो इसलिए चिराग़ लेकर आया हूँ कि कहीं अँधेरे में तुम मेरे नये जूते पहनकर न चले जाओ।"

मिर्ज़ा साहब को एक बार जेल हो गयी। जेल से छूटे, तो काले खाँ नामक दोस्त के यहाँ रहने लगे। एक दिन एक शागिर्द ने उन्हें अँग्रेज़ों की जेल से छूटने पर बधाई दी। काले मियाँ वहीं बैठे थे। ग़ालिब ने छूटते ही कहा, "कौन शैतान क़ैद से छूटा है? पहले गोरे की क़ैद में था, अब इस काले की क़ैद में हूँ।" सब लोग हँस पड़े।

दिल्ली में एक बार एक बड़े मशहूर व्यक्ति ने ग़ालिब से पूछा कि रथ जो होता है, वह स्त्रीलिंग है या पुल्लिंग?

ग़ालिब साहब ने बड़ी मासूमियत से जवाब दिया, "भाई, अगर रथ में औरतें बैठी हों, तो वह स्त्रीलिंग है और अगर आदमी बैठे हों, तो वह पुल्लिंग है।" महान् कवि मिर्ज़ा ग़ालिब पर काफ़ी परेशानियाँ पड़ी, मुक़दमे चले, क़र्ज़ हुए, जेल हुई और इसके अतिरिक्त और भी परेशानियाँ आयीं मगर उन्होंने अपनी ख़ुशमिज़ाजी आखीर तक नहीं छोड़ी।

सबसे बड़ा शिकारी

एक क़स्बे में तीन लड़के रहते थे। वे तीनों ऊँचे दर्जे के गप्पी थे। एक दिन उनमें बहस छिड़ गयी कि किसका बाप सब से बड़ा शिकारी है। अब उन्होंने गप्प मारनी शुरू की।

पहले लड़के ने कहा, "मेरे पिता इतने बड़े शिकारी हैं कि कुछ कहा ही नहीं जा सकता। बरसों पहले उन्होंने कभी दशहरे के दिन गुलेल चलाकर एक चिड़िया को अपना निशाना बनाया था और स्थिति यह है कि अब तक हर वर्ष दशहरे के दिन एक चिड़िया अभी तक अपने आप आसमान से ठीक उसी जगह गिर जाती है जहाँ कि पहली चिड़िया गिरी थी। गुलेल का वही बरसों पहले छोड़ा पत्थर 'अभी तक काम कर रहा है। क्या इतना बड़ा शिकारी तुमने और कहीं देखा है?"

दूसरे लड़के ने और भी दिलचस्प कहानी सुनायी। वह बोला, "मेरे पिताजी ने एक बार जंगल में शेर देखा और उसका पीछा करना शुरू किया। कभी शेर आगे और पिताजी पीछे और कभी पिताजी आगे और शेर पीछे। बहुत देर तक इसी तरह शिकार चलता रहा। काफ़ी देर बाद पिताजी ने शेर के ऊपर बन्दूक की गोली चला दी। घण्टों तक गोली और शेर एक-दूसरे के पीछे लगे रहे। कभी शेर आगे और गोली पीछे और कभी गोली आगे और शेर पीछे। कई दिन तक यही सिलसिला चलता रहा। अन्त में चलकर शेर को जंगल में एक कोठरी दिखाई दी। वह कोठरी में घुस गया और उसने उसके दरवाज़े बन्द कर लिये। मगर गोली थी कि दरवाज़े पर ही जाकर चिपक गयी। कई बरस बाद जब शेर ने किवाड़ खोले तो गोली उसके लग गयी और वह मर गया। क्या इससे बड़ा शिकारी तुमने कभी सुना है?"

दोनों दोस्तों की कहानियाँ सुनने के बाद तीसरा लड़का बोला, "मेरे अब्बाजान एक बार भेड़िये के शिकार पर निकले। उनके पास कोई हथियार नहीं था। उन्हें एक ज़बर्दस्त भेड़िया मिला और वे निहत्थे ही उससे भिड़ गये। भेड़िया तो मर गया पर उसने मेरे अब्बा की कमर में अपने दाँत गड़ा दिये

जिसके कारण उन्हें ज़हरबाद हो गया और डॉक्टरों ने उनकी जान बचाने के लिए– उनका कमर के नीचे का हिस्सा काटकर वहाँ एक बकरी का पिछला हिस्सा लगा दिया। अब हालत यह है कि वे अब्बाजान के अब्बाजान हैं और दो किलो दूध सुबह देते हैं और दो किलो दूध शाम देते हैं। क्या इतना फ़ायदेमन्द शिकारी तुमने कभी देखा है?"

तीसरे दोस्त की गप्प सुनकर दोनों दोस्त चुप हो गये और उसके पिताजी की प्रशंसा करने लगे।

अदालतों के कहकहे

मद्रास के महान् वकील श्रीनिवास आयंगर कभी जज नहीं बनना चाहते थे। वह कहा करते थे– "मैं खड़े होकर दो घण्टे बकवास करने को राज़ी हूँ मगर बैठकर छह घण्टे बकवास सुनने को नहीं।"

●

एक बार एडीशनल जज की अदालत में तीन बैलों को लेकर मुक़दमा चल रहा था। जज ने कहा– 'दो बैल तो ठीक हैं। उनके बिना हल नहीं चल सकता, पर यह तीसरा बैल क्या करता है?" वकील ने तपाक से जवाब दिया– "हुज़ूर, यह एडीशनल है।" अदालत ठहाकों से गूँज उठी।

●

एक बार किसी बड़े बैरिस्टर ने जज से पूछा– "यदि मैं आपको गधा कहूँ तो क्या आप मुझ पर मानहानि का मुक़दमा चलाएँगे?" जज ने कहा– "ज़रूर।" बैरिस्टर बोले– "तब मैं आपको गधा कभी नहीं कहूँगा।"

●

अदालत में मुक़दमा चल रहा था। लाला घासीराम की गवाही होनी थी। घासीराम अन्धे थे। एक नौकर उनका हाथ पकड़कर उन्हें अदालत में लाया। मजिस्ट्रेट मज़ाकिया था। लालाजी का नाम सुनकर बोला– "आपका नाम तो बड़ा मज़ेदार है। नाम का नाम और ईंधन का ईंधन।" लालाजी अपने नौकर को चपत लगाते हुए बोले– "तू मुझे यहाँ कहाँ मिरासियों की मजलिस में ले आया? हाकिम की अदालत में ले चल।" लालाजी की बात सुनकर मजिस्ट्रेट का मुँह बन्द हो गया।

एक बार अदालत ने किसी मुक़दमे के सिलसिले में कालका मेल के इंजन को ज़ब्त कर लिया। गाड़ी घण्टों तक स्टेशन पर खड़ी रही। मुसाफ़िर परेशान थे। बहुत सोच-समझकर रेलवे के वकील ने कहा– "अदालत इंजन को अपने मालख़ाने में उठाकर रखे, ताकि गाड़ी में दूसरा इंजन लगाया जा सके।" कानून के अनुसार ज़ब्त की गयी सम्पत्ति अदालत को अपने अधिकार में लेनी पड़ती है। जब अदालत के सामने इंजन को उठाने की समस्या आयी, तो उसने अपना हुक्म वापस ले लिया।

एक बार इटली की अदालत के जज ने कुरन नाम के वकील से कहा– "कुरन, तुम जो कहते हो अगर वह किताबों में लिखा है, तो मैं अपनी सारी लाइब्रेरी जला दूँगा।" कुरन तपाक से बोला– "सरकार, यदि पुस्तकें जलाने की बजाय आप उन्हें पढ़ लें, तो कहीं ज़्यादा अच्छा रहेगा।"

•

कभी-कभी अदालत में जज भी ग़लती कर बैठते हैं। एक बार अदालत ने किन्हीं पति-पत्नी का तलाक़ मंज़ूर कर लिया। बाद में पता चला कि तलाक़ ग़ैर-कानूनी था। फ़ैसला देने वाले जज साहब एक दिन पहले ही रिटायर हो चुके थे। आदत के अनुसार वे रोज़ की तरह उस दिन ग़लती से अदालत चले आये थे।

आर्थर का आना

पुराने ज़माने की बात है। उन दिनों इंग्लैण्ड में यूथर नाम के राजा का राज था। यूथर एक दयालु और वीर व्यक्ति था। मगर वह दुखी रहता था, क्योंकि उसके कोई लड़का नहीं था। उसकी गद्दी पर न जाने कितने सामन्तों, दरबारियों और रिश्तेदारों की निगाह थी। यूथर सब कुछ जानता था, मगर चुप रहता था। अचानक एक दिन वह बुरी तरह बीमार पड़ गया। जब उसके बचने की कोई भी आशा न रही तो सारे सामन्त, दरबारी और सगे-सम्बन्धियों ने उसकी मृत्यु-शैया को घेर लिया। वज़ीर ने कहा कि राजा यदि अपने उत्तराधिकारी का नाम स्वयं ही निश्चित कर दें तो काफ़ी ख़ून-ख़राबा बच जाएगा। उसकी बात का समर्थन सभी ने किया। राजा यूथर ने गम्भीर आवाज़ में कहा कि, मेरे बाद मेरा पुत्र आर्थर इंग्लैण्ड का बादशाह होगा।" इतना कहने के बाद यूथर मर गया।

राजा की घोषणा सुनकर दरबारी और सामन्त अचम्भे में पड़ गये। उनमें से किसी ने भी आर्थर का नाम कभी नहीं सुना था। वे एक-दूसरे का मुँह ताकने लगे। बात दरअसल यह थी कि यूथर का एक पुत्र था जिसका नाम आर्थर था। मगर यह बात यूथर के अतिरिक्त और किसी को मालूम नहीं थी। आर्थर जब बहुत छोटा था, तभी यूथर ने उसे सर हेक्टर नाम के सामन्त को पालन-पोषण के लिए दे दिया था, ताकि वह दरबार के षड्यन्त्रों से बचा रह सके। सर हेक्टर को भी यह पता नहीं था कि वह बच्चा था कौन; और तो और, आर्थर को यह खुद मालूम नहीं था कि वह राजा का लड़का है और गद्दी का अधिकारी है। सारा मामला काफ़ी पेचीदा था।

थोड़े ही दिनों के भीतर सामन्त लोग परेशान होने लगे। बिना राजा के राज्य कैसे चलता? बहुत सोचकर लन्दन के बड़े पादरी ने जंगल के एक गिरजाघर में पत्थर का एक चबूतरा बनवाया। उसके ऊपर एक बहुत भारी लोहे की निहानी रखी गयी। इसके बाद एक तलवार उस निहानी और पत्थर के बीच इस तरह रखी गयी कि वह फँसकर पत्थर और लोहे की निहानी का ही एक अंग बन गयी। पादरी ने कहा कि जो कोई भी इस तलवार को यहाँ से खींच लेगा, वही इंग्लैण्ड का राजा बनेगा।

पादरी पर लोगों का अटूट विश्वास था। वे एक-एक करके वहाँ जाने लगे

और अपना ज़ोर आज़माने लगे। कोई भी उस तलवार को निकालना तो क्या, टस से मस भी नहीं कर पाया। गद्दी खाली रही और शासन बिगड़ता गया। धीरे-धीरे गृह-युद्ध की स्थिति आ गयी।

इत्तफ़ाक की बात कि एक दिन सर हेक्टर शिकार खेलने जा रहे थे। उनके साथ उनका लड़का सर 'के' था और आर्थर भी था। तीनों घोड़े दौड़ाते चले जा रहे थे। रास्ते में सर 'के' को अचानक ध्यान आया कि वह अपनी तलवार तो क़िले में ही भूल आया है। सर हेक्टर ने इस पर सर 'के' को भला-बुरा कहा। आर्थर को अपने प्यारे दोस्त पर दया आयी और उसने अपनी तलवार उसे दे दी और वह ख़ुद लौट गया। रास्ते में उसे ध्यान आया कि जंगल के पुराने गिरजाघर में एक तलवार पड़ी है, जिसे कोई नहीं निकाल सका। हँसी-हँसी में उसने सोचा कि वह भी कोशिश करता चले। वह वहाँ गया। उसने जैसे ही तलवार को खींचा, वह एकदम निकल आयी। इसके बाद आर्थर घोड़ा दौड़ाकर वहाँ पहुँचा, जहाँ सर हेक्टर ने सारी बात सुनी, तलवार देखी और घोड़े से उतरकर आर्थर को सलाम किया, क्योंकि वही तो इंग्लैण्ड का सच्चा राजा था। इसके बाद वे लन्दन गये और यह ख़बर सारे सामन्तों और नागरिकों को सुनायी। बहुत बड़ी तादाद में लोग गिरजाघर गये। वहाँ तलवार को फिर से पहले जैसी हालत में रखा गया। बहुत से वीरों ने फिर कोशिश की, किन्तु सिवा आर्थर के उसे कोई टस से मस तक नहीं कर सका। अन्त में सब लोगों ने आर्थर को अपना बादशाह स्वीकार किया और वह गद्दी पर बैठा।

नाम

तुमने तरह-तरह के नाम सुने होंगे। कुछ लोगों के नाम इतने विचित्र होते हैं कि कभी-कभी उन्हें सुनकर हँसी आ जाती है।

मैंने न जाने कितने नाम ऐसे देखे हैं जो एकदम बड़े मज़ेदार थे। फ़ौज के जवानों में अनेक सिपाही ऐसे हैं जिनके नाम जनरल सिंह, कर्नल सिंह, तहसीलदार सिंह, डिप्टी सिंह और कलक्टर सिंह हैं। बाबूसिंह तो तुमने सुना ही होगा। पर मैं ऐसे आदमियों से भी मिला हूँ जिनका नाम कुर्सी सिंह और मकान सिंह था।

एक बार मैंने लम्बे नामों की सूची इकट्ठी करनी शुरू की। कई साल तक रुद्र शंकर प्रतापबहादुर सिंह का नाम चोटी पर रहा। इसके बाद एक सज्जन मिले, जिनका नाम 'शिवशंकर मनकामेश्वरनाथ पाण्डे' था। इसके बाद दक्षिण के एक मित्र का ऐसा नाम मिला जो इतना लम्बा था कि मुझे याद भी नहीं रहा। हिन्दी के एक महान् लेखक थे जिनका नाम था पदुमलाल पुन्नालाल बख़्शी। उन्होंने लोगों के नामों पर एक लेख भी लिखा था।

अब मैं तुम्हें एक मज़ेदार कहानी सुनाता हूँ। एक गाँव में एक सज्जन रहते थे जिनका नाम था तम्बकतूरा। बड़ा अजीब नाम था और लोग उन पर हँसते भी थे। पर वह थे कि उन्होंने अपना नाम कभी नहीं बदला। एक बार वह तीर्थयात्रा पर निकले। रास्ते में देखा कि एक आदमी मरा पड़ा है और औरतें रो रही हैं। उन्होंने पूछा तो पता लगा कि मरनेवाले का नाम था अमर सिंह।

आगे चले तो देखा कि एक आदमी बेतहाशा भागा जा रहा है और कुछ लोग उसका पीछा कर रहे हैं। तम्बकतूरा जी ने उसका नाम पूछा तो पता लगा कि उसका नाम था शूरवीर सिंह और जाति थी राजपूत।

तम्बकतूरा जी चुप रहे और आगे बढ़ते गये। आगे देखा कि एक बूढ़ी औरत गोबर के कण्डे इकट्ठे कर रही है। नाम पूछा तो पता लगा कि उसका नाम लक्ष्मी था।

इसके बाद एक व्यक्ति ने हिम्मत बटोरकर तम्बकतूराजी का नाम भी पूछ लिया। उनका नाम सुनकर वह हँसने लगा कि भला यह भी कोई नाम है?

तम्बकतूरा जी शान्त रहे और बोले—

“अमरा हमने मरते देखे
भगते देखे शूरा
कण्डे बीनती लक्ष्मी देखी
ख़ासे तम्बकतूरा।”

सच है कि आदमी का बड़प्पन उसके कामों से जाना जाता है। सिर्फ़ बड़े-बड़े नाम रखने से कोई महान् नहीं हो जाता।

जानवरों का मेला

जंगल के सब जानवरों ने
एक लगाया मेला,
पोखर के तट पर भालू ने
गाड़ दिया फिर डेरा

हाथी लगा समोसे छनने
पूड़ी और कचौड़ी,
बकरी ने दूकान लगायी
देती पान गिलौरी

बन्दर लगा तमाशा करने
बँदरी को सँग लेकर,
घोड़ा पैसे कमा रहा है
दौड़-दौड़कर सरपट

भालू ने अपने डेरे में
होटल-सा कुछ खोला,
वहाँ बैठ सब दोसा खाते
सादा और मसाला

खरहा पापड़ लगा बेलने
चूहा नाच दिखाता,
बिल्ली रानी घूम रही है
लिये हाथ में छाता

चीते ने एक सरकस खोला

बीवी-बच्चे ले कर,
उसको देख रहा है
गीदड़ गैण्डे ऊपर चढ़कर

डुगडुग डुगडुग पिटी डुगडुगी
होता रेलमरेला,
जंगल के सब जानवरों ने
एक लगाया मेला

रेलगाड़ी

आयी रेल, आयी रेल
छुक-छुक करती आयी रेल,
पानी पीती आयी रेल
कोयला खाती आयी रेल,
सीटी देती आयी रेल
छुक-छुक करती आयी रेल,
प्लेटफ़ार्म पर भारी भीड़
बिस्तर और अटैचीकेस
सूट-बूट पहने सब साहब
कुली पहनते अपनी ड्रेस,
टा टा करते छोटे बच्चे
टिकट बँट गये, बैठे लोग
हाथ हिलाते जाने वाले
चाय-समोसा लेते लोग,
मोटे लाला बिलकुल थुलथुल
धोती ढीली, कुर्ता मलमल,
हाय, खो गयी उनकी चप्पल
उधर गिर गया देखो सिगनल;
गार्ड साहब ने दे दी झण्डी
सीटी देती जाती रेल
पटरी बाद बदलती पटरी
छुक-छुक करती जाती रेल

जाती रेल, जाती रेल
धुआँ उड़ाती जाती रेल।

लो, ये बोले

भौं-भौं-भौं-भौं कुत्ता करता,
म्याऊँ-म्याऊँ-म्याऊँ बिल्ली,
चीं-चीं-चीं-चीं चिड़िया बोली
फर-फर उड़ती तितली,
हें—हें—हें—हें करता घोड़ा
टें-टें-टें-टें करता तोता,
टर-टर-टर-टर रोता मेंढक,
भूखा ही सो जाता,
हूँ-हूँ-हूँ-हूँ करता गीदड़
चूँ-चूँ करता चूहा,
कू-कू-कू-कू कोयल गाती,
कुकड़ूँ करता मुरगा,
में-में-में-में करती बकरी,
पों-पों-पों-पों करती मोटर,
शी-शी-शी-शी करता इंजन,
पत्ते करते चर-मर

एक ज़रूरी बात

आते गये, आते गये बच्चों पर बच्चे
ज़िन्दगी हो गयी जानवरों से पीछे,
खाना और कपड़ा-और चीज़ें इतनी
आतीं कहाँ से भाई,
बाबू जी की तनख़्वाह तो अब भी है उतनी

चीनी और कपास उगाओ,
लोहा और इस्पात बनाओ,
भारत को मज़बूत बनाओ,
आगे चलकर नाम कमाओ
मगर करो मत ज़्यादा बच्चे,
काम नहीं तो होंगे कच्चे

थोड़े हैं बच्चे, है कितनी ख़ुशी,
रहते मज़े से हैं पापा-मम्मी
होते हम ज़्यादा, तो होती मुसीबत,
बढ़ गयी चीज़ों की कितनी क़ीमत

एक थी कुतिया–
हर साल देती थी बच्चे पर बच्चा,
जैसा कि ज़ाहिर है;
हर एक बच्चा होता था सिर्फ़ कुत्ता;
एक थी शेरनी
बच्चा वह देती थी सिर्फ़ एक बेर,
मगर बड़ा होने पर
वह होता था शेर

सुन्दरवन की रेल

सुन्दरवन के एक कोने में
ऐसी चलती रेल,
सारा काम जानवर करते
वही चलाते मेल

भालू चश्मा झाड़-पोंछकर
इंजन में बैठा है,
बन्दर फ़ायरमैन बना है
काम ख़ूब करता है

गीदड़ सिगनलमैन बन गया
ख़ूब तरक्की पाकर,
गैंडा बाबू कुरसी बैठे
वही चलाते दफ़्तर

घोड़ा घड़ी बाँधकर देखो
झण्डी हरी दिखाता,
गार्ड साहब की सारी वरदी
वह दिन-रात पहनता

बिल्ली रानी टिकट बाँटती
चश्मा ख़ूब लगाती,
बारहसिंगा चाय बेचता
उससे वह घबराती

बकरी, गदहा, खरहा, कछुआ,
चीता, गीदड़, अजगर
ठूँस-ठूँसकर भरे हुए हैं
सारे ये पैसेंजर

बच्चों के कुछ हास्य गीत

चने बनावें घासीराम,
जिसकी झोली में दूकान
चना चुरमुर-चुरमुर बोले,
बाबू खाने को मुँह खोले,
चना खाएँ गफूरन मुन्ना
बोले और नहीं कुछ सुनना,
चना खाते सब बंगाली,
जिनकी धोती ढीली-ढाली,
चना खाते मियाँ जुलाहे,
दाढ़ी हिलती गाहे बगाहे,
चना हाकिम सब जो खाते,
सब पर दूना टैक्स लगाते।

चूरन अमल वैद का भारी,
जिसको खाते कृष्ण मुरारी।
चूरन पुलिसवाले जो खाते,
सब कानून हजम कर जाते।
चूरन अमले सब जो खावें,
दूनी रिश्वत तुरत पचावें।

(भारतेन्दु हरिश्चन्द्र)

घण्टी बोली टन टन टन
उसमें से निकले टेम्पिल टन,
टेम्पिल टन ने मारी लात,

उलटी कुरसी मेज़-दवात
पण्डित जी पण्डाख्ता,
गोली मारी ताखता
गोली गयी रेल में
पण्डित जी गये जेल में
जेल गयी टूट,
पण्डित जी गये छूट

छल कबड्डी आल ताल
मेरी मूँछें लाल-लाल,
मर गये बिहारी लाल,
उड़ गयी चुटिया नैनीताल

(अज्ञात)

एक खिलाड़ी तगड़ा है
एक पैर से लँगड़ा है,
बूढ़ा एक पुराना है
एक आँख से काना है,
एक बिलैया ऊँची है
एक कान से बूची है

(स्वर्ण सहोदर)

एक शहर है टिम्बकटू
लोग वहाँ के हैं बुद्धू
बिना बात के ही ही ही,
बिना बात के हू हू हू

(निरंकार देव सेवक)

आयी छींक एक नन्दू को
एक रोज़ वह इतना छींका,
इतना छींका, इतना छींका,
सब पत्ते गिर गये पेड़ के

धोखा हुआ उन्हें आँधी का।

(रामनरेश त्रिपाठी)

एक नाऊ की नाइन खोटी
एक चना में सोलह रोटी,
नाऊ गया गूलर खान
पकड़ लिये चींटे ने कान
छोड़-छोड़ मेरे जिजमान
अब ना आऊँ गूलर खान

(अमीर ख़ुसरो)

एक चूही न मन में डरी
उछरि सेठ की धोती परी,
चूँ-चूँ-चूँ-चूँ धोती करे
बनिया धोती पकरे फिरे,

तब बनिये ने दई दुहाई
घर तैं दौड़ बनैनी आयी,
हुआ घोर कोलाहल भारी
भीर भई बनियन की सारी,
कोई लेवे सेर दुसेरी
कोई ले पक्की पंसेरी,
सबने मिल पंचायत कीनी
बार फेर चूही को दीनी,
आ चूही तू बाहर आ
घी शक्कर का भोग लगा,
तब चूही ने दाँत दिखाये
सात-पाँच बनिये लुढ़काये,
तब चूही ने दिया झटोका
खुल गयी धोती, चले पिटोका

(लोकगीत)

❑❑

परिशिष्ट

(अ) जीवन-वृत्त : रवीन्द्रनाथ त्यागी

1.	जन्म	:	9 मई, 1930 (क़स्बा : नहटौर, ज़िला-बिजनौर, उत्तर प्रदेश)।
2.	देहावसान	:	4 सितम्बर, 2004 (देहरादून, उत्तराखण्ड)।
3.	शिक्षा	:	एम.ए. (अर्थशास्त्र), प्रयाग विश्वविद्यालय (गोल्ड मेडलिस्ट), 1954।
4.	विवाह	:	सुश्री शारदाजी से, 24 जून, 1955।
5.	आजीविका	:	12 दिसम्बर, 1955 को 'इण्डियन डिफेंस एकाउण्ट्स सर्विस' में नौकरी आरम्भ की और 1 सितम्बर, 1989 को 'कण्ट्रोलर ऑफ़ एकाउण्ट्स' के पद से सेवानिवृत्त हुए।
6.	परिवार	:	पिता : पं. मुरारीदत्त शर्मा, माता : श्रीमती चमेली देवी, पत्नी : श्रीमती शारदा त्यागी, पुत्र : अशोक (जन्म : 17 अगस्त, 1962), पुत्री : इन्दु (जन्म : 9 जुलाई, 1966), पुत्र-वधू : दीपा, पौत्री : पल्लवी, पौत्र : प्रणव, दामाद : राजय, दौहित्री : कोपल राजे।

(आ) पुरस्कार-सम्मान

1. उत्तर प्रदेश हिन्दी संस्थान, लखनऊ : 1977-1978-1979 में प्रति वर्ष तीन अलग-अलग पुस्तकों पर पुरस्कृत।
2. सरस्वती सम्मान, सहारनपुर।
3. नागरिक सम्मान, मेरठ।
4. चकल्लस पुरस्कार, मुम्बई, 1985।

5. टेपा पुरस्कार, उज्जैन, 1988।
6. श्रीनारायण चतुर्वेदी पुरस्कार, उत्तर प्रदेश।
7. पदुमलाल पुन्नालाल बख्शी पुरस्कार, मध्य प्रदेश।
8. अट्टहास शिखर सम्मान, 1997।
9. व्यंग्यश्री पुरस्कार, दिल्ली, 1998।
10. लीलावती स्मृति पुरस्कार, 1999।
11. शरद जोशी सम्मान, 1999।
12. हरिशंकर परसाई पुरस्कार, हरदा, 2001।
13. स्नेहलता गोइन्का व्यंग्य-भूषण पुरस्कार, 2002।

(इ) रवीन्द्रनाथ त्यागी का साहित्य

(क) हास्य-व्यंग्य संग्रह (मौलिक)

	पुस्तक	प्रकाशक	प्रकाशन-वर्ष
1.	खुली धूप में नाव पर	लोकभारती प्रकाशन, इलाहाबाद	1963
2.	भित्ति-चित्र	राजकमल प्रकाशन, नयी दिल्ली	1966
3.	मल्लिनाथ की परम्परा	लोकभारती प्रकाशन, इलाहाबाद	1968
4.	कृष्णवाहन की कथा	नेशनल पब्लि. हाउस, नयी दिल्ली	1971
5.	देवदार के पेड़	नेशनल पब्लि. हाउस, नयी दिल्ली	1973
6.	शोक-सभा	नेशनल पब्लि. हाउस, नयी दिल्ली	1974
7.	अतिथि-कक्ष	राजपाल एण्ड संस, दिल्ली	1977
8.	सुन्दरकली	सम्भावना प्रकाशन, हापुड़	1978
9.	फूलों वाले कैक्टस	पराग प्रकाशन, दिल्ली	1979
10.	ऋतु-वर्णन	नेशनल पब्लि. हाउस, नयी दिल्ली	1988
11.	भद्र-पुरुष	पराग प्रकाशन, दिल्ली	1980
12.	इस देश के लोग	पराग प्रकाशन, दिल्ली	1982
13.	पदयात्रा	नेशनल पब्लि. हाउस, नयी दिल्ली	1985
14.	पराजित पीढ़ी के नाम	पराग प्रकाशन, दिल्ली	1988
15.	प्रसंगवश	पराग प्रकाशन, दिल्ली	1988
16.	आत्मलेख	नेशनल पब्लि. हाउस, नयी दिल्ली	1988
17.	विष-कन्या	भारतीय ज्ञानपीठ, नयी दिल्ली	1990
18.	गणतन्त्र दिवस की शोभा-यात्रा	नेशनल पब्लि. हाउस, नयी दिल्ली	1991

19.	चम्पाकली	किताब घर, नयी दिल्ली	1992
20.	इतिहास का शव	राजकमल प्रकाशन, नयी दिल्ली	1993
21.	देश-विदेश की कथा	किताब घर, नयी दिल्ली	1994
22.	भाद्रपद की साँझ	राजकमल प्रकाशन, नयी दिल्ली	1996
23.	लाल पीले फूल	किताब घर, नयी दिल्ली	1997
24.	बादलों का गाँव	अभिरुचि प्रकाशन, दिल्ली	1999
25.	शेष-अवशेष	भारतीय ज्ञानपीठ, नयी दिल्ली	2011

(ख) हास्य-व्यंग्य संकलन (पूर्व प्रकाशित निबन्धों के संकलन)

1.	उर्दू-हिन्दी हास्य-व्यंग्य	पराग प्रकाशन, दिल्ली	1978
		दूसरा संस्करण : राजकमल प्रकाशन, नयी दिल्ली	1991
2.	फुटकर	सम्भावना प्रकाशन, हापुड़	1979
3.	मेरी श्रेष्ठ व्यंग्य रचनाएँ	नेशनल पब्लि. हाउस, नयी दिल्ली	1979
4.	प्रतिनिधि रचनाएँ (सम्पादक : कमल किशोर गोयनका)	पराग प्रकाशन, दिल्ली	1988
5.	पूरब खिले पलाश	भारतीय ज्ञानपीठ, नयी दिल्ली	1998
6.	कबूतर, कौए और तोते	भारतीय ज्ञानपीठ, नयी दिल्ली	2001
7.	एक चिरन्तन कथा	मेधा बुक्स, दिल्ली	2004
8.	यक्ष-प्रश्न	मेधा बुक्स, दिल्ली	2005
9.	वसन्त से पतझर तक	भारतीय ज्ञानपीठ, नयी दिल्ली	2005
10.	सिन्दबाद की अन्तिम यात्रा (सम्पादक : कमल किशोर गोयनका)	प्रभात प्रकाशन, नयी दिल्ली	2008
11.	ग़रीब होने के फ़ायदे (सम्पादक : कमल किशोर गोयनका)	प्रभात प्रकाशन, नयी दिल्ली	2008
12.	51 व्यंग्य रचनाएँ (सम्पादक : कमल किशोर गोयनका)	डायमण्ड बुक्स, नयी दिल्ली	2011

(ग) कविता-संग्रह

1.	सूखे और हरे पत्ते	भारती भण्डार, प्रयाग	1962
2.	कल्प-वृक्ष	राजकमल प्रकाशन, नयी दिल्ली	1965
3.	आदिम राग	राधाकृष्ण प्रकाशन, नयी दिल्ली	1967
4.	आख़िरकार	नेशनल पब्लि. हाउस, नयी दिल्ली	1978
5.	सलीब से नाव तक	पराग प्रकाशन, दिल्ली	1983
6.	अन्तिम वसन्त	पराग प्रकाशन, दिल्ली	1988
7.	कृष्ण-पक्ष की पूर्णिमा	किताब घर, नयी दिल्ली	1996

(घ) कविता-संकलन (पूर्व प्रकाशित कविताओं का संकलन)

1.	पीले पाल वाली बूढ़ी नाव (श्रेष्ठ कविताएँ)	मेधा बुक्स, दिल्ली	2003

(ङ) उपन्यास-कहानी

1.	अपूर्ण कथा	सम्भावना प्रकाशन, हापुड़	1980
2.	अपूर्ण कथा (पेपरबैक)	राजपाल एण्ड संस, दिल्ली	1985

(च) पत्र-संग्रह

1.	मेघदूत उवाच	गीतांजलि प्रकाशन, देहरादून	2008

(छ) बाल-साहित्य

1.	मास्टर भोलाराम	पराग प्रकाशन, दिल्ली	1979
2.	हमारे मास्टर साहब	जनप्रिय प्रकाशन, दिल्ली	1987
3.	खेल गाँव	अभिरुचि प्रकाशन, दिल्ली	1991
4.	सुन्दर वन	अभिरुचि प्रकाशन, दिल्ली	1995

(ई) अप्रकाशित-असंकलित रचनाएँ

रवीन्द्रनाथ त्यागी के दिवंगत होने के बाद उनकी पत्नी श्रीमती शारदा त्यागी को

निम्नलिखित ऐसी रचनाएँ मिलीं जो अप्रकाशित एवं असंकलित थीं। ये रचनाएँ निम्नलिखित हैं–

1. आठ कविताएँ : झंडे के प्रति, पनघट, कवि से...., शाम हो गयी..., बेला, मेरा देश और साँझ।

   शारदाजी के अनुसार इनका रचना-काल 1948-52 के बीच का है। इनमें कुछ 'सरस्वती' (प्रयाग) पत्रिका में छपी थीं। उनकी एक पाँच पंक्ति की कविता उनकी डायरी में मिली, वह भी प्रस्तुत है। यह सम्भवतः उनकी अन्तिम कविता है।
2. उनके तीन असंकलित लेख भी संकलित हैं। पहला लेख तो उन्होंने मुझ पर लिखा था, दूसरा 'कुछ व्यंग्य संस्मरण' उन्होंने देहावसान के दिन ही 'उमर उजाला' को प्रकाशनार्थ भेजा था, जो उनके देहान्त के तीन दिन बाद श्रद्धांजलि के रूप में 'अमर उजाला' ने प्रकाशित किया। तीसरा लेख 'नयी पीढ़ी' फ़ाइल में दबा रखा था जो 'इण्डिया टुडे' ने उनकी पहली पुण्य-तिथि को प्रकाशित किया था।

आठ कविताएँ

(1) झंडे के प्रति

जय भारत के प्राण तिरंगे,

बिखर रही थी भारत सुषमा
सदियों से था कितना जर्जर
रही नीरसा धरा उर्वरा
रोता सा रहता था पतझर
सूने से उस ही उपवन में
मचवादी पिकतान तिरंगे!
जय भारत के प्राण तिरंगे।

स्वतन्त्रता की बलिवेदी पर
प्राणों से था खेल निरन्तर
आज सत्य हैं जिनके सपने
अमर हुए जाने वे कितने
भगत सिंह जैसे अनेक उन
वीरों के अभिमान तिरंगे।

जय भारत के प्राण तिरंगे।

जहाँ रही कल सन्ध्या काली
खिली चाँदनी है उजियाली।
वर्षों से अभिशप्त पुनीता,
पुष्प धरा पर है हरियाली
लूटी हुई भारतमाता के
हो सुहाग की शान तिरंगे।
जय भारत के प्राण तिरंगे।

(2) पनघट

ग्राम अलका अप्सराएँ
पनघट पर नीर भरे।

सुन्दर सजीले अंग,–
अचल हिले, खुले पंख,
वस्त्र कसे, कसे व्यंग
अधर रस बूँद झरे!

अंचल हिलाता मरुत्,
धीरे धीरे बजे नूपुर,
उर उर में मधुर मधुर,
अंग में उमंग भरे!

मधुर हास स्नेह सने,
खींच वारि कर थमे,
घूँघट तूणीर, तने–
नयनों के वाण चले!

आर्द्र-द्रुम छाया सधन,
नभ नील - उज्ज्वल घन,
हँसती सी मलयज पवन,
पुष्पों के पंख हिले!

उच्च नील शैल झलक
देता; था घट में छलक
होती फिर हास किलक
काम कल चाप धर!

विहँस उड़ी विहग वधू—
नीड़, चली ग्राम वधू,
प्राणों की वीणा में
जीवन का राग भरे!

(3) कवि से...

ओ शब्दों के चित्रकार तुम,
मृत वर्णों में भर देते हो
अपने प्राणों के जीवित कण!

जीवन की इस मौन डगर पर
तुम काँटों की कुंचित छाया
में भी जाने सुलग रहे हो—
कैसे अपनी कोमल काया!

सोये स्वर में प्राण जगा कर,
शुष्क शब्द से गान बना कर,
तुम जाने कैसे ले आते,
शापों से वरदान बना कर!

तुम जाने कैसे भर देते
स्वप्नों से जीवन का प्याला!
तुम कैसे मूर्च्छित कर देते
जीवित भावों से यह अन्तर!

कैसे जाने देव तुम्हारी
पीड़ा हो जाती है हाला
कैसे जाने सज जाती रे
अनजाने भावों की माला!

तुमने जीवन के क्रन्दन को
मधुर स्वरों के पात्रों में भर
पिला दिया रे अनायास ही
कैसे तुमने अपना अन्तर?

तुमने वर्णों की रेखा में
बाँध दिया सन्ध्या प्रभात को
तुमने पद लय के बन्धन में
बाँध दिया नश्वर जीवन को!

देव, तुम्हारे कल्पित जग की
अजर अमर सुन्दर कुटिया में
मैं भी आकर देख सकूँगा
क्या वे सारे संचित सपने?

(4) शाम हो गयी...

शाम हो गयी,
छिप गये पेड़,
जंगल से लौट आये
बैल, बकरी, भेड़!
पीपल पर लाल लाल
परियाँ रहीं नहीं,
दूर उधर वन में ही
छिप गयीं कहीं!

शब्द एक आता था
किसी के गाने का,
बन्द हो गया; दीप
मन्दिर पर जल गया,
पोखरों से होकर के
घेरों के पास तक
अँधेरा बढ़ आया
चुपके लपक!

डगरों से धूल भरे
बच्चे गये,
क़स्बे के व्यापारी
वापस गये,
पेड़ों के डैनों में
पंछी सोये,
तारों की छाया में
पेड़ सो गये!

सरिता के आसपास
तीर सो गया,
रात की उन बातों में
तम खो गया,
अधरों के बिस्तर पर
गान सो गये।

(5) बेला

आधी रात, जगे तुम बेला,
किसको देख रहे हो पथ पर?
सोया तम भी, सोया नभ भी
और सो गयी वह श्रान्त डगर!
ओ, कवि से तुम भी खिलते हो
गाते शैशव सा मृदु गाना।
सो जाता संसार सभी जब
एकाकी केवल मनमाना।
कौन खिला जाता है जाने
आकर तुमको धीर-धीरे;
नीरव तम में मधुर मौन वह
पंखुरियों पर मृदु स्पर्श दे!
तुम फूलों के राजा, वह भी
होगी रे परियों की रानी।
सबसे छिपकर आ जाती जो
तुम्हें सुनाने प्रेम कहानी।
तुमने यामा के विषाद में
ढूँढ़ा कैसे अमर हास रे?
तुमने कैसे जान लिया प्रिय,
आधी ठीक हुई रात रे?
बोलो, मेरे प्रिय बेला तुम,
मुझे सिखा दी खिलते रहना;
यामा के नीरव विषाद में भी
वृन्तों पर हँसते रहना।
आधी रात हो गयी बेला,
मैं जाता हूँ; तुम हो योगी!

प्रिय-माला-हित लेने कोई
जगी रात भर, आती होगी!

(6) मेरा देश

मेरा देश
मेरा देश
मेरा देश
नदियों का देश
कवियों का देश
छवियों का देश
यह देश—
कि वन-वन गाती-फिरती परियों का

खेतों का देश
गीतों का देश
दीपों का देश
यह देश—
कि शत-शत ऋतुओं का—उन रंगों का

पर्वत का देश
झीलों का देश
सागर का देश
यह देश—
पाल बर्फ़ के : माँझी के सन्देशों का

मेघों का देश
हंसों का देश
कमलों का देश
यह देश—
कि रंग-बिरंगे पंखों उड़ते पाखी का

सोने का देश
चाँदी का देश
मिट्टी का देश
यह देश—
कि लम्बे-लम्बे दिन औ गहरी रातों का

गीता का देश
अयोध्या का देश
मुग़लों का देश

यह देश—
राम, कृष्ण औ गाँधी, बुद्ध, जवाहर का

सन्तों का देश
महन्तों का देश
तीर्थों का देश

यह देश—
मन्दिर, मस्जिद, और शिवाले, गिरजे का

यौवन का देश
जीवन का देश
चिरन्तन देश

यह देश—
आशाओं का, विश्वासों का, आदर्शों का

मेरा देश
मेरा देश
मेरा देश

यह देश—
कि नाम एक बस केवल मेरे प्राणों का

(7) साँझ

धीरे-धीरे साँझ हो गयी!
अब बेला के फूल हिल गये,
नभ में कितने दीप जल गये,
मन में जगा भाव वह नये,
जग भर को मृदु-स्वप्न दे गयी!
ग्राम-डगर पर खिसका अंचल,
स्वर्ण विहग ले सोता पीपल,
उठ जल से यह रेखा चंचल
अभी-अभी नभ में खो गयी।
उधर सो गया धीरे, सविता

नभ में फैला कोमल कविता
जो बिखरे बादल की सन्ध्या
नीरव पग धर मुझे दे गयी!

(8) अन्तिम अप्रकाशित कविता

जो करता हो प्रतीक्षा पावस की
जिसके गीत से उगते हों बादल
जिसके कण्ठ से निकलता हो वसन्त
ऐसा रूपवान शव क्या
आपने कहीं देखा है?

तीन लेख

(1) कमल किशोर गोयनका : एक निश्छल व परिश्रमी प्राण

कुछ लोग ऐसे होते हैं कि आप उन्हें कतई नहीं जानते पर पहिली ही मुलाक़ात में कुछ ऐसा लगता है कि हम दोनों न जाने एक-दूसरे को कितने वर्षों से जानते हैं। डॉ. गोयनका इसी प्रकार के व्यक्ति हैं। मैं उनसे देहरादून में कोई सात वर्ष पहिले पहिली बार मिला था और उस एक भेंट में ही मैं उनका मुरीद हो गया, उनका भक्त हो गया। इतना सरल, निष्कपट, सात्विक और स्नेही बन्धु पाकर मैं वास्तव में भगवान के प्रति हृदय से आभारी हूँ। इस 'दुर्घटना' के बाद वे मेरे यहाँ जम्मू आये और मेरी 'प्रतिनिधि रचनाओं' के सम्पादन के सम्बन्ध में कोई सप्ताह भर रुके। तब मैंने उनका समीक्षक व शोधकर्म वाला व्यक्तित्व देखा, जो मेरे लिए पहला अनुभव था। वे इतने 'सिस्टैमैटिक' हैं, इतने परिश्रमी हैं और इतने पारखी हैं कि बड़े से बड़े प्रोजेक्ट को भी वे कम समय में समाप्त कर सकते हैं। उनके पास बैठ कर लगता है कि रामचन्द्र शुक्ल, हज़ारी प्रसाद द्विवेदी व बाबू श्यामसुन्दर दास किस प्रकार के व्यक्ति रहे होंगे। मैं अतिशयोक्ति कर रहा हूँ पर ज़्यादा नहीं।

डॉ. गोयनका ने मुंशी प्रेमचन्द पर काम किया और बड़ी निष्ठा व लगन के साथ किया। 'प्रेमचन्द विश्वकोश' एक ऐसा विशद ग्रन्थ है कि उसके कारण गोयनका जी की प्रसिद्धि देश में ही नहीं वरन् विदेशों में भी हुई। उन्हें कई पुरस्कार भी मिले। उन्होंने प्रेमचन्द की ऐसी रचनाओं को भी ढूँढ़ा जिनका किसी को पता भी नहीं था। प्रेमचन्द के जीवन के ऐसे प्रसंगों और घटनाओं का विवरण भी तैयार

किया जिन्हें कोई नहीं जानता था। हालाँकि इन प्रसंगों में कुछ ऐसे पहलू भी आये जिन्हें प्रेमचन्द के 'अन्ध-भक्तों' ने पसन्द नहीं किया। बात यह है कि तुलसीदास की भाँति प्रेमचन्द भी करोड़ों पाठकों के लिए मात्र लेखक ही नहीं हैं वरन् उनके परिवार के सदस्य हैं, उनके अपने हैं। ऐसे लोग ऐसी कोई बात नहीं जानना चाहते जो उस चित्र पर नया प्रकाश डाले जिसे वे वर्षों से अपने हृदय पर अंकित किये हुए हैं। मैं खुद इन अन्ध-भक्तों में से एक हूँ। मगर इस सब से गोयनका जी के शोध-कार्य पर कोई अन्तर नहीं पड़ता।

प्रेमचन्द पर किये गये काम से जैसे ही कुछ अवकाश मिला, वैसे ही वे उन चर्चित साहित्यकारों की प्रतिनिधि रचनाओं के संकलन में लग गये, जिन्होंने एक से ज़्यादा विधाओं में काम किया था। यह काम उन्होंने उसी निष्पक्षता, कुशलता और लगन के साथ किया जो उन्होंने प्रेमचन्द के सन्दर्भ में दिखाई थी। वे एक ऐसे समीक्षक हैं जो भावुक तो हैं पर निष्पक्ष भी हैं, स्नेही तो हैं पर स्पष्ट वक्ता भी हैं, प्रशंसक तो हैं पर कमियों पर प्रकाश डाले बिना रह नहीं पाते।

गोयनका जी की निश्छलता कभी-कभी ऐसे कमाल दिखाती है कि आप परेशानी में पड़ सकते हैं। उन्होंने मेरी एक अच्छी-ख़ासी किताब एक ऐसे प्रकाशक को दिलवा दी कि उसने मुझे अभी तक एक पैसा भी रॉयल्टी के रूप में नहीं दिया। यदि मेरा यह नुक़सान न हुआ होता तो मैं उनकी और ज़्यादा प्रशंसा करता।

(11 फ़रवरी, 1989)

(2) कुछ व्यंग्य-संस्मरण

मेरी शादी जून 1955 में हुई। उस समय मेरी आयु 25 वर्ष की थी और पत्नी की आयु 16 वर्ष की थी। उसी वर्ष, मैं केन्द्रीय सरकार की एक बड़ी नौकरी के लिए चुन लिया गया। दफ़्तर जाने पर मैंने साइकिल ख़रीदने के लिए एडवांस की अर्ज़ी दी जो अस्वीकृत कर दी गयी, क्योंकि मैं प्रथम श्रेणी का अधिकारी था और मुझे मोटर ख़रीदने का एडवांस तो मिल सकता था, पर साइकिल का नहीं। एक मित्र अधिकारी ने मुझे दस रुपये प्रति माह के किराये पर एक नयी साइकिल दिलवा दी। कोई डेढ़ वर्ष बाद मैंने अपनी साइकिल ख़रीदी, जिसकी क़ीमत डेढ़ सौ रुपया थी। साइकिल शानदार थी; उसमें घण्टी थी, चेन कवर था, स्टैण्ड था, आगे की तरफ़ बेंत की टोकरी थी और पिछली तरफ़ सामान रखने का क्लिप था। मैंने कोई बारह वर्ष बाद नयी मोटर ख़रीदी, जिसकी सारी क़ीमत साढ़े अठारह हज़ार थी। पत्नी गोरी थी और इसी कारण मोटर मैंने काले रंग की ली। अब तक वही मोटर है और वही पत्नी है। मोटर ख़रीदने के बाद मैंने अपनी साइकिल सौ रुपयों में बेच दी। अब तो हालत यह है कि मेरे निजी परिवार में छह मोटर हैं जिनमें मेरी मोटर सबसे पुरानी

है। मोटर उतनी ही चमकती है जितनी कि वह सैंतीस वर्ष पहले चमकती थी। चार दुर्घटनाएँ हो चुकी हैं, जिनमें एक दुर्घटना भयंकर थी और मेरी जान कैसे बच गयी, यह मैं खुद नहीं जानता। यह दुर्घटना मेरी अपनी लापरवाही के कारण हुई थी।

मुन्नीलाल ने मुझे मोटर चलाना सिखाया। वह मेरे ही दफ़्तर में चतुर्थ श्रेणी का कर्मचारी था। उसके साथ मेरा परिवार सारनाथ, वाराणसी, कौशाम्बी, चित्रकूट, चुनार, मिर्ज़ापुर, विन्ध्याचल, लोअर खज़ूरी डाम, अपर खज़ूरी डाम, चचई फ़ाल, टाँडा फ़ाल, विंढम फ़ाल, रीवाँ, गोविन्द गढ़, कानपुर व लखनऊ गये। मुन्नीलाल शराब बहुत पीता था और इसी कारण वह तीस-पैंतीस वर्ष की आयु में ही मर गया। कौशाम्बी में कभी राजा उदयन राज करते थे और उनकी चर्चा कालिदास ने 'मेघदूत' में की।

1950 में जब मैं इलाहाबाद युनिवर्सिटी गया तो मैंने देखा कि लगभग सारे बड़े प्रोफ़ेसर या तो रिक्शे से चलते थे या फिर साइकिल चलाते थे। कुछ बड़े लोग (जैसे डॉ. ईश्वरीप्रसाद और रघुपतिसहाय 'फ़िराक़') युनिवर्सिटी पैदल ही आते थे, क्योंकि उनके बँगले युनिवर्सिटी के पास ही थे। हिन्दी-विभाग में केवल डॉ. रामकुमार वर्मा ही एक ऐसे अध्यापक थे जो मोटर रखते थे। बाद में चलकर डॉ. धर्मवीर भारती ने एक ऐसी फटीचर मोटर ख़रीदी थी जिसके भोंपू को छोड़कर, सारे पुर्ज़े आवाज़ निकालते थे। भोंपू की ज़रूरत कभी नहीं पड़ती थी, क्योंकि उनकी मोटर की आवाज़ इतनी बुलन्द थी कि वह दूर तक पहुँचती थी। उनकी उस मोटर को स्टार्ट करने के लिए क़रीब छह विद्यार्थी धक्का लगाते थे। कभी-कभी वह मोटर एकदम चल पड़ती थी और पीछे से धक्का लगाने वाले छात्र धराशायी हो जाते थे, जबकि उनकी वह शानदार मोटर प्रायः रोज़ ही काफ़ी धक्के लगाने के बाद ही गतिशील हो पाती थी। कॉमर्स विभाग के प्रोफ़ेसर घोष और अँग्रेज़ी विभाग के प्रोफ़ेसर सतीशचन्द्र देव ताँगे में बैठकर युनिवर्सिटी आते थे, जबकि अर्थशास्त्र के प्रोफ़ेसर रुद्रा साइकिल से ही युनिवर्सिटी आते थे। प्रोफ़ेसर देव एक दिलचस्प आदमी थे। उनके बारे में बच्चन ने लिखा है—

प्रोफ़ेसर देव थे गोलमटोल
मानो विश्व-ज्ञान के ढोल,
विनम्रता के थे अवतार
और विनम्रतर बन जाने में
उन्हें नहीं लगती थी बार,
कर सकते थे वे हाफ़िज़ का
सेनोलूल का, हलवे का
एक साँस में शंखोच्चार।

(3) नयी पीढ़ी

मैं एक निम्न मध्यवर्गीय परिवार में पैदा हुआ, जो मेरे पिता की घोर अकर्मण्यता के कारण भयंकर ग़रीब था। मेरी प्रारम्भिक शिक्षा संस्कृत में हुई। किसी तरह मैं अपने क़स्बे के हाई स्कूल में भर्ती हुआ जिसका सारा श्रेय एक परम दयालु हैडमास्टर को जाता है, जिन्होंने मेरी फीस माफ करवाई और कोर्स की किताबें स्कूल की लाइब्रेरी से दिलवाईं। मैं क्लास में हमेशा प्रथम आता था और इसी कारण मुझे छात्रवृत्ति हमेशा मिलती थी। ट्यूशन करके सौ रुपये जमा किये और उन्हीं के बल पर मैं प्रयाग विश्वविद्यालय गया और वहाँ से एम.ए. की परीक्षा में टॉप करके लौटा। वहाँ भी मैंने पाँच रुपये मासिक की नौकरी की, छात्रवृत्ति पायी, प्रूफ़ पढ़े, डिस्पैच का काम किया और सुन्दर व अमीर लड़कियों के ट्यूशन भी किये। प्रयाग उन दिनों साहित्य का गढ़ था और पन्त, निराला, महादेवी वर्मा, फ़िराक़ और बच्चन वहीं रहते थे। अगर मैं प्रयाग न जाता तो साहित्यकार कभी नहीं बनता। प्रयाग में ही मैंने देश की सर्वोच्च सिविल सर्विसेज़ की प्रतियोगिता-परीक्षा पास की और 'इण्डियन डिफेंस एकाउण्ट्स सर्विस' के लिए चुन लिया गया। मैं रातों-रात एक बड़ा आदमी बन गया। नौकरी के सात वर्ष मैंने विभिन्न महत्त्वपूर्ण पदों पर केन्द्रीय सचिवालय में गुज़ारे। जब चौधरी बंसीलाल रक्षा मन्त्री बने, तो उन्होंने पहला ख़ास काम यह किया कि बिना किसी ठोस कारण के मुझे मुअत्तिल कर दिया। मैं उन दिनों रक्षा-मन्त्रालय में उपसचिव था। मुअत्तिली का ग़लत ऑर्डर उन्हें पिछली तारीख़ से वापस लेना पड़ा। कुछ परेशानियों को छोड़कर, मेरा सारा सेवा-काल शान्ति से गुज़रा। मैं बहुत भाग्यशाली था। यदि मैं इन दिनों 'भारतीय प्रशासन सेवा' या 'भारतीय पुलिस सेवा' में होता तो कुमारी मायावती, श्रीमती राबड़ी देवी या कुमारी जयललिता द्वारा, पता नहीं कब और कहाँ फेंक दिया गया होता। कुमारी मायावती की माया अनन्त है। यह कुमारी तो जब भी चाहे तभी चीफ़ सेक्रेटरी या डाइरेक्टर जनरल (पुलिस) को मुअत्तिल कर दें या उनका ट्रांसफर कन्याकुमारी को कर दें, हालाँकि कन्याकुमारी इनके राज्य के बाहर है। हरि अनन्त, हरि कथा अनन्ता...।

मैं तो फ़िलहाल देहरादून जैसे रमणीक और महत्त्वपूर्ण नगर में एक बड़े बँगले में रहता हूँ जिसमें (रोमन क़ानून के विधाता सिसरो के कथनानुसार) लाइब्रेरी व उपवन दोनों हैं। घूमना, लिखना, पढ़ना और निद्रा लाभ—इनको छोड़कर और कोई काम नहीं करता। डिप्रेशन, डायबिटीज और रिश्वत न लेने के दुःख ज़रूर सालते हैं, पर इस असार संसार में ऐसा कौन है जो पूर्णतया सुखी हो? नानक दुखिया सब संसार। मगर असली बात यह है कि इतना सब कुछ पाने के बाद भी मेरी नीयत नहीं बदली। कुली तभी करता हूँ जबकि, सामान रेल में रखने के लिए, वैसा करना अनिवार्य हो और कुली कर भी लिया तो उससे मज़दूरी देने पर जो बहस चलती है,

वह तभी ख़त्म होती है जबकि रेल चलने लगती है। प्रतिदिन पाँच सिगरेट पीता हूँ, और प्रत्येक सिगरेट की क़ीमत चालीस पैसे होती है। जूते खुद पालिश करता हूँ, किताबों की जिल्दें खुद बाँधता हूँ और अपनी हजामत खुद ही बनाता हूँ। कपड़ों को तब तक पहनता हूँ जब तक वे इतने न फट जायें कि मेरे गुप्तांग ही दिखने लगें। मैं एक गंजा व्यक्ति हूँ और जो थोड़े से बाल हैं, वे सिर के पिछले हिस्से पर ही हैं। इन बालों को प्रायः मैं पत्नी से कटवा लेता हूँ या खुद ही काट लेता हूँ। श्री महावीर त्यागी और श्री मुरारजी देसाई भी ऐसा ही करते थे। कार वही है जो पैंतीस वर्ष पहले ख़रीदी थी। उन दिनों नयी फिएट कार मात्र अठारह हज़ार में मिली थी और पेट्रोल का दाम निन्यान्वे पैसे प्रति लीटर था। गाड़ी ख़रीदने के लिए मैंने बारह हज़ार का कर्ज़ा तो सरकार से लिया और बाक़ी पैसा पुत्र के मुंडन-संस्कार के नाम पर अपने प्रोविडेण्ट फण्ड से निकाला। टेलीविज़न 'ब्लैक एण्ड ह्वाइट' ही रहा, रंगीन नहीं। पत्नी भी वही है जिसे मैंने लगभग अड़तालीस वर्ष पहले प्राप्त किया था। सभी चीज़ें आज भी लगभग उतनी ही नयी हैं जितनी कि वे प्राप्ति के समय थीं। मैं अब भी उतना ही दक़ियानूसी और किफ़ायती हूँ, जितना पचास वर्ष पहले था। सादा जीवन व सादे विचार। मगर नयी पीढ़ी ने मुझ पर जो हमला बोला है, उसका अन्त नज़र नहीं आता।

मेरा पुत्र एक अमेरिकन मल्टीनेशनल में ऊँचे पद पर है। उसका सही वेतन तो मैं नहीं जानता, मगर इतना ज़रूर जानता हूँ कि उसको जो वेतन, बोनस व अतिरिक्त सुविधाएँ मिलती हैं, उन पर उसे साढ़े बाईस लाख आय कर प्रत्येक वर्ष देना पड़ता है। उसकी सुन्दर पत्नी भी केन्द्रीय सरकार के टेलीफ़ोन विभाग में एक बहुत ऊँचे पद पर है। दोनों की अपनी अलग गाड़ियाँ हैं और दोनों ने विश्व के लगभग सभी देशों का दौरा किया है। दोनों इतने व्यस्त हैं कि उनके दो बच्चे आया पालती है। दो ड्राइवर हैं, एक कम्पनी का दिया पहरेदार है और बाक़ी घरेलू नौकर अलग हैं। सब कुछ है, पर बच्चों को कहानियाँ सुनाने का समय उनके पास नहीं है। मेरी पुत्री और दामाद बिहार के एक मुफ़स्सिल नगर में एक शानदार कान्वेंट चलाते हैं और इतने ठाठ से रहते हैं कि दामाद जो है वह लगभग एक हज़ार रुपयों की तो टाई ही लगाता है। कान्वेंट में छुट्टी होते ही अपनी-अपनी गाड़ियों में अपनी सुन्दर बच्ची के साथ वे दोनों भारत-दर्शन को निकल पड़ते हैं। उन्होंने सारे दर्शनीय स्थान देखे हैं और अपनी मोटरों के सहारे ही देखे हैं। इन दर्शनीय स्थानों में देहरादून भी शामिल है जहाँ वर्ष में एक या दो बार वे ज़रूर आते हैं। वे पाँच सितारों वाले होटलों में ठहरते हैं और वहाँ के बैरों को इतना 'टिप' देते हैं कि मुझे किसी बड़े होटल के बैरा बनने की इच्छा सालने लगती है। महाकवि मिल्टन की यह पंक्ति याद आने लगती है जिसमें उसने कहा है कि 'दे आलसो सर्व, हू स्टैण्ड एण्ड वेट'। दोनों बच्चे फ़िज़ूलख़र्च होने के साथ-साथ दयालु भी बहुत हैं। कुली, मज़दूर व भिखारी

तबके के लोगों को वे खुले हाथ देते हैं। यो न ददाति न भुक्ते, तस्य तृतीया गतिः भवति (भर्तृहरि)।

मेरे दोनों बच्चे जब भी आते हैं तभी उन्हें मेरे रहन-सहन में खामियाँ-ही-खामियाँ नज़र आती हैं। पिछले कुछ वर्षों में उन दोनों ने मेरे मकान में कपड़े धोने की मशीन, मकान के सारे पर्दे, क़ीमती किताबें, दो कूलर, एक एयर-कण्डीशनर, एक कॉर्ड-लैस, दो रंगीन टेलीविज़न, एक वीडियो, एक मोबाइल टेलीफ़ोन, एक इन्वर्टर और विदेशों से लायी विभिन्न वस्तुएँ इस प्रकार लगायी हैं, मेरा मकान एक अजायबघर लगता है जिसका कि मैं चपरासी लगता हूँ। अपने ही घर में अब मैं प्रवासी हो गया। (वह अपने घर में प्रवासिनी—पन्त) मेरा पुत्र और मेरा दामाद मेरी सुविधा के लिए एक-एक मोटर यहाँ भी छोड़ना चाहते हैं। अगर ऐसा हो गया तो मेरा घर एक गराज़ लगेगा और आयकर विभाग की एक टीम मेरे घर की तलाशी लेगी। पता नहीं कि मैं उन्हें कैसे सन्तुष्ट करूँगा कि छापे में डेढ़ लाख की अतिरिक्त सम्पत्ति जो मिली है, वह कहाँ से आयी और कब आयी। उन्होंने एक ड्राइवर भी लगा दिया है और मेरे जूतों की पालिश व हजामत बनाने का काम उस व्यक्ति को सौंप दिया है जो अब तक सिर्फ़ मेरा माली ही था। यह व्यक्ति एक कलाकार है जिसके लिखे और गाये हुए पहाड़ी गीत उत्तरांचल के रेडियो पर प्रसारित होते हैं। मैं हजामत बनवाते समय उसकी कला को किसी तरह दबाये रहता हूँ, ताकि मेरा गला सुरक्षित रहे। आज सारे बच्चे हमें 'हाय' कहकर किसी बड़े होटल में खाना खाने गये हैं। मैं और मेरी निजी और एकमात्र पत्नी बरामदे में चाय पी रहे हैं और वर्षा का आनन्द ले रहे हैं। मैं सिगरेट सुलगाता हूँ और अपने प्रियतम कवि अकबर इलाहाबादी का एक शेर याद करता हूँ :

हम ऐसी सब किताबें क़ाबिले-ज़ब्ती समझते हैं
कि जिनको पढ़कर बच्चे बाप को ख़ब्ती समझते हैं।

(उ) कमल किशोर गोयनका का साहित्य

(क) प्रेमचन्द पर पुस्तकें

1. **प्रेमचन्द के उपन्यासों का शिल्प-विधान** : सरस्वती प्रेस, 2/43, अंसारी रोड, दरियागंज, नयी दिल्ली-110002, प्र.सं. 1974, मूल्य : 50.00 रुपये
2. **प्रेमचन्द : कुछ संस्मरण** : सरस्वती विहार, जी.टी. रोड, शाहदरा, दिल्ली, प्र.सं. 1980, मूल्य : 25.00 रुपये
3. **प्रेमचन्द (पाकेट बुक)** : हिन्द पॉकेट बुक्स प्रा.लि., जी.टी. रोड, शाहदरा, दिल्ली, प्र.सं. 1980, मूल्य : 10.00 रुपये
4. **प्रेमचन्द और शतरंज के खिलाड़ी** : पूर्वोदय प्रकाशन, 7/8, दरियागंज,

नयी दिल्ली-110002, प्र.सं. 1980, मूल्य 45.00 रुपये

5. **प्रेमचन्द : अध्ययन की नयी दिशाएँ** : साहित्य-निधि, सी-38, ईस्ट कृष्णा नगर, दिल्ली, प्र.सं. 1981, मूल्य : 50.00 रुपये
6. **रंगभूमि : नये आयाम** : नचिकेता प्रकाशन, 9187/4, मुल्तानी ढांडा, पहाड़गंज, नयी दिल्ली-110055, प्र.सं. 1981, मूल्य : 50.00 रुपये
7. **प्रेमचन्द-विश्वकोश (खण्ड एक एवं दो)** : प्रभात प्रकाशन, 205, चावड़ी बाज़ार, दिल्ली-110006, प्र.सं. 1981, मूल्य : 300.00 रुपये
8. **प्रेमचन्द–चित्रात्मक जीवनी** : पीताम्बर पब्लिशिंग कम्पनी प्रा.लि., 888, ईस्ट पार्क रोड, करोलबाग, नयी दिल्ली-110005, प्र.सं. 1986, मूल्य : 75.00 रुपये
9. **प्रेमचन्द का अप्राप्य साहित्य (खण्ड एक एवं दो)** : वाणी प्रकाशन, 21-ए, दरियागंज, नयी दिल्ली-110002, प्रथम संस्करण, 2016, मूल्य : प्रत्येक खण्ड 2000.00 रुपये
10. **प्रेमचन्द की हिन्दी-उर्दू कहानियाँ** : भारतीय ज्ञानपीठ, 18, इंस्टिट्यूशनल एरिया, लोदी रोड, नयी दिल्ली-110003, प्र.सं. 1990, मूल्य : 130.00 रुपये
11. **प्रेमचन्द-रचना संकलन** : साहित्य अकादेमी, 35, फ़िरोजशाह मार्ग, नयी दिल्ली-110001, प्र.सं. 1994, मूल्य : 300.00 रुपये
12. **प्रेमचन्द–देश-प्रेम की कहानियाँ** : निर्मल पब्लिकेशन्स, ए-139, कबीर नगर, गली नं.-3, शाहदरा, दिल्ली-110032, प्र.सं. 2002, मूल्य : 400.00 रुपये
13. **प्रेमचन्द के नाम पत्र** : अनिल प्रकाशन, 2619-20, न्यू मार्केट, नयी सड़क, दिल्ली-110006, प्र.सं. 2002, मूल्य : 250.00 रुपये
14. **प्रेमचन्द–बाल साहित्य समग्र** : मेधा बुक्स, एक्स-11, नवीन शाहदरा, दिल्ली- 110032, प्र.सं. 2002, मूल्य : 400.00 रुपये
15. **प्रेमचन्द की अप्राप्य कहानियाँ** : अनिल प्रकाशन, 2619-20, न्यू मार्केट, नयी सड़क, दिल्ली-110006, प्र.सं. 2005, मूल्य : 300.00 रुपये
16. **प्रेमचन्द और 'रगभूमि' उपन्यास** : अनिल प्रकाशन, 2619-20, न्यू मार्केट, नयी सड़क, दिल्ली-110006, प्र.सं. 2004, मूल्य : 200.00 रुपये
17. **प्रेमचन्द–पत्रकोश** : अमित प्रकाशन, के.बी.- 97, कविनगर, ग़ाज़ियाबाद-201002, प्र.सं. 2007, मूल्य : 600.00 रुपये
18. **प्रेमचन्द–नयी पहचान** : (प्रेस में)
19. **प्रेमचन्द : कहानी रचनावली** (6 खण्डों में) : साहित्य अकादेमी, 35, फ़िरोजशाह मार्ग, नयी दिल्ली-110001, 2010, मूल्य : 1500.00 रुपये

(सम्पूर्ण)

20. **प्रेमचन्द : अनछुए प्रसंग** : मानसी पब्लिकेशंस, 1569, पहली मंज़िल, चर्च रोड, कश्मीरी गेट, दिल्ली-110006, प्र.सं. 2012
21. **प्रेमचन्द : वाद-प्रतिवाद-संवाद** : अयन प्रकाशन, महरौली, नयी दिल्ली, प्र. सं. 2012
22. **प्रेमचन्द (मोनोग्राफ)** : साहित्य अकादेमी, 35, फ़िरोजशाह मार्ग, नयी दिल्ली-110001, प्र.सं. 2013, मूल्य : 50 रुपये
23. **प्रेमचन्द : प्रतिनिधि संचयन** : सस्ता साहित्य मण्डल, नयी दिल्ली-110001, प्र.सं. 2013, मूल्य : 350.00 रुपये
24. **'गोदान' प्रथम संस्करण** (प्रेस में)
25. **'कफ़न' कहानी : आत्मा की तलाश** (प्रेस में)
26. **प्रेमचन्द : सम्पूर्ण दलित कहानियाँ** : सस्ता साहित्य मण्डल, नयी दिल्ली-110001, 2014
27. **प्रेमचन्द : राष्ट्र-प्रेम की कहानियाँ** : अनिल प्रकाशन, दिल्ली, 2014
28. **प्रेमचन्द का कहानी-दर्शन** : अनिल प्रकाशन, दिल्ली, 2014

(ख) अन्य साहित्यकारों पर पुस्तकें

1. **प्रभाकर माचवे–प्रतिनिधि रचनाएँ** : साहित्य-निधि, सी-38, ईस्ट कृष्णा नगर, दिल्ली, प्र.सं. 1984, मूल्य : 80.00 रुपये
2. **जगदीश चतुर्वेदी–एक विवादास्पद रचनाकार** : पल्लवी प्रकाशन, ए-35, निर्माण विहार, दिल्ली-110092; प्र.सं. 1985, मूल्य : 200.00 रुपये
3. **मन्मथनाथ गुप्त–प्रतिनिधि कहानियाँ** : जनप्रिय प्रकाशन, 29/60, गली नं. 11, विश्वास नगर, दिल्ली-110032, प्र.सं. 1985, मूल्य : 65.00 रुपये
4. **जिज्ञासाएँ मेरी–समाधान बच्चन के** : किताब घर, 24/4866, अंसारी रोड, दरियागंज, नयी दिल्ली-110002, प्र.सं. 1985, मूल्य : 60.00 रुपये
5. **रवीन्द्रनाथ त्यागी–प्रतिनिधि रचनाएँ** : पराग प्रकाशन, 3/114, कर्ण गली, विश्वास नगर, दिल्ली-110032, प्र.सं. 1987, मूल्य : 100.00 रुपये
6. **हज़ारीप्रसाद द्विवेदी–कुछ संस्मरण** : किताब घर, 24/4866, अंसारी रोड, दरियागंज, नयी दिल्ली-110002, प्र.सं. 1988, मूल्य : 100.00 रुपये
7. **विष्णु प्रभाकर–प्रतिनिधि रचनाएँ** : प्रभात प्रकाशन, 205, चावड़ी बाज़ार, दिल्ली-110006; प्र.सं. 1988, मूल्य : 150.00 रुपये
8. **यशपाल–कुछ संस्मरण** : पराग प्रकाशन, 3/114, कर्ण गली, विश्वास नगर, दिल्ली-110032, प्र.सं. 1990, मूल्य : 80.00 रुपये

9. **रामकुमार वर्मा नाटक रचनावली (तीन खण्डों में) :** किताब घर, 24/4866, अंसारी रोड, दरियागंज, नयी दिल्ली-110002, प्र.सं. 1990, मूल्य : 600.00 रुपये (सम्पूर्ण)
10. **लघुकथा का व्याकरण :** किताब घर, 24/4866, अंसारी रोड, दरियागंज, नयी दिल्ली-110002, प्र.सं. 1998, मूल्य : 200.00 रुपये
11. **दिनेशनंदिनी डालमिया से बातचीत :** हिन्दी बुक सेंटर, 4-5 बी, आसफ अली रोड, नयी दिल्ली-110002, प्र.सं. 2002, मूल्य : 160.00 रुपये
12. **मंजुल भगत–समग्र कथा-साहित्य (खण्ड एक एवं दो) :** किताब घर, 24/4866, अंसारी रोड, दरियागंज, नयी दिल्ली-110002, प्र.सं. 2004, मूल्य : 900.00 रुपये (सम्पूर्ण)
13. **ग़रीब होने के फ़ायदे एवं अन्य व्यंग्य रचनाएँ (रवीन्द्रनाथ त्यागी की व्यंग्य-रचनाओं का संकलन) :** प्रभात प्रकाशन, 4/19, आसफ अली रोड, नयी दिल्ली-110002, प्र.सं. 2008, मूल्य : 300.00 रुपये
14. **आपातकाल की प्रतिनिधि कविताएँ :** धारिका पब्लिकेशंस, 319, आर.जी. कॉम्प्लेक्स-1, सेक्टर-14, रोहिणी, दिल्ली-110085, प्र.सं. 2007, मूल्य : 400.00 रुपये
15. **गाँधी : पत्रकारिता के प्रतिमान :** नटराज प्रकाशन, ए-98, अशोक विहार, फेज-प्रथम, दिल्ली-110052, प्र.सं. 2008, मूल्य : 400.00 रुपये
16. **बालशौरि रेड्डी कथा-रचनावली :** मानसी पब्लिकेशंस, 1569, पहली मंज़िल, चर्च रोड, कश्मीरी गेट, दिल्ली-110006, प्र.सं. 2012
17. **रवीन्द्रनाथ त्यागी रचनावली (आठ खण्ड) :** वाणी प्रकाशन, 21-ए, दरियागंज, नयी दिल्ली-110002, प्र.सं. 2016

(ग) हिन्दी के प्रवासी साहित्य पर पुस्तकें

1. **अभिमन्यु अनत–एक बातचीत** : ज्ञान भारती, 4/14, रूपनगर, दिल्ली-110007, प्र.सं. 1985, मूल्य : 45.00 रुपये
2. **अभिमन्यु अनत–प्रतिनिधि रचनाएँ** : नटराज प्रकाशन, ए-98, अशोक विहार, फेज-प्रथम, दिल्ली-110052, प्र.सं. 1999, मूल्य : 350.00 रुपये
3. **मॉरिशस की हिन्दी कहानियाँ :** साहित्य अकादेमी, 35, फ़िरोजशाह मार्ग, नयी दिल्ली-110001, प्र.सं. 2000, मूल्य : 250.00 रुपये
4. **अभिमन्यु अनत : समग्र कविताएँ :** इरावती प्रकाशन, सी-487, विकासपुरी, नयी दिल्ली-110018, प्र.सं. 1998, मूल्य : 350.00 रुपये
5. **मॉरिशस के राष्ट्रकवि ब्रजेन्द्र कुमार भगत 'मधुकर' काव्य-रचनावली :** नटराज प्रकाशन, ए-98, अशोक विहार, फेज-प्रथम, दिल्ली-110052,

प्र.सं. 2003, मूल्य : 600.00 रुपये

6. **हिन्दी का प्रवासी साहित्य** : अमित प्रकाशन, के.बी.-97, कविनगर, ग़ाज़ियाबाद- 201002, प्र.सं. 2011, मूल्य : 600.00 रुपये

(घ) कमल किशोर गोयनका पर प्रकाशित पुस्तकें

1. **'समीचीन' पत्रिका का 'डॉक्टर कमल किशोर गोयनका अंक'** : सम्पादक—देवेश ठाकुर, मुम्बई
2. **प्रेमचन्द-साहित्य के अध्येता—डॉ. कमल किशोर गोयनका** : सम्पादक—देवेश ठाकुर, संकल्प प्रकाशन, ए-34, बिल्वकुंज हाउसिंग सोसाइटी, लालबहादुर शास्त्री मार्ग, मुलुंड (पश्चिमी), मुम्बई-400082, प्र.सं. 1990, मूल्य : 55.00 रुपये
3. **डॉ. कमल किशोर गोयनका का साहित्य-संसार** : निर्मला सैनी, अनिल प्रकाशन, 2619-20, न्यू मार्केट, नयी सड़क, दिल्ली-110006, प्र.सं. 2006, मूल्य : 200.00 रुपये
4. **'कल्पांत', फ़रवरी 2009, कमल किशोर गोयनका विशेषांक** : सम्पादक—मुरारीलाल त्यागी, 1962/151, त्रिनगर, दिल्ली-110035
5. **'समावर्तन', नवम्बर 2009, कमल किशोर गोयनका अंक** : सम्पादक—प्रभात कुमार भट्टाचार्य, 129, दशहरा मैदान, उज्जैन-456010
6. **'अभिनव इमरोज', जुलाई 2013, प्रेमचन्द विशेषांक** : सम्पादक—कमल किशोर गोयनका
7. **'पाण्डुलिपि' प्रवासी विशेषांक, रायपुर** : सम्पादक—कमल किशोर गोयनका, 2013